AIの法律

西村あさひ法律事務所
福岡真之介　編著

商事法務

はしがき

本書の初版を刊行してから2年半が経過したが、いまだにAIに関する記事を新聞などで見ない日はない。AIが単なる一過性のブームで終わることなく、社会に浸透しつつあることを実感する。

もっとも、AIの時代は始まったばかりであり、それに伴って発生する問題が一朝一夕にして解決するはずもない。例えば、イギリスの産業革命は1760年代から80年代にかけて漸次的に進行したように、AIによる革命的変化も長期的に進行することが想定される。われわれはAI時代の入口に立っているのであり、これからさまざまな問題に直面し、これを解決していく必要に迫られることになる。産業革命によって生じた問題（例えば労働問題や公害）も、人類は何とか乗り越えてきたのであって（単に折り合いをつけただけかもしれないが）、AIについても同様のことが当てはまるだろう。AIによって問題が生じたからといって、AIそのものが駄目ということを意味するのではなく、それを解決していくことこそが重要であろう。

最近、日本経済の凋落が嘆かれるが、米国・英国にしろ一度は凋落し、その後に復活している。日本も正しい選択さえすれば復活できるはずである。AIに関する法制度の整備や実務の理解が、AIを活用した日本経済の復活を後押しするものとなるだろう。本書がそれに少しでも貢献できれば幸いである。

AIに関するさまざまな問題について、この2年半の間に議論は大いに進展したと感じる。法制度についてもいくつかの重要な改正があった。例えば、著作権法・不正競争防止法・個人情報保護法についての改正がなされた。AIに関する倫理については「人間中心のAI社会原則」が制定され、多くの企業がAI倫理原則を制定している。経済産業省からは「AI・データの利用に関する契約ガイドライン」が公表され、AI・データの取扱いに関する考え方が示され、多くの企業がこれを参考にしている。

こうした新しい動きは、AIの法律に関する理論と実務に大きな影響を与えるものであり、これを取り込む必要があることから、本書を改訂することにした。

なお、改訂に伴い、本書のタイトルを『AIの法律と論点』から『AIの法律』に変更している。「論点」という単語を使うと論点主義的な印象を与えてしまい、AIの法律問題を広く取り上げる本書の内容にそぐわないと考えたからである。

また、本書では、初版にあった「第5章　AIと現行法の課題・未来への法制度への提言」を削除した。これは、同章にあったフェアーユースの導入の提言について平成30年著作権法改正によりデジタル分野に関してフェアーユース的な規定が導入されたことや、法制度に関する提言については、経済産業省から「GOVERNANCE INNOVATION：Society5.0の実現に向けた法とアーキテクチャのリ・デザイン」（2020年7月）が公表され、その議論の先を見極めたいと考えたからである。

本書の執筆陣に、新たに山本俊之弁護士（「AIと金融法」担当）、角田龍哉弁護士（「AIと競争法」担当）の参画を得ることができた。このような能力とやる気のある若手弁護士の参画を得られたことを嬉しく感じる。

本書の執筆に当たっては、知的財産部分（第2編第1章）の改訂については中山信弘先生（東京大学名誉教授）に再び貴重なご指導をいただいた。この場をお借りして心から感謝を述べたい。

最後に、本書の執筆に当たり、秘書の越前愛莉さんには多大な協力をいただいた。本書の編集の労をとっていただいた㈱商事法務の吉野祥子氏には忍耐強く献身的な作業をしていただいた。この場をお借りして厚く御礼申し上げたい。

2020年10月

福岡真之介

はしがき（『AIの法律と論点』）

AIが技術面で進化していく中で、社会に普及していくためには、いくつか越えなければならないハードルがある。その1つが、法律面で生じる問題である。

例えば、AIの動作により事故を起こした場合、AIの開発者・製造販売業者が全責任を負う法制度では、AIの開発はストップしてしまうだろう。他方で、開発者・製造販売業者がまったく責任を負わない法制度では、被害者は救済されず、社会においてAIに反対する風潮が高まるであろう。

このように、AI技術がどんなに進歩したとしても、AIが社会に普及していく上で、法律がボトルネックとなるおそれがある。

現在の法制度の下では、AIによって生じる法律問題をどのように解決すればよいのかについて不明確な点が多い。法律が不明確だと、人々がどう行動すれば予測できないため、それもまた大きな問題である。

本書は、AIによって生じる法律問題について、そもそもどのような問題があるのかを整理した上で、どのように考えるべきかについて解説したものである。また、法律は倫理の問題と切り離せないため、倫理の問題についても一編を設けて解説している。

AIによって生じる法律問題の検討はまだまだ始まったばかりである。AIについての技術書は多いが、法律や倫理を総合的に扱った書籍は現時点では数少ない。

AIによって生じる法律問題で不明確な部分が減れば、人々はAIを安心して使うことができるようになり、社会においてAIの活用が進み、人々はAIのもたらすメリットを享受できるようになるだろう。法律がAI活用のボトルネックとなるようなことがあってはならない。

本書がAIに関する法律について何らかの道筋を示すことで、AIが社会に普及していくことに少しでも貢献できればと考えている。

本書の執筆に当たっては、AIという新しい分野を対象としていることから、いくつもの困難を乗り越えなければならなかった。本書の書籍名（タイトル）をどうするかについても非常に悩んだ。書籍名こそが書籍の内容を端的に伝える重要なものである。そこで、以前ヒットした書籍名を思い浮かべて考えてみた。

まずは、『AI は法律が 9 割』という書籍名。さすがに、9 割では法律の割合が高すぎ、せいぜい 1〜2 割ぐらいだろう。しかし、「AI は法律が 2 割」ではインパクトに欠けるので没にすることにした。なお、AI は社会制度が 5 割とはいえるだろう。

次に考えたのが『もしも西村あさひ法律事務所の弁護士が AI だったら』という書籍名だが、これは怖すぎる、ということで没にした。

悩んだ末、結局、『AI の法律と論点』という書籍名になった。当初、『AI の法律と社会実装上の論点』を挙げたが、「社会実装」という言葉が難しいという指摘を受け、その言葉を省略して現在の書籍名となった。書籍名すらそうなのだから、内容についても悩むところはたくさんあった。まだまだ検討すべき課題も残っていることから、今後も引き続き AI と法律・倫理の問題を研究・検討を重ねて、本書で取り上げたテーマの内容を深めていきたいと考えている。

本書は、西村あさひ法律事務所の弁護士 9 名で執筆したものである。本書の内容のすべての責任は筆者らにあり、筆者らの属する西村あさひ法律事務所の見解ではない。もっとも、本書を執筆することができたのは、その機会と本書のような幅広いテーマを扱える人材を有し、常に最先端の法律問題に積極的に取り組む西村あさひ法律事務所という基盤があったから可能となったことを付言しておきたい。

本書の執筆に当たっては、知的財産部分（第 2 編第 1 章）については中山信弘先生（東京大学名誉教授）に、金融部分（第 3 編第 5 章）については神田秀樹先生（東京大学名誉教授）に貴重なご指導をいただいた。このような素晴らしい先生方にご指導をいただくことができたのは、幸運としかいいようがない。先生方に心から感謝したい。

また、本書の執筆に当たり、秘書の當金和美さんと八木千尋さんには、多大な協力をいただいた。本書の編集の労をとっていただいた㈱商事法務書籍出版部の吉野祥子氏に献身的な作業をしていただいた。この場を借りて厚く御礼申し上げたい。

2018 年 2 月

執筆者を代表して　**福岡真之介**

●凡　　例●

1　法令・ガイドライン等の略記

AI 契約ガイドライン	経済産業省「AI・データの利用に関するガイドライン［AI 編］」（2018 年 6 月）
GL 匿名加工編	個人情報の保護に関する法律についてのガイドライン（匿名加工編）
GL 通則編	個人情報の保護に関する法律についてのガイドライン（通則編）
金商	金融商品取引法
景表	景品表示法
個人情報	個人情報の保護に関する法律
個人情報則	個人情報の保護に関する法律施行規則
個人情報令	個人情報の保護に関する法律施行令
消費契約	消費者契約法
知財基	知的財産基本法
著作	著作権法
特許	特許法
独禁	私的独占の禁止及び公正取引の確保に関する法律
不正競争	不正競争防止法
法適用	法の適用に関する通則法
民	民法
民訴	民事訴訟法

2　文献の略語

岡村・個人情報	岡村久道『個人情報保護法〔第 3 版〕』（商事法務、2017）
小野ほか・概説	小野昌延ほか『新・不正競争防止法概説〔第 3 版〕』（青林書院、2020）
加戸・逐条講義	加戸守行『著作権法逐条講義〔6 訂新版〕』（著作権情報センター、2013）
菅野・労働法	菅野和夫『労働法〔第 12 版〕』（弘文堂、2019）
著作権コンメ⑴⑵	半田正夫＝松田政行編『著作権法コンメンタール⑴⑵〔第 2 版〕』（勁草書房、2015）
中山・著作権法	中山信弘『著作権法〔第 3 版〕』（有斐閣、2020）
中山・特許法	中山信弘『特許法〔第 4 版〕』（弘文堂、2019）
福岡・IoT	福岡真之介編著『IoT・AI の法律と戦略〔第 2 版〕』（商事法務、2019）
三山・著作権法詳説	三山裕三『著作権法詳説：判例で読む 14 章〔第 10 版〕』（レクシスネクシス・ジャパン、2016）

●目　　次●

はしがき・*i*
凡例・*v*

第1編　AIの基礎知識

第1章　本書の基本的考え方と構成

Ⅰ　本書の基本的考え方……2
Ⅱ　本書の構成……4
1　【第1編　AIの基礎知識】・*4*／2　【第2編　AIの法律〈基本編〉】・*4*／3　【第3編　AIの法律〈応用編〉】・*5*／4　【第4編　AIに関する倫理】・*5*

第2章　AIの基礎知識

Ⅰ　AIとは……7
Ⅱ　AIの歴史……7
Ⅲ　機械学習……9
1　機械学習の種類・*9*／2　機械学習におけるデータの重要性・*10*／3　機械学習とブラックボックス化・*11*
Ⅳ　ディープラーニング……12
1　ディープラーニングの仕組み・*12*／2　ディープラーニングと画像認識・*14*
コラム　ディープラーニングの仕組み・*16*

第2編　AIの法律〈基本編〉

第1章　AIと知的財産権

Ⅰ　AIの知的財産権の法律問題の概要 ………………………… 20
1　AIを法的に保護する方法・20／2　学習済みモデル開発の典型例・22／3　AIソフトウェアの概要・24
Ⅱ　AI自体の知的財産の問題点の概要 ………………………… 26
1　機械学習における知的財産法上の問題点・26／2　AIと知的財産法・30
Ⅲ　AI自体の著作権………………………………………………… 32
1　プログラム著作物に関する著作権法上の取扱い・32／2　学習済みモデルの著作権による保護・43／3　リバース・エンジニアリングの可否・59／4　派生モデルの取扱い・62／5　蒸留モデル・68／6　データの保護・70／7　データの利用・79／8　まとめ・90
Ⅳ　AI自体の特許権………………………………………………… 91
1　特許要件・92／2　ソフトウェア特許・92／3　AI関連技術特許・99／4　ビジネス関連特許・108／5　特許権者・110／6　特許侵害の対応・111／7　AI関連特許の留意点・114
Ⅴ　AI自体と不正競争防止法 ……………………………………… 115
1　営業秘密・116／2　限定提供データ・121
Ⅵ　AIと契約 ………………………………………………………… 128
Ⅶ　AIによる生成物と知的財産権 ……………………………… 129
1　AI生成物の著作権による保護・130／2　AI生成物と著作権侵害・133
4　AI生成物の特許による保護・141
Ⅷ　AIによる知的財産の侵害……………………………………… 143
1　差止請求・143／2　損害賠償請求・144／3　まとめ・144
コラム　ときめきメモリアル・146

第2章　AIに関する責任

Ⅰ　AIの利用者 …… *148*
Ⅱ　AI機器の製造者・AIソフトウェア開発者 …… *151*
1　製造物責任法に基づく責任を負う可能性・*151*／2　一般不法行為に基づく責任・*157*／3　契約に基づく責任・*159*
Ⅲ　被害者からの責任追及 …… *160*
Ⅳ　まとめ …… *161*

第3章　AIが行った契約の効力

Ⅰ　AIによる「契約」の締結 …… *163*
Ⅱ　AIによる「契約」の法的な効力 …… *163*
Ⅲ　AIが想定外の契約をした場合 …… *165*
1　問題点・*165*／2　錯誤取消しが主張できるのはどういう場合か・*165*／3　AIによる意思表示が錯誤取消しできる場合とはどのような場合か・*166*
Ⅳ　AIが勝手に契約をした場合 …… *168*
コラム　AIに法人格を与える方法・*169*

第4章　AIと刑事法

Ⅰ　はじめに …… *170*
Ⅱ　交通事故により人が死傷した場合の刑事責任 …… *170*
1　運転者の刑事責任・*170*／2　自動車製造業者の刑事責任・*171*／3　信頼の原則・*172*／4　許された危険の原則・*173*
Ⅲ　自動運転車両により交通事故が引き起こされ人が死傷した場合の刑事責任 …… *174*
1　自動運転とは・*174*／2　運転者の刑事責任・*174*／3　自動車製造業者の刑事責任・*180*
Ⅳ　自動運転時代に刑事法が果たす役割 …… *183*
コラム　学習済みモデルのカンブリア爆発・*185*

第3編 AIの法律〈応用編〉

第1章 AIのシステム開発

Ⅰ 総論 …… *188*

Ⅱ 従来型の開発プロセスと契約の形式 …… *189*

1 開発プロセス・*189*／2 契約の形式・*192*

Ⅲ 探索的段階型の開発方式 …… *199*

Ⅳ 開発過程における留意点 …… *202*

1 概要・*202*／2 データの取扱い・*203*／3 OSSの利用・*209*

Ⅴ 開発成果の帰属およびライセンス …… *216*

1 概要・*216*／2 従来型のシステム開発・*218*／3 AIのシステム開発・*222*

Ⅵ AI契約ガイドラインのモデル契約書についての検討 …… *234*

コラム 学習済みモデルのモデル・*245*

第2章 AIと個人情報・プライバシー

Ⅰ 概要 …… *247*

Ⅱ 個人情報保護法 …… *248*

1 AIによる画像認識・*248*／2 カメラ画像の利活用事例の検討・*253*／3 プライバシーとの関係・*279*／4 セキュリティの問題・*282*

Ⅲ 機器の稼働データ・位置情報の利活用 …… *285*

1 機器の稼働データ・*285*／2 位置情報・*286*／3 ディープフェイク・*288*

Ⅳ プロファイリング …… *289*

1 AIによるプロファイリングと個人情報保護法・*290*／2 プライバシー等との関係・*296*／3 意思決定の自由・内心の自由との関係・*301*

Ⅴ 情報銀行 …… *302*

第3章　AIと競争法

Ⅰ　概要 …… 304
Ⅱ　AIによる価格設定における問題点（デジタル・カルテル） …… 304
Ⅲ　AI分析に用いるデータの独占による寡占化 …… 308
Ⅳ　違反行為のスクリーニング …… 320
Ⅴ　特定デジタルプラットフォームの透明性及び公正性の向上に関する法律 …… 321

第4章　AIと労働法

Ⅰ　AIが雇用や働き方に与える影響 …… 323
1　AI代替と雇用・323／2　働き方改革やHRテクノロジーとAI・328
Ⅱ　AIと労働法に関する法的問題点 …… 331
1　採用とAI・331／2　人事評価とAI・335／3　従業員のモニタリングとAI・337／4　従業員のデータ保護に関する欧州の議論・341／5　「AI代替」と配置転換・342／6　「AI代替」と解雇・345
Ⅲ　まとめ …… 348

第5章　AIと金融法

Ⅰ　総論 …… 349
1　金融分野におけるAIの活用状況・349／2　AIと金融規制・349
Ⅱ　個別項目の検討 …… 354
1　AIと金融市場規制・354／2　AIによるサービスと顧客保護等・361
Ⅲ　金融機関におけるAI/MLのユースケースと法的問題 …… 363
1　海外における動向——英国におけるAI/MLのユースケース・363／2　日本における動向・367／3　法的問題・372
コラム　AIと人間の脳の結合・379

第6章　AIと保険

Ⅰ　概要 …… 381
Ⅱ　InsurTech …… 381

1　テレマティクス保険・*382*／2　健康増進型保険・*387*／3　保険募集・引受審査におけるAIの活用・*390*／4　保険金支払審査におけるAIの活用・*391*

Ⅲ　今後の保険のあり方 …… *391*

1　自動運転車に関する保険・*392*／2　シェアリングエコノミーに関する保険・*401*／3　保険プラットフォーム・*403*／4　バリューチェーンのアンバンドリング・リバンドリング・*403*

コラム　ODR・*407*

第7章　AIとサイバーセキュリティ

Ⅰ　AIとサイバーセキュリティ …… *408*

1　サイバーセキュリティとは・*408*／2　攻撃側がAIを活用する・*409*／3　防御側がAIを活用する・*416*／4　その他・*424*／5　学習用データが少ないという問題・*426*

コラム　ターミネーターの世界は実現するのか・*427*

第4編　AIと倫理

第1章　はじめに――なぜ、AIと倫理なのか

第2章　AIと倫理の問題に対する取組み

Ⅰ　国内の動向 …… *434*

1　人工知能学会倫理指針・*434*／2　「人工知能と社会に関する懇談会」報告書・*439*／3　国際的な議論のためのAI開発ガイドライン案・*441*／4　「AI利活用ガイドライン～AI利活用のためのプラクティカルリファレンス～」・*444*／5　人間中心のAI社会原則・*447*／6　民間企業による取組み・*449*

Ⅱ　海外の動向 …… *450*

1　政府・官における取組み・*450*／2　民間における取組み・*453*

コラム　AIは「忖度」するのか・*459*

第3章　AIに関する倫理的問題

I　トロッコ問題——功利主義と義務論のはざま …… *461*

1　トロッコ問題・*461*／2　歩道橋問題・*462*／3　ブリッジ問題・*465*

Ⅱ　AIがもたらす合理性・精緻性の功罪 …… *466*

1　AIによる便乗値上げ・*467*／2　AIによってあばかれる社会の差別意識・*469*／3　AIを利用しない自由？・*471*

Ⅲ　AIによる個人の自己決定への侵襲 …… *473*

第4章　おわりに——社会に広く受け入れられるAIを目指して

コラム　AI倫理委員会・*479*

●著者略歴 …… *481*

●事項索引 …… *486*

第1編

AIの基礎知識

第1章
本書の基本的考え方と構成

I　本書の基本的考え方

人が、AI・人工知能という言葉を使う際に、イメージしているものは人によって大きく異なるように思われる。ある人は、人間と同じような知能と自意識をもっているAI、例えば、鉄腕アトム、ドラえもん、2001年宇宙の旅のHAL、ターミネーターのスカイネットなどを思い浮かべるであろう。

他方で、別の人は、高度な知的作業を行うが自意識を有さず、人間の指示によって動作するあくまでも道具としてのAIを思い浮かべるであろう。例えば、iPhoneに搭載されているSiri、Google開発の囲碁ソフトウェアのAlphaGo[注1)]、証券取引に使われるロボット・アドバイザーなどである。

人工知能とは何かについては人工知能研究者の中でもさまざまな考え方があり定まったものはない状況にある[注2)]。

哲学者のジョン・サールは、人間の知能を持つ機械を作ろうとする立場からのAIを「強いAI」、人間が知能を使ってすることを機械にさせようとする立場からのAIを「弱いAI」と呼び、この区別はAIの世界では広く知られている[注3)]。現在、AIとして実用化の段階に入っているのは、「弱いAI」であり、ディープラーニングを含む機械学習といったテクノロジーも、現時点では「弱いAI」である。「弱いAI」では、高度に

注1）AlphaGoは常に進化しているので、本書で取り上げるAlphaGoは2016-2017年前半におけるAlphaGoを念頭に置いている。

注2）人工知能学会監修「人工知能とは」（近代科学社、2016）iii頁以下。

注3）ジョン・サールのこの定義は正確にはAIの区別ではなくAI研究者の研究に対するスタンスを示したものである（Searles, John R.（1980）Minds, brains, and programs. Behavioral and Brain Science 3(3)=415–457）。

自動化していたとしても、AIに目的を与えるのは人間であり、AIが勝手に目的を設定することはない。最強の囲碁AIといわれているAlphaGoは、どれだけ高性能でも、人間の設定した目的の範囲内でしか動作しない。AlphaGoが自らの意志で碁を打つことはないし、碁の腕前は世界トップになったからといって、次は将棋でトップを狙うと考えることもない。このように「弱いAI」と「強いAI」との間には、非常に大きな断絶があり、「強いAI」を実現するために、現在、多くのAI研究者が取り組んでいるものの、何らかのブレークスルーが必要であり、現時点の技術で、近い将来に実現する見込みはまだ立っていない。

本書では、基本的に、現在実用化が進んでいる「弱いAI」を前提としている。現時点で実用化しているのは「弱いAI」であり、その法律問題をまず解決することの優先順位が高いからである。

「強いAI」について現時点で法律問題を議論するには、思考実験としては興味深く、いつかは直面する問題であるが、この問題は「人間とは何か」という根本的な問題を含むため、簡単に結論が出るものではなく、本書の対象外としている。したがって、「AIが人間に逆らって暴走する」といったことは、本書ではそもそも検討の対象としない[注4)]。

もっとも、「弱いAI」だからといって、社会に与えるインパクトが小さいわけではない。「弱いAI」であってもテクノロジーとしては強力であり、社会や産業を変革する力がある。このことは、例えば、自動運転車が自意識をもっていなくても、自動運転が普及すれば社会がどのように変わるかを想像するだけでも明らかであろう。

今後、社会において、AIが進化・普及していくことを止めることはできない。有益な技術の多くは、それがもたらすデメリットにもかかわらず、社会に普及していくものである。そうであるならば、AIを社会で使っていくこと（社会実装）が引き起こす法律問題をいかに解決し、AIの進化・

注4）もちろん、AIのプログラムが暴走した結果、人間の意思に反して人間に危害を加えることはあり得る。しかし、それはコンピュータや原子炉が暴走して制御不可能になるのと同じであり、自然現象・物理現象はそもそも人間がコントロールできない場合があるという一般的事象にすぎず、AIが自ら意思をもって人間に反逆するのとその意味はまったく異なる。

普及をスムーズに進め、適切な利用を図るかということをわれわれは考えるべきではないだろうか。

なお、本書でのAIは、機械学習をするAI、その中でもとりわけディープラーニングを念頭に置いている。その理由は、AIにおいて、機械学習およびディープラーニングは、数多くある人工知能テクノロジーの中の1つにすぎないが、現時点において最も関心を集めているものが、機械学習およびディープラーニングであることによるものであり、AI＝機械学習＝ディープラーニングでないことを念のために付言しておく。

Ⅱ　本書の構成

本書は、AIの法律について幅広くカバーしているが、大きく分けると以下の通り4つの編から構成されている。

第1編　AIの基礎知識
第2編　AIの法律〈基本編〉
第3編　AIの法律〈応用編〉
第4編　AIに関する倫理

1　【第1編　AIの基礎知識】

AIに関する法律問題を正確に理解するには、AIの仕組みについて一定程度の知識が必要である。本書はAIの技術を解説する本ではないため、詳細な説明はそれらの技術書に譲るが、本編では、法律を解説するのに必要な限度でAIの仕組みについて簡単に述べる。また、AIの歴史についても併せて簡潔に紹介する。

2　【第2編　AIの法律〈基本編〉】

本編では、AIについて基本的な法律と法律問題について解説する。

(1)　AIの権利関係――知的財産法

AIの権利関係に関しては、主に知的財産法が問題となる。具体的には、AIがデータの権利関係がどのようになっているのかといった問題や、AIが生成した画像・音楽などに権利が生じるのかといった問題を取り上げる。

⑵　AIに関する民事責任――民法、製造物責任法

AIの判断や動作によって事故が発生した場合には、いったい誰が損害賠償責任を負うのかということが問題となる。これに関する法律としては民法や製造物責任法がある。

⑶　AIによる契約――民法

自動発注するAIが人間の意図に反した注文をした場合に、その契約を守らなければならないか、取り消すことができるのかといった問題を取り上げる。これに関する法律としては民法がある。

⑷　AIに関する刑事責任――刑法

AIの判断や動作により事故が発生した場合、そのAIの製造者や使用者は、刑法で処罰されるのかといった問題を取り上げる。これに関する法律としては刑法がある。

３　【第３編　AIの法律〈応用編〉】

AIを社会実装する際に問題になることが想定される法律問題について解説する。個別領域または応用問題に属する法律問題である。取り上げるものは以下である。

①　AIのシステム開発
②　AIと個人情報・プライバシー
③　AIと競争法
④　AIと労働法
⑤　AIと金融法
⑥　AIと保険
⑦　AIとサイバーセキュリティ

４　【第４編　AIに関する倫理】

第４編は、AIに関する倫理について解説する。そもそも倫理は難しい問題であり、AIの倫理となればなおさらである。しかし、法律と倫理はもともと密接な関係を有している。ドイツの国法学者イェリネクは「法は最小限の道徳規範である」と述べている。AIの法律を検討すればするほど倫理の問題を無視できないという感を強くしたため、チャレンジングで

あるものの、あえて取り上げることとした。

本書が読者の皆様がAIに関する法律について考えるためのきっかけに少しでもなれば幸いである。

（福岡真之介）

第2章
AIの基礎知識

I　AIとは

AI（Artificial Intelligence）あるいは人工知能とは、文字通り、人間がもつ「知能」を人工的な手段（例えばコンピュータ上の演算）で実現させたものを指すが、今日では、一定の情報処理・機械制御の場面において、人間が具体的に指示しなくても、コンピュータが自ら学習し、その学習結果をもって出力・動作を行うシステムをAIと表現することも多い。現時点では、AIは、まだ人間の「知能」と呼べるレベルに達していないが、それにもかかわらず、人工「知能」と呼ばれているため、AIがあたかも「知能」を有している存在であるとのイメージをもっている人も多いように思われる。

しかし、AIといっても人間の知的作業を大きく上回る成果を出すものから、多少知的で賢い仕組みにとどまるものまで、さまざまである。本書で想定するAIは、現時点の技術レベルで想定できる範囲の、人間と同じ知能レベルに達していないが、機械学習などにより学習し、人間にはできないようなデータ分析を行ったり、人間の個別の指示なしに自律的に判断できる高度なAIである。以下、議論の前提として、AIの基礎的な仕組みについて簡単に解説する。

II　AIの歴史

Artificial Intelligenceという言葉が生まれたのは、1956年にダートマス大学で開催されたダートマス会議であるといわれている。

以来、AIにはこれまで3つのブームがあったとされる。第1次AIブームは1950年代後半から1960年代であり、コンピュータにより推論・探索させることで迷路などの特定の問題を解く研究が進んだが、複雑な現実の問題が解けないことが明らかになるとブームは終焉した。

第2次AIブームは1980年代で、コンピュータに知識を入れて活用する研究が進み、専門知識に基づいて判断を自動化するエキスパートシステムが作られた。エキスパートシステムは、基本的には、コンピュータに「もし〜ならば、〜」(if then) という情報を蓄積することで、問題に対する回答を導くというものである。エキスパートシステムの例としては、スタンフォード大学が開発した細菌感染の診断を行うマイシン (Mycin) のようなシステムが挙げられる。マイシンの診断結果の正答率は65%であり、細菌感染の専門でない医師よりはよい結果だったが、専門医の診断結果の正答率 (80%) よりも悪かったといわれている。

エキスパートシステムについては、実際に運用するには膨大な知識を人間が整理して管理する必要があることや、そもそも専門家の知識を定式化できないことが多かったため、期待されていた成果が出せないことが明らかになり、ブームは終焉した。

現在は、第3次AIブームが進行中である。1990年頃からインターネットが普及し、2000年代に入るとウェブを通じて大量のデータが入手できるようになった上に、クラウドの発達により大量のデータの保存が低コストで可能となり、またハードウェア面でも、コンピュータの処理速度が格段に向上し、ハードディスクやメモリのコストも大幅に低下した。そのため、大量のデータを用いた機械学習と呼ばれる手法が発展し、現在に至っている。特に、人間の脳の神経伝達メカニズムをモデルとしたニューラルネットワークを用いた機械学習の一種である「ディープラーニング」という手法により、AIによる画像認識の分野は著しく進歩した。

第1次AIブーム、第2次AIブームは、AI技術の産業化に失敗したことによりブームが終焉したものといえるが、第3次AIブームでは、大量のデータの存在、コンピュータの処理速度の向上、ディープラーニングの発展などにより、AI技術の産業化が視野に入ってきたため、AIが大きく注目されている状況にあるといえよう。

【図表 1-2-1】人工知能（AI）の歴史

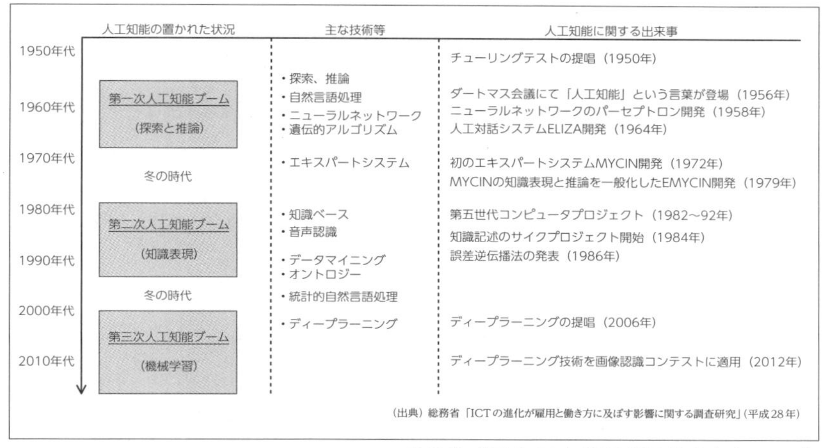

＊総務省「平成 28 年版情報通信白書」234 頁。

Ⅲ　機械学習

1　機械学習の種類

機械学習とは、コンピュータのプログラムが、データから学習して判断や推論を行うためのアルゴリズムを作成する仕組みである。機械学習にはさまざまな手法があるが、代表的なものとして、①教師あり学習、②教師なし学習、③強化学習、④ディープラーニングがある。なお、これらを組み合わせることもある。

①教師あり学習とは、まず、第１段階で、問題と正解がセットになっている学習用データを使ってコンピュータに学習させて、正解を導く最適な学習済みモデルを作成させる手法である。すなわち、最初から、ある入力に対して「出力すべきもの」が決まっている学習用データを使って学習させるモデルである。学習済みモデルの作成は、学習前のモデルに問題を回答させて、間違いがあればモデル（パラメータ）を修正し、満足のいく正解レベルに達するまで繰り返すことによりなされる。学習済みモデルができると、第２段階として、未知の問題に対して、学習済みのモデルを使って正解を導き出す。

②教師なし学習とは、問題と正解がセットになっていない学習用データから学習する手法である。この手法では、学習用データの背後に存在する構造を見つけることで学習済みモデルを生成する。その1つであるクラスタリングという手法を挙げると、例えば、大量の顧客データについて、大雑把に「これらの顧客データはいくつかのグループに分けられるはず」との仮定に立って、何らかの要素（年齢、性別など）によるグループ分けのルールを見つけ出し、その後獲得した新たな顧客データについても、既存のルールに従って、どのクラスタに属するかを分類できることになる。

③強化学習とは、望ましい結果に対して報酬を与えることで、コンピュータがどの行動が最大の報酬を生み出すかを試行錯誤によって学習する手法である。例えば、複数の自動車（センサーとAIを搭載している）を走らせて、他の自動車とぶつからずに1メートル進めばプラス1点として、これらの自動車を点数を最大化するように走らせて学習させると、これらの自動車は、当初は試行錯誤して他の自動車とぶつかるが、やがて他の自動車とぶつからずに走るようになるというものである。

④ディープラーニングについては、現在、AIの領域でもっとも注目を集めている学習手法であり、別途詳述する（本章12頁以下）。

2　機械学習におけるデータの重要性

AIの研究・開発には、質の高い学習用データと、そこから生成される優れた学習済みモデルが重要とされている。そのため、AIの研究・開発で先行する企業は、社会にとって不可欠・有用なサービスを無償または安価に提供し、それと引換えに、利用者情報を収集し、質の高い学習用データを獲得・独占することで、より一層AIの研究・開発を進めようとする動きもみられる。特に、インターネット広告という収益手段をもつ大手の検索エンジン企業のように、収益化の手段と学術研究がマッチングした場合、当該企業の優位性は飛躍的に高まる傾向がみられる。

他方で、ディープラーニングに関するアルゴリズムや学習データなどをインターネット上で公開し、多くの優秀な研究者や技術者に利用してもらうオープン化を進めることで、「集合知」を活用した技術開発を加速する動きもみられる。これらの動きは、同時並行的に行われることも多く、大量のデータを保有する企業のAI研究・開発における優位性は高まっており、多くの企業が質の高い「データ」を獲得・独占するべくしのぎを削っている。特に、デジタル・プラットフォームなど、ネットワーク効果が発生する商品の使用から得られるデータについては、「データの集積→商品の機能向上」というプロセスを加速度的に繰り返し、市場における寡占化を進める可能性が指摘されている。

3　機械学習とブラックボックス化

機械学習では、最初は人間が何らかの形で関与するが（例えば学習用データの選択やアルゴリズムの設計など）、学習した後のコンピュータは、学習後のモデルにより判断するので、その判断には人間の直接の指示は及んでいないことになる。機械学習したAIについては、設計者は、あるデータを与えればどのような結果が出るかについては把握できるとしても、なぜそのような結果に至ったかというプロセスについて具体的に説明することは困難である。その意味で、機械学習するAIの判断プロセスはブラックボックス化することになる。

2017年5月、Google Deepmind社が開発したAIの「AlphaGo」が、中国ランキング1位の柯潔（カ・ケツ）9段を3戦全勝で圧倒した。同社が、「囲碁ファンへのスペシャルギフト」として、AlphaGo同士の自己対戦の棋譜50局を公開したところ、公開された棋譜を見た棋士らは、棋士らの理解を大きく超えるAlphaGoの打ち筋に、「こんな碁はいまだかつてみたことがない」と頭を抱えたなどと話題になった。

なお、慶応大学のクロサカタツヤ特任准教授は、ブラックボックス化には2つの異なる意味があるとしている[注1)]。1つはAIがなぜそのような判断をしたのか、その理由をシステムの設計者でも理解できないという意味でのブラックボックス化である。2つ目は、AIシステムの開発者がある意図をもって、システムの中身をみせないことによるブラックボックス化である。

法律的な文脈でも、両者のブラックボックス化はその意味するところは

注1)「AIの透明性2つの意味」日本経済新聞2017年12月15日。

異なるので、重要な区別である。前者は予見可能性や因果関係の問題であり実体法にかかわるものであり、後者は立証や証拠収集の問題であり訴訟法にかかわるものである。

もっとも、前者の意味でのブラックボックス化については、AIの推定結果に対する理由や根拠を説明できるようにするための研究も行われている。例えば、機械学習モデルを解釈する技術として、LIME（Local Interpretable Model-agnostic Explanations）やSHAP（SHapley Additive exPlanations）といった手法が提唱されている。また、「AIがなぜこのような推定結果に至ったのか」という点の解明を別のAIに委ねる研究も行われている。

Ⅳ　ディープラーニング

1　ディープラーニングの仕組み

現在、AIの領域で最も注目されているのがディープラーニング（深層学習）である。ディープラーニングは、人間の脳の神経伝達メカニズムをモデルとしたニューラルネットワークを用いた機械学習の一種である。

ディープラーニングは、AIの研究・開発において、大きなブレイクスルーとなると考えられている。ディープラーニングによる画像認識によって「目」を獲得したAIは、生物が「目」をもつことによってもたらされたとされる生物の爆発的な進化「カンブリア爆発」のように、一気に進化を遂げるともいわれている。

人間の脳は神経細胞（ニューロン）のネットワークで構成されている。ニューロンは、細長い軸索と木の枝のように分岐した樹状突起からなり、樹状突起の先端にはシナプスと呼ばれる部分がある（【図表1-2-2】）。シナプスは、他のニューロンから神経伝達物質を受け取る量が一定に達すると発火し電気信号を発生させる。その電気信号が軸索を伝わって別のシナプスに到達すると、そのシナプスが神経伝達物質を放出し、他のニューロンのシナプスが発火する。この連鎖によって人間の脳が活動している。人間の脳のニューロンの数は千数百億個になる。ニューラルネットワークはこの仕組みをコンピュータのプログラム上でモデル化したものである。

【図表 1-2-2】ニューロン

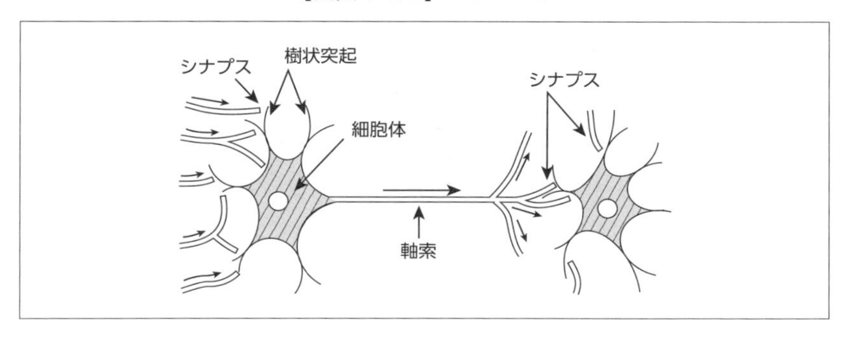

【図表 1-2-3】ニューラルネットワーク

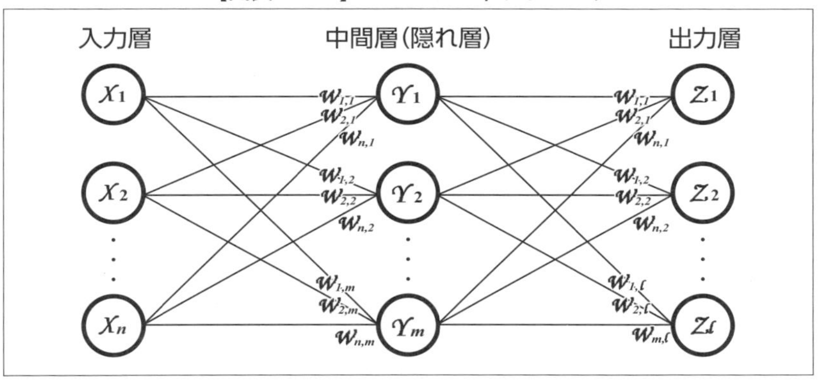

その仕組みを簡単に述べると、ニューラルネットワークでは、入力層のニューロンに相当するもの（ノードと呼ばれる）に入力された値に対して数値による重み付け（$\boldsymbol{w}_1$、$\boldsymbol{w}_2$）を行って値を出力し、中間層（隠れ層とも呼ばれる）のノードに値を伝達する（【図表 1–2–3】）。中間層のニューロンは、その値の合計値が一定の閾値（バイアス値）を超えると、その合計値に一定の計算式（活性化関数と呼ばれる）を適用した値を出力し、次の層のニューロンに対して同じように数値による重み付けを行った出力をする。性能を上げるため、ニューロンの中間層を重ねている（ディープにする）のでディープラーニングと呼ばれる。

ディープラーニングにおける学習は、学習用データに対して、正解が出るように各ニューロンの信号の重み付けを調整することで学習していく。

この重み付けの数値行列などの膨大なデータは、学習済みパラメータと呼ばれるが、これが学習の成果物といえる。

この学習済みパラメータは、前記の説明からわかる通り、ニューラルネットワークの構造（ノード数、ノード間の結合状態、活性化関数等）、重み付け値の調整方法、入力データと教師データなどに基づいて生成される。そのため、例えば、入力するデータを変えるだけで、学習済みパラメータが大きく変更される可能性がある。また、大規模なニューラルネットワークとなると、学習済みパラメータの数も膨大な量となる。

ちなみに、国際画像認識コンテストのILSVRCで2014年に優勝したGoogLeNetは22層のニューラルネットワークであり、パラメータの数は約700万個であった。ILSVRCで2015年に優勝したResNetは152層のニューラルネットワークであり、パラメータの数は約6000万個であった。

2　ディープラーニングと画像認識

ディープラーニングが最も強みを発揮するのは画像認識の領域といわれている。2012年にILSVRCでトロント大学のジェフリー・ヒントン教授のチームが開発したSuperVisionが、従来26%台であったエラー率を、ディープラーニングを使って一挙に15%台に下げて優勝したことで注目されることとなった。

従来の機械学習では、例えば、猫とトラを区別させる際に、人間がその違い（特徴量）をコンピュータに教えなければならなかった。人間ならば猫とトラをみれば容易に区別できるが、猫とトラを区別する特徴をすべて列挙することは容易ではない。そのため、AIは、猫とトラを見分けるような人間にとっては簡単なことであっても苦手であり、人間が特徴量をAIに教える必要があった。しかし、これでは人間側に膨大な作業量が発生するし、教えていなければAIが対処できないという問題があった。

ディープラーニングの革新的なところは特徴量を人間が教えなくてもAIが自らがみつけ出すところにある。学習用データを入力し、出力した結果が正解となるように、各ニューロンの信号の重み付けを調整していく中で（ただし膨大な学習データが必要となる）、AIが特徴量をみつけるのである。そして、学習済みのAIは、新しい問題を出されても、自らがみつけた特徴量によって、正解を導くことができるようになるのである。かつてはAIには難しいとされてきた画像認識も、最近は、AIの識別能力が人間の識別能力を上回るようになってきている。

前述のGoogLeNetの誤識別率は6.7%であり、ResNetの誤識別率は3.6%であった。人間の誤識別率は一般的に5%程度であるとされており、ResNetは画像認識という点では人間を上回る性能を有することになる。

ディープラーニングの技術は、画像認識以外への応用例も増えつつある。最近では、音声認識や自然言語処理の分野におけるディープラーニングの活用が活発である。画像認識能力という「目」の機能を獲得したAIが、音声認識という「耳」の機能や、自然言語処理という「口」の機能の獲得に向かっているともいえる。グーグル社が、同社の翻訳サービスにディープラーニングの技術を取り入れる改良を加えたことで、翻訳の精度を飛躍的に向上させたことも大きな話題となった。

さらに、知能が「経験、学習、発達」するためには、「身体性（＝身体を持っていること）」の獲得が重要であると考えられている。すなわち、現実世界のあらゆる生物は、身体という物理的な構造を有し、その生物が生存する環境からのセンシングとそれに応じた行動というループを繰り返すことによって、知能を発達させている。こうしたメカニズムに着目して、最近のAIの研究・開発は、ロボットを用いた「身体知」の獲得へと向かいつつある。今後は、AIを搭載したロボットによる実験を通じて、AIに「身体知」を獲得させることが重要と考えられる中で、これまではAIの研究・開発に遅れをとってきた感のある日本企業としても、ロボット技術に関する優位性を活かした巻返しが期待されている。

（鈴木悠介）

コラム　ディープラーニングの仕組み

ディープラーニングの仕組みに関して、【図表1–2–3】には3層の簡単なニューラルネットワークを示したが、本コラムではこれを例として教師あり学習をより詳しく説明したい。

この図表のニューラルネットワークの中間層（隠れ層）r_1のノードに着目すると、まず、入力層xにデータを投入するとx_1からxnまでの各入力層の各入力値に対して、x_1からxnとr_1のリンクが有するそれぞれの重みを掛けて、その値を合計したものがr_1に対する入力値となる。すなわちr_1に対する入力値は、$x_1 \times w$（1, 1）$\times x_2 \times w$（2, 1）＋　…　＋xn $\times$ w（n, 1）の合計値となる。これらの重みの数値は、x_1～xnまでのノードに対して、w（1, 1）からw（n, m）までの重みの数値が存在することから、下記のように数値行列として表現できる。

$$\begin{pmatrix} W_{1,1}\,x_1 + W_{1,2}\,x_2 + W_{1,3}\,x_3 \cdots\cdots W_{1,m}\,x_n \\ W_{2,1}\,x_1 + W_{2,2}\,x_2 + W_{2,3}\,x_3 \cdots\cdots W_{2,m}\,x_n \\ W_{3,1}\,x_1 + W_{3,2}\,x_2 + W_{3,3}\,x_3 \cdots\cdots W_{3,m}\,x_n \\ \vdots \\ W_{n,1}\,x_1 + W_{n,2}\,x_2 + W_{n,3}\,x_3 \cdots\cdots W_{n,m}\,x_n \end{pmatrix}$$

この重みの数値は「重みパラメータ」と呼ぶ。学習後の重みパラメータは「学習済みパラメータ」と呼ばれる。なお、通常はこの合計値に重みを掛けない値としてバイアス値を加算する（バイアス値は各ノードの固有値となる）。バイアス値は人間の脳のニューロン閾値に相当するものである。このバイアス値については説明の便宜上以下では省略する。

次に、r_1に対する合計値に、活性化関数を適用する。活性化関数とは各ノードへの入力値の合計を出力値に変換する関数（数式）である。活性化関数にはさまざまな種類があるが、一般的なものとして、ReLU、sigmoid関数、softmax関数などの関数がある。例えばReLUは、xが0以下の場合には0の値をとり、xが0以上の場合には、y=xとなる数式（関数）であり、y=max（0, x）と表記される（【図表1–2–4】）。ReLUを適用すると、例えば、r_1への入力値の合計が0.5の場合には、r_1の出力値は0.5となり、－0.5の場合には、r_1の出力値は0となる。

そして、この出力値を次の出力層に伝達することになるが、Z_1に対しては、先ほどと同じように、r_1からrmまでの各ノードの各出力値に対して、それぞれ重みを掛けて、それらを合計した値に活性化関数を適用して出力層の

【図表 1-2-4】ReLU 関数

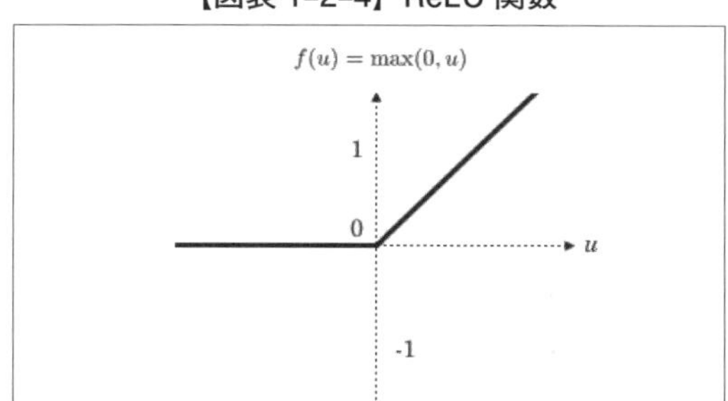

各ノードの出力値を算出する。そしてこの出力値と正解を付した教師データの値を比較し、その誤差を算出する。この計算を Z_1～Zn について行う。

誤差（損失）の計算方法としては最小二乗法（出力値と教師データの差の二乗の総和をとる）や交差エントロピー法がある。

そしてこの誤差を最小化するために重み付けパラメータを順方向計算と誤差逆伝播などによる計算を行って調整（最適化）していく。その計算方法としては確率的勾配降下法（SGD）、RMS Prop、Ada Grad、Adam などの手法がある。これらの手法における更新する数値の幅を学習率と呼ぶ。

また学習も学習用データを使って重み付けを１回計算するのではなく何回も計算させて精度を上げていくのが通常である（学習回数を epoch（エポック）という）。全訓練データのうち、どのサイズを切り出して（バッチサイズ）重みパラメータを更新するのかによっても最終的な精度は異なってくる。これらの学習率、エポック、バッチサイズなどは「重みパラメータ」と区別して、「ハイパーパラメータ」と呼ばれる。

このようにネットワークの構造は、ニューラルネットワークの層、ノードの数、層の結合状態、各層における活性化関数などによって決定されることになる。学習方法は、誤差の計算方法やハイパーパラメータなどによって決定されることになる。

したがって、ディープラーニングの成果物である学習済みパラメータを生成するに当たっては、①ネットワークの構造、②利用するデータ、③学習方法のいずれもが影響をもつことになる。

第2編

AIの法律〈基本編〉

第１章
AIと知的財産権

Ⅰ　AIの知的財産権の法律問題の概要

1　AIを法的に保護する方法

AIを法的に保護する方法として、知的財産法による保護が考えられる。知的財産法は、知的活動によって生み出された財産的価値のある情報のうち一定のものを法的に保護している注1)。もっとも、知的財産法という名前の法律があるわけではなく、知的財産に関するさまざまな法律の総称である。個別の法律としては、特許法、実用新案法、著作権法、商標権、意匠法、種苗法、半導体回路配置法注2)、不正競争防止法などがある。これらの法律によって保護される対象が知的財産である。

知的財産法により定められた権利や法律上保護される権利や利益は、知的財産あるいは知的財産権と呼ばれるが、知的財産や知的財産権を有していれば、原則として、自らが独占的に利用することができたり、それを侵害する者に対して差止請求や損害賠償請求をするなどの措置をとることができる。逆に、AIを利用する側の観点からすれば、AIを利用する際に他人の知的財産権を侵害しないようにしなければならない。

また、最近、画像・音楽などについて、人間が作ったものと区別がで

注1）知的財産基本法では「知的財産」は「発明、考案、植物の新品種、意匠、著作物その他の人間の創造的活動により生み出されるもの（発見又は解明がされた自然の法則又は現象であって、産業上の利用可能性があるものを含む。）、商標、商号その他事業活動に用いられる商品又は役務を表示するもの及び営業秘密その他の事業活動に有用な技術上又は営業上の情報」と定義され、「知的財産権」は「特許権、実用新案権、育成者権、意匠権、著作権、商標権その他の知的財産に関して法令により定められた権利又は法律上保護される利益に係る権利」と定義されている（同法２条１項・２項）。

注2）正式名称は、「半導体集積回路の回路配置に関する法律」である。

きないようなハイレベルの作品をAIが生成できるようになってきている。このようなAIが生成した生成物について、人間が作成した創作物と同じように知的財産法によって保護されるかが問題となる。

このように、AIを取り扱うに当たっては、さまざまな場面で知的財産法の問題に直面することになる。AIについての知的財産法の問題では、主に著作権法、特許法、不正競争防止法が問題になるので、以下では、これらの法律を中心に、

① AIそれ自体にどのような知的財産あるいは知的財産権が発生し、どのように保護されているか

② AIの開発・利用において、他人の知的財産あるいは知的財産権を侵害しないためにはどのようにすればよいか

③ AIが生成する生成物が知的財産あるいは知的財産権として保護されるか

について説明することとする。

AIが有する従来のプログラムと異なる特性として、①データの占める重要性が高いこと、②学習することで進化すること、③開発にとりかかる段階ではどのようなものができるかわからないこと、④データに依存することや統計的な処理をしていることが多いことから性能・品質の保証が困難なことが挙げられる。

①の特性については、AIを学習させて高い精度の学習済みモデルを作成するためには一般的に大量かつ良質なデータが必要であり、AI時代には、データは21世紀における原油であるといわれるのも、あながち誇張ではない。また、AIの学習済みモデルの出力の精度は、学習済みパラメータというデータへの依存度が高く、この点でもプログラムにおけるデータの重要性がより高い。

②の特性については、機械学習するAIでは、学習済みモデルが一度完成したらそれで終わりではなく、新しいデータを使ってさらに学習させ、より高い精度が出るように学習済みパラメータを調整し、進化させていくことも想定される。そのため、進化後のAIに対して、誰が権利を有するのか、権利の利用条件をどのように取り決めるかが問題となる。

③④の特性については、AIの開発・利用に関する契約において、契約

締結時に具体的に決めることができない事項が従来のシステム開発よりも増加し、それを前提とした契約をすることが求められることが挙げられる。

このような特性を有するAIについては、データの取扱いや学習済みモデルの取扱いについて新たに検討を要する問題が生じている。

2　学習済みモデル開発の典型例

AIに関する知的財産法を検討する前提として、AI開発とソフトウェアの典型例について紹介したい。

AIは、コンピューターで実行するプログラムの形をとっている。AIがロボットなどのデバイスを通じて現実社会に作用する場合であっても、その本質的要素はプログラムやデータといった情報である[注3)]。これらのプログラムやデータはオリジナルを損なうことなくコピーできるため、技術的には他人が無断で利用することが比較的容易である。

一方、AIを開発する場合、アルゴリズムの設計、プログラミング、データの収集・加工、データを使ったAIの学習などが必要となる。こうした作業には通常、相当の労力や資金を要する。それにもかかわらず、他人が無断でAIを利用することが許されるのであれば、AI開発のインセンティブは大きく損なわれることになる。そこで、AIがどのように法的に保護されるかが問題となる。また、その裏返しの問題として、AIを利用する立場に立つと、どのような場合にAIを適法に利用できるかわからないと、安心してAIを利用できないことからもAIの法的保護の範囲が問題となる。

AIの学習済みモデルの開発の典型的なパターンでは、ユーザ（開発委託者）がデータを提供し、ベンダ（開発受託者）がAIプログラムを作成し、データをAIプログラムに学習させて、学習済みモデルを作成する（【図表2-1-1】）。なお、AIプログラムの開発においては、OSS（オープン・ソース・ソフトウェア）と呼ばれるソースコードが公開され無償で利用できるAIプログラムを利用することも多い。開発に対する対価はユーザが支払

注3）そのため本章で「AI」という用語を用いる場合は、AIを構成するプログラムやデータ（学習済みパラメータ）を念頭に置いている。

【図表2-1-1】学習済みモデル開発の典型例

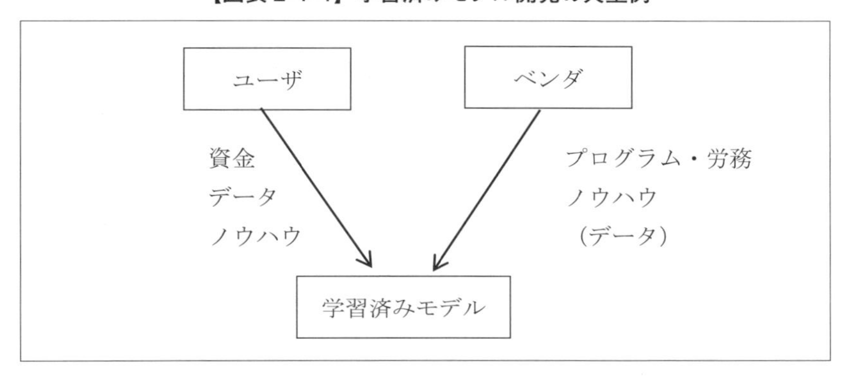

うので、資金はユーザが提供することになる。

データは、ユーザが自らが保有するデータを提供することが多いが、ユーザが保有するデータの質・量が不足する場合や画像認識AIを作成するような場合にはベンダが保有や生成するデータを使うこともある。また、公開されているデータを使うこともある。ユーザが保有するデータは、AI用という観点からは、質・量について不足することもあり、その場合、ベンダがデータの取得方法についてノウハウを提供することもある。

データは、そのままでは、AIプログラムに投入することはできず、AI学習用に加工する必要がある。例えば、教師あり学習をするためには、データに正解ラベルを付す必要がある。また、外れ値の除去やデータ量を増加させる処理を行うこともある。このようにAI学習用に加工されたデータは学習用データセットと呼ばれている。

データについては、データの生成現場に近いユーザがデータの取扱いについてのノウハウを有している場合が多いが、ベンダも数多くの開発経験を踏まえてノウハウをもっていることもある。AIの学習に適したデータ加工のノウハウについてはベンダ側が有していることが一般的である。

これらの学習用データセットをAIの学習用プログラムを投入して学習させ、学習済みモデルを作成することになるが、学習には、ベンダのノウハウが用いられることが多い。学習に関するノウハウとしては、典型的には、学習率や学習回数などのハイパーパラメータをどのように設定するかといったものがある。これらによっても、学習済みモデルの精度は変わってくる。

そして、学習済みモデルを現場で実装環境で使うためには、さまざまな調整（チューニング）が必要となり、これにはユーザやベンダのノウハウが用いられる。

このように、学習済みモデルの開発においては、ユーザとベンダの共同開発的な要素が強いといえる。また、実務では、AIの開発に当たっては、データの収集・分析・整理・加工といったデータに関連する作業に膨大な時間と労力が割かれていることも多い。

なお、実際には、AIの学習済みモデルは、単独で利用されるのではなく、ITシステムの一部として、他の非AIプログラムと組み合わされて使用されることもある。

3　AIソフトウェアの概要

AIの定義については第1編第2章で述べた通り専門家の中でも意見が分かれるが、本稿では、現時点で実用化されている機械学習を念頭に置いたAI技術を念頭に置いている。そこで、AI技術を「あるデータの中から一定の規則を発見し、その規則に基づいて未知のデータに対する推測・予測等を実現する学習手法の1つ」として、このAI技術を利用したソフトウェアを「AIソフトウェア」と呼ぶことにする。

AIソフトウェアでは、①学習済みモデルの生成段階（学習段階）と、②生成された学習済みモデルの利用段階（利用段階）との2つの段階が想定される。そのAIソフトウェアの生成・利用過程を図表にすると以下の通りである。

まず、①学習段階では、生データから学習用データセットを生成し、この学習用データセットを学習用プログラムに入力することにより、学習済みパラメータを生成し、学習済みモデルを得る。この過程は学習と呼ばれる。学習済みパラメータと入力に応じて結果を予測するプログラム（推論プログラムと呼ばれる）[注5)]を組み合わせて学習済みモデルを作成する。推論プログラムと組み合わせるのは、学習が完了すると学習用プログラムの学習機能は不要となるからである。

【図表 2-1-2】　学習済みモデルの生成・利用過程[注4)]

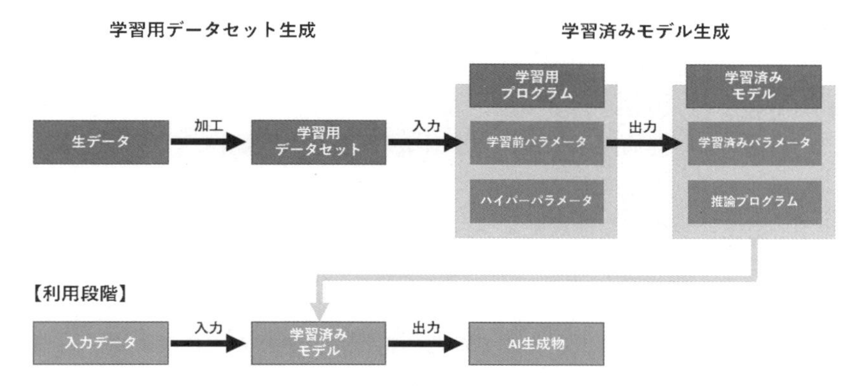

次に、②利用段階では、学習済みモデルに、まだ結果がわかっていないデータ（未知のデータ）を入力することにより、入力データに応じた出力（生成物）を得る。この過程は、入力に応じて結果を予測することから推論とも呼ばれることがある。人間は、その出力を何らかの形で利用することになる。

例えば、多数の画像データを学習用プログラムに入力して学習させ、画像認識のための学習済みモデルを生成するのが学習段階であり、その学習済みモデルを利用して、カメラが捉えた物体の画像（未知のデータ）から、その物体が何であるかを判定する（生成物を得る）のが利用段階である。

注4）AI契約ガイドライン12頁。

注5）学習用プログラムと推論プログラムは概念的な区別であり、ソフトウェアとしては分かれていないこともある。知的財産法の観点からは学習用プログラムと推論プログラムは、共にプログラムであることから本稿では特に区別して論じない。

Ⅱ　AI自体の知的財産の問題点の概要

1　機械学習における知的財産法上の問題点

AIは、その開発・利用に当たって、どのような知的財産法上の問題点があるのであろうか。以下では、機械学習型AIを念頭に、その開発・利用の段階を、①学習用データセット作成段階、②学習用モデル作成段階、③学習用モデルの利用段階に分けて、その段階にしたがって、AIにおける知的財産法上の主な問題点を概観する。

(1)　学習用データセット作成段階

AIを学習させるためには、一般的には学習用データセットが必要となる。学習用データセットを作成するためには、その元となるデータが必要である。元データとしては、ウェブサイト上の画像・文章などのデータ、AI開発を委託する者が保有するセンサが収集したデータ、機械の稼働データ、顧客データなどがある。現実社会で実用的に使えるだけの精度の高いAIを作成するためには、大量・良質のデータが必要であることが多い。

例えば、AIによる画像処理を利用して、検査対象者のCT（コンピュータ断層診断装置）の画像からガンの有無を診断するAIがあるとしよう。このAIにおいて、ガン判定の精度を上げるためには、大量のCT画像が必要である。また、診断結果のデータも必要となる。がん診断AIは高い精度をもつことが求められるが、高い精度のAIを作成できるだけの大量かつ正確なデータを有する者だけが、CT画像からガンの有無を診断できるAIを作成できることになる。

そこで、AI時代においては、データ自体のもつ価値の重要性が認識されるようになり、従来データに対して大きな注意を払っていなかったデータ保有者も、データに対する権利主張をすることはもちろん、その成果物である学習済みモデルに対する権利主張をするようになることが考えられる。このように、データの持つ価値についてのパラダイムシフトが起こっており、企業は、このパラダイムシフトに対応する必要がある。

また、データをどのように取得するかという取得の方法や仕組み作りについてのアイデア・ノウハウも重要となってくる。データの使い方についてはデータ保持者がノウハウをもっていることが多いが、AI開発者が、

【図表 2-1-3】学習済みモデルの開発・利用の各段階

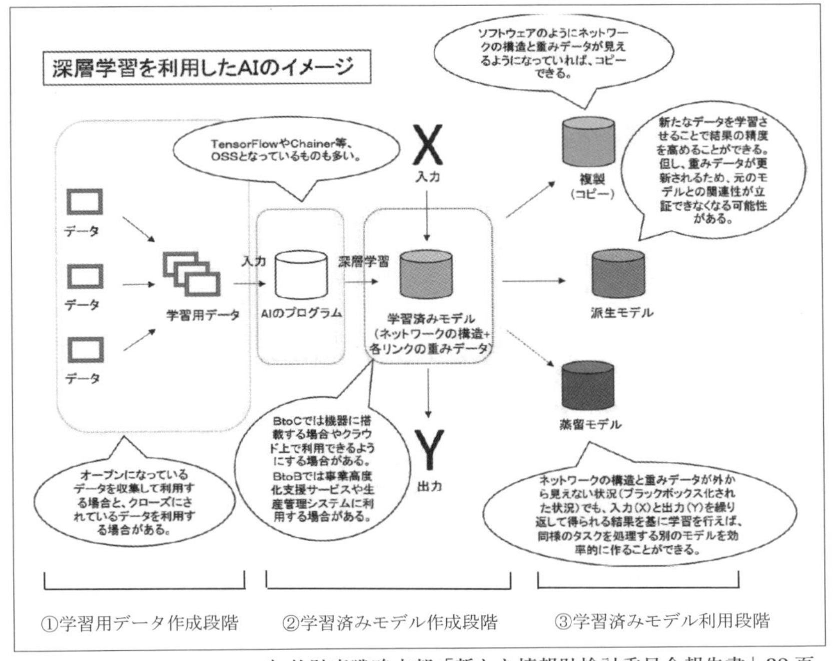

＊知的財産戦略本部「新たな情報財検討委員会報告書」32頁。

データの提供者にAIの学習用に適したデータの取得方法についてコンサルティングを行うこともある。

学習用データセットは、データを収集して、選別し、加工することで作成される。教師あり機械学習をするには、データに正解データ（教師データ）をつけていかなければならないが、これは膨大な労力を要する。また、データから学習用データセットに加工する際には、データの外れ値を除外したり、欠損したデータを穴埋めするなどの前処理によりデータの品質を高めることが重要であり、このようなデータ加工のノウハウはAIに関する深い理解や多くの試行錯誤と経験によって形成される。さらに、学習用データセットの量を増加させるための拡張技術（データオーギュメンテーション）が使われることもある。

そのため、データや学習用データセットが誰に帰属するかということや、データ提供者がどのような権利を有するかということが問題となる。また、プログラムだけではなく、データの取得・加工についてのノウハウなどの知的財産の保護も問題となる。

さらに、AIの開発の際に、AIに学習させるためのデータとして、ウェブサイトにアップロードされている画像・文章データなど他人の著作物を利用する場合に、他人の知的財産権を侵害することにならないかも問題となる。

⑵　学習済みモデル作成段階

機械学習の一類型であるディープラーニングでは、ニューラルネットワークをプログラムによって構築し、これに学習用データセットを与えて、出力データの誤差を減らすように各ネットワーク間の重みのパラメータの調整が行われる。このような調整を繰り返して生成されるのが学習済みモデルである。学習前のAIは、いかに優れたアルゴリズムに基づくプログラムであっても、そのままでは使い物にならない。しかし、学習を繰り返すことで精度を上げていく。このように、実用的な観点からは、学習済みモデルには価値があるといえる。そのため、学習済みモデルをどのように保護するのかが問題となる。

例えば、ディープラーニング型AIの場合、学習済みモデルの基本部分は、ニューラルネットワークの構造を構築する推論プログラムと、ニューラルネットワークのノード間の結び付きに関する重み付けのパラメータ（数値データ）等で構成されている[注6)]。

AI本体のプログラム部分が汎用的プログラムであったり、OSSの場合には、プログラム部分では差がつかないため、学習済みパラメータ（とそれを作成するのに必要なデータ）がAIの競争力の源泉となる。

注6）他の機械学習するAIも、基本的にはプログラム部分とデータ部分で構成されているという点では同じである。そこで、以下では、機械学習のうち実用的に広く用いられているディープラーニング型AIを念頭に置くこととする。また、パラメータは、厳密には重み付けパラメータにだけではなく、学習率・エポック数・バッチサイズなどのハイパーパラメータなど多岐にわたるが、ここでは単純化するために、ディープラーニングにおける主要パラメータである重み付けパラメータを取り上げる。

学習済みモデルのプログラム部分については、プログラム著作物として著作権が生じることが通常であると考えるが、学習済みパラメータについては、AIが生成する数値の羅列であるため、著作権が生じるかが問題となる。

また、この学習済みパラメータは、AIが大量のデータに基づいて自動的に生成するが、データ提供者、AIプログラムの作成者、AIを学習させた者などさまざまな者が関与することになる。そこで、この学習済みパラメータというデータに対して、いったい誰がどのような権利を有するのか、どのように保護するのかという点が新たに問題となる。

なお、AI開発においてOSSが広く利用されているが、OSSについては第３編第１章で述べる。

⑶　学習済みモデルの利用段階

学習済みモデルが完成すると、これにデータを入力することで、出力（結果）を得ることができる。例えば、画像処理用AIに、犬の画像を入力すると、犬である確率が92%であるという出力が返ってくるようになる。

しかし、学習済みモデルが完成すればそれで終わりではない。機械学習するAIでは、新しいデータを使って追加学習させ、より高い精度が出るように学習済みパラメータを調整し、進化させていくことが想定される。むしろ、今後は、常に学習し続ける学習機能を有する学習済みモデルが主流になるかもしれない（それを「学習済み」モデルと呼ぶかは別として）[注7]。学習済みモデルの進化は、学習済みパラメータを変化させることで可能となるため、プログラム部分そのものに手を加えることなく実現できる。

そのため、学習済みモデルが進化する場合に、進化前の学習済みモデルの権利者やデータの提供者は、追加学習後の学習済みモデル（派生モデル）に対してどのような権利を有するかが問題となる。

さらに、学習済みモデルについて「蒸留」という手法によって開発され

注７）もっとも、常に学習し続ける学習済みモデルが社会に普及するためには、そのような学習済みモデルが引き起こしたトラブルについて、元の学習済みモデルの作成者と追加データの投入者のいずれかが責任をもつのかといった問題をクリアする必要があろう。

たAIについて（蒸留の手法については後述する）、学習済みモデルの権利者は、蒸留モデルの作成・利用を禁止することができるのかも問題となる。

以下で、これらの問題についてどのように考えるべきなのかについて解説する。

2　AIと知的財産法

AIについては以上述べたような知的財産法上の問題があるが、そもそもAIに関するプログラム[注8]、データ、ノウハウはどのように知的財産法によって保護されているのであろうか。

(1)　著作権法

AIは、コンピュータ上のプログラムとして動作する。プログラムは、著作権法上、著作物の1つとして例示列挙されている（著作10条1項9号）。著作物として認められれば、著作物を創作する者は著作権者として著作権および著作者人格権を享有することができ（同法17条）、著作権法による法的保護を受けることができる。著作権は、原則として誰に対しても主張可能である[注9]。ただし、第三者が独自に偶然同じ著作物を作成した場合には、その第三者に対して自らの著作権を行使することはできない（相対的排他権と呼ばれる）。

(2)　特許権法

特許法上、プログラム等に関する発明について特許（ソフトウェア関連特許）を取得することが可能である（特許2条3項1号）[注10]。特許権を取得すれば、特許権者は、業として特許発明の実施をする権利を専有することができ（同法68条）、特許法による法的保護を受けることができる。特

注8）AIのプログラムを「アルゴリズム」と呼ぶこともあるが、アルゴリズムという用語をコンピュータによる計算方法を意味するものとして用いる場合もあり、その場合には著作権法において著作物として保護されない「解法」（著作10条3項3号）に該当するため、混乱を防ぐために、本章ではプログラムをアルゴリズムとは呼ばず、プログラムより抽象化された上位概念である解法のことをアルゴリズムと呼ぶものとする。

注9）誰に対しても主張できる権利は「物権的権利」と呼ばれる。

注10）後述するが、AIに用いられるニューラルネットワークの構造やAIを使ったビジネス方法についても特許を取得することも可能である。

許権も、著作権と同様に、原則として誰に対しても主張可能である。特許権は、著作権と異なって、第三者が独自に偶然同じ発明をした場合であっても、原則としてその第三者に対して特許権を行使することができる（絶対的排他権と呼ばれる）。

(3)　不正競争防止法

AIに関するプログラム、パラメータ、データ、ノウハウが「秘密として管理されている生産方法、販売方法その他の事業活動に有用な技術上又は営業上の情報であって、公然と知られていないもの」（不正競争2条6項）である「営業秘密」にあたれば、営業秘密を保有する者は、不正競争行為者に対して、差止請求や損害賠償請求を求めることができ、図利加害目的がある不正競争行為者に対しては刑事罰が科されるなど、不正競争防止法による法的保護を受けることができる（同法3条・4条・21条）注11)。

また、平成30年改正法により、価値あるデータのうち、ID・パスワード等の管理を施した上で事業として提供されるデータについては、「限定提供データ」として不正競争防止法により保護されることとなった（不正競争2条7項）。限定提供データを保有する者は、不正競争行為者に対して、差止請求や損害賠償等を求めることができる。もっとも、刑事罰については現時点では設けられていない。

AIがこれら(1)〜(3)の法律による保護を受けるためには、それぞれの法律が定める要件を満たす必要がある。これらの法律について、著作権法は「文化の発展に寄与する」ことを目的とし、特許法は「発明を奨励し、もって産業の発達に寄与する」ことを目的とし、不正競争防止法は「不正競争の防止及び不正競争に係る損害賠償に関する措置等を講じ、もって国民経済の健全な発展に寄与する」ことを目的としており、それぞれ目的が異なっているため、権利保護のあり方も異なっている。

注11)「不正競争」が何かについては不正競争防止法2条1項に定義されており、例えば、窃取、詐欺、強迫その他の不正の手段により営業秘密を取得する行為（同項4号）や、営業秘密を保有する事業者からその営業秘密を示された場合において、不正の利益を得る目的で、またはその保有者に損害を加える目的で、その営業秘密を使用し、または開示する行為（同項7号）が不正競争となる行為とされている。

Ⅲ　AI自体の著作権

AIもコンピュータ上で実行されるプログラムであり、著作権法は一定の場合にプログラムを著作物として保護していることから、プログラム著作物としての保護が考えられる[注12)]。また、AIではデータが重要な意味を有するので、データが著作権法によりどのように保護されるのかが問題となる。そこで、以下では、プログラム著作物に関する一般的な著作権法上の取扱いを紹介した上で、AI特有の著作権法上の問題点を検討する。

結論から述べると、AIソフトウェアをプログラム部分と学習済みパラメータから構成されるとした場合には、ケースバイケースとはいえ、一般論として、AIのプログラム部分については著作物として認められる可能性が高いが、学習済みパラメータ部分は著作物として認められない可能性が相当ある。以下で、その理由について述べる。

1　プログラム著作物に関する著作権法上の取扱い

(1)　著作権法上のプログラムの位置付け

プログラムは、「思想又は感情を創作的に表現したものであつて、文芸、学術、美術又は音楽の範囲に属するもの」であれば、著作物として著作権法により保護される（著作２条１項１号・10条１項９号）。プログラムであれば、人間が理解できるソースコードはもちろん、コンピュータしか理解できないオブジェクトコードであっても著作物となり得る[注13)]。

著作権法上、「プログラム」とは、「電子計算機を機能させて一の結果を得ることができるようにこれに対する指令を組み合わせたものとして表現したものをいう」とされている（著作２条１項10号の２）。このように「プログラム」は、コンピュータに対する指令であることを要する。その

注12）著作権法10条に列挙されていない創作物であっても著作物の定義（著作２条１項１号）に該当すれば著作物となり、著作権法10条に掲げられている各種の著作物は例示にすぎない。

注13）東京地判昭和62・1・30無体例集19巻１号１頁［秀和システムトレーディング事件］。

ため、単なるデータは、コンピュータに対する指令ではないので「プログラム」とはいえないことになる。ただし、後述の通りデータであってもプログラムと協働してコンピュータに対する指令として作動する場合にはプログラムとして認められることがある。

(2) プログラム言語、プロトコール、アルゴリズム

著作権法では、①プログラム言語、②プロトコール（プログラムの用法についてのルール）、③アルゴリズム（プログラムにおけるコンピュータに対する指令の組み合わせの方法）については、著作権法による保護が及ばないと規定されている（著作10条3項）[注14]。

これは、そもそも著作権法が、アイデアを保護する法律ではなく、具体的表現を保護する法律であることによる。著作権法がアイデアを保護しないのは、著作権は、特許と異なり、進歩性も要件とされておらず、審査を受けることもなく無方式で権利が発生することから、アイデアに独占的権利を付与すれば、他者がそのアイデアを利用できなくなり、社会的な弊害が大きいからである。

プロトコールは個々のプログラムにおける約束事にすぎないため、また、アルゴリズムはアイデアレベルのものであり思想または感情の具体的表現ではないため、著作権法の保護対象とはならない。プログラム言語は、プログラムを表現するためのツールにすぎないため、著作権法の保護を及ぼさないものとされている。

したがって、AIのアルゴリズムは、いかに独創的で優れたものであっても、著作権法による保護対象とはならない。もっとも、アルゴリズムがプログラムという形で表現物に落とし込まれれば、そのプログラムは著作物になり得る。

(3) プログラムの著作物性

プログラムが著作物として認められるためには、「思想又は感情を創作的に表現したものであつて、文芸、学術、美術又は音楽の範囲に属するもの」でなければならない（著作2条1項1号）。これを分解すると、①思

注14）プログラムのことをアルゴリズムと呼ぶこともあるが、本書では、アルゴリズムとは、この③記載の意味で使用する。

想または感情（を内容とするものであること）、②創作性、③表現、④文芸、学術、美術または音楽の範囲に属するものであることが著作物として認められる要件である。これらの要件については以下の点が問題となる。

(A)　**思想・感情**

「思想又は感情」とは、著作者の精神的活動であれば足り、哲学的、思想的または文学的であることまで要求するものではなく、「人の考えや気持ち」ぐらいの広い意味に捉えるべきものと解されている[注15)]。この「思想」には技術思想を含むことから、コンピュータ・プログラムも思想を表現したものとして著作物となり得る[注16)]。

「人の考えや気持ち」を一義的に確定することは困難であるため、この要件は、①事実それ自体、②雑報・時事報道、③契約書、④スポーツやゲームのルール、⑤技術的思想の体現といったものについて、思想または感情を表現するものではないことを理由に、著作物から除外するという消極的役割を担っているとされている[注17)]。

例えば、気温や湿度などの自然現象をセンサーにより取得したデータのような事実それ自体は、「思想又は感情」の表現ではないため、そのデータ自体は著作物にはならない。京都大学博士論文事件[注18)]では「実験結果等のデータ自体は、事実またはアイデアであって、著作物ではない」と判示している。なお、コンピュータ・プログラムにおいて表現される思想とは何かについて、2つの考え方がある。第1は、「プログラムの実現する内容」が「思想」であるとの考え方である。この考え方によれば、ゲーム・ソフトであればゲームの内容が思想ということになる。第2には、「プログラムの達成しようとする機能についてコンピュータを用いて達成するための技術的考え方」が「思想」であるとの考え方である。

この点について、製作者の思想は、コンピュータによって実現しようとする作業を分析し、これをコンピュータを用いて処理するために、達成し

注15）著作権コンメ⑴17頁［金井重彦］。

注16）東京地判昭和57・12・6無体例集14巻3号796頁［スペース・インベーダ・パートⅡ事件］。

注17）中山・著作権法50頁以下。

注18）知財高判平成17・5・25裁判所ウェブサイト。

ようとする作業を論理的に分析し、これに対する解法を見つけ出し、段階的、重層的に構成して、それをプログラム言語によってコンピュータに対する指令を組み合わせる部分にあると解されることから、第2の見解が妥当であり、裁判例（マイクロソフト事件）[注19]もそのような立場に立っているとされている[注20]。

「思想又は感情」の主体について著作権法には明示されていないが、人間がその主体であると解されている[注21]。そのため、AIが自動的に生成した表現（パラメータなど）について、人間の「思想又は感情」の表現ではなく、著作物としては認められないのではないかが問題となる。

(B)　**創作性**

あるプログラムが著作物といえるかについて、次に問題になるのが、思想または感情を表現したものに「創作性」があるといえるか否かという点である。

著作権法が「創作性」を要件とするのは、著作権法が文化的所産たる創作的なるものを保護するための法律であることによる。表現が膨大な労力、投資によってなされても、そこに創作性が認められなければ、著作権法上著作物として保護されることはない[注22]。

創作性が要求されるのは表現についてであって、内容についてではないため、内容について創作性が認められても、表現に創作性が認められなければ、創作性は認められない[注23]。

著作権法は、小説・絵画・音楽といった古典的な著作物を念頭に立法されたので、創作性の有無については、それらの著作物を念頭に、人による

注19）前掲・東京地判昭和62・1・30。

注20）著作権コンメ(1)21頁［金井重彦］。

注21）加戸・逐条講義22頁。同書は、思想・感情は人間固有のものであって、動物にはないという大前提があると述べている。著作権法において、自然人ではない「法人」が著作者になることが認められているが（著作15条）、この場合も、自然人である「法人等の業務に従事する者」による創作を要件として、当該自然人によって創作された著作物が法人に帰属するという建付けとされており、自然人による創作が前提とされている。

注22）著作権コンメ(1)24頁［金井重彦］。

注23）著作権コンメ(1)25頁［金井重彦］。

独自の精神的作業の成果として、創作者の思想または感情が流出した何らかの個性が表れているかで判断されてきた。この創作性の有無の判断において、あらゆる創作は先人の業績の上に成り立っているものであることから、独創性や高度の学術性・芸術性までは求められていない[注24]。そのため素人が書いた小説や水彩画であっても創作性は認められ得る。

しかし、プログラムについては、創作性の有無を判断するに当たって、古典的な著作物と同様に思想または感情の流出物としての個性の有無を基準に判断できるのかという点が問題とされてきた。なぜなら、プログラムは、ある機能を実現するために作成されるものであるため、プログラムの記述（表現）方法は、多種多様な表現方法がある小説・絵画・音楽などの古典的な著作物と比べると限定されており、一般的にプログラマが前記のような意味合いの「創作性」を発揮する余地は狭いと考えられるからである。

この点、プログラムの創作性における個性とは、思想または感情の流出物としての個性ではなく、「あるプログラムに独占権を与えても他に選択の余地が残されていること」、すなわち、他の者に同じ機能を有するプログラムの創作の余地があることをもって創作性があるとの考え方も有力である[注25]。この考えによれば、創作性の有無は、思想または感情の流出物としての個性の有無ではなく、表現の選択の幅があるか否かという観点から判断されるべきであることになる。

もっとも、創作性について、思想または感情の流出物としての個性の有無の基準とする見解と、表現の選択の幅を基準とする見解は、ほとんどの場合に結論は一致するとされている。

プログラムの創作性については、裁判所が電車線設計プログラム事件[注26]の判決でプログラムの創作性について述べた部分が的確に言い表しているので、少々長くなるが引用する（下線は著者による）。

注24）中山・著作権法66頁。東京高判昭和62・2・19無体例集19巻1号30頁［当落表予想事件］、東京地判平成16・6・30判時1874号134頁［コンピュータソフトウェアProLesWeb事件］。

注25）中山・著作権法68頁。

注26）東京地判平成15・1・31判時1820号127頁。

「プログラムは、その性質上、表現する記号が制約され、言語体系が厳格であり、また、電子計算機を少しでも経済的、効率的に機能させようとすると、指令の組合せの選択が限定されるため、プログラムにおける具体的記述が相互に類似することが少なくない。仮に、プログラムの具体的記述が、誰が作成してもほぼ同一になるもの、簡単な内容をごく短い表記法によって記述したもの又は極くありふれたものである場合においても、これを著作権法上の保護の対象になるとすると、電子計算機の広範な利用等を妨げ、社会生活や経済活動に多大の支障を来す結果となる。また、著作権法は、プログラムの具体的表現を保護するものであって、機能やアイデアを保護するものではないところ、特定の機能を果たすプログラムの具体的記述が、極くありふれたものである場合に、これを保護の対象になるとすると、結果的には、機能やアイデアそのものを保護、独占させることになる。したがって、電子計算機に対する指令の組合せであるプログラムの具体的表記が、このような記述からなる場合は、作成者の個性が発揮されていないものとして、創作性がないというべきである。」

このようにプログラムについては、その性質から、創作性が厳しく判断される傾向にある。もっとも、複雑で高度なプログラムになればなるほど、プログラム記述の選択の幅も広いことから、作成者の個性も発揮できるので、ある程度の複雑性を有するAIのプログラムについては、創作性が認められることが多くなると一般的にはいえるであろう。

(C)　表現

著作権法の保護を受けるためには「表現したもの」である必要がある。著作権法上、思想または感情は、あくまで具体的な表現物となってはじめて著作物となる。逆にいえば、思想（アイデア）それ自体は、著作権法の保護の対象とされていない。著作権法が、思想自体を保護せずに表現を保護することについては、思想・表現二分論と呼ばれており、著作権法の基本的枠組みである。

前述の通り、アルゴリズムはアイデアにすぎず具体的な表現ではないため、著作権法の保護対象とはならないが、アルゴリズムがプログラムという形で表現物に落とし込まれれば、そのプログラムは著作物になり得る。

なお、著作物として音楽が例示されていることからわかるように、映画を除き（著作2条3項）、表現が物体に固定されている必要はなく、プログラムがメモリやハードディスクに保存されていなくても著作物として認められる。

(D)　文芸、学術、美術または音楽の範囲に属するもの

「文芸、学術、美術又は音楽の範囲に属するもの」か否かという要件の該当性については、プログラムであればほぼ学術的であるとされており[注27)]、幅広く解されているため、実際には、この要件を満たすか否かが問題になることはほとんどない。

以上の(A)〜(D)の要件を満たした場合に著作物として著作権法上の保護を受けることができる。

(4)　著作者および著作権者

AIを開発する際には、多数の者が関わることが一般的である。例えば、AIの作成を企画する者、資金を提供する者、プロジェクトをマネージメントする者、AIをプログラミングする者、学習用データセットを提供する者、学習用データセットを加工する者、AIを学習させる者などである。これらの関係者のいったい誰が、AIの著作権を有することになるのであろうか。

著作権法は、著作権を有する主体である著作者を、「著作物を創作する者」と定義している（著作2条1項2号）。著作者は、著作権と著作者人格権を原始的に取得する（同法17条1項）。したがって、創作直後の段階では、原則として、著作者＝著作権者である。

もっとも、著作権は、物権類似の財産権であることから契約に基づいて譲渡することが可能である（著作61条1項）。著作権が譲渡されれば、著作者と著作権者は異なることになる。

著作者は、創作したことによって決まるので、著作者たる地位そのものを契約によって譲渡することはできない。また、著作者人格権は一身専属の権利とされているので、譲渡することはできない（著作59条）。この意

注27）中山・著作権法136頁。前掲・東京地判昭和57・12・6［スペース・インベーダ・パートⅡ事件］。

味で、著作者は必ずしも著作権者とイコールではない[注28]。

著作者とされるためには、創作的な表現に実質的に関与する必要がある。したがって、①表現の前段階での関与、②表現の中の非創作的部分への関与、③表現の外の周辺部分の関与は、いずれも創作ではないとされている[注29]。例えば、創作に対して動機を与えたり、指示を出しただけの者や、単にヒントを提供した者、単に著作者の指示の下に手足となって労力を提供した者、資金や情報を提供した者、創作を依頼しただけの者は、創作的表現に関与しているとはいえないため、著作者とはならない[注30]。

これをAIの開発に当てはめると、AIを開発するに当たって、単に企画・指示した者、資金を提供した者、データを提供した者、他人の指示の下に労力を提供した者は、AIの創作的表現に関与しておらず、AIの著作者にはならないと考えられる。他方で、AI全体の構想を描いてAIをプロミングした者などは、AIの創作的表現に実質的に関与していることから、著作者になると考えられる。プログラマであっても、単に上司の指示の下に手足としてプログラムしているだけでは、創作的表現に実質的に関与しているとはいえず、著作者にはならない。

このように、創作的表現への関与の有無の判断は、実質的に判断されるため、一義的に明確でないこともある。AIの開発に多数の者が関与する場合には、誰が著作権者となるかについて契約で明確に定めないと、紛争が生じることも予想される。そのため、AIの著作権をめぐる紛争を防止するためには、関係者間で契約を締結するなどして、「著作権者」となる者を明確に規定することが重要である。ただし、誰が「著作者」であるかという点は契約によって決めることはできないために、裁判所で契約通りの認定をしてくれるとは限らないが、事前の契約は不要な紛争の防止には役立つであろう。

注28）「法人」が著作者になる職務著作（著作15条）は、法人等の業務に従事する者による創作を要件として、その者によって創作された著作物が法人に帰属するという建付けとなっている。

注29）三山・著作権法詳説169頁。

注30）中山・著作権法237頁。

(5) 共有

AIの作成に多数の者が関与した結果、著作者が複数となることがあり得る。著作権法は、「2人以上の者が共同して創作した著作物であつて、その各人の寄与を分離して個別的に利用することができないもの」を共同著作物と定義しており（著作2条1項12号）、共同著作物についての著作権の法律関係は準共有となり、民法の共有の規定が適用される[注31)]。この場合、各著作者の共有著作権に対する持分は、各人の寄与度により決定されるが、持分が明らかでなければ、持分は均等と推定される（民250条）。持分割合は、契約で定めることもできる。

また、単独著作物であっても、著作権の持分の一部が譲渡されることなどにより、著作権が共有されることもある。

このような共有著作権[注32)]について特に気を付けなければならないのは、共有著作権の権利行使には全員の合意が必要とされており（著作65条2項)、他人への利用の許諾だけでなく、自らが利用することについても共有者全員の合意が必要となる点である[注33)]。つまり、共同著作物については、著作権者であっても、他の共有者全員の合意がなければ、自分が利用することも禁止されている。この点は、特許権では、各共有者は、他の共有者の合意がなくても自己実施できることと異なる。

もちろん、他の共有者と合意すれば権利行使できるので、共有者間で契約することで対応できる。しかし、契約で定めていない場合には、権利行使が大きく制約されることになる。そのため、著作物を共有にすることについては慎重な検討が必要である。

なお、権利行使についての共有者の合意については、正当な理由がない

注31）中山・著作権法270頁。

注32）共有著作権とは「共同著作物の著作権その他共有に係る著作権」と定義されている（著作65条1項)。

注33）また、共有著作権の持分は、他の共有者の同意がなければ、譲渡・質権設定をすることはできない（著作65条1項)。この同意についても、正当な理由がない限り、合意を拒むことができない（同法65条3項)。なお、共有著作権の差止請求と自己の持分に対する損害賠償請求については、各共有者が単独ですることができる（同法117条)。

限り、合意を拒むことができないとされている（著作65条3項）。この「正当な理由」かについては、裁判例は、著作物の種類・性質、具体的な内容のほか、諸般の事情を比較考量した上で、共有者の一方において権利行使ができないという不利益を被ることを考慮してもなお、共有著作権の行使を望まない他方の共有者の利益を保護すべき事情が存在すると認められるような場合に「正当な理由」があるとしている[注34]。しかし、共有者と紛争になる場合には、正当な理由の有無についても争われることになるであろうから、この著作権法65条3項に過度に期待することはできない。

(6)　著作者人格権

著作者は、著作者の人格的利益を守る権利として、著作者人格権を有する。著作者人格権の具体的内容としては、公表権（著作18条）、氏名表示権（同法19条）、同一性保持権（同法20条）、名誉・声望を害する方法での著作物の利用されない権利（同法113条6項）がある。

著作者人格権は、著作者に一身専属し譲渡することはできない（著作59条）。著作者人格権は放棄もできないと考えられているので、実務では、著作者人格権の不行使を合意する契約を結ぶなどの対応がとられている。

法人についても、著作者とされる場合があることから（著作15条1項）、著作者人格権を有することになる。これに対しては、自然人ではない法人に著作者人格権を認めるべきでないという考えもあり、少なくとも、著作者人格権を譲渡不能な権利としている現行法の解釈としては、法人に著作者人格権を認めることに対しては謙抑的な解釈をするべきであろう[注35]。

AIとの関係で最も問題となり得る著作者人格権は、同一性保持権である。同一性保持権とは、著作者が自己の著作物とその題号について、その意に反して、改変を受けない権利である（著作20条1項）。同一性保持権は、沿革的には、著作者の名誉・声望や、著作へのこだわりを保護するためのものであった。小説・絵画・音楽であれば、作品へのこだわりを保護する必要性も理解できるが、プログラムの著作物のような機能的著作物に対して著作者の名誉・声望やこだわりを保護すべきなのかは疑問の余地が

注34）東京地判平成12・9・28D1-Law.com判例体系［戦後日本経済の50年事件］。
注35）中山・著作権法589頁。

あり、これについても謙抑的な解釈をするべきであろう。この点、現行著作権法20条1項が「意に反する改変」と規定しているのは広すぎるとし、「名誉または声望を害する改変」に限る旨の立法をすべきだとの説もある[注36)]。

なお、著作権法は、プログラムの著作物について、同一性保持権を認めつつも、一定の場合に同一性保持権の侵害に例外を認めている。すなわち、プログラムの著作物をコンピュータにおいてより効果的に利用し得るようにするための必要な改変については、同一性保持権の規定は適用されない(著作20条2項3号)。この「より効果的に利用し得るようにするための必要な改変」には、デバッグや移植のための修正に加えて、処理速度を向上させるための修正や機能を追加、拡大したり、より目的にあった処理ができるようにしたりするための修正などが含まれる[注37)]。したがって、AIのプログラムの改良や学習させることによる変更については、この例外規定の適用により、同一性保持権の侵害にならないと考えられる。

もっとも、ある目的のために開発されたAIのプログラムを、別の目的に使うために改良・学習させることが、「より効果的に利用」するためといえるかは定説がなく、「必要な改変」に該当するかについては判断が分かれ得るところである。例えば、音声認識用に開発したAIプログラムを自然言語処理AIプログラムに転用するような場合である。この点、はじめから特定目的業務用に開発されたプログラムをその目的業務外の目的に使用するためにプログラムを変更することは「効果的に利用」することに該当しないとの見解もある[注38)]。しかし、プログラムの著作物については著作者の名誉・声望やこだわりを保護する必要は相対的に小さいから、同一性保持権は謙抑的に解すべきである上に、AIの有する汎用性やAIを発展させるという政策的考慮からも、謙抑的に解して、同一性保持権の例外の範囲を広く解釈されるべきであろう。

また、前記の「コンピュータにおいてより効果的に利用し得るようにす

注36）三山・著作権法詳説223頁。

注37）加戸・逐条講義180頁。

注38）著作権コンメ(1) 853頁［松田政行］。

るための必要な改変」とは別に、プログラム著作物に限らず著作物一般について「著作物の性質並びにその利用の目的及び態様に照らしやむを得ないと認められる改変」は同一性保持権の規定は適用されないとされている（著作20条2項4号）[注39]。

したがって、プログラムの著作物でなくても、この規定により、同一性保持権の例外が認められることも考えられる。

なお、パラメータをプログラムの著作権者の意図に反して変更したことが問題となった事例として、ときめきメモリアル事件[注40]がある。本事件は、ゲームソフトのプログラム自体には改変を行わず、ゲームのキャラクターの属性値であるパラメータを第三者が無断に変更することが同一性保持権の侵害となるかが争われたものであるが、著作者が想定するストーリを改変するものとして同一性保持権の侵害が認められた。しかし、AIのプログラムについては、コンピュータゲームのようなストーリ性はないのが通常であるから、プログラムのパラメータを変更したとしても、ストーリを改変するものとしての同一性保持権を侵害することにならないのが通常と考えられる。その意味でAIのプログラムに関するパラメータの改変についてときめきメモリアル事件は先例的価値を持たないと考えられる。

2　学習済みモデルの著作権による保護

AIについて、一般的には、AI全体を指してAIのプログラムと呼ぶが、分析的にみると、コンピュータに対する命令であるプログラム部分と、プログラムにおいて用いるデータ部分で構成されているといえる[注41]。例えば、ディープラーニング型AIでは、その主要部分は、ニューラルネット

注39）4号の規定については極めて厳格に適用すべきであるとする見解があり（加戸・逐条講義173頁）、厳しく解釈するのが従来の多数説・判例であったが、情報化時代における情報利用に対応するために、いたずらに厳格に解すべきではないという見解もあり（中山・著作権法637頁）、裁判例でも4号を適用する判決が増えつつある（東京地判平成11・8・31判時1702号145頁［脱ゴーマニズム宣言事件］）。また4号にはふれずに、権利濫用のような一般法理を援用して改変を合法とした判例もある。4号を著作者人格権のフェア・ユース的規定と位置づけることも考えられる。

注40）最判平成13・2・13民集55巻1号87頁。

ワークの構造を構築するプログラム部分とニューラルネットワークのノード間の結び付きに関する重み付けパラメータ部分（数値行列）で構成されている。

機械学習型AIにおいて、学習したAIは「学習済みモデル」と呼ばれている。言葉の定義の問題であるが、「学習済みモデル」については、一般的には、プログラム部分と学習済みパラメータ部分の両方を含むものとして用いられており、学習済みパラメータのみを意味するものとして用いられていることは少ないので、ここでは、プログラム部分と学習済みパラメータ部分の両方を含む意味で用いるものとする。

ソフトウェア的にみても、学習済みモデルは、全体としてプログラムであるといえるが、分析的にみると、プログラム部分と学習済みパラメータ部分で構成されているといえる。

実用的な学習済みモデルを作成するためには、AIのプログラムを作成するだけではなく、大量の学習用データセットを準備した上で、AIにそれを読み込ませて、膨大なマシーンパワーを使って学習させることが必要であり、これには多大な労力、費用、時間、ノウハウが必要となる。例えば、AlphaGoは2016年には10万の棋譜を読み込み、自己対局を3000万回行い、1202個のCPUと176個のGPUを使用したといわれている。

なお、AIのプログラムについてはOSSが普及しているため、プログラムで差別化を図ることは容易ではない状況になりつつある。そのため、プログラムそのものよりもデータや学習方法によって違いが出てくる学習済みモデルがビジネス的には重要な価値を有することになる。

他方で、学習済みモデルのような電子化されたプロダクトは無断コピーや無断利用することが有体物と比較して技術的に容易であり、侵害されやすいという特徴がある。そこで、このような学習済みモデルの知的財産あるいは知的財産権をどのように保護するのかが問題となる。

注41）プログラム部分もコンピュータからみればデータであり、プログラム部分もデータ部分も究極的にはデータであるといえるが、プログラムのソースコードにおいては、プログラム部分は人間が理解可能なプログラム言語で記述されるのに対し、データ部分は数字や文字列の羅列であり、プログラム上変数として定義されることが通常であることから、多くの場合両者の区別は一応可能であろう。

以下では、学習済みモデルを構成するプログラム部分およびデータ部分(学習済みパラメータ部分）と、学習済みモデル全体に対する著作権について述べる。

(1) プログラム部分

AIのプログラム部分についての著作権法上の取扱いについては、プログラムの著作物の一般論が当てはまる。

ディープラーニングを例にとると、ニューラルネットワークの構造（ニューラルネットワークの階層数、各階層の結合状態、各階層におけるデータ処理の方法、各ノードにおける関数の種類、誤差の修正方法など）についてはアイデアに属する。著作権法はアイデアを保護対象としていないので、ニューラルネットワークの構造についてのアイデアは、著作権法によっては保護されない[注42]。

もっとも、コンピュータ処理するために、ニューラルネットワークの構造等をプログラムとして記述することになる。ニューラルネットワークの構造等を記述したプログラムは、プログラムの著作物となり得る。ただし、プログラムであればすべてが著作物になるものではなく、著作権法2条1項1号に定められている①思想または感情、②創作性、③表現、④文芸、学術、美術または音楽の範囲という4要件を満たす必要がある点については前述の通りである。プログラムについては、①③④の要件は満たし、問題となるのは②創作性の要件である。商業ベースで開発されるAIのプログラムは、一般的には複雑で高度なプログラムであるから、記述の選択の幅も広く、創作性が認められ、一般論としては著作物として求められる可能性が高いといえる。

プログラム部分がプログラムの著作物に該当すれば、当該プログラムを創作した者が著作者である。AIのプログラムは、通常、法人の業務として創作されることが多いと考えられる。当該法人の従業員等が職務上作成したプログラムの著作物の著作者は、契約等に特別の定めがない限り、その法人となるため（著作15条2項）、その法人が著作権および著作者人格

注42）アイデアが、例えば具体的な仕様書やスキーム図等に表現されていれば、それらの表現は著作物として保護され得る。

権を原始的に取得することになろう。

このように、AIのプログラム部分はプログラムの著作物として著作権法によって保護される可能性が一般論としては高い。

ただし、開発者がOSSを主要部分として利用し、インターフェース部分をありきたりな方法でプログラミングしてAIソフトウェアを作成した場合、そのインターフェース部分には創作性がないものとして著作物として認められないことになろう。OSS部分は、プログラム著作物として認められる可能性が高いが、OSSは第三者が著作権を有しているのが通常であるので、そのようなAIソフトウェアには開発者の著作権は認められないことになろう。

⑵　学習済みパラメータ

では、AIの学習済みパラメータについての著作権法上の取扱いについては、どのように考えればよいのだろうか。

従来のプログラムにおけるデータは、プログラム部分によって処理される対象としてのデータであることが多かったが、学習済みパラメータは、プログラムによる処理方法の根幹を規定するデータである点で、プログラムの重要な一部であり、単なる処理対象にすぎない従来型プログラムのデータとは異なる特徴を有する。

もっとも、学習済みパラメータ部分のみを取り出して、その保護を考える実益があるのかという疑問も生じるであろう。

プログラム部分とデータ部分の依存関係が強く、データ部分が特定のプログラムにおいてのみ利用できるような場合には、データ部分のみをコピーしても他のプログラムでは動作せず、データ部分のみでは利用価値は低いのが一般的であろう。

例えば、ディープラーニング型AIでは、学習済みパラメータは、ニューラルネットワークの各ノード間の重みを表した数値と各ノードのバイアスの数値であるから、ニューラルネットワークの構造に依存しており、特定のニューラルネットワークで生成された学習済みパラメータを、ネットワーク構造が異なる別のニューラルネットワークでそのまま利用することはできない。そのため、学習済みパラメータのみを複製するような行為は意味がなく、実際に問題になることはないようにも思われる。

しかし、学習済みパラメータのみの複製であっても、パラメータの生成者・保有者の利益を不当に害するものとして問題になる可能性は否定できない。例えば、ある者が、OSSとして公開されたAIプログラムを使って学習済みパラメータを生成したところ、同じOSSとして公開されたAIプログラムを使っている者が、その学習済みパラメータを無断で利用したような場合である[注43]。あるいは、OSSを使って生成された学習済みモデルを他の者が丸ごと複製した場合に、OSS部分の複製は著作権侵害とならないが、学習済みパラメータ部分については著作権侵害が問題となることも考えられる。

そこで、データ部分である学習済みパラメータが、著作権法によってどのように保護されるかが問題となる。

(A)　学習済みパラメータの著作物性

学習済みパラメータは、学習用データセットをAIのプログラム部分に読み込ませることで生成され、数値として表現されることが多いと考えられる。このようにプログラムを操作することによってアウトプットが発生するものについても、アウトプットが著作物の要件を満たす限り著作権が発生する[注44]。表現物が単純な記号であることは著作物性を否定する理由にはならない。総選挙当落予想表事件[注45]では、裁判所は、衆議院議員総選挙の立候補者の当落予測を○、△、▲の記号で示した当落予想表について国政レベルの政治動向の一環としての総選挙の結果予測をした知的精神活動の所産であり、しかも、その表現には作成者の個性が表れているとして著作物性を認めている。したがって、学習済みパラメータが数値であることだけを理由に著作物性が認められないというものではない。

それでは、学習済みパラメータは著作物として保護されるのであろうか。

前述の通り、学習済みパラメータが著作権法で保護されるためには、著

注43）あるAIについて、画像認識部分、音声認識部分、自然言語認識部分などの部分にOSSとして公開されたAIプログラムを採用しているような場合、それらの特定の機能について生成された学習済みパラメータを他の企業が無断で利用するようなケースは十分あり得るであろう。

注44）中山・著作権法143頁。

注45）東京地判昭和62・2・19判タ629号221頁。

作物としての要件（著作2条1項1号）を満たす必要がある。そのうち特に、①思想または感情の表現と②創作性の有無が問題となる。

(i)　**思想または感情の表現**

機械学習型AIの場合、学習済みパラメータの生成は、AIのプログラムが行う。著作物は、思想または感情を表現したものである必要があるところ、AIには思想または感情がないと解されているため、AIが生成した表現は著作物としての要件を満たさない。

もっとも、学習済みパラメータの生成に際し、まず、人間が学習用データセットを作成し、AIのプログラムに学習用データセットを与えるという点において人間が関与する必要がある。しかし、そのような学習用データセットを与えたことのみによって、学習済みパラメータが人間の思想または感情を表現したものであるとするのは困難であるとして、学習済みパラメータには著作物性はないとする見解も十分あり得る。

しかし、学習済みパラメータの数値は、例えば、ディープラーニングの場合には、ニューラルネットワークの構造をベースに、そこに設定された活性化関数、出力層からの出力と正解データとの誤差（損失）率の計算方法、誤差の最小化方法などによって計算されることになる。これらは、学習済みモデル作成者の思想を体現したものである。また、AIに投入する学習用データセットについて、どのようなデータを使用し、どのような前処理をするか、AIをどのように学習させるか、学習回数を何回と設定するかなどによっても影響を受ける。これらも学習済みモデル作成者の思想が体現したものにほかならない。

このように学習済みパラメータの数値ができあがる過程において、人間が相当程度関与しており、その数値に人間の思想が反映されているといえる場合がある。

したがって、学習済みパラメータは、学習済みモデル作成者の思想が体現されたニューラルネットワークの構造や学習用データセットに基づいて生成されるものであり、人間の思想を表現したものであるとの考えも十分成り立つであろう。

文化庁著作権審議会第9小委員会報告書（1993年11月）は、コンピュータ・システムを利用して創作したコンピュータ創作物について、人間による「創作意図」と、創作過程において具体的な結果を得るための「創作的寄与」があればコンピュータを道具として創作したものとして著作性が肯定されたとする見解を示している[注46]。

そうだとすると、学習済みパラメータの作成について、学習済みモデル作成者の創作的意図と創作的寄与があるのであれば、コンピュータを道具として創作したものであり、学習済みパラメータは、学習済みモデル作成者の思想または感情を創作的に表現したものとして著作物性を肯定する余地はあるのではないだろうか。学習済みパラメータに即すると、ある開発者が、学習済みパラメータの生成方針を決定し、その生成過程を管理した場合には、その生成方針や管理方法に創作性があれば、学習済みパラメータは、その開発者の思想・感情を表現したものであり、かつ創作性があるものとして、著作物性を認めてもよいと考える[注47]。

ただし、学習済みパラメータの作成に人間の創作的意図と創作的寄与がどれくらいあったかについては、ケース・バイ・ケースであるため、一律に著作物性が認められるわけではないであろう。

もっとも、このような考え方に対しては、学習済みパラメータの数値自体は、AIプログラムによって自動計算されるものであり、学習済みモデル作成者の意図した表現ではないことから、学習済みパラメータは学習済みモデル作成者の思想が反映した表現ではない、という反論も想定される。

この点について、例えば、子供の写真を撮ったときにシャッターを押した瞬間に思いがけず良い表情をした場合や、プロのカメラマンがスポーツ選手のプレーを連続シャッターで撮影した場合に、その写真は、撮影者が意図した表現でなくとも著作権がないと一般的には解されていない。そう

注46）創作意図については、「コンピュータを使用して自らの個性の表れとみられる何らかの表現を有する結果物を作る」という程度の意図があれば足りるものと考えられると述べられている。

注47）宮下佳之「情報の集積・処理に伴う著作権法上の諸問題と実務対策——AIとプラットフォーマ——契約論を中心として」コピライト672号（2017）17頁では、「方針を決定して、生成されるべきものの要件を設定し、その生成過程を管理・支配し、そして、生成された多数のものから公表に値するものを選択するという、一連の過程全体をコントロールした者は、その創作的な寄与の程度によっては、著作者としてされて保護されてしかるべき」と述べられている。

だとすると、表現が作成者の意図をどこまで反映したものである必要があるのかについては議論の余地があろう。上記の写真の例の場合には、撮影対象・アングル・被写体はカメラマンによって決定されているが、学習済みモデルにおいても、ニューラルネットワークの構造や学習方法は開発者によって決定されているのであるから、同様に考えることもできよう。

(ii)　創作性

学習済みパラメータに著作権が発生するかを考えるに当たっては、創作性があるか否かも問題となる。

古典的な創作性概念によると、創作性とは、人間の思想または感情の流出物としての個性ということになるが、学習済みパラメータの生成には、人間による指示などの関与があることから、思想または感情の流出物としての個性があると考える余地はあるものの、AIが自動的に生成するものであるため、創作性が認められない可能性も否定できない。

他方、創作性について、創作の選択の幅があるか否かという基準で判断すると、学習済みパラメータは、とり得る数値やその組合せもほぼ無限の選択肢があるので、創作の選択の幅はあるものとして創作性を認める余地がある。

(iii)　学習済みパラメータの著作者

仮に、学習済みパラメータが著作物として認められるとした場合、その場合に誰が著作者になるのかということが次に問題となる。この点について、学習済みパラメータの作成に創作的に寄与した者は誰かを考えると、学習済みモデルの作成者ということになろう。したがって、仮に、学習済みパラメータが著作物として認められたとしても、ニューラルネットワークの構造等を構築した者や学習させた者は著作者となり得るが、元データや学習用データセットの単なる提供者は著作者としては認められないことになる。

なお、ニューラルネットワークの構造等を構築した者と学習させた者が異なる場合に、いずれが著作者になるのかについては難しい問題である。学習済みパラメータの作成に当たって、それらの者の創作的意図と創作的寄与がどれくらいあったかは、ケース・バイ・ケースであろうから一律に結論を出すことは難しいと思われるし、共同著作物になることも考えられる。なお、「学習させた者」の中には、データの加工などを通じて学習済みモデルの精度を上げるなどの作業に関与した者も含まれ得るので、データ提供者であっても、学習済みモデルの作成に積極的に関与した場合には、学習済みパラメータの著作者になる場合もあると考えられる。

(iv) **小括**

以上の通り、学習済みパラメータの著作物性については「思想または感情」や「創作性」の要件を満たさない可能性があり、著作物として認められるかは不透明である。

(B) **学習済みパラメータのデータベースの著作物の該当性**

データ自体には著作物性が認められない場合であっても、その集積物について著作物として認められるものとしてデータベース著作物がある。学習済みパラメータそのものに著作物性が認められない場合であったとしても、学習済みパラメータは、データの集積物であることから、データベースの著作物への該当性も問題となる[注48]。

データベースで重要なことは、収集されたデータがコンピュータによって検索可能なシステムになっていることであり、その創作性は情報の「配列」というより、収集後に「選択」し、体系化し、さらに適切なラベルを貼ることにあるとされている[注49]。

データベースについて、著作権法は、「論文、数値、図形その他の情報の集合物であつて、それらの情報を電子計算機を用いて検索することができるように体系的に構成したもの」と定義している（著作2条1項10号の3)。そして、「データベースでその情報の選択又は体系的な構成によつて創作性を有するものは、著作物として保護する」と規定されている（同法12条の2第1項)。

このように、データベースが著作物として保護されるためには、①情報を検索できるように体系的に構成されていること、②情報の選択や体系的

注48) 苗村憲司ほか『現代社会と著作権法』（慶應義塾大学出版会、2005）123頁は、プログラムの具体的動作を詳細規定するようなデータは、プログラムの動き自体を詳細に規定するものであるから、「データベース」の著作物とすることも、実態とかけ離れたものとなると指摘する。

注49) 三山・著作権法詳説133頁。

な構成[注50)]について創作性を有することが必要である。

まず①の要件については、学習済みパラメータは数値の集合体であるが、例えばディープラーニングの場合、その数値はあくまでニューラルネットワークのノード間のリンクの重みを表現するものであって、学習済みパラメータ自体を検索できるように体系的に構成されているものではないし、AIには学習済みパラメータを検索するための検索システムなどは設けられていない。学習済みパラメータは検索される対象として利用されるものではなく、その点で、顧客名簿などの典型的なデータベースとはまったく異なる性質のものである。

次に②の要件については、情報の選択や体系的な構成についての創作性の有無が問題となる。データベースの著作物の創作性についての裁判例であるタウンページデータベース事件[注51)]では、裁判所は、職業別電話帳であるタウンページについて、その職業分類体系は、検索の利便性の観点から、個々の職業を分類し、これらを階層的に積み重ねることで全職業を網羅するように構成されたものであり、原告独自の工夫が施されているから、体系的な構成によって創作性を有するとした。

他方、翼システム事件[注52)]では、裁判所は、通常される選択であって特有のものが認められないデータベースや、型式指定等の古い順に並べた構成は他の業者のデータベースにおいても採用されているとして、創作性を否定している。

学習済みパラメータの数値は、AIプログラムが自動で生成するものであり、情報の選択はそもそも行われない。他方、体系的な構成については、学習済みパラメータは、人間が決定するニューラルネットワークの構造に

注50）旅行業システム事件（東京地判平成26・3・14裁判所ウェブサイト）では、裁判所は、情報の選択については、一定の収集方針に基づき収集された情報の中からさらに一定の選定基準に基づき情報を選定することが必要であるとし、体系的構成については、収集・選択した情報を整理統合するために、情報の項目・構造・形式等を決定して様式を作成し、分類の体系を決定するなどのデータベースの体系の設定が行われることが必要であるとしている。

注51）東京地判平成12・3・17判時1714号128頁。

注52）東京地中間判平成13・5・25判時1774号132頁。

よって体系付けられる部分もあることから、何らかの体系が構築されることも考えられ、創作性が認められる余地はある[注53]。

以上の通り、学習済みパラメータについては、何らかの体系が構築され創作性が認められる余地は否定できないが、そもそも情報を検索するためのものではないことから、データベースの著作物の要件を満たす可能性は低いと考えられる。

したがって、学習済みパラメータがデータベースの著作物として認められ、著作権の保護が与えられる可能性は低いと考えられる。

(C)　学習済みパラメータの著作物の種類

仮に学習済みパラメータが著作物として認められた場合に、どのような種類の著作物として認められるのであろうか。

この点については、まずはプログラムの著作物の該当性が考えられる。プログラム著作物に該当する場合には、著作権法15条2項、47条の3等の適用を受けることになることから、そのような議論をする実益があるため、データである学習済みパラメータがプログラム著作物となるのかが問題となる。

著作権法においてプログラムとは、「電子計算機を機能させて一の結果を得ることができるようにこれに対する指令を組み合わせたものとして表現したもの」とされている（著作2条1項10号の2）。

裁判例をみると、IBFファイル事件[注54]では、プログラムがハードディスクにインストールするアプリケーションソフトのファイル情報を記載したデータファイルについて著作権上のプログラムに該当するかが争われた。この事件では、裁判所は、このデータファイルは電子計算機に対する指令の組合せではなく、著作権法にいうプログラムに当たらないとした。

他方で、前掲の電車線設計プログラム事件では、裁判所は、プログラム部分によって読み込まれる情報を記載した単なるデータについて、独立性

注53）その場合、創作に関与している者は、ニューラルネットワークの構造などからデータの体系的構造を創作した者であって、データを提供しただけの者は創作に実質的に関与していないため、著作者に当たらない点には留意する必要がある。

注54）東京高判平成4・3・31知的例集24巻1号218頁。

がなく、個別的に利用することができないものであったとしても、「データ部分を読み込む他のプログラムと協働することによって、コンピュータに対する指令を組み合わせたものとして表現したものとみることができるのであれば、著作権法上のプログラムに当たる」とした（もっとも、裁判所は、本事件のデータについて、プログラムに当たるとしても創作性がないとして、著作物性を否定した）。

学習済みパラメータのプログラム該当性については、学習済みパラメータはプログラムと一体となってコンピュータの動作内容を規定することから、プログラムと協働することでコンピュータに対する指令となるものであり、プログラムについての著作権法上の定義や電車線設計プログラム事件の裁判例を踏まえると、著作権法上のプログラムに当たると評価できると考えられる。

例えば、ディープラーニング型AIでは、学習済みパラメータは、あるノードから次の層のノードにどのような出力をするかについてコンピュータに指示するのであるから、まさにプログラムと協働して、コンピュータに対する指令をするものであり、著作権法上のプログラムに該当するといえるであろう。

以上から、学習済みパラメータについて、仮に著作物性が認められるのであれば、その著作物としての性質はプログラム著作物であると解される可能性が高いと考える。

⑶　学習済みモデル全体として考えた場合

前記の通り、学習済みモデルをプログラム部分と学習済みパラメータ部分に分けて分析的に考えた場合には、学習済みモデルのプログラム部分については著作権によって保護される可能性は高いが、他方で、プログラム部分と切り離された学習済みパラメータ部分については著作権で保護されないと解される可能性が相当程度ある。

しかし、学習済みモデルは、プログラム部分と学習済みパラメータ部分から構成されるものの、全体として1つのプログラムとして機能する。そこで、学習済みパラメータ部分のみ無断コピー等がなされた場合であっても、プログラム部分と一体となった学習済みモデルの著作権侵害と評価することができないのであろうか。

この点に関し、もし、学習済みパラメータがプログラムと協働してコンピュータに対する指令として表現されたものであれば、前掲の電車線設計プログラム事件の考え方によれば学習済みパラメータは著作権法上のプログラムと解することができる。そうであれば、プログラムと学習済みパラメータを区別する必要はなく、「プログラム＋学習済みパラメータ」を一体としてのプログラムであるとして、そこに学習済みモデル作成者の思想または感情および創作性が有るか否かを判断すれば足りると考えることもできよう。前述の通り、ディープラーニングにおいては、学習済みパラメータは、まさにプログラムと協働して、コンピュータに対する指令をするものであるから、著作権法的にはプログラムに該当するといえる。

次に、仮に学習済みモデル全体がプログラム著作物として認められる場合に、その一部である学習済みパラメータ部分のみを侵害することが著作権侵害を構成するかが問題となる。

一般的に、著作権は、著作物の全体が利用される場合だけではなく、その一部分でも著作物としての価値が認められる部分が利用されれば、その部分についても及ぶとされている[注55]。もっとも、著作権侵害は、著作物の「思想または感情」または「創作性」のある部分が侵害された場合に生じると考えられている。

例えば、歴史の研究書から、ある年代にどのような出来事があったかという事実の部分だけを抜き出して文章化しても複製権の侵害にはならない。また、他人のデータベースから体系的な構成を模倣することなく、相当量のデータをだけを抽出し、自己の体系を構築するような場合、利用した情報のかたまりに情報の選択という観点からデータベース作成者の創作性がなければ、侵害とならないと解されている[注56]。

システムサイエンス事件[注57]でも、裁判所は「あるプログラムがプログ

注55）加戸・逐条講義136頁。

注56）中山・著作権法174頁。同書では「創作性」についてのみ触れられており、「思想又は感情」については触れられていないが、通常は「思想又は感情」の要件が問題になることはないことから触れられていないだけであり、思想または感情の要件を満たさなければ著作権法の保護の対象でない以上、「思想又は感情」の要件を満たさない部分については著作権侵害は成立しないものと考えられる。

ラム著作物の著作権を侵害するものと判断し得るためには、プログラム著作物の指令の組み合わせに創作性を認め得る部分があり、かつ、後に作成されたプログラムの指令の組合せがプログラム著作物の創作性を認め得る部分に類似している必要があるのは当然である」と判示している。

このような考え方によれば、学習済みモデルの一部である学習済みパラメータを無断利用した場合に、学習済みモデルの思想・感情または創作性のある部分を侵害しない限り、著作権侵害は成立しないと解することになろう。そのため、無断コピーされた学習済みパラメータ部分に、思想・感情または創作性があるのかを検討する必要がある。

そうすると、学習済みパラメータで述べたことと同じ議論が当てはまることになる。すなわち、学習済みパラメータがAIプログラムが自動的に作成したものであることを重視する観点からは、学習済みパラメータには、思想・感情や創作性は認められないとの考え方となろう。他方で、学習済みパラメータが、学習済みモデル作成者の思想が体現されたニューラルネットワークの構造や学習方法に基づいて生成されることを重視する観点からは、学習済みパラメータにも、思想・感情や創作性が認められるとする考えることになろう。

したがって、学習済みパラメータ部分のみが複製・改変等された場合の著作権侵害の成立の可否については、学習済みパラメータの著作物性箇所（⑵）で述べたのと同様に現行著作権法の下では不透明であるといえる[注58]。

⑷　学習済みモデルの著作者

学習済みモデル全体や一部が著作物となる場合、学習済みモデルの作成に関与したプログラマやデータ提供者などの関係者の中で誰がその著作者になるかについては、前述した通り、創作的な表現に実質的に関与した者が著作者であり、この基準によって著作者が決まることになる。プログラマだからといって必ず著作者になるわけではなく、逆に、データ提供者だからといって必ずしも著作者にならないわけでもない。

注57）東京高決平成元・6・20判時1322号138頁。
注58）経済産業省商務情報政策局「オープンなデータ流通構造に向けた環境整備」82頁。

なお、著作者については、「プログラム部分＋パラメータ部分」である学習済みモデルが共同著作物なのか結合著作物なのかによっても結論が異なってくる。

共同著作物とは、複数の者が共同して創作したものであって、各人の寄与を分離して個別に利用することができないものをいう（著作2条1項12号）。共同著作物の著作権は共同著作者の共有となり、共有著作権としての制限を受ける（同法65条）。

これに対し、結合著作物とは、1個の著作物のような外観を呈していても、独立した著作物が結合しているだけであり、分離して利用することが可能なものを指し、各著作物はおのおの独立した存在となる。小説と挿絵や楽曲と詩歌は分離して利用できるので共同著作物ではなく、結合著作物とされている[注59]。裁判例でも、イラストと説明文からなる書籍について結合著作物であるとしたものがある[注60]。

したがって、学習済みモデルが共同著作物である場合には、複数の著作権者が学習済みモデル全体の著作権を共有することになり、その権利は共有著作権としての制限を受けることになる。他方、学習済みモデルが結合著作物である場合には、プログラム部分の著作権者と、パラメータ部分の著作権者は、それぞれ著作権を有し、一方のみの著作権者が学習済みモデル全体に対して著作権を及ぼすことはできない。

プログラム部分とデータ部分のそれぞれが著作物である場合に、それらが一体となった学習済みモデルが共同著作物なのか、結合著作物なのかは、分離可能性と個別利用可能性の有無で判断されるため、AIのプログラム部分とデータ部分の結びつき具合によって個別に判断されることになる。ディープラーニング型AIでは、データ部である学習済みパラメータはニューラルネットワークの構造と一体的に結びついているので、一般的には、分離可能性があるとしても、個別利用可能性はないため、共同著作物となると考えられる。

なお、共同著作物となるためには、各著作者間に1つの著作物を創作

注59）中山・著作権法242頁。
注60）東京地判平成9・3・31判時1606号118頁［だれでもできる在宅介護事件］。

するという共同意思が存し、かつ共同して創作行為を行うことが必要とするのが多数説である[注61)]。ある企業がAIの開発を企画し、ITベンダに当該AIの開発を依頼するような場合には、共同意思と共同の創作行為があり得るといえるが、OSSとして公開されたAIプログラムに、他の者がデータを読み込ませて学習済みモデルを作成した場合には、プログラムの著作物の著作権者とデータを読み込ませた者との間に共同意思や共同の創作行為があるとはいえないので、共同著作物は成立しないことになろう。

(5) 学習済みモデルの保護方法

前述の通り、学習済みパラメータ、ひいては学習済みモデルが著作権法によって保護されるかは不透明である。したがって、学習済みモデルを法的に保護するためには、契約により保護するか、営業秘密化して不正競争防止法による保護を受けることを中心に考えることになろう。著作権法による保護が不透明であるからこそ契約で権利関係を明確にしておく必要性が高いといえる。また、バイナリ化・暗号化・難読化等の技術的保護手段を講じることも重要である。

もっとも、学習済みモデルのプログラム部分については著作権により保護されている場合が多く、プログラム部分が保護されているのであれば、そのライセンスをコントロールすることで実質的に学習済みパラメータの利用もコントロールできることが多いため、学習済みパラメータの保護にどこまでこだわる実益があるのかは検討すべきであろう。また、学習済みパラメータが著作権で保護されないとしても、学習済みパラメータの作成者は、プログラムの著作物の著作権者と協働し、プログラムの著作権者に学習済みモデルの無断使用に対して著作権を行使してもらうことで、学習済みパラメータの保護を図ることも考えられる（【図表2–1–3】）。ただし、プログラムの著作権者が必ずしもこのような協力をしてくれるとは限らないため、このような協力義務を契約で定めておくことが考えられる。

なお、仮に学習済みモデルが著作権法で保護されるとしても、その実効性が確保できるのかは別問題であり、第三者が学習済みモデルを無断利用

注61）中山・著作権法242頁、三山・著作権法詳説167頁。なお、反対説として半田・著作権法概説14版57頁。

【図表 2-1-4】学習済みモデル侵害者への対応方法

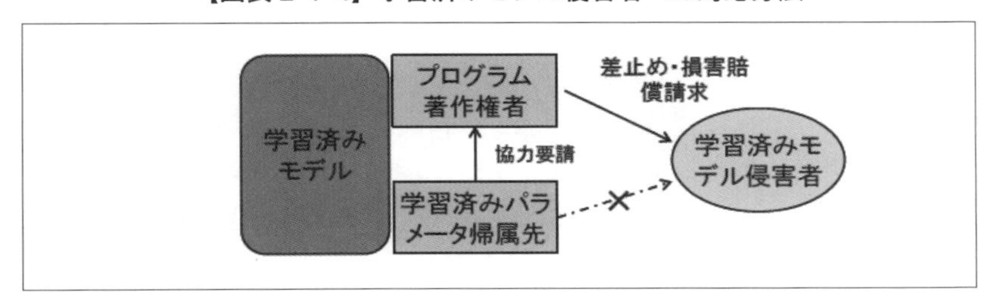

した場合に、その事実を把握することが現実には困難であるという問題がある。

なぜなら学習済みモデルは閉じたコンピュータシステム内で動作し、そのソースコードは秘匿されているのが通常であろうから、外部から無断利用を把握することは容易ではない。また、学習済みモデルを無断利用して派生モデルを作成するような場合、派生モデルの中身（学習済みパラメータ）がわかったとしても、何らかの特殊な細工をしない限り、無断利用された学習済みパラメータを利用した痕跡をみつけることは困難である。さらに、学習済みパラメータは、新しいデータが次々と投入されて刻々と変化していくものも多く、そのような場合には侵害された学習済みパラメータとの同定も難しい。そのため、著作権侵害が疑われるような場合であっても、現在の日本の訴訟システムにおいては実際に訴訟を提起して損害賠償や差止めを求めることは現実的ではないことも多いと考えられる。

したがって、以上からしても、学習済みモデルを保護したい場合には、繰り返しになるが、契約、不正競争防止法、技術的保護手段によることも考えるべきであろう。

3　リバース・エンジニアリングの可否

ソフトウェア開発の一手法として、リバース・エンジニアリングがある。リバース・エンジニアリングとは、プログラムに関してはオブジェクトコードを逆コンパイルし、ソースコードを生成して、そこからプログラムのアルゴリズムやアイデアを抽出した上で、それを利用して別のプログラムを作成することである。このようなリバース・エンジニアリングは著作権法上適法にできるのであろうか。

リバース・エンジニアリングの過程で、プログラムの著作権者に無断でオブジェクトコードからソースコードを生成して保存することは、プログラムを複製したり、改変することから、複製権・翻案権の侵害に当たるか否かが問題となる[注62)]。

リバース・エンジニアリングは、技術発展に必要であるものとして、特許権などについては明文で認められており、特許法は「特許権の効力は、試験又は研究のためにする特許発明の実施には、及ばない。」としている（特許69条1項）[注63)]。これに対して、従来は、著作権法上、リバース・エンジニアリングを認める明文の規定は設けられていなかった。これは、絵画や音楽等の古典的著作物においては、リバース・エンジニアリングがなされることが想定されていなかったためである。

リバース・エンジニアリングが著作権法上適法にできるか否かについて、従来から多数説は、適法なものであり、プログラムの内容を知るために必要な限度での解析行為については著作権侵害にはならないとしていた[注64)]。この点、平成30年改正で著作権法30条の4が新設され、プログラムに関してはリバース・エンジニアリングの過程でプログラムを複製等する行為は合法であるとされ、この問題に決着がついた[注65)]。すなわち、リバース・エンジニアリングと言われるようなプログラムの調査解析目的のプログラムの著作物の利用は、プログラムの実行等によってその著作物を享受することに向けられた利用行為ではないと評価できることから、著作権法30条の4の「著作物に表現された思想又は感情」の「享受」を目的としない利用に該当するものと考えられるため[注66)]、同条により著作者の権利

注62）厳密にいえば、オブジェクトコード、ソースコードのいずれの複製・翻案に当たるのかという問題があるが、いずれにせよ結論に相違はない。

注63）同様のものとして、実用新案法26条、半導体回路配置法12条2項。

注64）三山・著作権法詳説241頁。中山・著作権法142頁は、著作権法における複製概念は物理的な複製の有無で決定すべきではなく規範的に捉えるべきであり、プログラムの中身を知るための解析過程に複製・翻案行為が介在しても、必要な限度で、原則として著作権法上の複製・翻案ではないと解すべきとする。

注65）中山・著作権法142頁。

が制限されることになる。

なお、複製権・翻案権の侵害を回避するための具体的な手法としては、プログラムを解析してアイデアを抽出する部隊と、そのアイデアに基づいてプログラミングをする部隊を分けて作業させるクリーンルーム方式などが使われることがある。もっとも、理論上は、前者が適法なリバース・エンジニアリングを行い、後者がアイデアを利用しているにすぎないため、個々には著作権侵害を構成しないと評価することも可能であろうが、現実問題として同一の法人内で行われた行為を別個独立の行為と評価し得るのかという問題があり、クリーンルーム方式が万全ではないという指摘もあることには留意が必要である[注67]。

AIの開発者側としては、リバース・エンジニアリングにより、プログラムが解析されてアイデアを使われることを防ぎたいと考えるのが自然であり、プログラムを暗号化することが考えられる。そこで、暗号化したプログラムを解読してリバース・エンジニアリングをすることが、著作物等の技術的保護手段を回避を禁止する著作権法120条の2の違反となるかが問題となる。

この点、技術的保護手段の回避行為それ自体は、業として公衆からの求めに応じて行った場合に限って著作権法違反となり（著作120条の2第2号）、自らの業務のために行った場合には著作権法違反とはならない。

また、不正競争防止法においても積極的にリバース・エンジニアリングを認める明文の規定はないが、市場で正当に購入した製品を一般的に用いられるような容易な技術的手段を用いることによってリバース・エンジニアリングすることは、法律上有効な契約で禁止されない限り、営業秘密に

注66）文化庁著作権課「デジタル化・ネットワーク化の進展に対応した柔軟な権利制限規定に関する基本的な考え方」（2019年10月24日）11頁（以下、「文化庁・基本的な考え方」として引用する）。

注67）中山・著作権法142頁。田村善之『著作権法概説〔第2版〕』（有斐閣、2001）56頁は、クリーンルーム方式について、個々人のレベルでは依拠の要件を欠くとしても、組織全体では他社のプログラムに依拠して類似のプログラムが開発されていると評価することは不可能ではないとする。

関する不正な行為ではないと解されている[注68]。なお、不正競争防止法では、技術的制限手段の回避行為について、回避機器等の譲渡等や回避サービスの提供については不正競争行為とされている。

したがって、AIの開発者側がリバース・エンジニアリングを防ぎたい場合は、技術的保護手段を施すか、ライセンス契約などの契約上その旨明記することが重要である。もっとも、かかる契約や利用規約の規定が、著作権法30条の4の規定を上書き（オーバーライド）できるかについては議論がある[注69]。

4　派生モデルの取扱い

機械学習をするAIでは、学習済みモデルに新たな学習用データセットを投入するなどして更に学習させて、精度を上げていくことが考えられる。一度完成した学習済みモデルの利用者が、その学習済みモデルをさらに学習させて、新たに作成する学習済みモデルは「派生モデル」と呼ばれる。派生モデルは、学習済みモデルのプログラム部分はそのまま用いているが、学習済みパラメータが進化を遂げたものであるといえる。学習済みパラメータの一部を利用する「転移学習」も派生モデルの一種であるといえる。

このような派生モデルについては、元の学習済みモデルの著作権者の権利がどこまで及ぶかが問題となる。

まず、派生モデルの作成に当たっては、学習済みパラメータの改変をすることになるが、著作物を著作権者に無断で改変する行為は、翻案権（著作27条）の侵害となるため、派生モデルの作成が翻案権の侵害とならないかが問題となる。

次に、元の学習済みモデルの著作権者は、ライセンシーが作成した派生モデルに対して自らの著作権を主張できるのかが問題となる。例えば、元の学習済みモデルの著作権者が、ある企業に学習済みモデルをライセンス

注68）小野・不正競争防止法〔上巻〕355頁。知財高判平成23・7・21判時2132号118頁［光通風雨戸事件］、大阪地判平成24・12・6裁判所ウェブサイト［攪拌造粒装置事件］。

注69）文化庁・基本的な考え方11頁参照。

【図表2-1-5】派生モデル

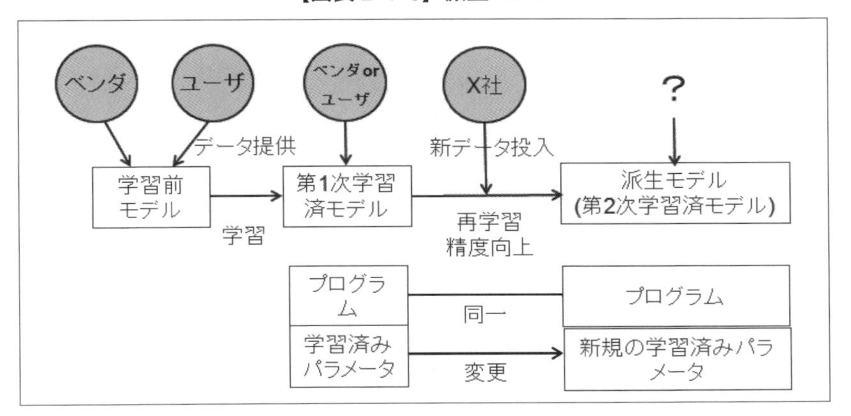

したところ、ライセンシーが、無断で自らのデータを使って学習済みモデルに学習させて派生モデルを作成した場合に、ライセンサーは、ライセンシーに対して著作権法に基づいて派生モデルの利用を禁止できるのかが問題となる。

これらの問題は、派生モデルは、元の学習済みモデルの学習済みパラメータを改変することによって作成されることから、学習済みパラメータに著作権の保護が及ぶ場合に問題となる。逆に学習済みパラメータ部分に著作権の保護が及ばない場合には、著作権がない以上、そもそも複製権や翻案権が問題となることはない。

(1)　派生モデルの作成が翻案権等の侵害となるか

派生モデルを作成する際に、元の学習済みモデルの著作権者の許諾を得なければ、翻案権や著作者人格権の侵害となるのであろうか。

(A)　学習済みパラメータ部分がプログラム著作物の場合

(i)　複製権・翻案権

学習済みパラメータ部分がプログラムの著作物である場合には、プログラムの著作物の複製物の所有者は、自らコンピュータにおいて利用するために必要と認められる限度で、当該著作物の複製・翻案をすることが認められている（著作47条の3）。

なお、著作権法47条の3の適用があるのは、あくまでも複製物の所有者とされており、複製物の貸与を受けているものや、インターネット経由でプログラムの機能提供を受けている者は含まれないことに留意が必要である。つまり、学習済みモデルのプログラムのコピーの所有者自らがプログラムをコンピュータで使用する場合に限って、著作権法47条の3の規定の適用があるのであり、学習済みモデルについて、ライセンスを受けているだけの者や、SaaSの形式でサービス提供を受けている者については著作権法47条の3の規定の適用はない[注70)]。

著作権法47条の3の「必要と認められる限度」とは、コンピュータの操作に当然に伴う複製、ハードディスクへのインストール、バックアップのための複製、バージョンアップあるいは機能向上のための複製・翻案、移植のための複製・翻案等が考えられるが、これに限られるものではないとされている[注71)]。

そのため、精度を上げるために学習済みパラメータをさらに学習させることは、機能向上のための翻案といえ、「必要と認められる限度」の翻案と考えられる。もっとも、バックアップやバグの修正と異なり、パラメータ部分を大幅に変更することになるので、著作権法47条の3が想定している範囲を超えるという見解もあり得る。しかし、条文の文言からは、必要と認められれば改変の程度は問わないというべきであろうし、そもそもパラメータ部分はAIの精度を上げるために変更されることが想定されている部分であることから、その変更は著作権者の想定の範囲内であるといえる。したがって、一般的には、精度を上げるために学習済みパラメータを変更することは、必要と認められる限度の範囲内であると考えられる。

もっとも、例えば画像認識用の学習済みモデルを自然言語処理用に転用するなど、ある学習済みモデルを、著作権者が想定していないような他の用途に転用するような場合には、そのための学習済みパラメータの変更が、

注70）中山・ソフトウェア76頁は、著作権法47条の3が複製物の所有者に限定していることについて規定自体の妥当性を問題とせざるを得ないと指摘する。

注71）中山・著作権法463頁。「必要と認められる限度」とは、プログラムをコンピュータで使用するに際して、当然に必要となるような複製や翻案であり、また、著作権を制限しても著作者の利益を不当に害しないような範囲に限定されるとの見解がある（著作権コンメ⑵504頁［田中成志］）。

著作権法47条の3が想定する範囲を超えているとされる可能性はある。

(ii)　**著作者人格権**

次に、学習済みパラメータ部分を改変することについて、著作者人格権の1つである同一性保持権（著作20条1項）を侵害することになるかを検討する必要がある。

この点について、学習済みパラメータ部分がプログラムの著作物である場合には、プログラムの著作物をコンピュータにおいてより効果的に利用し得るようにするための必要な改変については、同一性保持権の規定は適用されない（著作20条2項3号）。AIの精度を上げるために、学習済みパラメータ部分を改変することは、一般的には「コンピュータにおいてより効果的に利用し得るようにするための必要な改変」であると考えられるから、同一性保持権の侵害にはならないと考えられる。

(B)　**学習済みパラメータ部分がデータベース著作物の場合**

可能性は低いが、仮に学習済みパラメータ部分がデータベースの著作物である場合には、データベースの著作物の改変については、前記の著作権法47条の3のような例外規定は設けられていない。もっとも、データベースの著作物についての著作権侵害は、改変をした部分が、情報の選択または体系的構成という観点から創作性があると認められる場合にのみ成立するとされている。そして、例えばディープラーニング型AIの場合、学習済みパラメータ部分の情報の選択または体系的構成は、基本的にプログラム部分であるニューラルネットワーク構造に依存することから、ニューラルネットワーク構造を改変せずに、学習用データセットを追加して学習した結果、学習済みパラメータ部分が改変されるのであれば、学習済みパラメータ部分の情報の選択または体系的構成の創作性がある部分に改変を加えたことにはならないことが多いと考えられる。

同一性保持権については、学習済みパラメータ部分がデータベースの著作物である場合には、プログラムの著作物に適用される同一性保持権についての例外規定（著作20条2項3号）は適用されない。もっとも、「やむを得ない改変」である場合には、同一性保持権の規定は適用されないとされており（同法20条2項4号）、この規定を広く解釈する立場に立てば、データベースの著作物である学習済みパラメータ部分を改変することが、同一性保持権の侵害にはならないと解される。この点について、常時更新する必要があるデータベースに関して同一性保持権に基づく改変禁止を主張された場合、適時性、信頼性、有用性があるデータベースを維持できなくなってしまうとの指摘もされている[注72]。同一性保持権について、プログラムの著作物についてより効果的な利用のための必要な改変についての例外があることの平仄から、データベースの著作物の改変についても、より効果的な利用のために必要な改変については、前記の「やむを得ない改変」であるとして、同一性保持権を侵害しないと解することもできよう。

(C)　**小括**

以上の通り、仮に学習済みパラメータに著作権の保護が及ぶ場合であっても、著作権者の承諾を得ずに学習済みパラメータを改変し、派生モデルを作成することは著作権法上適法にできる可能性が高い[注73]。

また、学習済みパラメータが著作物でない場合には、著作物でない以上、そもそも複製権、翻案権、著作者人格権による保護は問題とならない。

したがって、学習済みモデルのライセンサーが、ライセンシーに対して、派生モデルを作成することを明確に禁止・制約したいのであれば、ライセンス契約によって禁止することが現実的な対応策となる。例えば、学習済みモデルのライセンス契約に、学習済みモデルをさらに学習させることや、学習済みパラメータを改変することを禁止する規定を設けることが考えられる。もっとも、契約である以上、その効力を及ぼすことができるのは契約当事者のみであり、第三者にはその効力を及ぼすことはできないという限界がある。

注72）梅谷眞人『データベースの法的保護』（信山社、1999）80頁。

注73）学習済みパラメータ部分が、著作権法において列挙される著作物はあくまで例示なので、プログラム著作物やデータベース著作物に該当しない「学習済みパラメータの著作物」という別の類型を観念することもできるかもしれず、その場合にはプログラム著作物に対しての例外規定である著作権法47条の3は適用されないこととなる。しかし、学習済みパラメータは、プログラムと協働するデータであることから過去の裁判例に照らしてもプログラムであると認定される可能性が高いと考えられる。

⑵　派生モデルの作成が二次的著作物となるか

派生モデルに対して、元の学習済みモデルの著作権者は、自らの著作権を主張することができるのであろうか。

二次的著作物には、原著作権者の権利が及ぶものとされている（同法28条）ので、派生モデルに対して、原著作権者の権利が及ぶかについては、その派生モデルが原著作物を翻案することにより創作した二次的著作物といえるかによる（著作２条１項11号）。

「翻案」の意味について、江差追分事件最高裁判決[注74)]は、「既存の著作物に依拠し、かつ、その表現上の本質的な特徴の同一性を維持しつつ、具体的表現に修正、増減、変更等を加えて、新たに思想又は感情を創作的に表現することにより、これに接する者が既存の著作物の表現上の本質的な特徴を直接感得することのできる別の著作物を創作する行為をいう」としている。

元の学習済みモデルの著作権者が、派生モデルに対して自らの著作権を主張するためには、プログラムや学習済みパラメータに著作権があることが前提となるが、かかる前提を満たした場合においては、以下のように考えられる。

派生モデルが、元の学習済みモデルの表現上の本質的な特徴の同一性を維持し、これに接する者が元の学習済みモデルの本質的特徴を直接感得することができる場合には、派生モデルは二次的著作物といえるが、逆に、派生モデルにおいて、元の学習済みモデルの本質的特徴が失われていれば、二次的著作物とはいえない。

この点、派生モデルにおいては、通常、プログラム部分については、学習済みモデルの権利者が利用者にライセンスしており、プログラム部分の改変はされないことから、この部分については、翻案や二次的著作物の問題は生じない。他方で、学習済みパラメータについては追加学習前のパラメータから大きく変更され、本質的な特徴の同一性や、これに接する者による本質的特徴の直接的感得ができることは考えにくい。その場合、元の学習済みパラメータの著作権者の権利は派生モデルの学習済みパラメータ

注74）最判平成13・6・28民集55巻4号837頁。

には及ばないことになる。

もっとも、派生モデルも元の学習済みモデルのプログラム部分を使用していることから、元の学習済みモデルのプログラムの著作権者が、プログラムのライセンス契約の中で派生モデルの利用方法を定めるなど、派生モデルの中の学習済みパラメータに対してある程度のコントロールをすることは可能である。

5　蒸留モデル

AIを作成するに当たって、「蒸留」という手法がある。蒸留とは、AIを学習させるのに、別のAIのプログラムを模倣することはせずに、そのAIの入力値と出力値を使って学習させる方法である。

2015年のImageNet主催の画像認識コンテストで優勝した画像認識ニューラルネットワークのResNetは152層のニューラルネットワークであり、ある画像データを入力すると結果を出力する。そこで、ある者が、まったく別の構造の7層のニューラルネットワークを作成し、入力データに対して、ResNetと同じ出力をするようにAIを学習させることで、この7層のニューラルネットワークをResNetに近いパフォーマンスを得ることを目指す手法が「蒸留」である。

蒸留するメリットとして、この例のようにニューラルネットワークの構造を152層から7層にするなどプログラム部分をシンプルにすることで、動作が速くなる、使用メモリーが減る、開発期間が短縮できるといった効果が期待できる。

蒸留は、対象となるAIのプログラムの中身を見なくても、その入力データと出力データがわかれば、実行することができる。

このような蒸留の手法によりAIを作成することは、蒸留の対象となるAIプログラムの著作権を侵害することになるのであろうか[注75)]。

注75）もちろん、AIプログラムの複製等の利用について著作権者の許諾を得ていない場合には、AIプログラムに係る著作権の侵害に当たる可能性が高いので、本論点は、AIプログラムを利用すること自体については著作権者の許諾があることが前提である。

【図表 2-1-6】蒸留モデル

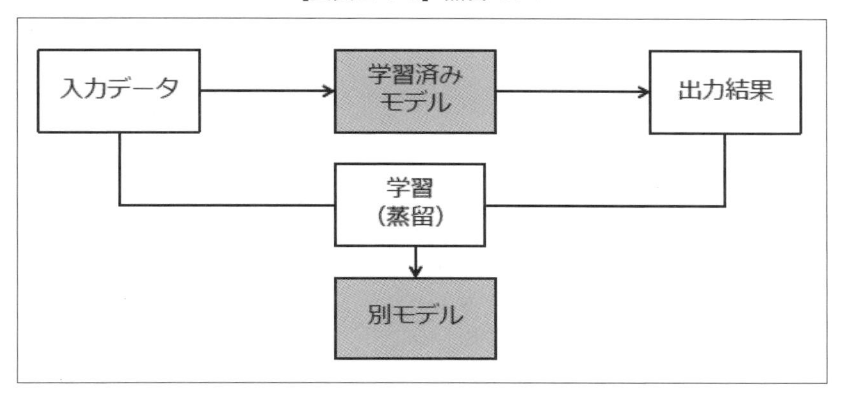

著作権侵害となる行為の典型として無断複製があるが、複製とは、著作物を有形的に再製すること（著作2条1項15号）であり、独自に創作したものは再製ではない。そのため、複製権の侵害が成立するには、他人の著作物に接し、それを自己の作品の中に用いて、他人の著作物に「依拠」することが必要であるとされている[注76]。

したがって、同じ表現をしている著作物であっても、後行の著作者が、先行の著作者の作品をまったく知らずに独自に作品を作成した場合には、著作権侵害は成立しない。後行の著作者が、先行の著作物の存在を知らないことについて過失があっても、著作権侵害は成立しない。

したがって、蒸留の手法によりAIを作成したとしても、利用しているのはあくまで他人のAIの入力データと出力結果だけであって、仮に蒸留により作成されたプログラムに類似性が認められるとしても、他人のAIのプログラムに依拠していない以上、著作権侵害を問うことは極めて困難である。

それゆえ、学習済みモデルのライセンサーが、ライセンシーに対して、蒸留モデルを作成することを禁止・制約したいのであれば、派生モデルと

注76）中山・著作権法709頁、最判昭和53・9・7民集32巻6号1145頁［ワン・レイニー・ナイト・イン・トーキョー事件］。

同様に、ライセンス契約などの契約によって禁止することが現実的な対応策となる。

6　データの保護

AIを実用的なものとするためには、AIに学習をさせ、最適なアウトプットを導き出せる学習済みモデルを生成することが求められるが、学習するための素材として大量のデータを読み込ませる必要がある[注77)]。

このような大量のデータを取得・加工するためには多くの労力や費用を投下することが必要となり、学習用データセットの前処理や拡張技術（データオーギュメンテーション）等に重要なノウハウがある場合も考えられる。また、設計データといった産業用データや顧客データのように、データそのものに大きな価値があることもある。そのため、データを作成・保有する者としては、データをどのように保護するかということが問題となる[注78)]。

他方で、AIを学習するために大量のデータを利用する立場に立てば、データの利用に当たって他人の権利を侵害していないかが問題となる。例えば、ウェブ上のデータを利用する場合など他人の著作物がデータに含まれている場合や、個人情報がデータに含まれている場合などが典型例である（後者については第３編第２章で述べる）。

なお、データは量だけではなく質も重要である。「ガーベージ・イン・ガーベージ・アウト」（ゴミを入れるとゴミが出てくる）というIT用語があるが、AIについても、ゴミのデータを入れて学習させても、ゴミのようなAIしかできない。そのため、データの量だけではなく、質も重要な意味をもつ。

データの集合物の分類については、①選択等がされていない単なるデータの集合物、②選択等がされたデータの集合物のうち、選択データの分類があらかじめ規定されているもの（教師ありデータ）、③選択等がされたデ

注77）教師なし学習や強化学習が著しく進歩した場合には、将来、データの重要性が低下することはあり得るが、現時点の機械学習ではデータは重要である。

注78）データの保護は、分析的に考えると、データの入手・加工・処理方法といったノウハウ的なものをどのように保護するかというものと、すでに作成・保有しているデータ自体をどのように保護するかというものに分けることができる。

ータの集合物のうち、当該データの分類があらかじめ規定されていないもの（教師なしデータ）に分類するものもある[注79]。

⑴　生データの保護

AI用に特に加工されていない一次データは「生データ」とも呼ばれる。

生データについては、例えば、センサーが収集するなどした気温・湿度・気圧など事実それ自体であれば、著作物には該当しないので、著作権法によっては保護されない。

他方、生データが写真や文章など創作性があるものであれば、著作物に該当し、著作権法によって保護される。

また、生データ自体は著作物でなくても、生データを集積させて、コンピュータによって検索することができるように体系的に構成され、生データの情報の選択または体系的な構成について創作性を有しているものであれば、データベースの著作物として、著作権法により保護される。

⑵　学習用データセットの保護

機械学習においては、生データを加工して学習用データセットを作成し、その学習用データセットを使って、AIを学習させることになる。教師あり学習の場合、学習用データセットを作成するには、生データに対して正解データ（ラベル）を付与する作業（アノテーション）が必要である。

また、AIの精度を上げたり、効率よく学習させるためには、生データの中から質の良いデータの選別や、欠損データの穴埋め、ノイズとなるデータを除去するなどの前処理をすることも重要である。

さらに、データ量を増やすために、例えば、画像データであれば左右上下反転させたり、一定の角度で左右に回転させたりすること（アフィン変換）や、ノイズを入れることでデータ量を増やすといったデータ拡張技術（データオーギュメンテーション）が用いられることもある。これらの加工がされた画像は人間にとっては同じようにみえても、コンピュータにとってはまったく別のデータである。

学習用データセットの例として、手書き文字認識の機械学習のために

注79）知的財産戦略本部 検証・評価企画委員会 新たな情報財検討委員会「新たな情報財検討員会報告書」（2017年3月）25頁。

作成されたMNIST（Mixed National Institute of Standards and Technology database）が有名であるが、これは、国勢調査局職員と高校生から集められた手書き数字の画像データ計7万枚（5万5000枚の訓練用データ、1万枚のテスト用データ、5000枚の検証用データ）の手書き数字の画像と正解の数字を示すラベルデータから構成されている。

また、画像データベースとして著名なものとしてImageNetの画像データベースがある。そこには1400万枚以上の画像が収録されており、それらの画像には写っている画像のカテゴリの正解ラベルが付されているが、その作業は、クラウドソーシングを利用して人手で行われたものである。

このように、AIの開発・利用に当たっては、AI学習用に生データを加工することが必要となる。

生データを加工する際のノウハウも重要である。データを提供する側は、データを日常的に取り扱っていることから、そのデータの取扱いについてノウハウをもっている場合も多い。他方、AI開発者側は、AIの精度を上げるためにはどのようにデータなデータが必要かについてのノウハウや、どのようにデータを加工するかというノウハウをもっている。これらのノウハウの有無によって、AIの最終的な精度は変わってくるため、データの取扱いについてのノウハウは、AI開発において重要である。

生データを収集・加工するには大きな労力・費用がかかり、価値のあるノウハウが利用されることも多い。AIの精度は、学習用データセットに大きく依存することから、今後、その価値はますます高まるであろう[注80]。そこで、このような加工されたデータをどのように保護するかについても問題となる。

(A)　データベースの著作物

生データを加工した加工データについても、基本的には生データと同様である。もっとも、加工データには、加工するという作業が入っていることから、その加工の過程で、創作性のある「情報の選択又は体系的な構

注80）生データの収集・加工には労力・費用がかかることはもちろん、加工の方法によってAIの精度も変わってくるので、加工のノウハウも重要となるが、ノウハウの保護については不正競争防止法によって保護することが考えられる。

【図表 2-1-7】MNIST の手書き文字の例

＊ Yann LeCun（Courant Institute, NYU）and Corina Cortes（Google Labs, New York）

成」がなされ、データベースの著作物に該当することもあるだろう。

どのような場合にデータベースの著作物となるかについては前述した通り、①情報を検索できるように体系的に構成されていること、または②情報の選択や体系的な構成について創作性を有することが必要である（著作2条1項10号の3・12条の2第1項）。

学習用データセットの作成においては、一定の学習テーマに関連するデータの中から、AIの機械学習に適したデータが選択されることになるのが通常である。この選択に創作性が認められる場合には、学習用データセットは、データベースの著作物（データベースで情報の選択または体系的な構成によって創作性を有するもの）に該当することとなる[注81)]。

なお、データベースの著作物の著作者は、データの選択や体系構築を創作的に行った者であり、その方針に従って手足となってデータを収集した

注81）MNISTに関していえば、ニューヨーク大学のYann LeCun教授とGoogleのCorinna Cortes氏がデータセットに対し著作権（copyright）を有する旨明示されている。もっとも、MNISTは、Creative Commons Attribution-Share Alike 3.0 licenseが定める条件に従っていれば、複製・翻案を含め利用可能であるとされている。

者は、創作的行為をしていないことから著作者にはならない[注82]。

(B)　不法行為法による保護

では、加工データがデータベースの著作物などの著作物に該当しない場合、著作権によって一切保護されないのであろうか。

過去の裁判例においては、著作物に該当しないデーターベースの無断コピーについて、民法709条に基づく不法行為として損害賠償請求を認めた事例がある。

翼システム事件[注83]では、裁判所は、自動車約12万台に関する情報を収録したデータベースについて、データーベースの創作性を認めず著作権による保護を否定したが、データベースのデッドコピーについて、不法行為による損害賠償請求をすることを認めた。同事件では裁判所は、情報収集等に労力と費用が投下されていたことや競合会社がデータベースをデッドコピーしていたことを指摘し、著しく不公正な手段を用いて他人の法的保護に値する営業上の利益を侵害する場合には不法行為が成立するとした。

しかし、北朝鮮映画事件[注84]において、最高裁は、「著作物に該当しない作品の利用行為は、著作権法が保護しようとしている利益と異なる法的に保護された利益を侵害するなどの特段の事情がない限り、不法行為とはならない」と判示した。この最高裁判決は、著作権法で保護されない権利については、原則として不法行為が成立しないとしたものと解されている。この最高裁の判断枠組みによれば、データベース著作物ではないデータベースをデッドコピーする行為は、原則として不法行為が成立せず、例外として、著作権が侵害されたと主張する者が、著作権法の保護する利益と異なる法的利益が侵害されたことなどの特段の事情を立証できた場合に限って、著作権侵害が認められることになる。もっとも、この最高裁判決については、2時間を超える映画のうち合計2分8秒を放送したにすぎなかったことから不法行為の成立を認めなかったとの見方もある。

注82）中山・著作権法239頁。

注83）前掲・東京地判平成13・5・25［翼システム事件］。

注84）最判平成23・12・8民集65巻9号3275頁。

いずれにせよ、データベース著作物に該当しないデータベースの無断利用について不法行為が成立するかについては、流動的な状況であるといえよう。

(3)　学習用データセット・教師データセットの権利

(A)　学習用データセット・教師データセットの著作権

教師あり学習のための学習用データセットは、生データに正解データであるアノテーションを付して、教師データセットを作成し、それを機械学習向けに適した形に加工することによって生成される（なお、この順番は変わり得る）。

これら一連の過程が同一当事者によって行われる場合には、この学習用データセットについての著作権者は、著作権が発生しているという前提付きではあるが、学習用データセットを生成した者である。また、契約において学習用データセットの権利帰属や利用条件を定める場合にも、生成した者が学習用データセットについての権利を主張しやすい。

もっとも、実際には、ユーザが生データを提供し、ベンダがアノテーションの付与と加工を行うことも多い。また、ユーザが生データを提供し、専門家等がアノテーションの付与をし、ベンダが機械学習向けの加工を行うこともある。例えば、画像による疾病診断AIの学習用データセットでは、医療機器メーカが画像を提供し、医師が疾病名のアノテーションをし、ベンダが機械学習向けの加工を行うことがある。このように学習用データセットの生成にさまざまな者が関与することは珍しいことではない。

そこで、生データにアノテーションを付したデータセットを「教師データセット」と呼ぶとすると、一般的には、複数の者が関与して生成された教師データセットは、正解データと生データを切り離して考えることができないことから、共同著作物として取り扱われることになろう（著作2

【図表2-1-8】学習用データセットの作成プロセス例

生データ → 教師データセット → 学習用デーセット

アノテーション（正解データ）の付与　　機械学習用向けの加工

条1項12号)。その結果、教師データセットは、共同著作者の共有となり、共有著作物としての制限を受けることになる（同法65条)。

また、教師データセットを機械学習向けに加工して、最終的な学習用データセットを生成した場合、この学習用データセットについても、教師データセットと切り離して考えることはできないことから、加工者を含めた共同著作物として取り扱われることになろう。

このように複数当事者の関与のもとで生成された学習用データセットについては、著作権がある場合には、共有著作物としての制限を受けることになり、自らの利用についても制限されることになることから、当事者間において、契約によってその取扱いについて定めておくことが望ましい。契約の内容は当事者の合意により自由に定めることができるが、学習用データセットを共有にして一定の条件の下で各当事者が利用できるという共有にするタイプもあれば、特定の者に帰属させて、その者がすべての利用方法を決定するという単独保有にするタイプもあり得る。

契約で権利帰属や利用条件をどのように定めるかは、①データの性質、②データを取得・収集・加工・統合する際の出費・労力などの寄与度、③データの営業秘密性、④学習用データの全部または一部が生データ復元可能なものとして含まれているか、⑤取引に関して支払われる対価の金額、⑥ある当事者をデータ帰属先とするによって得られる社会的便益などが考慮要素になり得る。

(B)　学習用データセット・教師データセットと二次的著作物

二次的著作物とは、著作物を翻訳、編曲、変形、脚色、映画化するなど翻案することにより創作した著作物のことであり（著作2条1項11号)、原著作物の著作権者の権利が二次的著作物にも及ぶとされている（同法28条)。

生データの著作権者は、教師データセットについては、生データがほぼ原形を留めた上でその構成要素となっていることから、原著作物の表現が感得できる範囲について二次的著作物の利用に関する原著作者の権利を主張できることになる。もっとも、著作物に変更が加えられていてもその変更が創作的な表現でなければ翻案ではなく複製にとどまり、変更後の著作物も二次的著作物に当たらない。アノテーションは創作的表現とはいえない場合が多いであろう。その場合、教師データセットは生データの複製物ということになる。

他方で、機械学習用に加工された学習用データセットに対して原著作者の権利を主張できるかについては、加工後の学習用データセットがどのような形になっているかにより結論は変わってこよう。前述の翻案に関する江差追分事件最高裁判決[注85]に従えば、学習用データセットが、生データの本質的な特徴の同一性を維持し、生データの本質的な特徴を直接感得できるような場合には、原著作者の権利を主張できることになる。

⑷　データ提供者の学習済みパラメータに対する権利

学習済みパラメータは、学習用データセットを元に生成される。そこで、学習用データセットや生データなどのデータの提供者が、学習済みパラメータに対して、何らかの著作権法上の権利を主張することも考えられる。

第１に考えられるデータ提供者の主張は、「学習済みパラメータは元のデータを翻案した二次的著作物であり、自らの著作権が及ぶ」という主張である。

この点、そもそも、学習用データセットや生データが著作物でない場合には、その提供者が著作権を有していない以上、学習済みパラメータに対して、著作権を主張することはできない。

一方、学習用データセットや生データが著作物である場合、例えばデータが写真などの著作物である場合やデータベース著作物である場合には、それらの著作権者が、学習済みパラメータがデータを翻案した二次的著作物であるとして、著作権を主張できるのかは問題となり得る[注86]。

この点、「翻案」の意味については、前述した通り、江差追分事件最高裁判決[注87]は、「既存の著作物に依拠し、かつ、その表現上の本質的な特徴の同一性を維持しつつ、具体的表現に修正、増減、変更等を加えて、新たに思想又は感情を創作的に表現することにより、これに接する者が既存の

注85）最判平成13・6・28民集55巻4号837頁。

注86）学習用データから学習済みパラメータを作成する際に、学習用データを複製・翻案することについて、その適法性が問題となるが、これは著作権法47条の7の問題であり、次頁以下で述べる。

注87）前掲・最判平成13・6・28。

著作物の表現上の本質的な特徴を直接感得することのできる別の著作物を創作する行為をいう」としている。

学習済みパラメータは、学習用データセットをベースに作成されるものの、例えばディープラーニング型AIの場合にはニューラルネットワークのノード間の重みの数値行列であり、表現上の本質的な特徴の同一性が維持されておらず、学習済みパラメータから学習用データセットの本質的な特徴を直接感得できることは通常考えられないため、学習済みパラメータは学習用データセットの翻案物とはいえない。

第2に考えられるデータ提供者の主張は、「AI全体や学習済みパラメータが共同著作物であり、データを提供した自らにも著作権がある」という主張である。

この点については、前述した通り、単にデータを提供するだけでは、AI全体や学習済みパラメータの創作的表現に関与したとはいえず、著作者になることはない。もっとも、データ提供者が、データ提供を通じて、プログラマとAIの精度を上げるための共同作業をするなど、学習済みモデルの創作的表現に関与したのであれば、共同著作者となる余地はある。

第3に考えられるデータ提供者の主張は、「自分のデータを利用して作成した学習済みパラメータを、ベンダが自らの用途に利用したり、第三者に提供することは、秘密保持契約（条項）に定める目的外利用であり、秘密保持契約（条項）に違反する」という主張である。

これは著作権の問題ではなく契約の問題である。秘密保持条項には、「秘密情報について、本契約の目的の範囲内でのみ使用する」という規定が設けられているのが通常である。そこで、この「本契約の目的の範囲内」といえるかについての契約の規定または契約当事者の意思の解釈が問題となる。当事者の意思が契約に明確に示されていない場合には、プロジェクトの目的、経緯、契約形態、契約金額、データの秘密性・価値などを総合的に考慮して合理的意思を推認することになろう。このようなトラブルを避けるためにも学習済みモデル・学習済みパラメータの取扱いについては契約で明確に定めておくことが望ましい。

7　データの利用

AIを開発するためのデータ利用については、どのような著作権法上の問題があるのだろうか。

データの利用に当たって、AIの開発者が自ら作成したデータを利用する場合には著作権法的には特段の問題は生じない。また、第三者が有するデータを利用する場合であっても、その第三者との間の有効な合意に基づいて許諾を得て利用する限りは著作権法的には特段問題は生じない。

他方で、例えば、ウェブ上にアップロードされている大量の画像データを収集して学習させる場合には、これらの画像に対しては誰かが著作権を有している可能性がある。そして、AIを学習させるためにこれらのデータを利用する場合、データを一旦ストレージに保存することになるが、この行為は「複製」（著作2条1項15号）に該当するため、著作権者の有する複製権（同法21条）の侵害になる可能性がある。

もっとも、著作権法は、創作者に情報の独占的利用権を与えているものの、その目的はあくまでも文化の発展のためであり、著作者の経済的利益と情報を利用する社会との調和を図るため[注88)]、一定の場合には、著作権者の権利を制限して、著作権者の許諾なく著作物の利用が可能としている（具体的には第2章第3節第5款に「著作権の制限」の規定を設けている）。

(1)　平成30年改正

平成30年改正著作権法では、AIやビッグデータの技術的発展を受けて、これらを活用したイノベーションに関わる著作物の利用ニーズのうち、著作物の市場に大きな影響を与えないものについて、相当程度柔軟性のある著作権を制限する規定を整備し、著作物の利用の円滑化を図るものとされた。

すなわち、権利者に及び得る不利益の程度に応じて、①通常、権利者の利益を害さない行為類型、②権利者に与える不利益が軽微な行為類型、③著作権の市場と衝突する行為類型に類型化し、それぞれの類型に即した規定として、①と②については、柔軟性のある権利制限規定を設け、③につ

注88）中山・著作権法347頁。

いては、私益（権利者の利益）と公益との調整に関する政策判断を要するため、利用の目的ごとに立法府が制度の検討を行うものとされた。

上記①の「通常は権利者の利益を害さない行為類型」としては、著作物に表現された思想または感情の享受を目的としない利用（著作30条の4）や、電子計算機における著作物の利用に付随する利用等（同法47条の4）がある。

上記②の「権利者に与える不利益が軽微な行為類型」としては、著作物の所在検索サービスや情報分析サービス等、コンピュータによる情報処理の結果の提供の際に、著作物の一部を軽微な形で提供する行為がある（著作47条の5）。

AIの学習のためにデータを利用してよいかという問題に関係するのは、上記①の類型に当たる著作権法30条の4の「著作物に表現された思想又は感情の享受を目的としない利用」である。

⑵　著作権法30条の4の趣旨

著作物が有する経済的価値は、通常、市場において著作物の視聴等をする者が、その著作物に表現された思想または感情を享受して、その知的・精神的要求を満たすという効用を得るために対価の支払をすることによって現実化されている。そのため、著作物に表現された思想または感情の享受をしない行為については、著作物に表現された思想または感情を享受しようとする者からの対価回収機会を損なうものではなく、著作権法が保護しようとしている著作権者の利益を通常害するものではないと評価できる。

そこで、著作権法30条の4は、著作物に表現された思想または感情の享受を目的としない利用については、著作権者の許諾なくできるとしている。そして、そのような「著作物に表現された思想又は感情の享受を目的としない場合」の利用の例示として、①著作物利用に係る技術開発、②情報解析、③人の知覚による認識を伴わない利用が挙げられている。

著作権法30条の4の条文は以下の通りである。

> 第30条の4（著作物に表現された思想又は感情の享受を目的としない利用）

> 著作物は、次に掲げる場合その他の当該著作物に表現された思想又は感情を自ら享受し又は他人に享受させることを目的としない場合には、その必要と認められる限度において、いずれの方法によるかを問わず、利用することができる[注89]。ただし、当該著作物の種類及び用途並びに当該利用の態様に照らし著作権者の利益を不当に害することとなる場合は、この限りでない。
> 一　著作物の録音、録画その他の利用に係る技術の開発又は実用化のための試験の用に供する場合
> 二　情報解析（多数の著作物その他の大量の情報から、当該情報を構成する言語、音、影像その他の要素に係る情報を抽出し、比較、分類その他の解析を行うことをいう。第47条の5第1項第2号において同じ。）の用に供する場合
> 三　前二号に掲げる場合のほか、著作物の表現についての人の知覚による認識を伴うことなく当該著作物を電子計算機による情報処理の過程における利用その他の利用（プログラムの著作物にあつては、当該著作物の電子計算機における実行を除く。）に供する場合

改正前著作権法47条の7[注90]においても同様の規定があり、「電子計算機による情報解析……を行うことを目的とする場合」には、必要な限度において、著作権者の許諾なしに、著作物を記録媒体に記録することと翻案をすることが許されると規定されていたが[注91]、譲渡や公衆送信につい

注89）下線は筆者による。

注90）旧著作権法47条の7は、「著作物は、電子計算機による情報解析（多数の著作物その他の大量の情報から、当該情報を構成する言語、音、影像その他の要素に係る情報を抽出し、比較、分類その他の統計的な解析を行うことをいう。以下この条において同じ。）を行うことを目的とする場合には、必要と認められる限度において、記録媒体への記録又は翻案（これにより創作した二次的著作物の記録を含む。）を行うことができる。ただし、情報解析を行う者の用に供するために作成されたデータベースの著作物については、この限りでない。」と規定していた。

注91）この規定が設けられたのは、情報解析は、著作物を構成する断片的な情報を利用するものにすぎず、著作物の表現そのものの効用を享受する実質を備えるものではなく、また、情報解析を行った後に、その著作物が外部に提供等されることも予定されていないため、著作権者の利益が害される程度が低いと考えられたことによる（加戸・逐条講義370頁）。

ては認められていなかった。これに対し、著作権法30条の4は、コンピュータによるものに限らず著作物を利用したあらゆる情報解析（AIによる機械学習を含む）について、「いずれの方法によるかを問わず」と規定して、権利制限の範囲を拡大し、譲渡や公衆送信も対象範囲としている。

⑶　「享受」の意味

著作権法30条の4により、著作物に表現された思想または感情の享受を目的としない利用については、著作権者の許諾なく利用できることになる。ある行為が「享受」に該当するか否かについては、著作物等の視聴等を通じて、視聴者等の知的または精神的要求を満たすという効用を得ることに向けられた行為か否かという観点から判断される[注92)]。このように、同条における「享受」は、人が主体となることを念頭に置いている。

著作物に表現された思想または感情の享受を目的とすることに該当するか否かの認定は、行為者の主観に関する主張のほか、利用行為の態様や利用に至る経緯等の客観的・外形的な状況も含めて総合的に考慮される。

プログラム著作物については、「表現された思想又は感情」とは当該プログラムの機能を意味するものと考えられるところ、その「表現された思想又は感情」の「享受」に該当するか否かは、当該プログラムを実行等することを通じて、その機能に関する効用を得ることに向けた行為であるかという観点から判断されるものと考えられる[注93)]。

そのため、AIを学習させるために著作物を含むデータを利用したとしても、一般的には、著作物に表現された思想または感情を享受することにはならないため、他人の著作物をAIの開発のための学習用データとして利用する行為は、著作権法30条の4柱書により、原則として、著作権者の許諾は不要となる。

注92）国会審議においては、この享受を目的としない場合とは、著作物等の視聴等を通じて視聴者等の知的又は精神的欲求を満たすという効用を得ることに向けられた行為であるか否かという観点から判断されるもので、例えば、主たる目的が享受のほかにあったとしても、同時に享受の目的もあるような場合には同条の適用はないとの発言がなされている（第196回参議院文教科学委員会における政府参考人中岡司氏の発言〔2018年4月6日〕）。文化庁・基本的な考え方8頁参照。

注93）文化庁・基本的な考え方39頁。

そして、「著作物に表現された思想又は感情を享受することを目的としない行為」の例示として、著作権法30条の4の1号から3号において、①著作物利用に係る技術開発、②情報解析（多数の著作物その他の大量の情報から、当該情報を構成する言語、音、影像その他の要素に係る情報を抽出し、比較、分類その他の解析を行うこと）、③人の知覚による認識を伴わない利用が挙げられている。これにより、どのような行為が「著作物に表現された思想又は感情の享受を目的としない利用」に当たるのかがある程度明確になっている。

AIを使ってデータを学習させる行為は、2号の「情報解析」に当たると考えられる。この点について、平成30年改正前著作権法47条の7では「統計的な解析」とされていたところ、改正後は、単に「情報解析」とされており、「代数的」「幾何学」的な解析も含まれることが明確になった。

ちなみに1号から3号はあくまで例示なので、著作権法30条の4の柱書に該当すれば同条の適用を受けることになる。

なお、AIによる情報解析の結果としての成果物として情報解析の元となった著作物やその翻案物を一般公衆に視聴させる場合には、通常、視聴者等の知的・精神的要求を満たすという効用を得ることに向けられるものと評価できるので、著作権法30条の4の適用は受けず、別途同法47条の5など他の権利制限規定の対象になるなどしない限り、著作権者の許諾が必要となると考えられる点には留意が必要である。

⑷　利用方法

著作権法30条の4は、著作権者の許諾なく利用できる範囲について、「いずれの方法によるかを問わず」としており、利用方法に限定を付していない。この点、平成30年改正前の旧著作権法47条の7では、その適用は、記録媒体への保存と翻案に限定されており、譲渡や公衆送信については適用範囲外であった。しかし、著作権法30条の4によって、権利制限規定が適用される範囲が広がり、譲渡や公衆送信も可能となった。

したがって、AI用の学習用データセットを第三者に対して譲渡・公衆送信などによって提供する行為も、AIの開発目的であれば、著作物に表現された思想または感情を享受することを目的としないものとして、著作権法30条の4が適用され、原則として著作権者の許諾は不要である。例えば、学習用データセットについて、第三者に情報解析を目的とする著作物を譲渡や公衆送信等を行うことにより、情報解析を委託したり、共同で情報解析することも可能である。もっとも、その利用は、必要と認められる限度において行うものでなければならない。

なお、著作権法30条の4の適用を確実にするための実務上の運用として、学習用データセットの提供に当たり、受領者に対して、著作物に表現された思想または感情の享受を目的として使用しないことをあらかじめ約束させることが考えられる。

⑸　著作権者の利益を不当に害する場合

著作権法30条の4ただし書は、「著作権者の利益を不当に害する場合」には、権利制限規定が適用されないとしている。本条ただし書に該当するか否かは、同様のただし書を置いている他の権利制限規定と同じく、著作権者の著作物の利用市場と衝突するか、あるいは将来における著作物の潜在的な販路を阻害するかという観点から、最終的には司法の場で個別具体的に判断されることになる[注94)]。

(A)　情報解析用データベース著作物

著作権法30条の4ただし書については、大量の情報を容易に情報解析に活用できる形で整理したデータベースの著作物が販売されている場合に、当該データベースを情報解析目的で複製等する行為が、当該データベースの販売に関する市場と衝突するものとして「著作権者の利益を不当に害することとなる場合」に該当する事例として挙げられている[注95)]。

このような情報解析用データベース著作物としては、AIの機械学習のために作成された学習用データセットで、AIの学習のために情報を選定していたり、一定の分類を行っていたりするようなものが考えられる。具体的には、前述したMNISTの手書き文字のデータセットやImangeNetの画像のデータセットが挙げられる。

この点、旧著作権法47条の7ただし書においても条文上明示的に、「情報解析を行う者の用に供するために作成されたデータベース著作物」

注94）文化庁・基本的な考え方41頁。
注95）文化庁・基本的な考え方41頁。

を利用することについては、このようなデータベースを提供する市場が存在していることから、無許諾での利用は市場と衝突して著作権者の利益を不当に害すると考えられ、権利制限規定の例外として著作権者の許諾が必要とされていた[注96)]。このように情報解析用のデータベース著作物を複製等する行為については、旧著作権法 47 条の 7 ただし書において著作権者の利益を不当に害するものとして権利制限規定の例外とされていたところ、改正により行為の性質が変わるものではないため、著作権法 30 条の 4 ただし書においても、「著作権者の利益を不当に害することとなる場合」に該当すると考えられる。

なお、旧著作権法 47 条の 7 ただし書の適用については「情報解析を行う者の用に供するために作成された」（情報解析供用目的）という作成目的による限定があった。そのため、電話帳や顧客リストなど、他の目的で作成されたデータベース著作物については、著作権法 30 条の 4 ただし書の適用はないと解する余地はあろう[注97)]。なお、主目的であることは求められていないため、他の目的が主で、情報解析供用目的が従であっても、ただし書の対象となる[注98)]。

また、データベースと称しているものであっても、著作権法上の「データベースの著作物」であるかについて検討が必要であろう。データベースの著作物に該当するためには、情報の選択または体系的な構成によって創作性を有することが求められ、ありきたりな情報の選択や体系的構成の学習用データセットについては創作性がないため、データベースの著作物には該当しない。例えば、データがファクトデータの単なる集積でしかない場合に、データの選択にも体系的にも創作性がないとして、そもそもデー

注 96）もっとも、旧著作権法 47 条の 7 ただし書の効果は限定的であるとされていた。著作権コンメ(2) 579 頁［奥邨弘司］。

注 97）この目的については、データベース作成時は情報解析供用目的がなかったものの、作成後に情報解析供用目的でデータベースを提供した場合には、文理に忠実にただし書の対象とならないという見解と、情報解析供用目的が客観的に想定できる場合には、ただし書の対象となるとする見解がある（著作権コンメ(2) 579 頁［奥邨弘司］）。

注 98）著作権コンメ(2) 579 頁［奥邨弘司］。

タベースの著作物に該当しない可能性がある注99)。さらに、データベースにおける選択または体系的構成のうち創作性のある部分を利用しない態様で個々のデータを記録することは、そもそもデータベースの著作物の記録に当たらないから、ただし書の影響を受けず、情報解析のために必要な範囲である限り、本条で許されると解されている注100)。

(B)　**情報解析用データベース著作物以外の場合**

では、情報解析用データベース著作物以外に、著作権法30条の4ただし書が適用される場合はあるのだろうか。

旧著作権法47条の7において適法に行うことが想定されていた行為については、改正によって行為の性質が変わるものではないため、著作権法30条の4においても、適法に行うことことが可能であり、旧著作権法47条の7で権利制限の対象として想定されていた行為は、改正後においても、引き続き著作権者の許諾なく行えるものと考えられている注101)。

また、平成30年改正法の附帯決議においては、「柔軟な権利制限規定の導入に当たっては、現行法において権利制限の対象として想定されていた行為については引き続き権利制限の対象とする立法趣旨を積極的に広報・周知すること」等とされており、改正によって、従来許容されていた行為が禁止されることはないとの立法趣旨が示されている。

そのため、著作権法30条の4ただし書を解釈にするに当たっては、旧著作権法47条の7ただし書を踏まえた上での解釈が求められる。

そこで、旧著作権法47条の7本文の要件を満たす行為（情報解析目的で著作物を記録媒体へ記録または翻案する行為）が著作権法30条の4柱書ただし書に当たり得るのは、情報解析用データベースに関する旧著作権法47条の7柱書（ただし書）の場合に限られるとの見解がある注102)。

他方で、この見解は、例えば、譲渡・公衆送信といった「記録媒体への記録または翻案」以外の利用行為については、旧著作権法47条の7によって許容されておらず、著作権法30条の4第2号によってはじめて権利

注99）著作権コンメ(2) 580頁［奥邨弘司］。
注100）著作権コンメ(2) 579頁［奥邨弘司］。
注101）文化庁・基本的な考え方9頁。

制限の対象となるのであるから、著作権法30条の4柱書ただし書に当たり得るのは旧著作権法47条の7ただし書の場合に限られないとする。

この見解によれば、情報解析目的で著作物を記録媒体へ記録または翻案する行為か、そうでない行為（譲渡・公衆送信等）かによって、著作権法30条の4柱書ただし書の適用範囲が変わることになると考えられる[注103)]。

(6)　著作権オーバライド問題

上記の通り、他人の著作物であっても著作権法30条の4により著作権者の許諾なくして利用できる場合があるが、著作権者との間でデータベースの利用契約を締結しており、その契約に学習用データセットとしての利用目的が禁止されている場合や、ウェブサイトに「本ウェブサイトのデータについては、商業利用は禁止します」と記載されている場合に、そのウェブサイトのデータを商業利用目的で利用できるかが問題になる。

このような問題は、著作権法上の権利制限規定を契約で上書き（オーバーライド）できるかという「著作権オーバライド」の問題といわれる。オーバーライドについては、確立した定説はなく、著作権法上の権利制限規定（の一部）は、任意法規であるからオーバーライドが生じるという見解と、強行規定であるからオーバーライドは生じないという見解がある[注104)]。もっとも、著作権法の中には強行規定と任意規定が混在しており、オーバーライドの有無は利用行為の性質・著作物の性質・権利制限規定の趣旨等を考慮し具体的事案に即して判断せざるを得ないと考えられる。ただし、オーバーライドが認められるとしても、その行為が契約の債務不履行となり解除や損害賠償の対象となる可能性がある点には留意が必

注102）上野達弘「人工知能と機械学習をめぐる著作権法上の課題——日本とヨーロッパにおける近時の動向」法律時報1140号（2019）39頁。なお、同論稿では正確には、「旧著作権法47条の7の本文の要件を満たす行為が著作権法30条の4柱書但書にあたり得るのは、解析用データベースに関する旧著作権法47条の7柱書の場合に限られる」としている。

注103）上野・前掲注102）39頁注34。

注104）経済産業省「電子商取引及び情報財取引等に関する準則」（2020年8月）252頁には両説が紹介されている。

要である。

著作権法30条の4については、一般論としては、当事者間の合意があるにもかかわらず、無断利用を認める必要性はなく、当事者の意思にも反することから、契約の規定が優先するという考え方が適切ではないかと考えられる。仮に、著作権法30条の4は強行法規であり、契約を締結しても同条が適用されてしまうとなると、著作物は同条の範囲では無断で利用できることになるが、著作物でなければ契約に拘束されて無断で利用できないことになり、著作物のほうが非著作物よりも権利保護がされないという逆転現象が生じることになってしまう。また、契約で利用を禁じていても、無断で目的外の利用が可能であれば、著作権者は、無断利用を前提にした利用料金の設定をすることになるが、その場合、無断利用しない利用者であっても、無断利用をする利用者を想定した料金を支払わなければならなくなることから、価格が歪められ、著作物の利用が妨げられることとなろう。

もっとも、ウェブサイトに「商業利用禁止」と書いてあるだけの場合には、一方的な通告だけであり合意（契約）が成立していないといえる状況であれば、著作権法30条の4が適用され、著作権者の許諾なくして利用できると解される。他方で、ウェブサイト上の同意ボタンをクリックしないとダウンロードできないような場合には、同意ボタンをクリックすることにより契約が成立していると評価されると考えられる。いずれにせよ、ウェブサイトの利用規約のような規約は、多くの場合、民法548条の2第1項の「定型約款」に該当する可能性が高く、著作権法30条の4に基づく利用を認めない利用規約の規定は、信義則に反して相手方の利益を一方的に害するものとして無効であると解される場合もあるであろう。

なお、著作権者と著作物の利用についての契約を締結して、一定の条件の下で著作物の利用についての許諾を得ている場合には、契約内容に反する著作物利用行為は、著作権者の利益を不当に害する場合に該当するものと評価され、著作権法30条の4ただし書に該当すると判断する余地はあろう（ただし、前述の通り、平成30年改正法の附帯決議があることは留意が必要である）。その場合、著作権オーバライドの問題としてはではなく、同条ただし書の解釈の問題として、著作物の利用について著作権者の許諾が必要という結論が導かれることになる。

(7)　外国の著作物を利用する場合

他人の著作物が外国の著作物である場合もある。特に、ウェブサイト上のデータを収集する場合には、海外のウェブサイトにアクセスすることも当然想定される。そのような場合に、日本の著作権法30条の4が適用されるのか、あるいは外国法が適用されるのかが問題となる。

この問題については、①訴訟等の法的手続を行う裁判所等の管轄、②管轄裁判所において準拠法を決定するための抵触法（国際私法）、③準拠法を検討する必要がある。

①の国際裁判管轄については、日本の裁判所において著作物の侵害を理由に損害賠償請求が提起された場合には、日本国内に普通裁判籍があるか否かにより判断されることになる（民訴3条の2および3条の3）。他方で、外国で訴訟が提起された場合には、当該外国の法律により管轄の有無が決せられることになる。

②の抵触法については、①で日本が管轄裁判所となった場合には、著作権侵害に基づく損害賠償請求は不法行為に基づく請求であると解され、その準拠法については、「加害行為の結果が発生した地の法による。ただし、その地における結果の発生が通常予見することのできないものであったときは、加害行為が行われた地の法による」とされる（法適用17条）。

そこで、結果発生地または加害行為地がどこかが問題となる。ウェブサイトにアップロードされた著作物をダウンロードした場合、結果発生地としては著作権を侵害するダウンロードが行われた地が、加害行為地としては著作物がアップロードされたサーバの所在地が考えられる。

日本において著作物のダウンロードが行われた場合、法の適用に関する通則法17条の規定によれば、準拠法は、原則として結果発生地法である日本法になる。世界中からアクセス可能であるインターネット上のウェブサイトにアップすれば日本でもダウンロードされることは通常予見可能であるから、同条ただし書の加害行為地法の適用はないと考えられる。

したがって、AIの学習用データセットとしての著作物の利用は、日本の裁判所で訴えが提起され、著作物が日本でダウンロードされたものである場合には、日本法が準拠法となり、著作権法30条の4が適用されることになるため、原則として著作権者の許諾は不要となろう。他方で、外国でダウンロードした場合には、結果発生地である当該国の著作権法により判断されることになろう。

8　まとめ

学習済みモデルについては、プログラム部分については著作権によって保護される場合が多いと考えられるが、学習パラメータ部分については著作権により保護することができるかは不透明な状況にある。また、学習済みモデルの権利者は、派生モデルや蒸留モデルの作成を著作権法によって禁止することは困難である。学習用データセット・教師データセット・生データといったデータセットについても、必ずしも著作権が成立するものではない。したがって、学習済みモデルやデータセットについて、契約や特許法、不正競争防止法といった他の法律の活用により保護を図ることを考える必要がある。ただし、後述の通り、特許については、出願・登録といった手続が必要であり、また必ず登録される保証もないことなどから、現実的には、契約と不正競争防止法による保護・利用を図ることが多いであろう。

以上は、AIの権利を保護するという視点で述べてきたが、ビジネスおよび開発の観点からは、権利を独占することがビジネス上適切か否かは別問題である。AIソフトウェアについては、優れたプログラムがOSSとして無償で公開されており、それによりAIの開発が促進され、多くの開発者・企業が恩恵を受けている。OSSでは、著作権は権利者に留保されているものの一定の条件で無償でライセンスされていることからわかるように、権利の保有と利用は別のレベルの話である。このように、ユーザとベンダ間においても、AIに関する権利の帰属よりも権利の利用条件（ライセンス条件）が重要な意味をもつようになるだろう。

AIの世界はOSSに見られるようにオープン化の方向で動いている。そのような状況では、学習済みモデルについても、囲い込んで独占するよりも、オープンにして利用者や開発者を増やし、エコシステムを形成したほうがうまくいく場合もある。

したがって、学習済みモデルや、それを支えるデータセットについて、単純にクローズにするのではなく、何をオープンにして、何をクローズにすべきかをよく考えた上で、ビジネスにつなげていくという発想が企業にも求められるであろう。

Ⅳ　AI自体の特許権

AIについて特許を取得すれば、そのAIを特許権で保護することができる。AI関連発明としては、①ニューラルネットワークの構造や学習処理の手法等のAIアルゴリズム自体に特徴のあるAIコア技術に関するものと、②AI技術を医療や機械等の特定の技術分野に応用するものとに大別することができる[注105)]。

特許庁は、AI関連技術等の審査は、現行の審査基準等に基づいて、特段問題なく行えているとしている[注106)]。このように、特許審査についてはAI関連技術についても従来の枠組みが適用されている。

特許法上、AIについて取得できる発明として、主に以下のものが考えられる。

第1に、AIのプログラムについて、プログラムの発明として特許（ソフトウェア特許）の取得が可能である（特許2条3項1号）。

第2に、プログラムでなくても、コンピュータによる処理の用に供する情報であってプログラムに準ずるものについては特許の取得が可能である（特許2条3項1号・4項）。「プログラムに準ずるもの」としては、構造を有するデータやデータ構造の発明がある。

第3に、ビジネス方法が情報通信技術を利用して実現された発明（ビジネス関連発明）について、特許を取得できる場合がある。

もっとも、特許権を取得するためには、特許庁に特許出願をし、審査官によって特許法の要件を満たす発明であると査定され、特許として登録される必要がある。この点は、著作権が創作によって発生し、出願や登録が

注105）産業構造審議会等「AI・IoT技術の時代にふさわしい特許制度の在り方——中間取りまとめ」（2020年7月）4頁。

注106）特許庁「AI関連技術に関する事例の追加について」（2019年1月30日）8頁。

不要である無方式主義であることと大きく異なる。

1　特許要件

(1)　発明該当性

特許を受けることができる発明とは「自然法則を利用した技術的思想の創作のうち高度のものをいう」とされている（特許2条1項）。

例えば、経済法則、ゲームのルールなどの人為的取決め、数学上の公式、人間の精神活動といったものは、自然法則を利用していないものとして、発明に該当しない。

情報の単なる提示は、技術的思想ではないものとして、発明に該当しない[注107]。

(2)　特許要件

発明が特許を受けるためには、産業上の利用可能性[注108]、新規性、進歩性があることが要件とされている（特許29条）。

新規性とは、①公然に知られていない発明、②公然に実施された発明、③刊行物の記載等がされた発明のいずれかに該当しないことである（特許29条1項）。

進歩性とは、特許出願前にその発明の属する分野における通常の知識を有する者（当業者）が既存の発明に基づいて容易に発明することができた発明でないことである（特許29条2項）。

2　ソフトウェア特許

AIはプログラムによって動作することから、このプログラムを含むソフトウェア[注109]の発明について特許を取得することが考えられる。かつては、ソフトウェアは、コンピュータに数学的処理をさせるものであり、

注107）ただし、情報の提示（提示それ自体、提示手段、提示方法等）に技術的特徴がある場合には、その提示手段等が発明となり得る。例えば新曲を収録したCDというだけでは単なる情報の提供で発明とはならないが、CDに技術的特徴があれば、そのCDは発明となり得る。

注108）何らかの産業において利用可能性があればよく、その意味において「産業上の利用可能性」は、特許要件として問題となることは少ない（中山・特許法122頁）。

自然法則を利用していないとして、そもそも発明該当性がないという考えもあった。しかし、現代社会においてコンピュータを動かすソフトウェアは重要な役割を果たしていることから、現行の特許法は、実施に関しては「物」の発明について、「プログラム等を含む」としており（2条3項1号）、プログラムそのものの発明該当性を認め、特許権の対象となることが明示されている。

特許法において、「プログラム」とは、コンピュータに対する指令であって、一の結果を得ることができるように組み合わされたものと定義され（特許2条4項）[注110]、「プログラム等」とは、プログラムその他コンピュータによる処理の用に供する情報であってプログラムに準ずるものと定義されている（同項）。「プログラムに準ずるもの」とは、コンピュータに対する直接の指令ではないためプログラムとは呼べないが、コンピュータの処理を規定するものという点でプログラムに類似する性質を有するものを意味する[注111]。プログラムに準ずるものについても特許の対象とされていることは、AIのデータ部分に特許が取得できるかを考える上で重要である。

以下では、まずソフトウェア一般についての特許について説明した上で、AIに関する特許について検討する。

(1)　ソフトウェア関連特許のカテゴリー

特許の対象となる発明には、①物の発明、②方法の発明、③物を生産する発明がある（特許2条3項）。特許を出願する場合に、出願書類に特許請求の範囲を請求項として記載するが、特許庁の審査基準では以下のように

注109）ソフトウェアとは、プログラムを作成し実行するためのシスステムであり、ソフトウェアの中心は、プログラムであるが、システム設計書、フロー・チャート、マニュアル等も広義のソフトウェアに含まれる（中山・特許法108頁）。

注110）著作権法におけるプログラムの定義と比較すると、著作権法では「電子計算機を機能させて一の結果を得ることができるようにこれに対する指令を組み合わせたものとして表現したもの」とされており、「表現」であることが必要であるが、特許法では表現であることは必要ではない。これは著作権法が表現を保護する法律であることから生じる差異である。

注111）特許庁編『工業所有権法（産業財産権法）逐条解説〔第20版〕』（発明推進協会、2017）15頁。

述べられている[注112]。

⒜　**物の発明**

出願人は、ソフトウェア関連発明を、その発明が果たす複数の機能によって表現できるときに、それらの機能により特定された「物の発明」として請求項に記載することができる。

「物の発明」の例としては以下が挙げられる。

①　コンピュータが果たす複数の機能を特定するプログラム

②　データの有する構造によりコンピュータが行う情報処理が規定される構造を有するデータまたはデータ構造

③　前記①②を記録したコンピュータ読み取り可能な記録媒体

④　プログラムが読み込まれたコンピュータシステム

⒝　**方法の発明**

出願人は、ソフトウェア関連発明を時系列につながった一連の処理または操作、すなわち「手順」として表現できるときに、その「手順」を特定することにより、「方法の発明」（物を生産する方法の発明を含む）として請求項に記載することができる。

⑵　**特許要件**

プログラム等の発明が特許の対象となるとしても、すべての発明が特許を受けられるものではなく、特許要件を充足した発明のみが特許を受けることができる。ソフトウェア関連発明においては、特許要件の中で、特に「発明」であることの要件と進歩性の要件が問題となる。この点について、特許庁の現行の審査基準では以下のように述べられている[注113]。

⒜　**発明該当性**

ソフトウェア関連発明においても、特許を受けるためには、発明が「自然法則を利用した技術的思想の創作のうち高度なもの」である必要がある（特許２条１項）。

特許の審査に当たり、審査官は、出願されたソフトウェア関連発明が

注112）特許庁「特許・実用新案審査基準」付属書Ｂ「特許・実用新案審査基準」の特定技術分野の適用例４頁。

注113）特許庁・前掲注112）８頁。

「自然法則を利用した技術的思想の創作」であるか否かを判断する。そして、全体として自然法則を利用しており、コンピュータソフトウェアを利用しているか否かに関係なく、「自然法則を利用した技術的思想の創作」と認められるものは、コンピュータソフトウェアであるか否かを検討するまでもなく、「発明」に該当するとされる。

全体として自然法則を利用している例としては、①機器等（例：炊飯器、洗濯機、エンジン、ハードディスク装置、化学反応装置、核酸増幅装置）に対する制御または制御に伴う処理を具体的に行うもの、②対象の物理的性質、化学的性質、生物学的性質、電気的性質（例：エンジン回転数、圧延温度、生体の遺伝子配列と形質発現との関係、物質同士の部物理的または化学的な結合関係）の技術的性質に基づく情報処理を具体的に行うものが挙げられる。

審査官が、そのような判断ができないものについては、ソフトウェアの観点に基づいて、以下の判断を行うとされている。

①ソフトウェアによる情報処理が、ハードウェア資源を用いて具体的に実現されている場合は、そのソフトウェアは、「自然法則を利用した技術的思想の創作」として認められる。この「ソフトウェアによる情報処理が、ハードウェア資源を用いて具体的に実現されている」とは、ソフトウェアとハードウェア資源とが協働することによって、使用目的に応じた特有の情報処理装置またはその動作方法が構築されることをいう。

②ソフトウェアと協働して動作する情報処理装置およびその動作方法ならびにソフトウェアを記録したコンピュータ読み取り可能な記録媒体については、そのソフトウェアが前記①を満たす場合、「自然法則を利用した技術的思想の創作」として認められる。

具体的には、審査官は、請求項の記載に基づいて、ソフトウェアとハードウェア資源とが協働した具体的手段または具体的手順によって、使用目的に応じた特有の情報の演算または加工が実現するか否かを判断すればよいとされている。

なお、プログラムに準ずるものとされる「構造を有するデータ」や「データ構造」についても前記の判断手順が適用される。

(B)　**進歩性**

ソフトウェア関連発明における進歩性判断に当たっては、一般的な進歩性の判断に加えて、審査官は以下の点に留意すべきとされている[注114)]。

① 種々の特定分野に利用されている技術を組み合わせたり、他の特定分野に適用したりすることは当業者の通常の創作活動の範囲内のものである。よって、組合せや適用に技術的な困難性がない場合は、特段の事情（顕著な技術的効果等）がない限り、進歩性は否定される。

② ソフトウェア化、コンピュータ化に伴う課題は、コンピュータ技術に共通な一般的な課題であることは多い。審査官は、これらのコンピュータ技術で知られていた一般的課題を踏まえた上で、進歩性を判断する。

③ コンピュータによってシステム化することにより得られる、「速く処理できる」「大量のデータを処理できる」「誤りを少なくできる」「均一な結果を得られる」などの一般的効果は、システム化に伴う当然の効果であることが多い。これらの一般的効果は、通常は、技術水準から予測できない効果とはいえない。審査官は、これらのコンピュータ技術で知られていた一般的効果を踏まえた上で、進歩性を判断する。

したがって、既存技術をAIに置き換えることは、当業者であれば容易に思いつくことから、その置換えに技術的な困難性がない場合には、顕著な技術的効果がない限り、進歩性は否定されることになる。

もっとも、そのような置換えでも、特許・実用新案審査ハンドブックの

注114）特許庁・前掲注112）17頁。なお、当業者の考え方について、①特定分野に関するソフトウェア関連発明における当業者は、(i)その特定分野に関する技術常識や一般常識と、コンピュータ技術の分野の技術常識を有している、(ii)研究開発のための通常の技術手段を用いることができる、(iii)材料の選択、設計変更等の通常の創作能力を発揮できる、(iv)その発明の属する技術分野の出願時の技術水準にあるものすべてを自らの知識とすることができ、発明が解決しようとする課題に関連した技術分野の技術を自らの知識とすることができるのすべてに該当する者を想定したものであるとする。

注115）松下外「AI技術関連発明の特許出願及び権利行使」パテント849号（2019）44頁。

附属書Aの審査事例を踏まえると、以下の場合には進歩性を肯定する余地がある[注115]。

① 学習手法やパラメータ等を具体的に限定する場合[注116]

② 学習用データセットの種類等に特徴を持たせる場合[注117]

③ 学習用データの前処理に特徴を持たせる場合[注118]

(3) 記載要件

特許出願書類においては記載要件として以下が必要とされている。

① 明細書の「発明の詳細な説明」の欄には当業者が実施できるように記載しなければならないこと（実施可能要件、特許36条4項1号）

② 特許請求の範囲の記載は特許を受けようとする発明が「発明の詳な説明」に記載したものであること（サポート要件、同条6項1号）

③ 発明が明確であること（明確性要件、同項2号）

④ 記載が簡潔であること（簡潔性要件、同項3号）

⑤ その他経済産業省令で定めることにより記載されていること（同項4号）

これらの記載要件のうち、AI関連発明で主に問題になると考えられる実施可能要件、サポート要件について以下で述べる[注119]。

(A) 実施可能要件

実施可能要件とは、明細書の「発明の詳細な説明」の欄に当該発明の属する技術分野における通常の知識を有する者（当業者）が、過度の試行錯誤や高度の実験等をしなくても、特許請求の範囲に記載されている発明を実施できるように記載しなければならないとされる要件である[注120]。

注116）審査事例集・事例32参照。

注117）審査事例集・事例34参照。

注118）審査事例集・事例36参照。

注119）明確性要件について、寺本振透＝濱野敏彦「深層学習を応用した技術に関する特許の記載要件からみた脆弱性」法律時報1140号（2019）19頁は、深層学習によって作成されたプログラムの精度に影響を与える要因が多いため、「深層学習については、深層学習によって作成されたプログラムの精度に影響を与える要因の1つについて一定の傾向を発見したとしても、それを明確性要件を充足する形で特許請求の範囲に記載することが容易ではない場合が多いように思われる」と指摘する。

注120）中山・特許法190頁。

実施可能要件を満たさない例として、教師データに含まれる複数種類のデータの間に相関関係等の一定の関係が存在することが明細書等に裏付けられておらず、出願時の技術常識を鑑みてもそれらの間に何らかの相関関係等が存在することが推認できないものが挙げられる[注121]。

そのような具体例として、特許庁は、人物の顔画像から、その者が栽培した野菜の糖度を推定する糖度推定システムの事例を挙げている。同システムについては、発明の詳細な説明において、人相とその人が育てた野菜の糖度に一定の関係性があると述べられているにとどまり、人相を特徴付けるものとして頭の長さ・頭の幅・鼻の幅・唇の幅が記載されているが、具体的な相関関係等について記載されておらず、出願時の技術常識に鑑みてもそれらの間に何らかの相関関係等が存在することが推認できるとはいえず、また、実際に生成された判定モデルの性能評価結果も示されていなかった。そのため、この発明の詳細な説明は、当業者が糖度推定システムを作ることができるように記載されておらず、実施可能要件を満たさないとしている。

(B)　サポート要件

サポート要件とは、特許請求の範囲の記載は「特許を受けようとする発明が発明の詳細な説明に記載したものであること」(特許36条6項1号)でなければならないとされる要件である[注122]。サポート要件の充足性の判断については、特許請求の範囲の記載と発明の詳細な説明の記載とを対比し、特許請求の範囲に記載された発明が、発明の詳細な説明に記載された発明で、発明の詳細な説明の記載により当業者が当該発明の課題を解決できる認識できる範囲のものであるか否か、また、その記載や示唆がなくても当業者が出願時の技術常識に照らし当該発明の課題を解決できると認識できる範囲のものであるか否かを検討して判断するべきものであるとされている[注123]。

サポート要件を満たさない例として、上位概念で記載された教師データ

注121)　特許庁「AI関連技術に関する事例について」(2019年1月) 9頁・事例46。
注122)　中山・特許法193頁。
注123)　知財高判平成17・11・11判時1911号48頁［偏光フイルム製造法事件］。

に含まれる複数種類のデータの間に相関関係等の一定の関係が存在することが明細書等に裏付けられておらず、出願時の技術常識に鑑みてもそれらの間に何らかの相関関係等が存在することが推認できないものが挙げられる。

そのような具体例として、特許庁は、人物の顔画像・身長・体重の実測値を教師データとして用い、顔の形状を表現する特徴量と身長から、体重を推定する体重推定システムの事例を挙げている[注124)]。同システムについては、請求項には、人物の顔画像における顔の形状を表現する特徴量と身長のみによって推定モデルへの入力が特定されていた。しかし、発明の詳細な説明において、フェイスライン角度以外の顔の形状を表現する特徴量と、身長・体重やそれらに基づくBMIとの間の具体的な相関関係等については記載されておらず、出願時の技術常識に鑑みてもそれらの間に何らかの相関関係等が存在することが推認できるとはいえず、また、フェイスライン角度以外の顔の形状を表現する特徴量を用いて実際に生成された判定モデルの性能評価結果も示されていなかった。そのため、顔の形状を表現できる任意の特徴量と身長を用いて、体重の推定が可能であることを当業者が認識できるように記載されていないことから、請求項に係る発明の範囲まで、発明の詳細な説明に開示された内容を拡張ないし一般化できない、としてサポート要件を満たさないとしている。

他方で、フェイスライン角度については、発明の詳細な説明に、人物のフェイスライン角度の余弦と、その人物のBMIとの間に、統計的な相関関係が存在することが示されていることから、フェイスライン角度を表現する特徴量からその人物の体重を推定する体重推定システムとする請求項にかかる発明は、発明の詳細な説明に記載されているので、サポート要件を満たすとしている。

3　AI関連技術特許

それでは、AI関連技術に関して、どのような特許を取得することがで

注124）特許庁「AI関連技術に関する事例について」（2019年1月）14頁・事例49。同事例では実施可能要件も否定されている。

きるであろうか。前述の通り特許庁は、AI関連技術等の審査は、現行の審査基準等に基づいて、特段問題なく行えているとしている[注125]。

まず、AIコア技術に関する発明として、ニューラルネットワークの構造や学習処理の手法等といったAIアルゴリズムの発明について特許権を取得することが考えられる。

次に、AI技術の応用に関する発明については、既存のAI技術を利用した発明も考えられるが、そのような発明でも特許権を取得できるかが問題となる。この点、既存のAI技術を用いて作成した学習済みモデルを利用して推定を行なうAIであっても、データの入力と出力の相関関係が新規であり、それによって顕著な効果がもたらされる場合や入力データに特徴的な前処理を施す場合などには、特許権を取得できるとされている[注126]。

さらに、AIにおいては「データ」が大きな役割を果たすところ、このデータに関する特許として、学習用データの生成方法の特許などが考えられる。

⑴　プログラム部分

AIのプログラム部分は、プログラムであるから、そのアイデアが自然法則を利用した技術的思想の創作であれば、特許の対象となる。

プログラムの事例として、特許庁が示している「商品の売上げ予測プログラム」の請求項の一部は【図表2–1–9】の通りである[注127]。

このようにプログラムの特許はプログラムの処理プロセスを請求項に記載することによっても取得可能であり、ソースコードをそのまま記載するものではない。

特許庁は、この事例の請求項について、種々の変動条件と補正ルールに基づいて売上げ実績を予測するという使用目的に応じた特有の情報の演算または加工が、複数の記憶手段と記憶手段からのデータの読み出し・選択等を制御する手段という、ソフトウェアとハードウェア資源とが協働した

注125）特許庁「AI関連技術に関する事例の追加について」（2019年1月30日）8頁。
注126）産業構造審議会等「AI・IoT技術の時代にふさわしい特許制度の在り方――中間取りまとめ」（2020年7月）5頁。
注127）特許庁・前掲注112）86頁。

【図表 2-1-9】商品の売上げ予測プログラム特許の請求項（一部）

【請求項1】
・種々の商品の売上げを予測するためにコンピュータを、売上げを予測しようとする日を入力する手段
・あらかじめ過去の売上げ実績データを記録しておく売上げデータ記録手段
・あらかじめ変動条件データを記録しておく変動条件データ記録手段
・あらかじめ補正ルールを記録しておく補正ルール記録手段
・過去数週間の予測しようとする日と同じ曜日の売上げ実績データを売上げデータ記録手段から読み出し平均して第1の予測値を得る手段
・変動条件データ記録手段から商品の売上げを予測しようとする日の変動条件データを読み出し、該変動条件データに基づき補正ルール記録手段に記録された補正ルールの中から適用すべき補正ルールを選択する手段
・適用すべき補正ルールに基づき第1の予測値を補正して第2の予測値を得る手段、および第2の予測値を出力する手段
として機能させるための商品の売上げ予測プログラム。

具体的手段によって実現していると判断できるので、この請求項に係る発明は自然法則を利用した技術的思想の創作であり、発明に該当するとしている。

⑵　ニューラルネットワークの構造

ニューラルネットワークの構造は、その構造がコンピュータによる情報処理を規定するという点で、プログラムと類似する性質を有することから、プログラムに準ずるものとして、特許の対象となる。

ニューラルネットワークの構造について特許が登録されている例として、「ニューラルネットワーク、ニューラルネットワークシステム及びニューラルネットワーク処理プログラム」の事例があるので注128)、請求項の一部を【図表 2-1-10】で紹介する。

【図表 2-1-10】ニューラルネットワークの構造特許の請求項（一部）

【請求項1】

注128）特許第3816762号。

階層型ニューラルネットワークであって、

処理部が、入力ベクトルを入力し、前記入力ベクトルをH次元のベクトルX_h（t）（h=1,…,H）に非線形変換して出力する前処理手段と、

処理部が、前記前処理手段からのH次元のベクトルをそれぞれ入力し、ニューラルネットワークの各層の構成を表す式に関するデータを記憶した第1テーブルを参照し、次式の入出力関係で出力する複数の第1層のユニット｛h｝（h=1,…,H）と、

$^{(1)}I_h$（t）=X_h（t）　　(8)

$^{(1)}O_h$（t）=$^{(1)}I_h$（t）　　(9)

（ここで、$^{(1)}I_h$（t）と$^{(1)}O_h$（t）はh番目のユニットの入出力を表す。）

処理部が、重み係数を記憶した第2テーブルを参照し、前記第1層のユニットからの出力を重み係数$w^c_{k',k,m,h}$を介して入力し（$^{(2)}I^c_{k',k,m}$（t））、前記第1テーブルを参照し、次式の入出力関係で出力する（$^{(2)}O^c_{k',k,m}$（t））複数の第2層のユニット｛c, k, k', m｝（c=1, …, C ; k, k'=1, …, K_c ; m=1, …, $M_{c,k}$）と、【数1】

$$^{(2)}I^c_{k^1,k,m}(t)=\sum_{h=1}^{H}{}^{(1)}O_h(t)\,\mathrm{w}^c_{k^1,k,m,h} \qquad (10)$$

$$^{(2)}O^c_{k^1,k,m}(t)=\exp\left({}^{(2)}I^c_{k^1,k,m}(t)\right) \qquad (11)$$

（ただし、分析の対象とする事象はC個で、それぞれの事象c（c∈｛1, …, C｝）はK_c個の状態から構成されているとき、K_cは隠れマルコフモデルの状態数に対応するパラメータ、$M_{c,k}$は事象cおよび状態kに対応する混合ガウス分布モデルのコンポーネント数を表す）

処理部が、前記第2層のユニット｛c, k, k', m｝（m=1, …, $M_{c,k}$）の出力を入力し、前記第1テーブルを参照し、前記入力に1時刻前の第4層のユニットの出力を乗じた値を次式の入出力関係で出力する複数の第3層のユニット｛c, k, k'｝と、

【数2】

$$^{(3)}I^c_{k^1,k}(t)=\sum_{\mathrm{m}=1}^{Mo,h}{}^{(2)}O^c_{k^1,k,m}(t) \qquad (12)$$

$$^{(3)}O^c_{k^1,k}(t)={}^{(4)}O^c_{k^1}(t\text{-}1)\,{}^{(8)}I^c_{k^1,k}(t) \qquad (13)$$

処理部が、前記第1テーブルを参照し、入力$^{(4)}I^c_k(t)$と出力$^{(4)}O^c_k(t)$を次式の入出力関係で出力する複数の第4層のユニット｛c, k｝（k=1, …,K_c）と、
【数3】

$$^{(4)}I^c_k(t) = \sum_{k^1=1}^{Ko} {}^{(3)}O^c_{k^1,k}(t) \tag{14}$$

$$^{(4)}O^c_k(t) = \frac{^{(4)}I^c_k(t)}{\sum_{c^1=1}^{C} \sum_{k^1=1}^{K_{c^1}} {}^{(4)}I^{c^1}_{k^1}(t)} \tag{15}$$

処理部が、前記第4層のユニットのK_cユニットの出力を入力し、前記第1テーブルを参照し、次式の入出力関係で出力する複数の第5層のユニット｛c｝と、
【数4】

$$^{(5)}I^c(t) = \sum_{k=1}^{Ko} {}^{(4)}O^c_k(t) \tag{16}$$

$$^{(5)}O^c(t) = {}^{(5)}I^c(t) \tag{17}$$

処理部が、前記第5層のユニットの出力を出力部に出力するまたは記憶部に記憶する手段とを備えたニューラルネットワーク。

⑶　データ部分

AIのデータ部分について特許権を取得することができるかについては、特許法においては、情報の単なる提示であるデータは技術的思想ではなく、発明に該当しないとされているので、データそのものは特許の対象とならない。

もっとも、構造を有するデータとデータ構造は、データの有する構造がコンピュータによる情報処理を規定するという点でプログラムと類似する性質を有することから、プログラムに準ずるものとして特許の対象となる。なお、データ構造とは「データ要素間の相互関係で表される、データの有する論理的構造」のことを意味する[注129)]。

注129）特許庁・前掲注112）1頁。

データ構造の事例として、特許庁が示している「音声対話システムの対話シナリオのデータ構造」の請求項は【図表2–1–11】の通りである[注130]。

特許庁は、この事例の請求項について、種々の変動条件と補正ルールに基づいて売上げ実績を予測するという、使用目的に応じた特有の情報の演算または加工が、複数の記憶手段と、記憶手段からのデータの読み出し・選択等を制御する手段という、ソフトウェアとハードウェア資源とが協働した具体的手段によって実現していると判断できるので、この請求項に係る発明は、自然法則を利用した技術的思想の創作であり、発明に該当するとしている。

では、学習済みパラメータについて、特許を取得できるのであろうか。学習済みパラメータは数値データであるが、その数値データそのものについては単なるデータの提示であり、原則として特許の対象とはならないと考えられる。

しかし、ディープラーニング型AIにおいては、学習済みパラメータは、ニューラルネットワークの構造によって規定されるネットワークのノード間のリンクの重み付けの数値であり、構造を有するデータであるといえる場合も考えられる。その場合、学習済みパラメータが構造を有するデータまたはデータ構造として特許の対象となる余地はあると思われる。もっとも、そのデータ構造は、ニューラルネットワークの構造ともいえることが多いと考えられるので、データ構造に特許が取得することができるのであれば、ニューラルネットワークの構造についても特許が取得することができるであろうし、両者は実質的に同内容の特許といえよう。

(4)　学習済みモデル

学習済みモデルは、プログラムと学習済みパラメータの総体であり、そのアイデアが自然法則を利用した技術的思想の創作であれば、特許の対象となる。

学習済みモデルの事例として、特許庁が示している「宿泊施設の評判を分析するための学習済みモデル」請求項は【図表2–1–12】の通りである[注131]。

注130）特許庁・前掲注112）86頁。
注131）特許庁・前掲注112）86頁。

【図表2-1-11】データ構造特許の請求項（一部）

【請求項1】
クライアント装置とサーバからなる音声対話システムで用いられる対話シナリオのデータ構造であって、対話シナリオを構成する対話ユニットを識別するユニットIDと、ユーザへの発話内容及び提示情報を含むメッセージと、ユーザからの応答に対応する複数の応答候補と、複数の通信モード情報と、前記応答候補および通信モード情報に対応付けられている複数の分岐情報であって、前記応答候補に応じたメッセージおよび前記通信モード情報に応じたデータサイズを有する次の対話ユニットを示す複数の分岐情報と、を含み、前記クライアント装置が、(1) 現在の対話ユニットに含まれるメッセージを出力し、(2) 前記メッセージに対するユーザからの応答を取得し、(3) 前記ユーザからの応答に基づいて前記応答候補を特定するとともに、前記クライアント装置に設定されている前記通信モード情報を特定し、(4) 当該特定された応答候補および通信モード情報に基づいて1つの分岐情報を選択し、(5) 当該選択された分岐情報が示す次の対話ユニットをサーバから受信する処理に用いられる、対話シナリオのデータ構造。

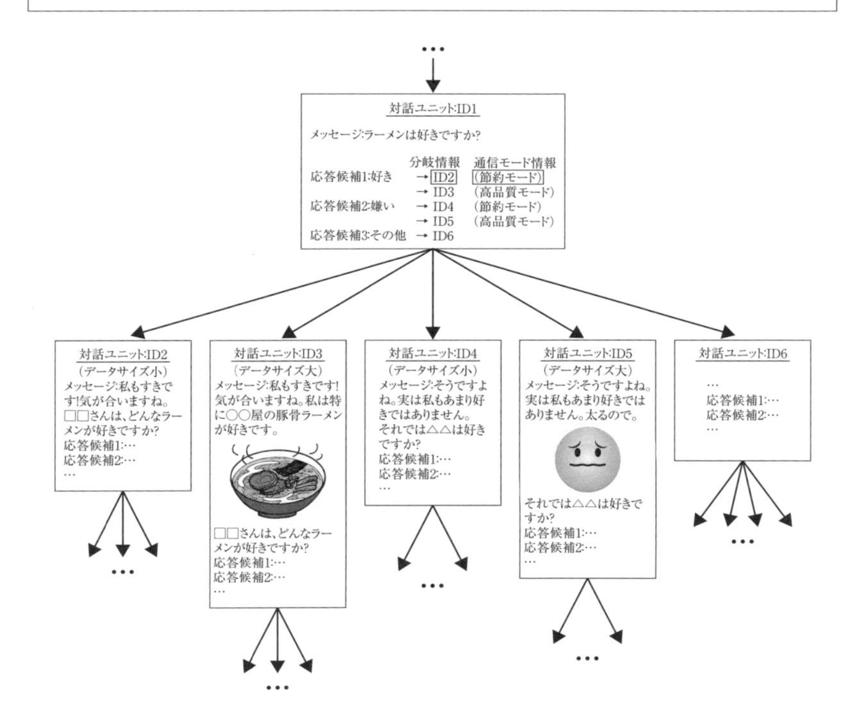

【図表 2-1-12】学習済みモデル特許の請求項（一部）

【請求項1】
宿泊施設の評判に関するテキストデータに基づいて、宿泊施設の評判を定量化した値を出力するよう、コンピュータを機能させるための学習済みモデルであって、第1のニューラルネットワークと、前記第1のニューラルネットワークからの出力が入力されるように結合された第2のニューラルネットワークとから構成され、前記第1のニューラルネットワークが、少なくとも1つの中間層のニューロン数が入力層のニューロン数よりも小さくかつ入力層と出力層のニューロン数が互いに同一であり各入力層への入力値と各入力層に対応する各出力層からの出力値とが等しくなるように重み付け係数が学習された特徴抽出用ニューラルネットワークのうちの入力層から中間層までで構成されたものであり、前記第2のニューラルネットワークの重み付け係数が、前記第1のニューラルネットワークの重み付け係数を変更することなく、学習されたものであり、前記第1のニューラルネットワークの入力層に入力された、宿泊施設の評判に関するテキストデータから得られる特定の単語の出現頻度に対し、前記第1および第2のニューラルネットワークにおける前記学習済みの重み付け係数に基づく演算を行い、前記第2のニューラルネットワークの出力層から宿泊施設の評判を定量化した値を出力するよう、コンピュータを機能させるための学習済みモデル。

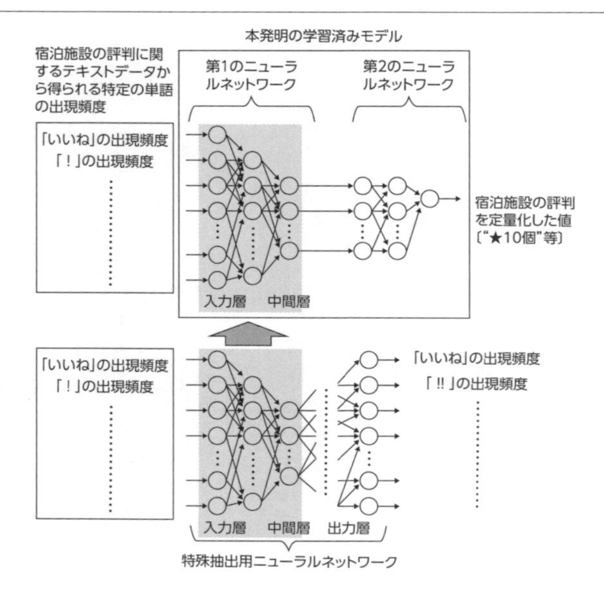

この事例は、宿泊施設の評判を分析するための学習済みモデルについての特許である。この学習済みモデルは、2つのニューラルネットワークを組み合わせたものであり、まず、第1のニューラルネットワークに、宿泊施設に関するテキストデータ（ウェブでの評価コメントやtwitterでのつぶやきなどが考えられる）を自己符号器（オートエンコーダ）として学習させ、その中間層に現れた特徴量を入力値として、第2のニューラルネットワークに、既存のデータである宿泊施設を評価した★の数などの定量化した値を出力値とした学習をさせることで、宿泊施設についてのテキストデータから、宿泊施設の評判を★の数などの定量化した値で出力するといういわゆる転移学習を使った学習済みモデルである。

特許庁は、この請求項に記載された学習済みモデルは、プログラムの発明であるとしている。そして、この学習済みモデルは、宿泊施設の評判を的確に分析するという使用目的に応じた特有の情報処理装置の動作方法を構築するものであることから、ソフトウェアによる情報処理がハードウェア資源を用いて具体的に実現されており、自然法則を利用した技術的思想の創作であり、発明に該当するとされている。

この学習モデルの事例で示されている通り、特許を取得するために、請求項に学習済みパラメータの具体的内容を記載することは必ずしも必要とされていない。

また、学習済みモデルを、学習用データセットによって特定する発明も考えられる。このような発明として、特許庁が事例として示しているものとして「水力発電推定システム」がある[注132)]。この発明では、入力データとして上流域の気温を含む教師データを用いて水力発電量を推定することについて、そのような先行技術は発見されておらず、上流域の気温と水力発電量の間に相関関係があることは、出願時の技術常識ではなく新規性があり、また、上流域の気温を用いることで春シーズンにおいて雪解け水による流入増加に対応した高精度の推定が可能となるから、引用発明からは予測困難な顕著な効果があるとしている。

注132）特許庁「AI関連技術に関する事例の追加について」（2019年1月30日）30頁・事例34。

なお、学習済みモデルについて特許権を取得した場合、派生モデル・蒸留モデルについても、それが元の学習済みモデルの技術的範囲内に属していれば、特許権を行使できることになる。

4　ビジネス関連特許

AIそのものではなく、AIを使って実現しようとしているビジネス方法について特許を取得することも考えられる。

もっとも、ビジネス方法すべてについて特許を取得できるわけではない。ビジネス方法の多くは、自然法則の利用をしていなかったり、技術的思想でないため、発明に該当しない。しかし、ビジネス方法が、情報通信技術を利用して実現された発明（ビジネス関連発明）については、ソフトウェアによる情報処理がハードウェア資源を用いて具体的に実現されているなど、自然法則を利用した技術的思想の創作であれば、特許の対象となる。

ビジネス方法特許として著名なものとして、Amazonのワンクリック特許や、プライスラインの逆オークション特許がある。ビジネス関連発明の特許出願件数は、2000年頃急増したが、その後、大きく減少した。もっとも、最近は、IoT・AIブームに起因するのか、漸増傾向にある。

情報通信技術（ICT）を利用してビジネス方法を実現する発明は、「ビジネス関連発明」と呼ばれているが、ビジネス関連発明についても特許取得が可能である。

ビジネス関連発明は、かつては特許査定率が低かったが、近時はその査定率が上昇して60%台で推移し、2014年には67%となっており、必ずしも特許取得が難しい分野とはいえなくなってきている（【図表2–1–13】）。

ビジネス関連特許については、特許庁は、①自社のビジネスが化体したシステムを特許権として保護できる、②他社と協業する場合に、その協業分野の特許権を取得しておくことで、その協業分野での第三者への権利侵害のリスクが軽減する、③自社のビジネスが、先行するビジネス関連発明に対し、新規で進歩的であることの証明ができるというメリットがあるとしている[注133]。

注133）特許庁平成28年度「ビジネス関連発明の特許の取り方」。

【図表 2-1-13】ビジネス関連発明の特許出願・査定の推移

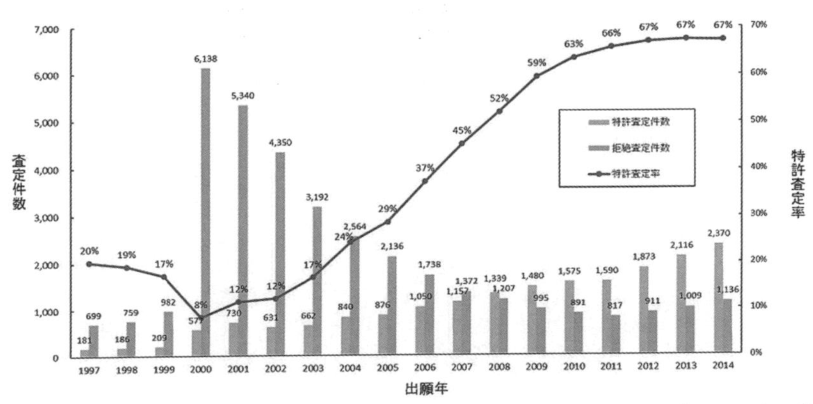

（原資料は、https://www.jpo.go.jp/system/patent/gaiyo/sesaku/biz_pat.html）

ビジネス関連発明については、まず、その発明が、自然法則を利用した技術的思想の創作であるか否かが問題となる。

ビジネス関連発明の事例として、特許庁が示している「無人走行車の配車システム及び配車方法」の請求項の一部は【図表 2-1-14】の通りである[注134]。この事例は、ICTを利用した無人走行車の配車システムと配車方法であり、利用者が携帯端末から自動運転車を呼び出し、顔認証により、自動運転車の利用を許可するという配車システムに関するものである。

この請求項に係る発明について、特許庁は、無人走行車の配車という使用目的に応じた特有の演算または加工が、記憶部を備える配車サーバ、顔認証部を備える無人走行車および携帯端末から構成されるシステムまたはそのようなシステムにおける一連の情報処理という、ソフトウェアとハードウェア資源とが協働した具体的手段によって実現されていると判断できるとして、自然法則を利用した技術的思想の創作であり、発明に該当するとしている。

データの量と質が重要となるAI技術においてはAI技術そのものだけではなく、データの取得方法についてもビジネス関連特許として特許を取

注134）特許庁・前掲注112）59頁。

【図表 2-1-14】ビジネスモデル関連特許の請求項（一部）

【請求項1】配車サーバと、配車希望者が有する携帯端末と、無人走行車とから構成されるシステムであって、前記携帯端末が、ユーザIDおよび配車位置を前記配車サーバに送信する送信部を備え、前記配車サーバが、ユーザIDに対応付けてユーザの顔画像を記憶する記憶部と、前記携帯端末から受信したユーザIDに対応付けて記憶された顔画像を前記記憶部から取得する取得部と、無人走行車の位置情報および利用状態に基づいて、配車可能な無人走行車を特定する特定部と、前記特定された無人走行車に対して、前記配車位置および顔画像を送信する送信部とを備え、前記無人走行車が、前記配車位置まで自動走行する自動走行部と、前記配車位置にて、周囲の人物に対して顔認識処理を行う顔認証部と、受信した前記顔画像に一致する顔の人物を配車希望者と判定し、無人走行車の利用を許可する判定部と、を備えることを特徴とする、無人走行車の配車システム。

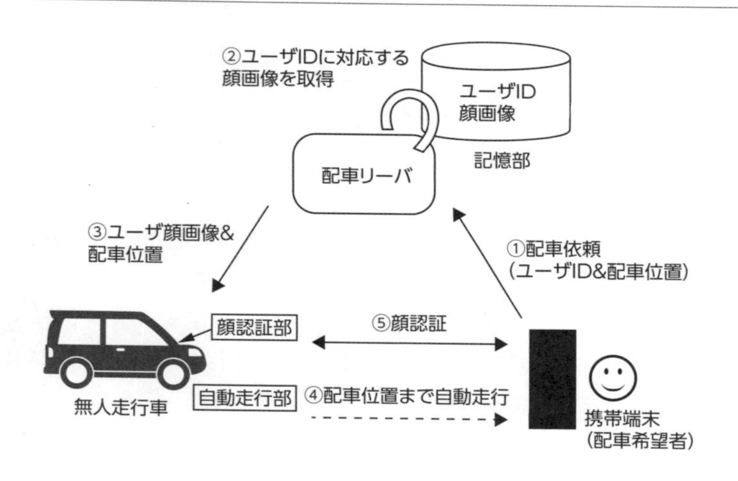

得することも考えられよう。

5　特許権者

特許法においては、特許を取得し得る者は発明者および特許を受ける権利の保有者に限られている（特許29条1項・49条7号・123条1項6号）。特許法における発明者とは、当該発明について、その具体的な技術手段を完成させた者を指し、単なる補助者、助言者、資金の提供者、単に命令した者は発明者とはならない注135)。この点は、著作物と著作者との関係に類似しているといえよう。

発明者は、特許の出願の願書における記載事項であることから（特許36条1項)、書類上は明確であるが、その記載が実際の発明者と同一であることが必ず担保されているわけではない。

AIの作成に当たっては多くの関係者が関与し得る。この点については著作権者の項目でも述べたが、関係者としては、AIの作成を企画する者、資金を提供する者、プロジェクトをマネージメントする者、AIをプログラミングする者、学習用データセットを提供する者、学習用データセットを加工する者、AIを学習させる者が考えられる。特に、従来のシステム開発と比較して、データ提供者の果たす役割が大きくなっており、データ提供者とAI開発者が協議を重ねてAIを作成することも想定される。そこで、AI開発者が自分のみを発明者として特許出願をしたところ、データ提供者が自らも発明者であり、共同発明者であると主張することも考えられる。

複数の者が共同して発明した場合には、特許を受ける権利はこれらの者の共有となり、当該特許を受ける権利の共有者全員で特許出願をしなければならない（特許38条)。特許を受ける権利の共有者の一部を無視して特許が出願された場合、当該特許出願は拒絶されるものとされ（同法49条2号)、仮にこれを看過して登録を受けた場合にはその特許には無効理由があることになる（同法123条1項6号)。そのため、例えば、データ提供者が共同発明者であるにもかかわらず、これを出願人とせずに特許出願すると、当該出願は拒絶され、仮に登録されたとしても、その特許は後に無効とされるリスクを抱えることになる。

このようなトラブルを避けるためには、あらかじめ関係者間の契約において、特許出願について取り決めておくことが望ましい。

6　特許侵害の対応

AIを特許権で保護することを考える場合に、特許権侵害に対してどの

注135）中山・特許法45頁。

ような実効的な対応を取ることができるかについては検討を要する。特許権をもっていたとしても、特許侵害に対して実効的に対応できないのであれば宝のもちぐされだからである。

ソフトウェア関連特許については、以下の点に留意する必要がある。

⑴　第三者による特許侵害の把握の困難性

まず、ソフトウェアについての特許侵害は、第三者による特許侵害を把握することが困難である。プログラムは、コンピュータの内部で動いているため、特許侵害の疑いがある者が実際にどのようなプログラムを走らせているのかを知ることは容易ではない。

最近は、インターネット等を通じてサーバからのサービスの提供を受ける場合も多く、そのような場合には、プログラムの内容を知ることはできないため、特許侵害の疑いがある者が使用しているプログラムが、特許を侵害してるか否かを確認することは容易ではない。

また、日本の裁判においては、令和元年改正により査証制度が導入されたものの米国のディスカバリーのような強力な証拠収集の制度がないため、相手方の保有する証拠を入手することが困難であり、特許侵害を立証することが容易ではない。

以上から、たとえ特許侵害の疑いがあっても、その者に対する差止請求や損害賠償請求を行うことは容易ではないのが現実である。

⑵　複数の実施主体による侵害行為

AIソフトウェアについては、複数のサーバやユーザが実施主体となって特許権を侵害することが考えられるが、そのような場合、侵害者の特定に困難が生じる。

もっとも、この点については、クレームの作成に当たり、①どの実施主体の行為を侵害として捕捉したいのかを意識したクレームの作成、②GUIなど外部から実施行為を判別できる部分にウェイトを置いたクレームの作成、③サブコンビネーション発明[注136)]として、他のサーバの処理を省略したクレームの作成など、クレームの書き方の工夫によって解決で

注136）２以上の装置・工程を組み合わせてなる装置・製造方法の発明について、全体ではなく、組み合わされる側の装置・製造方法の発明とすること。

きることも多いとされている。

また、裁判所の判断も、いわゆる道具理論などを用いた実施行為の柔軟な解釈や、柔軟なクレーム解釈による実施主体の認定を行っていると指摘されている[注137]。

(3) 国外における侵害行為

特許権は国別に付与されるものであり、日本の特許権の効力は日本の国内でのみ効力を有する（属地主義）。特許権の範囲は請求項によって決められるが、請求項に記載されているすべての事項が日本国内において実施されていなければ、特許侵害とならないのが原則である。つまり、請求項の記載事項の一部が国外で実施されている場合には、特許侵害とはならない。

ソフトウェア関連特許においては、物理的な装置などと異なり、請求項に記載されている機能や手順の一部を国外のサーバで行うことは容易であり、それによって特許侵害とされることを回避することも容易である。また、クラウド上で稼働するAIも多く、クラウドのサーバは海外に設置されていることが多いので、その場合にも、国外で実施されているものとして、特許侵害とならない可能性がある。

このように、属地主義の原則を厳格に貫けば前記のような結論となるため、ネットワーク社会においては容易に特許侵害を回避することが可能となる。そこで、特別な立法の必要性を指摘する見解[注138]もある。

もっとも、構成要件の一部に該当する行為が国外で行われた場合であっても、侵害という結果との関係で実施行為が全体として国内で行われているものと同視できる場合もあるとの指摘や、共同侵害・間接侵害・道具理論[注139]・支配管理論等の各種理論構成により、特許発明のすべてを業として実施する主体がいない場合に特許発明の一部のみを業として実施した者による特許権侵害を肯定する余地はあるとする見解[注140]もある。この

注137）以上、産業構造審議会等・前掲注126）7頁。

注138）高部眞規子『実務詳説 特許関係訴訟』（金融財政事情研究会、2016）294頁。

注139）知財高判平成22・3・24平成20年(ネ)10085号［インターネットナンバー事件］。

点、裁判所の判断も、これまでの蓄積は少ないものの、いわゆる道具理論などを用いた実施行為の柔軟な解釈や、柔軟なクレーム解釈による実施主体の認定を行っていると指摘されている[注141]。

なお、複数の特許発明の実施者の行為が全体としてはじめて侵害を構成するような場合には、共同不法行為の問題となる。複数の者による特許侵害行為のうち、発明の一部しか実施していない者を訴える場合に、共同不法行為が成立するかが問題となる。この点、そのような者がシステム全体を支配管理している場合などには、不法行為責任が成立する可能性がある[注142]。

7　AI関連特許の留意点

以上から、AI関連発明について特許を取得する際の留意点をまとめると、以下の通りとなる。

第1に、特許出願をすると出願日から1年6か月経過後に出願内容が公開されるため（出願公開制度。特許64条）、AI関連発明の技術内容が公になり、ライバル企業などがそれを参考にできるようになってしまう。

第2に、プログラムの特性上、特許侵害行為を発見・解明することは容易ではない。

第3に、ソフトウェア関連特許においては、サーバを海外に置くなどして特許権の行使を回避・難易化することが容易である。

第4に、プログラム等の特許やビジネス関連特許については、同一の目的を達成するための選択肢の幅が広く、迂回する方法をみつけるのが比較的容易であるため、簡単に特許を迂回されてしまうおそれがある。

特許権は絶対的排他権であり、強力な権利であるが、AIについては、特許権を取得したとしても、前記のような問題点がある。

AIコア技術に関する発明に関して、AIアルゴリズムについては近年、さまざまなプログラムがOSSとして公開されており、誰でも利用できる

注140）産業構造審議会等・前掲注126）9頁。
注141）松下・前掲注108）51頁。
注142）東京地判平成19・12・14裁判所ウェブサイト［HOYA事件］。

ことから、そのアルゴリズムについて特許権によってさらに保護を強化してほしいというニーズは低いとされている。また、AIアルゴリズムについては、他社のアルゴリズムがブラックボックス化されている場合には、侵害を立証することが困難なため、AIアルゴリズムを公開してまで特許権を取得するメリットがないとの意見もある[注143)]。

他方で、特にスタートアップにおいては、特許を取得することが、認知度を上げたり資金調達を行うに当たって有益なこともある。

そこで、そもそも特許を出願するか否かを慎重に検討すべきであり、仮に特許を出願するとしても、手の内をなるべくみせないように、明確性要件に留意しつつ、より抽象的な記載をして、詳細な技術内容はできるだけ開示しないようにすることが重要であろう。

V　AI自体と不正競争防止法

不正競争防止法は、他人の技術開発、商品開発等の成果を無断で利用する行為等を不正競争として禁止している。そして、営業秘密を有する者は、不正の手段により「営業秘密」を取得する行為や不正取得した営業秘密を使用し、または関係する行為等（不正競争行為）をする者に対して、差止請求や損害賠償請求をすることができる（不正競争3条・4条）。また、限定提供データを有する者は、限定提供データについて不正競争行為をする者に対して、差止請求や損害賠償等を求めることができる。そこで、AIやデータについて不正競争防止法によって保護することが考えられる。

「営業秘密」とは「秘密として管理されている生産方法、販売方法その他の事業活動に有用な技術上又は営業上の情報であって、公然と知られていないもの」であり、①秘密管理性、②有用性、③非公知性の3要件を満たすことが不正競争防止法による保護を受けるために必要である（不正競争2条6項）。

「限定提供データ」とは、「業として特定の者に提供する情報として電磁的方法（電子的方法、磁気的方法その他人の知覚によっては認識することが

注143）産業構造審議会等・前掲注126）5頁。

できない方法をいう。次項において同じ。）により相当量蓄積され、及び管理されている技術上又は営業上の情報（秘密として管理されているものを除く。）をいう」である（不正競争2条7項）。

不正競争防止法により禁止される不正競争とは、窃取、詐欺、脅迫その他の不正の手段によって営業秘密を取得し、自ら使用したり、第三者に開示する行為などであり、不正競争防止法2条1項4号から10号に規定されている。

1　営業秘密

AIやデータについても、営業秘密として保護するためには、前記3要件を満たす必要がある。このうち②有用性の要件は、少なくとも法的な保護を検討する必要のあるようなAI・データについては満たされるので[注144)]、実際に問題となるのは①秘密管理性と③非公知性の要件である。そこで、以下では①と③の要件について述べる。

⑴　秘密管理性（要件①）

不正競争防止法において、営業秘密について秘密管理性の要件が求められている趣旨について、経済産業省が作成した「営業秘密管理指針」[注145)]では、企業が秘密として管理しようとする対象を明確にすることで、営業秘密に接した者が事後に不測の嫌疑を受けることを防止し、従業員等の予見可能性、ひいては経済活動の安定性を確保することにあるとされている。

秘密管理性の要件が求められている趣旨からは、秘密管理性要件が満たされるには、企業がその情報を秘密であると単に主観的に認識しているだけでは不十分であり、企業が、秘密として管理する意思を、秘密管理措置をとることで従業員等に対して明確に示し、従業員等が秘密として管理する意思を認識することできる必要があるとされている。

秘密管理措置とは、具体的には、営業秘密を営業秘密でない一般情報と

注144）「技術上または営業上の情報」という点についてもAIに関する情報は基本的に満たすであろう。

注145）経済産業省平成15年1月30日（全部改訂平成27年1月28日）「営業管理秘密指針」。

合理的に区分した上で、その情報が営業秘密であることを明らかにする措置のことである。後者については、マル秘の表示、アクセス制限、秘密保持契約の締結、営業秘密である情報の種類・類型のリスト化などが考えられる[注146)]。

なお、この秘密管理性要件については、企業が、相当高度な秘密管理を網羅的に行った場合にはじめて認められるものではなく、リスクの高低、対策費用の大小も踏まえた効果的・効率的な秘密管理をしていれば足りるとされている。

従来は、秘密管理性要件について、秘密であることの明示とアクセス制限の２点が求められると解されてきた。しかし、特に後者が厳格に求められることで、営業秘密該当性のハードルが必要以上に上がったとの指摘がなされたこともあり、「営業秘密管理指針」では、秘密であることの明示がされていれば、アクセス制限が必ずしもされていなくても秘密管理性要件を満たすという解釈が示されることとなった[注147)]。

営業秘密を他の企業と共有する場合には、秘密管理性の有無は、法人ごとに判断され、別法人内部での情報の具体的な管理状況は、自社における秘密管理性には影響しないと考えられている。

⑵　非公知性（要件③）

公然と知られていない状態（非公知性）とは、営業秘密が一般的に知られていない状態、または容易に知ることができない状態である。具体的には、その情報が合理的な努力の範囲内で入手可能な刊行物に記載されていないなど、保有者の管理下以外では一般的に入手できない状態のことを意味する。

非公知性の要件は、特定の者しか知らない情報について、それらの者に守秘義務がなくても、その者が事実上秘密を維持していれば非公知と考えることができる。また、保有者以外の第三者が同種の営業秘密を独自に開

注146）秘密管理措置の内容・程度は、企業の規模、業態、従業員の職務、情報の性質その他の事情によって異なり、企業における営業秘密の管理単位における従業員がそれを一般的に、かつ容易に認識できるものである必要があるとされている。

注147）奥邨弘司「人工知能における学習成果の営業秘密としての保護」『土肥一史先生古稀記念・知的財産法のモルゲンロート』（中央経済社、2017）218頁。

発したとしても、その第三者が秘密に管理していれば、不正競争防止法では非公知である。

また、ある情報が外国の公刊物に記載されていたような状況であっても、その情報の管理地においてその事実が知られておらず、その取得に時間的・資金的に相当のコストを有する場合には、非公知性が認められるとされている。

なお、秘密管理性の要件と非公知性の要件は、秘密として管理することで非公知性が保たれるという関係があるので、相互に関連している。

⑶　営業秘密の留意点

営業秘密を不正競争防止法で保護しようとする場合には、基本的には、秘密である間は保護されるが、公開された場合には誰でも自由に無償で使用可能な技術になってしまう点や、独占排他性がないため、その情報を独自に開発した者による使用を禁止したり、その者による特許出願を排除することができない点に留意する必要がある。

⑷　AIに関する営業秘密の具体的適用

不正競争防止法は、営業秘密という状態にある情報を保護するものであるため、生産方法、販売方法その他の事業活動に有用な技術上または営業上の情報であれば、広く営業秘密として保護の対象となる。

AIとの関連でいえば、以下について、不正競争防止法による保護をすることが考えられる。

①　生データ

②　データの取得方法、作成方法、加工方法、解析方法についてのノウハウ

③　学習用データセット・教師データセット

④　AIのプログラム

⑤　ニューラルネットワークの構造

⑥　学習済みパラメータ

⑦　学習済みモデル（派生モデルも含む）

⑧　学習方法のノウハウ

これらの情報・データについては、著作権・特許権の保護を受けることができないことがあるので、不正競争防止法による保護は十分検討するに

値する。

もっとも、不正競争防止法の保護を受けるためには、秘密管理性・非公知性を満たすように管理をすることが求められる。具体的には、秘密管理性を満たすために、情報を非公開として社内にて秘密情報として管理することや、従業員や取引先との間で秘密保持契約書を締結するなどが必要となる。

なお、その性質あるいはビジネス上の理由から、秘密として管理できなかったり、特許出願するなど公知となった情報については、不正競争防止法による保護をすることができない。

以下、AIを実用化する際に秘密管理性・非公知性の要件が問題となる点を検討する。

(A)　**秘密管理性**

AIをサーバからネット経由で提供するような場合には、AIのプログラム・データの内容を利用者に秘密にすることは比較的容易であり、秘密管理性要件を満たしやすい。

他方、例えばAIを搭載した掃除ロボットや自動運転車のように、AIをマイクロチップなどに搭載したAI組込み製品を市場で販売するような場合には、その製品を購入した者は、マイクロチップを読み取ることでプログラム・データの内容を知ることができる。そのような場合には、秘密管理性は失われてしまうことになってしまう。

秘密管理性を保つために、AI組込み製品の製造・販売者としては、まず、消費者との間で秘密保持契約を締結することが考えられるが、そのようなことは現実的ではないし、製品が転売されたような場合には、転売先に秘密保持契約の効力を当然に及ぼすことはできない。そのため、秘密保持契約という方法で秘密管理性要件を満たすことは著しく困難である。

そこで、秘密管理性を保つために、マイクロチップやその収納容器にマル秘表示をすること、マイクロチップの収納容器を特殊なねじで封入し第三者が容易に開封できないようにしたり、開封したら破壊されるようにすること、プログラム・データを暗号化することなどが考えられる。

このような対策を施すことで、一般情報と秘密情報を合理的に区別し、利用者が秘密情報であることを認識することができるので、秘密管理性があるとされる可能性が高めることができる。

(B)　非公知性

秘密管理性要件と同様に、AI組込製品を市場で販売するような場合に、非公知性要件が満たされるかが問題となる。この点、市販された製品から営業秘密が一般に知られ得る状態にある場合には、非公知性はないとされている[注148)]。情報の内容が特別な手段をとらずにわかる場合はもちろん、何らかの分析や解析、リバースエンジニアリングが伴う場合であっても、それによって容易に営業秘密が取得できる場合には、非公知性がないと解されている。

他方、情報の内容が暗号化されているなど、リバースエンジニアリングが容易ではなく、それによる営業秘密の取得は相当程度に困難で、コストがかさむような場合には、非公知性は維持されると解されている[注149)]。

裁判例では、特殊な雨戸について、その図面に記載されていた情報が営業秘密に当たるか否かが争われた事案（光通風雨戸事件）がある。第1審（東京地裁）では、図面が0.1ミリ単位の精密さで作られていることなどから、雨戸の製品からその形状を正確に把握し、図面を起こすことは決して容易ではなく、雨戸の製品が流通していたとしても、図面の情報には非公知性があるとして、営業秘密に該当するとした[注150)]。しかし、控訴審（知財高裁）は、市場で流通している製品から容易に取得できる情報は「営業秘密」にあたらないとした上で、本件では、図面は精密ではあるが、ノギスなどの一般的な技術的手段を用いれば、雨戸の製品自体から部品を再製することが容易であるから非公知性がなく営業秘密に当たらないと判断し、第1審の判決とはまったく逆の結論を出している[注151)]。このように裁判所の判断が分かれていることが示しているように、流通している製品の非公知性の有無の判断は容易ではないが、裁判所は、一般的に用いられるような容易な技術的手段を用いることによって製品自体から得られる

注148）小野ほか・概説345頁。
注149）小野ほか・概説346頁。
注150）東京地判平成23・2・3裁判所ウェブサイト。
注151）前掲・知財高判平成23・7・21。

情報であれば、非公知性はないと判断する可能性があることを前提にして対策を検討すべきであろう。

したがって、AI組込製品を市場で販売するような場合には、AIを不正競争防止法によって保護するためには、マイクロチップやその収納容器のマル秘表示や、プログラム・データの暗号化などによって一般的な技術手段では再製できないようにして、秘密管理性・非公知性をできるだけ確保するようにすることが重要である。

2　限定提供データ

営業秘密は不正競争防止法で保護されるが、第三者と共有するデータについては、秘密管理性や非公知性を満たさないために営業秘密として保護されない場合もありうる。例えば、商品として広く会員にデータが提供される場合や、秘密保持義務のない緩やかな規約に基づきコンソーシアム内でデータが共有される場合には、秘密管理性や非公知性が失われ、営業秘密として保護されない[注152)]。

そのため、データ保有者が、データを広く共有することに消極的になり、データの流通や利活用が十分になされない要因となっているとの指摘がされていた。

そこで、平成30年改正により、価値あるデータのうち、ID・パスワード等の管理を施した上で事業として提供されるデータの不正競争行為に対して、差止請求権・損害賠償請求権等の民事上の救済措置を設けることとなった。なお、限定提供データについては、不正競争行為に対する刑事罰は設けられていない。

限定提供データの具体例としては、機械稼働データ、車両の走行データ、消費動向データなどを多数であるが特定の関係者に提供して、新規ビジネスや道路状況の把握、商品開発・販売戦略に役立てるといった事例が挙げられる。

なお、限定提供データについては、経済産業省から「限定提供データに

注152）産業構造審議会知的財産分科会不正競争防止小委員会「データ利活用促進に向けた検討中間報告」（2018年1月）3頁。

関する指針」（2019年1月）が公表されている。

(1)　限定提供データ

「限定提供データ」は、平成30年改正法によって初めて導入されたものである。不正競争防止法2条7項は、「『限定提供データ』とは、業として特定の者に提供する情報として電磁的方法（電子的方法、磁気的方法その他人の知覚によっては認識することができない方法をいう。次項において同じ。）により相当量蓄積され、及び管理されている技術上又は営業上の情報（秘密として管理されているものを除く。）をいう」と定義している。

このように、「限定提供データ」として不正競争防止法上の保護を受けるためには、①限定提供性、②電磁的管理性、③相当量蓄積性、④技術上または営業上の情報（ただし、秘密として管理されているものを除く）を満たすことが必要となる。

(A)　限定提供性

限定提供データの要件として、「業として特定の者に提供する情報」であることが挙げられている。すなわち、データ提供者が、特定の者に選択的に提供するデータである必要がある。例えば、事業者が、IDとパスワードが付与されている者に対してのみデータを提供することは、この限定提供性の要件を満たすこととなる。

「業として」とは、データ保有者が、データを反復継続的に提供している場合をいう。実際に提供していなくても、反復継続して提供する意思が認められる場合には「業として」に該当する。

「特定の者」とは、一定の条件の下でデータ提供を受ける者のことをいう。多数の者であっても特定の者に選択的にデータを提供するのであれば、本要件を満たす。具体例として、会費を払えば誰でも提供を受けられるデータについて会費を払って提供を受けられる者でも該当する。

本要件があることから、データを限定提供データとして保護したいのであれば、データの提供方法として、特定の者に対してのみ選択的にデータを提供しなければならない。これは、契約の規定の仕方だけで決まるものではなく、データへのアクセスについての設計（アーキテクチャー）で決まることでもあるので、データを限定提供データとして保護しようとするには、契約書を見るだけでは不十分で、データへのアクセスについての設計をチェックする必要がある。

(B)　**電磁的管理性**

限定提供データは、電磁的方法に蓄積され、かつ管理されている必要がある。すなわち、データが電子的に蓄積され、かつ、パスワードなどによるデジタル的なアクセス制御手段によって管理されているという管理性が要件となっている。電磁的方法とは、電子的方法、磁気的方法その他人の知覚によっては認識することができない方法をいう。

この電磁的管理性の要件が求められているのは、データ保有者がデータを提供する際に、限定された「特定の者」に対してのみ提供するものとして管理する意思が、社外に対して示されることによって、外部者の予見可能性や経済活動の安定性を確保するためとされている。そのため、電磁的管理性の要件を満たすためには、データ保有者が、特定の者に対してのみ提供する者として管理する意思を有していることについて、社外の認識が可能であるような措置がとられることが必要である。電磁的管理性の具体的内容や程度については、企業の規模・業態、データの性質やその他の事情により異なってくる。

紙媒体でのみ保存されているデータは、デジタル的に蓄積されていないため、本要件を満たさない。もっとも、通常、データはデジタル化されてサーバなどに蓄積されているから、この点は問題とならないであろう。

デジタル的に管理されているか否かという点については、データがIDとパスワードにより管理されていれば、この要件を満たしているといえる。もっとも、IDとパスワード以外の方法でもよく、例えば、顔認証、指紋認証もこの要件を満たす。

(C)　**相当量蓄積性**

限定提供データは、「相当量」蓄積されていなければならず、一定の規模が必要とされている。「相当量」とは、個々のデータの性質に応じて、データが電磁的方法により有用性を有する程度の量が存在していることを意味する。

どれくらいのデータ量であれば「相当量」といえるかについて、不正競争防止法は規定を設けていないため解釈に委ねられている。

この点、「相当量」とは、個々のデータの性質に応じて、データが電磁的方法により蓄積することによって生み出される付加価値、利活用の可能性、取引価格、収集・解析に当たって投じられた労力・時間・費用等が勘案されると考えられている。

(D)　技術上または営業上の情報（ただし、秘密管理情報を除く）

一般論として、不正競争防止法による保護が問題となるようなデータは、技術上または営業上の情報に該当するであろう。なお、営業秘密と異なって、限定提供データでは「有用性」が要件とされていない。

この要件で問題となるのが、定義に、「但し、秘密として管理されているものを除く」と規定されている点である。その結果、秘密として管理されているデータは、限定提供データとしては保護されないことになる。このような除外規定が設けられたのは、営業秘密との重複を避けるためとされている。

(E)　無償で公衆に利用可能となっていないこと

相手を特定・限定せずに無償で広く提供されているデータについては、そのデータの自由な利用を推進するという観点から、そのデータと同一の限定提供データを取得・使用・開示する行為は、不正競争防止法の差止請求・損害賠償請求等の適用が除外されている（不正競争19条1項8号ロ）。

(2)　対象となる行為類型

不正の手段により限定提供データを取得したものとして不正競争行為となるのは、典型的には、IDとパスワードを付与された者しかアクセスできないデータベースに、外部者が、IDとパスワードを盗んでアクセスするような行為である。

限定提供データについて不正競争行為とされるのは、以下の行為である（不正競争２条１項11〜16号）。

(A)　不正取得類型

権原のない外部者が、窃取・詐欺・脅迫等の不正の手段により限定提供データを取得、使用、開示（第三者提供）する行為である。

この類型に当たるものとして、例えば、正規会員のID・パスワードをその会員の許諾なく用いて、データ提供事業者のサーバに侵入し、正規会員のみに提供されているデータを自分のパソコンにコピーする行為が挙げられる[注153)]。

(B)　著しい信義則違反類型

限定提供データを正当に取得した者が、不正の利益を得る目的またはデータ提供者に損害を加える目的で、限定提供データを、横領・背任に相当するような態様で使用する行為、または開示する行為である。

この類型に当たるものとして、例えば、データ提供者のための分析を委託されてデータ提供を受けていたにもかかわらず、その委託契約において委託された業務の目的外の使用が禁じられていることを認識しながら、無断で、そのデータを目的外に使用して、他社向けのソフトウェアを開発し、不正の利益を得る行為が挙げられる。

(C)　転得類型（取得時悪意型）

取得時に限定提供データについて不正行為が介在したことを知っている者が、当該不正行為に係る限定提供データを取得、使用、開示する行為である。なお、「営業秘密」とは異なり、入手経路への注意義務が転得者に課されないよう、重過失の者は対象外となっている。

この類型（取得時悪意型）に当たるものとして、例えば、不正アクセス行為によって取得されたデータであることを知りながら、当該行為を行ったハッカーからそのデータを受け取る行為や、その後、自社のプログラム開発に当該データを使用する行為が挙げられる。

(D)　転得類型（事後的悪意型）

取得時に限定提供データについて不正行為が介在したことを知らずに取得した者が、その後、不正行為の介在を知った場合に、データ提供者との契約の範囲を超えて、限定提供データを開示する行為である。

この類型（事後的悪意型）に当たるものとして、例えば、データ流通事業者が、データを仕入れた後において、そのデータの提供元が、不正取得行為を行ったという事実を知ったにもかかわらず、その後も、自社の事業として、当該データの転売を継続する行為がこれに当たる。ただし、悪意に転じる前に、その提供元と結んだ契約において、１年間の提供が認められていた場合、悪意に転じた後も、契約期間１年間の終了までの間は、そ

注 153）産業構造審議会知的財産分科会不正競争防止小委員会「データ利活用促進に向けた検討中間報告」（2018年１月）８頁。以下に挙げる例は、同資料による。

の提供行為は、不正競争行為には該当しない。

前項(E)で触れたが、不正競争防止法19条1項8号ロには、「その相当量蓄積されている情報が無償で公衆に利用可能となっている情報と同一の限定提供データを取得し、又はその取得した限定提供データを使用し、若しくは開示する行為」については、不正競争防止法の差止請求、損害賠償請求等の救済規定が適用されないと規定されている。したがって、公衆が無償で利用できるデータは、形式的には限定提供データに該当するが、不正競争防止法の保護を受けることができない。

なお、営業秘密では、営業秘密を使用することにより生じた物の譲渡も不正競争とされているが（不正競争2条1項10号）、限定提供データを使用することによって生じた物の譲渡については、不正競争とされていない（営業秘密における同号と同様の規定が設けられていない）。これは、限定提供データを使用することによって生じる物の価値に対する限定提供データの寄与度等が現時点では判然としないためであるとされている。

したがって、例えば、不正取得された限定提供データから作成された学習用データセットやAIの学習済みモデルであっても、それらを譲渡する行為は不正競争行為とはならない。もっとも、学習用データセットから限定提供データが判別できる場合には、限定提供データそのものの譲渡として不正競争行為となり得る。

⑶　AIに関する限定提供データの具体的適用

AIとの関連では、営業秘密の箇所で述べた通り、以下について、不正競争防止法による保護をすることが考えられる。

①　生データ
②　データの取得方法、作成方法、加工方法、解析方法についてのノウハウ
③　学習用データセット・教師データセット
④　AIのプログラム
⑤　ニューラルネットワークの構造
⑥　学習済みパラメータ
⑦　学習済みモデル（派生モデルも含む）

【図表 2-1-15】限定提供データに係る不正取得・使用・開示の行為図

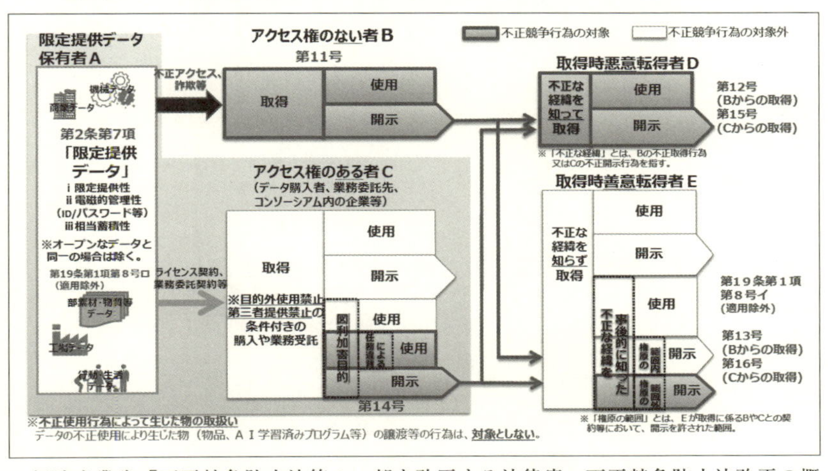

＊経済産業省「不正競争防止法等の一部を改正する法律案　不正競争防止法改正の概要」（2018年4月）4頁。

上記①③については、限定提供データとして保護することが想定されているデータであり、相当量あれば、限定提供データとして保護され得るであろう。

上記②ノウハウ、⑤ニューラルネットワークの構造については電磁的管理性や相当量蓄積性の要件を満たさないことが多く、限定提供データとして保護される可能性は低いであろう。

上記⑥⑦の学習済みパラメータやそれを含んだ学習済みモデルについては、相当量蓄積性の要件を満たすかが問題になろう。前述の通り、相当量蓄積性の要件である「相当量」とは、個々のデータの性質に応じて、データが電磁的方法により蓄積することによって生み出される付加価値、利活用の可能性、取引価格、収集・解析に当たって投じられた労力・時間・費用等が勘案されるとされている。そのため、学習済みパラメータやそれを含んだ学習済みモデルが限定提供データとして保護されるかは、ケースバイケースの判断となるが、保護される場合もあり得ると考えられる。

上記④のプログラムについても、相当量蓄積性の要件を満たすかはケース・バイ・ケースであると考えられるが、プログラムについては、上記の

「データが電磁的方法により蓄積することによって生み出される付加価値」は想定しがたいので、相当量蓄積性の要件を満たさない可能性は高いであろう。ただし、保護に値するようなプログラムは通常著作権で保護されるであろう。

Ⅵ　AIと契約

以上の通り、AIを著作権、特許権、不正競争防止法といった知的財産法によって保護する方法をみてきたが、それぞれの方法について一定の限界が存在する。

著作権では、学習済みパラメータなどのデータを保護できるか否かについて不透明であること、派生モデル・蒸留済みモデルの作成を禁止することが困難であるなどの限界がある。

特許権では、そもそも特許権を取得しなければ権利行使できず、特許権をもっていても、侵害行為の発見・把握や裁判での立証が困難であること、外国における実施行為を禁止できないこと、特許権の迂回が比較的容易であることなどの限界がある。

不正競争防止法では、営業秘密や限定提供データとして保護されるためには一定の要件を満たす必要があるが、一定水準以上の情報の管理が求められるため、要件を満たすことが実務上困難であったり、後で要件を満たしていないことが発覚するといった問題がある。

このように、知的財産法によるAIの保護については不透明さや限界があるため、契約によるAIの保護を検討することが必要となる。AIについては、このような不透明さや限界があるからこそ、契約のもつ重要性が高いといえよう。契約には、当事者の合意により定めることができるため事案に応じた柔軟な対処が可能であるという長所もある。

したがって、AIを開発・提供する者の立場からは、知的財産法による保護と契約による保護をうまく組み合わせてAIを保護することを考えることとなる。他方で、AIを利用する者の立場からは、知的財産法をよく理解して権利侵害しないよう注意するとともに、内容をよく理解した上で契約を締結することを考えることとなる。

もっとも、契約についても一定の限界はある。契約は当事者を拘束できるにとどまり、第三者を拘束することはできず、また、契約において将来に発生し得る状況をすべて想定して契約に落とし込むことは現実的に困難なので、契約で規定されていない状況が発生した場合には法律に従って処理せざるを得ない。

AIの開発・利用に当たっては、システム開発契約やライセンス契約が締結されることが一般的であり、それ自体にも特有の論点がある。AIに関するこれらの契約については、従来の条項に加えて、以下に関する条項を定めることでAIを保護したり、トラブルの発生を未然に予防することを検討すべきである。

① 生データの提供・取扱いに関する条項
② 学習用データセット・教師データセットの提供・取扱いに関する条項
③ 学習済みモデルに関する条項
④ ノウハウに関する条項
⑤ 派生モデル・蒸留モデルに関する条項

これらの詳細については、第3編第1章で述べる。

Ⅶ　AIによる生成物と知的財産権

AIが創造的な作品を生み出す事例は、すでに現実に生じている。

例えば、絵画では、マイクロソフト等が参加したプロジェクトチームは、現存するレンブラントの作品データをコンピュータに入力し、AIにレンブラントの画風を学習させて、レンブラントの「新作」を作り出している（"The Next Rembrandt" プロジェクト）。また、小説では、はこだて未来大学の松原仁教授らが開発した小説創作ソフトが星新一の作品を解析して「創作」した作品が、星新一賞の一時審査を通過した。

すでにAIに画像や音楽を読み込ませて学習させ、自分好みの画像や音楽を作成させるプログラムがウェブサイト上で入手可能であり、誰もが簡単にAI生成物を作れるようになりつつある。今後、AI生成物は爆発的に増えていくことが予想される。AI生成物をYouTubeにアップロードして稼ぐYouTuberも登場するであろう（すでにバーチャルYou Tuberが人気である）。

では、AI生成物を他の者が無断コピーしてYouTubeに投稿することは著作権侵害になるのであろうか。また、AIにねずみの絵を描かせたところ、ミッキーマウスと似ている画像が生成された場合、AIが生成したねずみの絵は著作権侵害になるのであろうか。

特許との関連でいえば、最近では材料開発や医薬品の開発にもAIが活用されているが、AIによる「発明」は特許を受けることができるのであろうか。

1　AI生成物の著作権による保護

AIが作り出した「創作物」の著作権は、果たして誰がもつことになるのであろうか。

著作権法は、著作権の対象となる著作物を「思想又は感情を創作的に表現したものであって、文芸、学術、美術又は音楽の範囲に属するもの」とし（著作２条１項１号）、著作権を有する主体である著作者を「著作物を創作する者」としている（同項２号）。

このように現行著作権法は、人の思想または感情の創作的表現を保護するという体系で構築されており、著作物は人格の流出物として人格的要素を重視したものとなっている。すでに述べた通り、AIは現行法上「人」とは解されないので、AI自身が「著作者」に該当することはない。そこで、AIが作り出した「創作物」について、AIの背後にいる人間を著作者であると認定することができるのかが問題となる。

この点については、本章の著作権者の項目において、著作者とは、創作的な表現に実質的に関与する者であると述べ、その具体的な例を挙げたところであるが、AI生成物に関しては以下の通りであると考えられる。

⑴　人間がAIを道具として利用する場合

人間がAIを「道具」として利用して創作したといえるのであれば、その人間が「著作者」であり、創作的な表現の結果である「著作物」の著作権はその者に帰属することになる。例えばコンピュータを使用して描かれたCGの著作権が、コンピュータを使用してCGを描いた者に帰属するのと同じである。これはわかりやすいたとえであるが、実際にどのような場合に、人間が「AIを道具として利用」して創作したといえるかが問題となる。

これについては、前述した通り、文化庁著作権審議会第9小委員会報告書（1993年11月）は、コンピュータ・システムを利用して創作したコンピュータ創作物について、人間による「創作意図」と、創作過程において具体的な結果を得るための「創作的寄与」があればコンピュータを道具として創作したものとして著作性が肯定されたとする見解を示している。

なお、同報告書は、コンピュータ創作物の著作者について、コンピュータ創作物に著作物性が認められる場合、その著作者は具体的な結果物の作成に創作的に寄与した者と考えられるが、通常の場合、それはコンピュータ・システムの使用者であると考えられるとしている。他方、プログラマについては、プログラムがコンピュータ・システムとともに使用者により創作行為のための道具として用いられるものと考えられるため、一般的には、コンピュータ創作物の著作者とはなり得ないと考えられるとしている。

⑵　AIが自動的に創作する場合

では、人間が「バッハ風のクラシック音楽を作曲して」とか「人の顔をピカソ風に描いて」と大まかな指示だけをして、あとはAIに音楽や画像の作成を任せたような場合には、どのように考えるべきであろうか。この場合、人間がAIを道具として利用したとはいえないであろう。

前述の通り、著作権法上、著作物は、人間の「思想又は感情」の表現であることが求められている。人間が大まかな指示をしただけの場合には、人間に創作的意図も創作的寄与もないため、AIが生成した作品には、人間の「思想又は感情」が存在しておらず、著作物として認められないと考えられる[注154)]。

では、利用者が、AIが作品を生成するためのデータを選択してAIに与えたり、AIを学習させた場合に、これらの行為が「創作的寄与」といえるのであろうか。

注154）知的財産戦略本部検証・評価・企画委員会、次世代知財システム検討委員会が2016年4月に公表した「次世代知財システム検討委員会報告書」も同旨。

この点については、前述の文化庁著作権審議会第9小委員会報告書は、「選択を含めた何らかの関与があれば創作性は認められるとの指摘があった一方で、単にパラメータの設定を行うだけであれば創作的寄与とは言えないのでないかという指摘もあり、……現時点で具体的な方向性を決めることは難しいと考えられる」として結論を出していない。

「創作的寄与」の有無は、AIに与えるデータや選択についての利用者の関与度合いやデータと作品との関連性によっても変わってくるため、現時点では、ケース・バイ・ケースで判断せざるを得ないように思われる。

もし、AI生成物が著作物に該当しないということになれば、それは誰もが自由に流通・利用してよいことを意味し、AI生成物を作ろうという投資へのインセンティブを削ぐことになる。

他方で、AI生成物が著作物に該当するということになれば、休むことを知らないAIが膨大な著作物を生成し、それらに排他権が与えられることになる。著作権は相対的な排他権であることから、人間がAI著作物に依拠せずに独自に作品を作る場合には著作権侵害にならないものの、世の中にAI著作物が溢れた場合に、それらにアクセスしてしまうことや、著作権侵害を恐れて創作活動に委縮効果が生じることも考えられる。また、AI生成物が保護されなくても、学習済みモデル等、AI開発の過程で生じた知的成果が保護される限り、AI開発のための投資が十分に行われ、投資へのインセンティブが削がれることはないとの反論もある[注155]。今後AIによる生成物が増加するであろうことを踏まえると、現行法上の枠組みを将来も維持すべきかについては検討の余地があろう。

立法論としては、AI生成物に、①英国法のようにコンピュータ生成物として著作権保護を与える方法、②特別の権利（Sui Generis）を付与する方法、③自他識別力を有するなど一定の価値を有するAI生成物のみを保護する新たな制度を設ける方法などが挙げられている[注156]。

注155）横山久芳「AIに関する著作権法・特許法上の問題」法律時報1140号（2019）51頁。

注156）上野達弘「人工知能と機械学習をめぐる著作権法上の課題」Law and Technology 別冊 知的財産紛争の最前線3号（2017）60頁。

この点について、AI生成物の保護価値は、制作に要する投資にあるから、AI生成物を一般的に保護するのであれば、著作隣接権等の投資保護を直接の目的とした法制度によることが望ましいとする見解も示されている[注157]。

なお、AI生成物について、それがAI生成物であることを秘匿し、自らが著作物であると表明して著作権の保護を受けようとする「僭称コンテンツ問題」については、その問題の重要性や対応必要性についてはさまざまな見解があり得るが、「著作者でない者の実名又は周知の変名を著作者名として表示した著作物の複製物……を頒布した者」に対する刑事罰を定めた現行著作権法121条を拡大して、AI生成物を人間が創作した著作物と偽って公衆に提供または提示した者にも刑事罰が科されるように改めるという見解も示されている[注158]。

2　AI生成物と著作権侵害

(1)　AI生成物と著作権侵害

AIが生成物を作成する場合、無から画像や音楽といった生成物を生成するのではなく、既存の画像や音楽を分析して学習した上で、学習済みモデルが生成物を作成することが現時点では一般的である。

このようなAI生成物における著作権法上の問題としては、第1に、学習用データセットなどの生成・利用段階において、他人の著作物を著作権者の許諾を得ずに利用することが適法かが問題となり、第2に、AI生成物の出力・利用段階において、AI生成物が、元データとして利用した他人の著作権と類似している場合に、著作権侵害となるかが問題となる。

(A)　他人の著作物の利用の可否

AI生成物については、まず、そもそもAIが生成物を作成する過程で著作権の侵害が生じないかが問題となる。例えば、既存の画像や音楽に著作権がある場合に、それをメモリーやハードディスクに保存することが複製権の侵害になるかが問題となる。

注157）横山・前掲注148）52頁。
注158）上野・前掲注156）61頁。

この点について、AIが、既存の画像や音楽の特徴量を分析するためであれば、すでにふれた著作権法30条の4の「情報解析の（…）用に供する場合」として、その必要と認められる限度において利用することが認められている。したがって、AIが特徴量などを分析するために、既存の画像や音楽をメモリーやハードディスクに保存したり、改変を加えることは著作権侵害とはならない。

もっとも、AIによる情報処理の結果として、著作物を一般公衆に視聴させるなど外部提供する場合には、通常、視聴者等の知的、精神的要求を満たすという効用を得ることに向けられるものと評価できるため、著作権法30条の4の適用は受けず、別途同法47条の5などの他の権利制限規定の適用などを受けない限り、著作権者の許諾が必要となると考えられる。そうだとすると、例えば、サザエさん風の画像を一般公衆に視聴させるために、サザエさんの大量の画像データをAIに読み込ませて学習することは、著作権法30条の4の適用はなく、サザエさんの画像データの利用は、サザエさんの著作権者の許諾が必要ということになる。

(B)　AI生成物そのものの著作権侵害

次に、AIが生成した作品が、分析対象となった作品と類似している場合には、著作権侵害となるのかが問題となる。例えば、AIに、サザエさんの漫画を含む多数の著名漫画を分析させた上で、学習済みモデルを作成し、この学習済みモデルに20代女性の画像を出力させたところ（ちなみにサザエさんは24歳である）、サザエさんに似た女性が生成された場合に、そのような画像の作成は、サザエさんについて、複製権あるいは翻案権の侵害となるのであろうか[注159]。

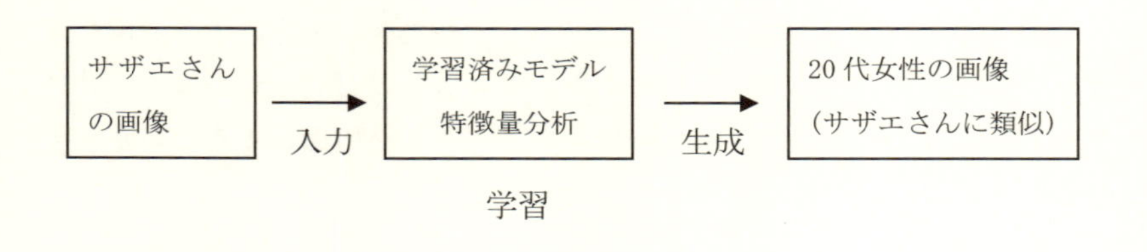

注159）東京地判昭和51・5・26判時815号27頁［サザエさん事件］参照。

そもそも複製権・翻案権の侵害があったというためには、他人の著作物に依拠して、同一または類似のものが作成されることを要する。つまり、「依拠性＋類似性（同一性を含む）」が複製権・翻案権侵害の要件となる。

「依拠性」とは、他人の著作物に接し、それを自己の作品の中に用いることをいい[注160]、「類似性」とは、原著作物の表現の本質的な特徴を直接感得できることをいう[注161]。

そうだとすると、サザエさんの漫画にアクセスして、これを分析し、サザエさんに類似した画像を生成された場合には、依拠性と類似性の要件を満たすようにも思われる。

この点について、学習用データセットに元になった著作物が含まれているだけで、依拠性を認めることに疑問を呈する見解もある。例えば数十万枚の画像データに数枚程度含まれていただけでは、依拠したとまでいえるかは疑問の余地があろう。著作物がパラメータとして抽象化・断片化されている場合にはアイディアを利用しているにすぎず依拠性を認めるべきではないという見解（アイディア説）もある。

他方で、著作物が学習済みモデル内に創作的な表現の形でデータとしてそのまま保持されている場合には依拠性を認めるべきであるという見解（依拠性肯定説）や、元の著作物が学習用データセットに含まれていることなどによりアクセスがあれば依拠性を認めてもよく、侵害の成否は類似性で判断すればよいという見解（類似性判断説）もある[注162]。

さらに、元の著作物はパラメータに抽象化、断片化されて記録されているが、元の著作物が一群のパラメータの生成に寄与し、かつ、その一群のパラメータに基づいて生成物が製作されている場合には、表現形式が変換されているとはいえ、元の著作物を利用してAI生成物が製作されているから依拠を肯定すべきであり[注163]、他方、元の著作物が学習に利用されていたとしても、一群のパラメータの形成に寄与していない場合には、元

注160）中山・著作権法709頁。

注161）中山・著作権法716頁。

注162）知的財産戦略本部検証・評価企画委員会 新たな情報財検討委員会「新たな情報財検討員会報告書」（2017年3月）37頁。

の著作物がAI生成物の製作に現に利用されたとはいえないから、依拠を否定すべきであるとする見解もある（パラメータ生成寄与説）[注164]。この見解は、学習済みモデルの目的や学習方法、生成物の内容等も考慮して、依拠の認定を行うべきであるとし、例えば、元の著作物が創作性の高い作品であるにもかかわらず、生成物が元の著作物と顕著な類似性を有しているときは、元の著作物が一群のパラメータの生成に寄与したものと合理的に推認できるから、依拠を推認することが許されるとする。

このようにAIに取りこまれた学習用データセットの依拠性についての見解は分かれている。これらのうち、パラメータ生成寄与説がAIの特性を踏まえた見解のように思われるが、パラメータ生成への寄与度を判断するのは技術的にそう簡単ではないように思われる。

また、AIが生成した画像が著作物として認められないのであれば、そもそも元の画像の著作権を侵害しないとする考え方もあろう。なぜなら、AIが生成した画像に著作権がないということは、元の画像（著作物）を複製・翻案したものではないと評価されていることを意味していることにほかならないからである。

他方で、実質論として、このような他人の著作物を学習用データセットとして利用したAI生成物が著作権の侵害にならないとすると、単に原著作権のデータを切り貼りして画像を生成する「AIもどき」（僭称AI）の生成物（これは翻案権の侵害となる）と外形的には区別がつかないので、そのような違法行為を助長することになり、望ましくないという批判がある。

このようにAI生成物の著作権侵害の有無については諸説があり、また事実関係によっても妥当な結論が異なるという混沌とした状況にある。このような混沌とした状況はわが国のコンテンツ産業の発展のためにも望ましくなく、何らかの整理が必要であろう。

注163）この見解では「これら一群のパラメータは、AIプログラムの処理方法を規定し、AIプログラムが製作する生成物の内容を直接影響を及ぼすものであるから、プログラムの一部と見るべきであり、単なるアイディアと捉えることは適当でない」からであると説明されている。

注164）横山・前掲注155）52頁。

⑵　GANと著作権

AIが画像を生成する手法としてGAN（敵対的生成AI、Generative Adversarial Networks）という手法がある。GANでは、GeneratorとDiscriminatorという２つのニューラルネットワークを構築し、Generatorがランダムにデータを生成する役割を担い、そのデータをDiscriminatorが元のデータと識別する役割を担う。そして、Generatorは、Discriminatorが元のデータと区別できないようなデータを生成するように学習するというモデルである。この関係は、Generatorは偽札職人で、Discriminatorは警察とたとえられ、偽札職人が偽札を製造し、警察がこれを見破ろうとすることで、偽札職人はより精巧な偽札を作成するように改善し、最後には本物と見分けがつかない偽札ができるようになるようなものであると説明されている。

GANはここ数年で大幅に進歩し、本物と見分けがつかないレベルまで至っている。

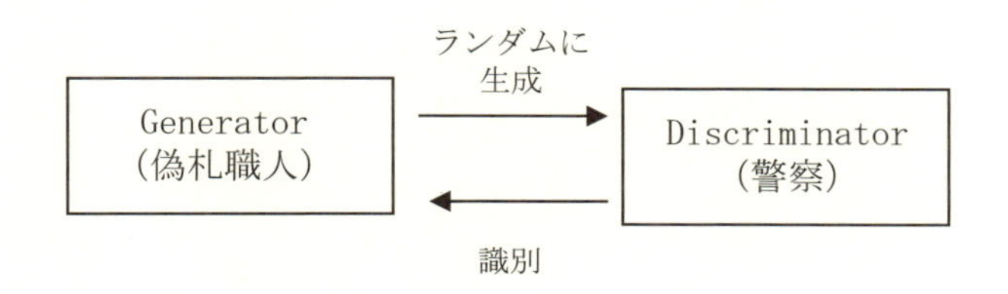

GANを利用することで、AI開発において現実のデータへの依存を大きく減らすことが可能となるとされている。

このGANで生成される画像・音楽等が、原著作物の著作権を侵害するかということが問題となる。

Generatorがランダムにデータを生成するのであるから、原著作物に対する依拠性はない。もっとも、Discriminatorは、原著作物のデータを元に、生成物の採否を判断する。この点で、原著作物に対するアクセスは肯定する余地がある。しかし、原著作物にアクセスしているDiscriminatorは識別のみをしているのであるから、依拠性は、⑴で検討した通常型のコンテンツ生成AIよりも、より弱いものになると考えられ、著作権侵害を否定する方向に働くであろう。

すなわち、GANにおいては、元の著作物は、通常型のコンテンツ生成AIより一層パラメータとして抽象化・断片化されアイディアに近いものとなっているといえる。

そのため、前項で述べたアイディア説によれば、GANにおいては依拠性は一層認められないことになろう。依拠性肯定説では、どのような結論となるのかは不明であるもののDiscriminatorが著作物を利用しているので依拠性を肯定する方向になると考えられるが、パラメータ生成寄与説では、GANでは依拠性の立証はより一層困難になると考えられる。

(3)　電子計算機による情報処理およびその結果の提供に付随する軽微利用等

著作権法47条の5では、電子計算機を用いて、新たな知見や情報を創出する所在検索や情報解析等の情報処理を行い、その結果を提供する者は、その行為の目的上必要と認められる限度において、当該行為に付随して、著作物を軽微な範囲で提供する行為をすることができるとされている（同条1項）。また、当該行為の準備を行う者は、軽微利用の準備のために必要な限度で、複製・公衆送信（自動公衆送信の場合には送信化を含む）を行い、またはその複製物による頒布を行うことができるとされている（同条2項）。

したがって、AI生成物を提供する者は、①提供の目的上必要な限度において、②提供に付随して、③軽微な範囲で、④公衆への提供または提示が行われた著作物（公衆提供提示著作物）を提供することができる。また、AI生成物の提供に付随する軽微利用等のために準備を行う者は、①公衆提供提示著作物について、②準備のために必要と認められる限度で、③複製・公衆送信・頒布を行うことができる。

すなわち、AI生成物を他人に提供する場面において、AI生成物に他人の著作物が含まれている場合には、著作権法47条の5によって適法になる場合がある。また、AI生成物を生成する場面において、他人の著作物を利用する場合には、著作権法47条の5によって適法になる場合がある。そのため、AI生成物の生成や提供に当たっては、著作権法47条の5の権利制限規定を利用することも考えられる。

例えば、利用者が自ら歌唱・演奏した音源をプロの歌唱・演奏した音源をAIを使って比較して分析し、その結果を提供するサービスにおいて、結果の提供とともにプロの歌唱・演奏した音源の一部分を提供する行為は、著作権法47条の5の権利制限の対象となる[注165)]。

もっとも、著作権法47条の5の適用には、上記の通り、さまざまな要件が課されているので、AI生成物を生成する場面においては、基本的には著作権法47条の5よりも、同法30条の4の適用により、他人の著作物の利用の適法化を考えていくことになろう。ただし、同法30条の4は、著作物に表現された思想または感情の享受を目的とする場合には適用されないため、そのような場合には、享受に関する要件のない同法47条の5の適用の余地があるかを考えることになろう。

(4)　AIの提供者と利用者が別の場合

AI生成物については、生成をするAIソフトウェア（学習済みモデル）の提供者と、AIソフトウェア（学習済みモデル）を使ってAI生成物を生成しようとする利用者が別の場合がある。

例えば、ある企業が、世の中に流通している画像や音楽をデータセットとしてAIソフトウェアに学習させ、その学習済みモデルを一般個人向けに提供し、一般個人が、自らの好みの画像や音楽を生成するような場合である。なお、AIソフトウェアによっては、利用者が単に指示をするだけではなく、利用者がAIソフトウェアに画像や音楽を読み込ませて、AI生成物を作成する場合も考えられる。

(A)　AIソフトウェアの利用者

AIソフトウェアの提供者と一般個人が別の場合におけるAI生成物についても、基本的には前述の議論が当てはまる。すなわち、まず、一般個人が著作物を学習済みモデルに投入する場面については、著作権法30条の4の問題となる。AIによる情報処理の結果としての成果物として、元の著作物や翻案物を一般公衆に視聴させる場合には、通常、視聴者等の知的、精神的要求を満たすという効用を得ることに向けられるものと評価できるため、著作権法30条の4の適用は受けることはできない。

もっとも、AI生成物を第三者に提供するような場合について、提供に

注165）文化庁・基本的な考え方32頁。

付随する軽微利用等であれば、著作権法47条の5により適法とされる場合もあろう。

次に、一般個人が学習済みモデルを利用する場面では、学習済みモデルから生成されたAI生成物を複製する行為については複製権の侵害が問題となるが、これについては権利制限規定の1つである「私的使用のための複製」（著作30条）の適用が考えられる。

AI生成物が他人の著作物に該当する場合、一般個人による利用が「私的使用のための複製」（著作30条）の要件を満たす場合には、利用者は、著作権者の許諾がなくても私的使用のために複製（ストレージなどに保存）することが許されることになる。なお、AI生成物をYouTubeにアップロードするような行為は、私的使用のための複製の範囲外であり、公衆送信権の侵害となり得る（同法23条1項）。

また、私的使用のための複製の例外は、公衆の使用に供することを目的として設置されている自動複製器を用いた複製については適用されない（著作30条1項1号）[注166)]。この点、AIソフトウェアが個人のPCではなくクラウドサーバで提供されている場合に、クラウドサーバがこの公衆用自動複製器に該当するかが問題となる。条文の文言を厳密に解釈するとクラウドサーバがこの公衆用自動複製器に該当する可能性があるとされている点に留意が必要である[注167)]。

なお、上記はあくまでAI生成物が著作物である場合の話であり、AI生成物が著作物でない場合には、そもそも著作権法の適用はないので、その利用に著作権者の許諾は不要である。

(B)　AIソフトウェアの提供者

AIソフトウェアの提供者については、学習済みモデルを生成する場面における著作物の利用については、著作権法30条の4の問題となる。

次に、利用者に学習済みモデルを提供して利用させる行為については、

注166）本規定はもともと業者の店頭に設置された高速ダビング機を特に念頭に置いていた（著作権コンメ(2)164頁［宮下佳之］）。

注167）中山・著作権法360頁。同書は、この問題は早急に立法を考える必要があり、クラウドに特化した立法をするか、フェアーユース規定を導入するか等の検討が必要であるとする。

【図表 2-1-16】AI ソフトウェアの提供者と利用者が別の場合

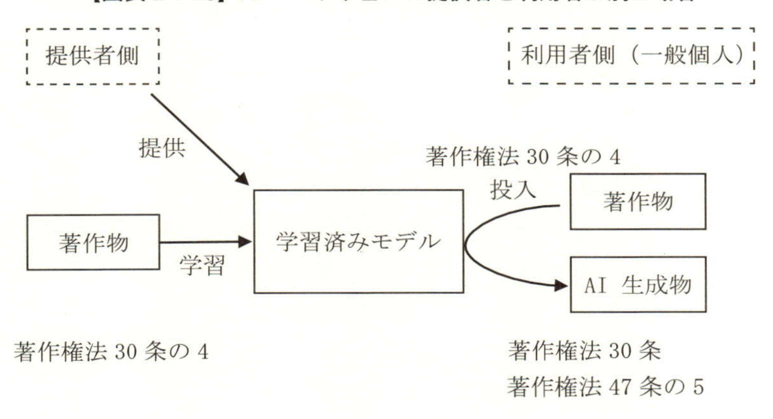

利用者が私的使用の複製を超えて利用し著作権侵害をすることが想定される状況で、かかるAIソフトウェアを提供すると、共同不法行為責任を負う可能性がある。また、AIソフトウェアの提供者が、複製の対象、方法、複製への関与の内容、程度等の諸要素を勘案して複製における枢要な行為をしたと評価される場合には、侵害主体として侵害行為の責任を負う可能性がある[注168)]。

4　AI生成物の特許による保護

AIを利用して新たな材料や化合物を発明した場合に、その発明について特許を受けることはできるのであろうか。

AIを人間が道具として利用する場合には、発明したのは人間と評価できるので、AI特有の問題は生じないが、人間がほとんど関与せずにAIが自律的に新たな材料や化合物を発見した場合が問題となる。現時点では、人間がそれなりに関与しないと発明が生まれることはないと考えられるが、将来的には人間がほとんど関与せずに発明が生まれることも考えられる。

特許法における発明者は自然人であることが必要であるとされている。

注168）最判平成23・1・18民集65巻1号121頁［まねきTV事件］、最判平成23・1・20民集65巻1号399頁［ロクラクⅡ事件］。

したがって、現行特許法の下ではAIが発明者になることはできない。そのため、発明者となり得るのはAIを利用した自然人である。

もっとも、特許法における発明者とは、その具体的な技術的手段を完成させた者を指し、単なる補助者、助言者、資金の提供者、あるいは単に命令を下した者は発明者とならないとされている[注169)]。

裁判例でも、自動ボイルエビ事件[注170)]では、課題と素朴なアイディアを提供した者は考案者とはいえないと判示している。テトラゾリルアルコキシカルボスチリル誘導体事件[注171)]も、補助、助言、資金の提供、命令を下すなどの行為をしたのみでは創作行為に加担したとはいえないと判示している。

そうだとするならば、AIに指示をした者が上記のような単なる課題と素朴なアイディアの提供者、あるいは単に命令をするだけのような関与形態の場合には、発明者としては認められないと考えられる[注172)]。

もっとも、以上は理論的な話であり、現時点ではAIに単に指示するだけで発明ができる段階ではなく、また、特許の外観だけからは、その発明を人間がしたのかAIがしたのかを判断することはできないことが多いと想定される。そのため、AIによる発明に特許を与えることの問題が顕在化する可能性は現時点では大きくない。

特許についてはAIによる発明の過剰という問題は、発明の保護価値は課題解決手段としての進歩性にあり、人の創作物であろうとAI生成物であろうと変わらず、進歩性の判断が適切になされる限り、保護されるAI生成物が自ずと限定されるため過剰保護の問題は生じにくいとの指摘もされており[注173)]、無方式で発生する著作権とは状況が異なって、AIが関与した発明を広く認める余地はあろう。

注169）中山・特許法45頁。
注170）東京高判平成3・12・24判時1417号108頁。
注171）東京地判平成18・9・8判時1988号106頁。
注172）横山・前掲注155）52頁。
注173）発明者やその関係者が自ら開示することで判明することは考えられる。

Ⅷ　AIによる知的財産の侵害

今後、AIが他人の知的財産を侵害するようになることも考えられる。例えば、人間の指示によらずに、AIがウェブ上から他の者の著作権があるデータを収集したり、AIが生成する画像や音楽が、他の者の画像や音楽の著作権を侵害するようなケースである。このような場合に、そのようなAIの使用者は、他人の権利を侵害する意図もなく、AIの行為について具体的な指示をしていなかったにもかかわらず、AIが行った知的財産権の侵害の責任を問われるのであろうか。

AIが自律的に行動した結果、知的財産を侵害している場合には、AIに対する差止めや損害賠償請求が可能かという点が問題となるが、差止請求と損害賠償請求で取扱いが分かれるので、両者を区別して取り上げる。

1　差止請求

まず、差止請求については、差止めの対象となる行為については故意・過失を問われない。つまり客観的に侵害しているかどうかが問題であり、客観的に侵害している行為に対しては差止めがなされる。

差止請求の被請求権者は知的財産を侵害する「者」または侵害するおそれのある「者」であり、法的主体であることが前提とされている（著作112条1項等）。アマミノクロウサギ事件[注174]では、アマミノクロウサギ等を原告としてゴルフ場の開発許可の取消しを求めたが、裁判所は、動物には訴訟の当事者となる能力がないとして訴えを却下している。

現行法ではAIそのものは法的主体とならない以上、訴訟手続においても、AIそのものに対する差止めや損害賠償請求は認められない。請求権者は、AIの背後にいる法人や自然人に対する差止請求や損害賠償請求をすることになろう。

しかし、AIの背後にいる者に対する差止請求が認められるか否かについては、AIが自動的に行動している場合には、背後にいる者がそもそも

注174）鹿児島地判平成9・9・29判例地方自治174号10頁。

侵害している主体でないとも考えられる余地があるため、現時点では明確ではない。

また、前述した通り、AI生成物に著作権が認められない場合には、元の著作物の著作権を侵害していないことになり、したがって差止めも認められないという考え方もあり得る。もっとも、この考え方に対しては、著作物の外観を呈していることから、著作権法112条を類推適用して、差止めを認めることが妥当であるとの考えもあろう。

2　損害賠償請求

損害賠償請求については、侵害する者の故意・過失が問われることになる。故意・過失は基本的に人間のみについて判断されるものであるため、AIが人間の知らぬところで勝手に侵害行為をしたのであれば、AIの使用者には故意・過失はなく、損害賠償責任を問われることはない[注175)]。ただし、AIが知的財産権を侵害することが具体的に予想できる場合に、それを回避するような仕組みを構築していなかったのであれば、結果、回避義務を果たしていないことが過失であるとして、AIの使用者が過失を問われることは考えられる。

3　まとめ

以上からすると、AIの自律的行動による知的財産の侵害行為については、差止請求については、故意過失が問題とならないとしても、AIの背後にいる者に対する差止請求が認められるか不明確である。また、損害賠償請求については、故意過失が要件であるとされていることから、AIの自律的行為についてAIの背後にいる利用者が責任を負う可能性は低い。したがって、AIの自動的行動による知的財産の侵害行為については、権利者から警告を受けるなど知的財産権侵害行為を認識した時点で、AIに

注175）裁判例（熊本地判昭和48・3・20判時696号15頁、福岡地判昭和52・10・5判時866号21頁）の中には法人自体の過失を認めたものも存在するが、これは特定の人の具体的行為について過失の有無を判断にしないというものであり、過失の有無は総体としての人間の行為を対象としているとも考えられ、AIが自律的に判断する場合と場面は異にすると考えられる。

知的財産権の侵害行為を中止させるという対応をすれば足りることが多いであろう。そのため現時点ではAIの自律的行動による知的財産権の侵害リスクを過大に評価する必要はないと考えられる。

（福岡真之介・仁木覚志・沼澤周）

コラム　ときめきメモリアル

パラメータの改変と聞いて、著作権法を学んだ人間であれば、まず頭に思い浮かぶ裁判例が、本文中で紹介した「ときめきメモリアル事件」や「三国志Ⅱ事件」であろう。

中高生時代に、定期試験がある中でついつい「三国志」などをやってしまい、無残な成績結果が返ってきて後悔した記憶がある方もいるのではないだろうか（何を隠そう私である）。

「ときめきメモリアル」という甘い題名のゲームは、プレイヤーが、高校生となって、あの手この手を尽くして、高校のアイドルである藤崎詩織を筆頭とする女生徒らから卒業式の日に「伝説の樹」の下で告白を受けることを目指すという恋愛シミュレーションゲームである。

プレイヤーは、体調、文系、理系、芸術、運動、雑学、容姿、根性、ストレスの9種類のパラメータと3種の隠しパラメータからなる能力を高校3年間のさまざまな出来事や行事を通して磨いていき、その能力が基準値に達すれば、お目当ての女生徒から告白を受けることができる。パラメータを上げるためには、デートの回数や内容、勉強、体育祭、文化祭への取組みやプレゼントにいそしまなければならない。

「ときめきメモリアル」事件の裁判で問題となったのは、ゲームメーカが出荷した時点で、プレイヤーのパラメータは、体調100、文系40、理系40、芸術40、運動40、雑学32、容姿60、根性5、ストレス0となっていたのを、ある業者が、高いパラメータ・データ（体調999、文系999、理系999、芸術999、運動999、雑学999、容姿999、根性999、ストレス0）が記録されたメモリーカードを輸入して、販売したことに端を発する。

こんなに高いパラメータでゲームをしても、必勝なので面白くないのではないかという人もいるもしれないが、それはリア充の論理である。現実世界でも美少女に告白を受けることがないからこのようなゲームをしているのだから、ゲームの中でも告白されなかったらダブルパンチであり、藤崎詩織から告白してもらうためにこのメモリーカードを買いたくなる気持ちはわかる。

もっとも、「ときめきメモリアル」事件では、パラメータの改変自体は、翻案権侵害の問題となっておらず、残念ながら学習済みパラメータを論ずるに当たってはあまり参考にすることができなかった。

筆者（男性）も、本書の執筆中に、「ときめきメモリアル」で遊ぼうと考えてネット検索したが、古いハードでしか動くものがなかった。比較的最近のものが「ときめきメモリアル Girls Side 3rd Story」であった。どんなものかと見てみると、プレイヤーは、勉強やアルバイトをこなして自分自身を磨きながら、魅力的な男の子たちと恋愛を体験していく、という女性向けのものだったので、「ときめきメモリアル」で遊ぶことは断念せざるを得なかった。

恋愛シミュレーションゲームとしてはARを使った「ラブプラス」やVRを使った「サマーレッスン」などがあるが、常に最先端の技術を取り入れてきた分野だといえる。恋愛シミュレーションゲームにある程度のレベルの対話型AIが入れば面白いに違いないので、ゲーム会社と自然言語人工知能研究者に期待したい。

そうなったときに、パラメータをいじる奴は出てくるのであろうか？　法律家としては、AI恋愛ゲームそのものだけではなく、パラメータをいじる行為が裁判になった場合にも興味がそそられる。

第2章
AIに関する責任

AIの行為によって事故などが発生した場合に、法的責任は発生するのであろうか、また、法的責任が発生するとして誰にその責任が発生するのであろうか。例えば、AIによってコントロールされる自動運転車について、自動運転車同士が衝突して人間が怪我をした場合に、それぞれの車の自動車メーカ、自動運転車の所有者、自動運転プログラムの開発者、地図（ダイナミックマップ）の提供者、自動運転用インフラを提供する行政のうち、一体誰が責任を負うことになるのであろうか。

AIによって発生した事故について、AI自体に責任を問うことはできない。なぜなら、そのようなことは人を法的責任の帰属主体とする現行法では認められておらず、資産を有していないAIに責任を負わせる意味もない[注1]。したがって、現在の法制度を前提とすれば、AIの「行為」について、AIに関係する複数の関係者の中から、誰がどのような要件の下で責任を負うのか、あるいは誰も責任を負わないことになるのかを考えざるを得ない。以下では、①AIの利用者、②AI機器の製造者やAIソフトウェアの開発者の責任を検討する。

I　AIの利用者

AIの「行為」に責任をもつべき主体として、まず考えられるのがAIに指示を出してAIに作業させたAIの利用者である[注2]。法的には、被害者との関係で、AIの行為が利用者自身の不法行為（民709条）に該当すると

注1）法人は人間ではないが法人格が付与されているが、これは法がそのように取り扱うという制度設計をしているからである。

注2）AIが純粋なプログラムである場合、何をもって「所有」しているといえるかという点でそもそも難しい問題が生じる。ここではさしあたり、当該プログラムとしてのAIを管理・使用している者を指すこととする。

して、被害者に対し損害を賠償すべき責任を負う可能性がある。

ここで、民法709条に基づき不法行為責任が認められるためには、AIの利用者自身に故意または過失があったことが必要となる。AIの利用者自身に故意がある場合とは、例えば利用者自身がAIをけしかけたような場合（AIを搭載した自律型ロボットに、人を殴るよう命令したような場合）であり、このような場合にAIの利用者が責任をもたなければならないことは明らかであろう。

では、AIの利用者に過失が認められるのはどのような場合であろうか。

民法にいう「過失」とは、「具体的な結果の発生を予見できたにもかかわらず、その結果の発生を回避するために必要な措置を取らなかったこと」をいうとされている。そのため、過失の有無の判断においては、学習した後のAIの行動や、それに伴う結果の発生を「予見できた」「回避するために必要な措置をとった」といえるのかが問題となる。

この点につき、そもそも他人に危害を与え得る行動をすることが想定されたAIであれば、過失の認定はさほど問題にはならないであろう。極端な例であるが、例えば、格闘技の試合のために製造されたロボットを公道に置き去りにしたようなケースを想定すれば、このロボットが人を殴るという「結果」の発生について予見することは十分にできたといえるだろう。しかしながら、そのような極端な例でない場合に、AIが繰り返し行った学習の結果としての行為については、もはや予見可能性はなかったとして、AIの利用者の過失が否定されることも十分にあり得る。

過失の判断において「結果発生を予見できたか否か、予見される結果を回避するために必要な措置をとったか否か」は、不法行為を行ったとされる者が属する人的グループの平均的な人（例えば、交通事故であれば一般的なドライバー、医療過誤であれば一般的な医師）の能力を基準に客観的に判断されることになる。

そうすると、例えば、AIの利用者が、既製品としてのAIを購入したにすぎないような場合には、一層予見可能性が認められる可能性が低くなるように思われる。例えば、自動車メーカから完全自動運転車を購入したユーザは、その自動運転車がどのようなシチュエーションでどのような動きをするかを予測することは困難であることから、完全自動運転車が事故を起こしたとしても、裁判所は利用者に過失はないと判断することになるであろう。

このように考えていくと、特に高度に発達したAIの「行為」、それも、一般消費者が「既製品」として購入するようなAIの「行為」については、AIの利用者に民法709条に基づく一般の不法行為責任を負わせることが難しい場合が多くなると考えられる。

もっとも、このような結論が果たして公平といえるかについては議論の余地がある。例えば、ここでいうAIの機能を果たしているものが動物であれば、動物の占有者は、自らその管理につき相当の注意を払ったことを立証できない限り、動物が他人に加えた損害を賠償しなければならない（民718条1項）。さらにいえば、ここでいうAIの機能を果たしているものが人間（従業員）であれば、従業員の選任および事業の監督について相当の注意を払ったことを立証できない限り、従業員が業務の執行について他人に加えた損害を賠償しなければならない（同法715条1項）。

これらの条文の根底には、危険責任の原理（危険源を創造したり、管理したりする者は、その危険源から生じた損害について責任を負担しなければならないとの考え方）や報償責任の原理（自らの活動から利益を上げている者は、その活動の結果として生じた損害について、責任を負担しなければならないとの考え方）といった考え方[注3)]がある。利用者は、潜在的には危険をもたらす可能性があるAIを管理していたり、AIの利用によって何らかの利益を得ていることから、AIの「行為」については、同様の考え方が当てはまるといってもおかしくない。そこで、将来的には、このような法原理に基づき、AIの行為につきAIの利用者の責任を認める立法を行うことは、現行法の延長線上ともいえることから、不可能ではないだろう。

なお、この点について、明確な立法を待たず、AIの行為につき民法718条1項を類推適用するという考え方もある[注4)]。この点について、動物ではないものに対する同項の（類推）適用については、一般の動物（犬・猫等）よりも危険であることを理由に、厳密には動物といいがたい細菌・ウイルスも「動物」に含めて解釈すべきとする見解もある。しかし、

注3）潮見佳男『基本講義債権各論II不法行為法〔第3版〕』（新世社、2017）6頁。

解釈によって実質的に危険責任を実現させることを現行法は予定していないとしてこれを否定する解釈が有力である。その見解によれば、立法措置なくして、AIの振る舞いに民法718条１項を適用または類推適用することは認められないことになる。

Ⅱ　AI機器の製造者・AIソフトウェア開発者

1　製造物責任法に基づく責任を負う可能性

⑴　AIが何らかの機器に搭載されている場合

(A)　製造物責任の要件

AIが何らかの機器（例えば、自動車やロボット）に搭載されている場合、AIの製造者は、後述する一般的な不法行為責任のほか、製造物責任法３条に基づく法的責任を負うことが考えられる。製造物責任法では、製造者の過失を問わずに責任が認められる無過失責任が導入されている。製造物責任では以下の要件が問題となる。

(i)　製造物

まず、製造物責任法３条に基づく責任が認められるためには、「製造物」の「欠陥」により「他人の生命、身体又は財産を侵害した」といえることが必要である。AIが何らかの機器に搭載されている場合、搭載されたAIを含めて、当該機器全体が「製造物」（製造または加工された動産）に該当することは特に異論がない。

(ii)　欠陥

「欠陥」とは、製造物が「通常有すべき安全性」を欠いていることをいう（製造物責任法２条２項）。この「欠陥」の判断に当たっては、「当該製造物の特性、その通常予見される使用形態、その製造業者等が当該製造物を引き渡した時期その他の当該製造物に係る事情」を考慮するものとされている。なお、製造者が製造物に不具合があることを知っていたか否か

注４）盛田栄一ほか『空想法律読本１〔新装版〕』（メディアファクトリー、2012）58頁は、人造人間である（したがって、法的には人ではない）キカイダーの行為につき、端的に民法718条１項を類推適用すべきであるとする。

（または、知ることができたか否か）は、「欠陥」の判断に当たって考慮されず、製造者が知り得ないような不具合があったような場合でも、その不具合ゆえに製造物が「通常有すべき安全性」を欠いている場合には、「欠陥」があったものと認定される。

具体的にいかなる場合に「欠陥」が認められるかについて、条文上は特段具体的な判断基準は提示されていないが、一般に欠陥には、①製造物の設計そのものの欠陥（設計上の欠陥）、②製造工程において設計と異なった製造物が製造されたことによる欠陥（製造上の欠陥）、③適切な指示・警告が伴わないことによる欠陥（指示・警告上の欠陥）の3類型があるとされている。このうち設計上の欠陥や指示・警告上の欠陥の判断基準として、アメリカでは消費者期待基準（合理的な消費者が期待する安全性を欠く場合に欠陥を認定する考え方）や危険効用基準（ある設計に関する効用と危険の程度を比較し、後者が前者を上回る場合に欠陥を認定する考え方）が提唱されているが、日本の裁判例で一般的な基準が明示されたものは見当たらず、前記のような考え方も取り入れつつ個々の事案・事情に応じた判断が示されているのが現状である。

(iii)　他人の生命、身体または財産を侵害した場合

製造物責任法3条に基づく責任が認められるのは、製造物の欠陥により「他人の生命、身体又は財産を侵害した」場合である。そのため、製造物責任法にいう「欠陥」は、人の身体・生命または財産に被害を生じさせる客観的な危険性があるものでなければならないとされている[注5)]。例えば、名誉毀損に該当するような誹謗中傷を行う不具合がAIにあったとしても、それは人の身体・生命または財産に被害を生じさせるような危険性があるものではないため、製造物責任法にいう「欠陥」には該当しない。

(B)　AIの「欠陥」とは

(i)　通常有すべき安全性の意義

それでは、AIにおいて「通常有すべき安全性」とは何か、AIが何か問題のある行為を行ったとして、AIが「通常有すべき安全性」を欠いていたことをどのように立証すればいいのか。

注5）東京地判平成22・12・22判時2118号50頁。

まず、AIにおいて「通常有すべき安全性」とは何か、という点である[注6)]。現在、人間が運転する自動車1億キロ当たりの死亡事故は0.6件（2013）であるが[注7)]例えば、1億キロ走行して死亡事故率が0.1件である自動運転車が事故を起こした場合に、「通常有すべき安全性」を欠いていたといえるのかという問題は残る。このように、何をもって、「通常有すべき安全性」を判断するのかということが問われるであろう。

この点、事故率という結果を人間と比較するだけで「通常有すべき安全性」の有無を判断できるほど単純な話ではないように思われる。

そもそもAIでは、データを利用した機械学習が利用されることが多く、ソフトウェアがロジックを積み上げることによって作成されていないため、そのソフトウェアの性質上、開発者がどのようなことが発生するかを事前にすべて予測することが難しいという特徴がある。

「欠陥」の判断基準については、「平均的な自然人」とAIの運動制御の優劣を比較する方法などを採用し、平均的な自然人よりも安全な行動かを1つの基準として採用することが考えられる（「自然人基準説」）。

この考え方は、AIの事故当時の運動制御を「平均的な自然人」が行っていたとしても過失と評価されるかどうかによって欠陥判断を行うというものであり、人間と比較することからある意味わかりやすい基準であるといえる。

しかし、自然人基準説では、自然人よりも事故を発生させる確率が非常に低いAIが、たまたま自然人はとらないような異常な行動をとって事故を起こした場合に、AIに欠陥があると考えることになるが、そのような結論は適切なのという疑問が生じる。

また、自然人基準説では、AIの動作が平均的な自然人よりも安全であれば、欠陥が否定されることになるが、AIが非常に高度化した場合に、欠陥の判断基準を厳格にできないことになってしまう。

注6）藤田友敬編『自動運転と法』（有斐閣、2018）173頁は、「通常有すべき安全性」について、その安全性について何を対象として論じるのかという問題があると指摘する。また、一定の確率でエラーが生じることが避けられない場合、そうしたシステムに欠陥があると評価されるのかという問題についても指摘している。

注7）内閣府「平成27年交通安全白書」。

そこで、「欠陥」の本来の意味に立ち戻り、安全性に関して一定の技術水準や性能を満たしているかを「欠陥」の判断基準として、一定の技術水準や性能を満たしているかで判断することが考えられる。そして、この「一定の技術水準や性能」については、AIの安全基準や安全性評価（基準認証）の手法を確立し、これを事実上の基準として、欠陥判断を行うことが考えられる（「基準認証説」）[注8)]。

もっとも、安全基準は、技術の進歩により時代遅れになり得ることから、安全基準自体に不十分な点や誤りがある可能性も否定できないため、安全基準等を一応の基礎としながらも、事故当時の技術水準や社会が求める安全性の水準を考慮した上で、欠陥判断の基準となるべき安全性評価の水準を設定すべきであると考える（「修正基準認証説」）。

学習するAI特有の問題点として、出荷時には欠陥はなかったが、出荷後に新たに学習した結果として欠陥が生じたAIについて製造者が責任を負うかという問題がある。製造したAI（厳密にいえば、AIを組み込んだ製品）が販売後どのような学習をし、その結果としてどのような振る舞いをみせるようになるか製造者にもわからず、あらかじめ予見することもできない場合も考えられる。そのような場合に、製造者が学習後のAIについての責任を負うのかが問題となる。

この点、製造物責任法の欠陥の有無は、当該製造物の特性、その通常予見される使用形態、その製造業者等が当該製造物を引き渡した時期その他の当該製造物に係る事情を考慮して判断される（製造物責任法2条2項）。したがって、出荷後に新たに学習したものであったとしても、購入者が学習させた内容が通常予見される範囲内であれば、製造者の認識の有無にかかわらず、学習後のAIの不具合について「欠陥」があったとされる可能性がある。

そのため、製造者としては、製品の用途・動作条件を安全性が担保でき

注8）その手法として、スペックを詳細に定めるという従来の手法もあるが、達成すべき目標（例えば、稼働時間当たりの事故発生率）を定め、その具体的スペックは各事業者の判断に委ね、事故発生時にはそのスペックを精査するという手法も考えられよう。

る範囲に限定するか（ただし、この場合も用途・動作条件がユーザに理解されるよう適切な警告をする必要があり、それができていなかった場合には指示・警告上の欠陥が問われ得る）、AIの学習範囲や動作範囲にリミットを設けて、AIがどのような学習をしても想定外の動作をしないようにするといった対応をすることが考えられる。

また、製造者によってソフトウェアがアップデートされ、そのアップデートが事故を発生した場合には、機器とソフトウェアは一体のものとして捉えられることから、引渡後であっても欠陥ありと評価される可能性が高いであろう。

(ii)　「通常有すべき安全性」の立証

次に、「通常有すべき安全性」の立証についても問題となる。

例えば、ディープラーニングで学習したAIについては、現時点では、なぜ、ある入力値に対して、ある出力値を出すようになったのかが人間にはわからず、ブラックボックス化しているといわれている。したがって、AIにより事故が発生した場合に、人間が後になって「何が原因で欠陥が生じていたのか」「どうすれば被害の発生を防止できたのか」を検証し、裁判の場において立証することがそもそも難しい事態が考えられる。このとき、このような原因究明ができないことを理由に製造者への請求は一切認められないのか、完全にはできないとして、どこまでを立証すれば「欠陥」の立証として十分と考えられるのか、また裁判所においてそのような問題を判断するだけのリソースがあるのかは今後の課題である。

(C)　開発危険の抗弁

仮に、AIに「欠陥」があると認定され、これにより人の生命、身体または財産が侵害されたとしても、AIを引き渡した時における科学または技術に関する知見によっては、当該AIに欠陥があることを認識することができなかったといえる場合には、AIの製造者は賠償責任を免れる。これを「開発危険の抗弁」という（製造物責任法４条１号）。AIの予見不能な振る舞いにより損害が生じた場合、AIの製造者がかかる開発危険の抗弁を主張することで、自らの賠償責任を免れることはできないだろうか。

ここで、「製造物を……引き渡した時における科学又は技術に関する知見」とは、当該時点において入手可能な最高水準の科学技術の知見を意味するとされ、具体的な製造業者の知識・情報収集能力は考慮されないと一般に解されている[注9]。そのため、開発危険の抗弁が認められるハードルは極めて高く、現時点でこれを認めた裁判例はわが国には存在しないのが現状である。また、内閣府が2006年に行った調査によれば、わが国の製造物責任法4条1号と同種の規定を定めるEU諸国においても、開発危険の抗弁が認められた事案は当時オランダに1件あるのみであったとのことである[注10]。

今後、自己学習するAIの安全性について世界中でさまざまな議論・研究がなされ、蓄積された知見がより深化することが予想されるが、開発危険の抗弁が認められるためには、かかる最先端の議論を踏まえてもなお欠陥が認識できなかったことを製造者側が主張立証しなければならないことになる。そのような主張立証が奏功するか否かは個別具体的な事情によるものといわざるを得ないが、少なくとも、ハードルは非常に高いものと留意しておく必要があるものと思われる。

(D)　AIが純粋なプログラムである場合

以上は、AIが何らかの機器（例えば、自動車やロボット）に搭載されており、製造者が動産を製造している場合の議論である。では、AIが純粋なプログラムである場合には、その開発者（AIプログラムを組み込んだプログラムを自己の名前で販売した者も含む）はどのような要件の下に責任を負う可能性があるのかが問題となる。

製造物責任法の対象となる「製造物」は「動産」である必要がある（製造物責任法2条1項）。現行法上、「動産」とは「不動産以外の有体物」を

注9）東京地判平成14・12・13判時1805号14頁。なお、この点につき、世界のどこかに存在する知見に対し、製造者のアクセス可能性がない場合には当該知見を判断の前提にしてはならないのではないかという議論（いわゆる「満州の例外」）も存在するが、少なくとも現時点において、かかる議論を採用した裁判例は見当たらない。

注10）内閣府国民生活局「製造物責任法の運用状況等に関する実態調査報告書」（平成18年7月）109頁。なお、同文献によると、当時HIVウイルスのさらなる検査手法が確立されていなかったこと、HIVウイルスが輸血によって被輸血者に感染する可能性があることが一般的に知られていなかったことを考慮し、HIVウイルスに感染した輸血用血液を供給した業者を免責した事例であるとのことである。

いうものとされているところ（民85条・86条2項）、純粋なデータであるプログラムは「有体物」に含まれないため、「動産」には該当しないこととなる。プログラムが収められた記録媒体自体が「動産」であり「製造物」であるという主張もあるが、ネットワーク経由で提供・アップデートされるプログラムの場合、そのような媒介物としての「動産」も観念できない。また、プログラムが結果を出力するモニタを「製造物」と捉える見解もあるが、プリインストールされていないiOSアプリのように、特定のデバイスとの組合せで提供されるわけではないプログラムは、かかる見解によったとしても「製造物」には該当しない。

このような結論が妥当かどうかは議論があり得るところで、少なくとも何らかの有体物と結びつくことが想定されているようなプログラムについては製造物責任の対象とする（プログラム開発者が製造物責任を負担する可能性を認める）ことも立法論としては考えられるところである。しかしながら、少なくとも現行の製造物責任法を前提とする限り、純粋なプログラムであるAIは「製造物」には該当しない。したがって、そのようなプログラムの開発者に対しては製造物責任法の適用はない。

2　一般不法行為に基づく責任

次に、事故を起こしたAIについて、製造者やAI開発者に対して、民法709条に基づく一般的な不法行為責任を問うことも考えられる。

この場合も、前述のAIの利用者の場合と同様、製造者やAI開発者の過失をどのように認定すべきか、また、AIの行動に対する予見可能性をどのように判断すべきかが問題となる。

そして、この場合も、①通常のソフトウェアにおいても起こり得る問題として、開発時に想定できなかったような事故が発生したようなケース（例えば利用者による想定外の利用方法による事故）や、②AI特有の問題として、ⓘAIの自律的な作動により事故が発生したケース、ⓘⓘ学習させたデータに起因して想定外の事故が発生したケース、ⓘⓘⓘ利用者がAIを学習させることが許容されている場合に事故が発生したケースなどでは、AIの行為について開発段階で具体的に予見することは困難であったとして、製造者やAI開発者の過失が否定されることも十分にあり得る。特に、裁判においては、一般不法行為に基づく責任を追及する場合、被害者側が過失の立証責任を負っていることから、製造者・AI開発者側に過失があったことを立証することは、AIの開発過程や判断過程が容易に解明できないことからすると、被害者側にとって極めて困難であることが想定される。

もっとも、製造者やAI開発者の場合、過失の判断は「一般的な製造者・AI開発者」の能力を基準に判断されることとなるし、自ら開発・製造するものである以上、一定の結果回避措置をとることを求めたとしても不合理とはいえない。そのため、単なる利用者と比較すると、過失が認定される場合はより多くなるように思われる。

例えば、安全性確認のための十分なテストを行っていなかった場合や、AIが何か問題のある行動を起こす危険性が高まったときに、AIの動作を制動できるようなフェイル・セイフティ・システムの仕組みが講じられていなかったような場合には、製造者やAI開発者の過失が認定できるような場面はあるように思われる。

また、仮に問題が当初発生した時点においては製造者やAI開発者の過失が認められなかったとしても、問題発覚後、適切な調査・対応（問題を起こしたAIの一時的な機能停止や、問題のある箇所を修正するパッチの配付等）を怠った場合には、それ自体が不作為の過失であると認定される可能性があり得る。特に、IoTが広く普及する時代においては、ネットワーク経由で個々の製品の欠陥情報も収集しやすくなり、かつ、問題のあるプログラムの修正もネットワーク経由で容易に行えるようになることが想像されることからすれば、このような不作為の過失が認定される事例はより増えることが想定される。

しかし、もし本当に一般的な製造者・AI開発者を基準として予測することができない事故が起こったのであれば、その事故について、製造者やAI開発者に過失責任である一般不法行為責任を追及することはできないといわざるを得ない。

ただし、実際に裁判になった場合には、裁判所が、被害者救済の観点から、予測可能性について広く解釈し、極端な場合には、「AIは何をするかわからないことは予測できたのだから、事故を起こすことも予測できた」という考えをもって、製造者や、AI開発者に責任を認める可能性も否定できない。このような判決は従来の法解釈から直ちに導き出されるものではないが、実際の事案に基づけばそのような判決は妥当な場合もあるだろう。しかし、そのような判決が出ると、製造者・AI開発者は、結果的に無過失責任に近い責任を負うことになり、AI開発に対する委縮効果が生じることになる。現在、AIが起こす事故の責任については不明確な状況にあり、製造者・AI開発者も不安を感じている部分もある。そのような不安を取り除くには、どのような場合に責任が生じるか、あるいはどのような場合に免責されるかを明確にすることが望まれる。通常は、そのような基準の形成は裁判例の蓄積によってなされるが、AIの開発は急速に進んでいるため、そのようなアプローチでは間に合わないことから、法令や国や業界団体などによる安全基準の策定も考えられる。

3　契約に基づく責任

製造者やAI開発者がAI製品・サービスを企業や消費者などに販売するような場合が典型例であるが、そのような製造者・AI開発者と購入者との間には、契約関係が成立しているのが通常である。したがって、AIによって事故が発生した場合には、AI製品・サービスの売主は、契約に基づく責任を負うことになる。

債務不履行の1つの場面として、AIが、当事者が意図した作業に必要な性能を満たしていない場合や予想外の振る舞いをする場合が考えられる。この場合の売主の責任は、契約にAIへの要求水準がどこまで規定されているかなどによる。しかし、契約に規定されているAIへの要求水準があいまいであったり、そもそもそのような水準を定めることが困難であるため定められていないケースも十分考えられる。AIへの要求水準に関する規定がない場合には、契約の性質、契約をした目的、契約締結に至る経緯その他の事情に基づき、取引通念を考慮して定まると考えられている[注11)]。しかし、AIへの要求水準については、利用目的や利用状況によって大きく異なるし、確立した基準も現時点では基本的にないので、その探索は容

注11）商事法務編「民法（債権関係）改正に関する中間試案の補足説明」（商事法務、2013）398頁・89頁参照。

易ではない。統計的機械学習をするAIについては、性能の保証が困難であると一般的には考えられていることから、契約に特に規定がない限りは、AIの性能の不足や予想外の振る舞いについて債務不履行を問うことは一般的には困難となるであろう。

もっとも、AIが引き起こす問題による責任のリスクを回避するため、AIの売主としては、契約に、AIの行為による損害については免責条項を盛り込みたいと考えるのが通常であろう。

そのような免責条項は、一般論としては有効であるが、一定の場合に無効となる可能性はある。

まず、企業間取引の場合においては、一方当事者に一方的に有利な免責規定は、例外的ではあるが、権利濫用として無効となる可能性もある。

次に、事業者と消費者間の取引については、基本的には、消費者契約（消費契約２条３項）に該当するため、事業者の債務不履行、不法行為、目的物に隠れた瑕疵があったことにより消費者に生じた損害について、事業者の損害賠償責任の全部を免除する規定は無効となる（同法８条１項１号・３号・５号）。また、事業者の故意・重過失による債務不履行や不法行為により消費者に生じた損害について、事業者の損害賠償責任の一部を免除する規定（損害賠償の上限規定）も無効とされている（同項２号・４号）。

特に一般消費者相手との契約については定型的な規約によってなされることがあるが、そのような規約に免責規定を定める場合、その内容によっては、「定型約款」（民548条の２第１項）と解される可能性があり、その場合には、信義則に反して一般消費者の利益を一方的に害するものとして認められない場合がある（同条２項）。

したがって、免責規定もすべての場合に有効となるわけではない点に留意する必要がある。

Ⅲ　被害者からの責任追及

AIによる事故の被害者の立場に立てば、予測できなかったAIによる事故の被害について、誰に対しても責任を問うことができない事態も生じ得る。その要因として、AIの製造者や開発者に過失がないなど、そもそも誰にも法律上の責任が生じない場合と、被害者が立証できない場合の大きく2つにわけることができる。

法律上の責任が生じない場合は、「責任の空白」ともいえるが、人間が行為することを前提として、過失責任を問うことにしている現在の一般不法行為法による限り、AIが人間の予測を超えた事故を引き起こした場合には、予見可能性、すなわち過失が認められないので責任の空白が生じることは避けられない。

また、立証については一般的にソフトウェアの挙動について、専門家でもない被害者が誤作動を立証をすることは極めて困難である。特に、ディープラーニングなどについては、その動作過程がブラックボックス化している部分もある。しかも、日本には、米国のようなディスカバリー制度もないので、証拠を収集する手段も限られている。

そうだとすると、実際にAIによる事故が発生した場合に、被害者は、誰にも責任を追及することができず、泣き寝入りする事態も十分に考えられる。AIによる便益は社会全体で享有することを考えると、不幸にしてAIの事故による被害にあった人に何の補償もしないという社会制度・法制度は適切なものとはいえず、AIに対する反発を引き起こし、AIの発展・普及の妨げになるおそれがある。AI事故の被害者に対しても適切な責任追及や救済手段が設けられるための法制度・解釈論や保険・被害者補償基金の整備の検討が望まれる。

Ⅳ　まとめ

AIの開発・利用時によく問題となるのが、「AIに任せて何か起こったときに、どのような責任を負うのか」ということであるが、一般不法行為責任については、一般的に求められる注意を払っていれば、AIによって予測不可能な事態が生じたとしても、その責任を負うことはない。つまり、よく問題となる「AIが予測できない事故を起こした場合のAI製造者・開発者・所有者の責任」については、それらの者に過失がない以上、一般不法行為責任は負わないことになる。

他方、製造物責任については、「通常有すべき安全性」があるか否かによって決まり、製造者や開発者の認識は問わないので、AIが予測していなかった動きをした場合であっても、責任を負う可能性があることは否定できない。

しかし、製造者側に製造物責任が容易に認められると、製造者に対し過酷な結果責任を課すことになり、AIの開発自体に対し萎縮的な効果（例えば、製造者側が極端に保守的なリミットをAIの学習に課してしまうような事態の発生）が生じることも懸念される。

産業政策の観点からいえば、このような萎縮効果を回避するため、法律で一定の場合には免責されることを明確にするセーフハーバーを設けることも考えられる。また、開発者・メーカ・利用者としては、保険が利用できれば、保険の利用によるリスク分散を試みることも検討の余地があると思われる。むしろ、このようにどのようなリスクがあるかわからない状況であるからこそ、AIに関する保険商品が積極的に開発され、社会の保険ニーズに応じることが望ましいといえよう。

他方で、被害者側からすれば、現行法の下では、AIによる事故について、責任の空白が生じたり、立証が難しいことから、泣き寝入りとなることも十分考えられる。そのようなことが起こると、多くの人が、AIの導入にネガティブな考え方になったり、AIに対する社会的批判が高まるおそれがある。このような状況は、AIの開発・利用を抑制する方向に働きかねない。

このような問題が生じるのだとすれば、それは、AIに関する責任問題について、現在の法律が適切な解決手段を提供していないことから生じるものであり、立法・ガイドライン・安全基準の制定、あるいは保険などの提供などによって、製造者・開発者・利用者・被害者（となり得る人）などが安心してAIを開発・利用できるような環境を整えていくことがAIを社会に生かしていくために重要であると考える。

（福岡真之介）

第3章
AIが行った契約の効力

Ⅰ　AIによる「契約」の締結

今後、AIが発展すれば、家庭内の食品・消耗品や工場内の在庫品の量や発注状況を勘案し、最適なタイミング・量をサプライヤーに対し自動で発注することが一般的になることが考えられる。

このようなシステムが実現できた場合、発注者側では、まさしくAIが「契約」をしているような状況になるが、このような「契約」の法的な効力・位置付けはどのようになるのであろうか。また、AIが、人間が想定していなかったような発注をした場合、その注文の効力はどのようになるのであろうか。

Ⅱ　AIによる「契約」の法的な効力

契約とは、当事者双方の意思表示の合致である。物の売買を例にとれば、「あなたから、○○を××円で買います」という買い手の意思表示と、「あなたに、○○を××円で売ります」という売り手の意思表示が一致することで、物の売買に関する契約が成立することとなる。このような意思のやりとりは、口頭（例えば、店頭で物を買う場合）でなされることもあれば、書面の交換（例えば、発注書の送付と請書の返送）や、データ通信（例えば、オンラインショップでの注文）の方法で行われることもある。いずれにせよ、通常は、人（自然人または法人）がこのような意思を相手方に対し発し、これに対し相手方が受諾の意思表示を返すことで契約が成立する。

すでに述べた通り、現行法を前提とすると、AIはどれだけ人間に近い知能を有するに至ったとしても、権利義務の主体になることはできない。したがって、AIが「意思表示」をすることは法律上あり得ず、AIと受注者との間に契約が成立することはない。

それでは、AIを利用して注文をした者と受注者との間ではどうだろうか。ここで、前記のようなAIによる自動発注サービスを想定した場合、AIの利用者（消費者または製造業者）は、「AIの判断に従って、物を一定の数量・価格で購入する」意思をもっており（なお、利用者の意思としては具体的な数量・価格は表示されていない）、その意思の表れとして、AIによる具体的な発注行為がなされているといえる。これに対し、AIの発注を受け取った側は、AIの行った具体的な発注を受諾するという意思表示を返しているのであるから、この点で、「AIの利用者」と「受注者」との間に意思表示の合致が生じている。したがって、AIが行った「契約」は、法的には、AIの利用者と受注者との間に成立するものと考えられる。

実際、これに類似する形での売買は、すでに現実に行われている。具体的には、有価証券等のプログラム売買である。プログラム売買では、あらかじめ定められた一定の売買ルールに従って、プログラムが自動的に有価証券等の売買を行っている。近年のプログラム売買は超高速・超高頻度で行われているため、１つひとつの売買につきトレーダーが内容を認識し、これを売買する旨の意思表示を個別的に行っているものとは考えられないが、トレーダーの「プログラムの判断に従った売買を行う」意思は表示されており、これに基づき超高速・超高頻度で有価証券等の売買契約が有効に成立すると考えられる。

このようなプログラム売買では、当事者間の基本契約において、問題が生じた場合の処理や責任について、詳細に定められていることが多いであろう。AIを利用して取引をする場合にも、同様に当事者間でそのような基本契約を締結した上で取引をするのが通常であろう。しかし、そのような基本契約を締結しないで取引をする場合や基本契約の規定が不十分である場合も想定され、その場合には、民法などの法律がデフォルトルールとして適用されることになる[注1)]。

注１）現行民法では、AIを利用した取引の特徴を考慮した規定が設けられていない。そのような取引が一般的になるような時代に備えて、将来的には、AIを利用した取引に対応するためのデフォルトルールを法律として制定することが、取引の安定のためには望ましいであろう。

Ⅲ　AIが想定外の契約をした場合

１　問題点

AIの判断による契約がAIの利用者の下で成立するとして、AIが利用者の想定していないような契約をした場合はどうなるのか。例えば、AIが何らかの理由で判断ミスをし[注2)]、不必要な量または相場より高額な単価で商品を発注してしまったり、利用者本人が買うつもりでない商品を発注してしまった場合、AIの利用者は、AIの判断に基づく契約に常に拘束されてしまうのであろうか。

実際にプログラムの不具合により10億ビットコイン（約2440兆円相当）を０円で売却してしまった事例もあり（0円なので正確には贈与であるが)、AIにおいても同様のことが起きてもおかしくない。

このような場合であっても、AIの利用者の意思（すなわち、「AIの判断に従って、物を一定の数量・価格で購入する」意思）と受注者の意思（すなわち、「AIが具体的に行った発注を受諾する」という意思）自体は合致しており、一定の内容の売買契約が成立していること自体は否定できない。しかしながら、AIの利用者としては、AIがそのような発注をするとは思っていなかったのであるから、AIの利用者についてみれば、内心の意思と意思表示（AIが行った具体的発注）との間に齟齬があるということになる。そこで、このような場合に、AIの利用者が錯誤（民95条）を理由に契約の効力を争えないかが問題となる。

２　錯誤取消しが主張できるのはどういう場合か

2020年４月１日から施行された改正民法では、動機の錯誤について、意思表示者は以下の要件の下に取り消すことができるとされている（民

注２）判断ミスには、プログラムのバグも考えられるが、AIによるデータ分析の結果が利用者の期待と異なっていたということも考えられる。後者の場合には、そもそも「AIの判断ミス」とはいえないかもしれない。つまり、AIはデータに基づいて求められた結果を出しただけであり、使用するデータ・手法に間違いはなく、単に人間の期待した結果のほうが間違っていたのかもしれないのである。

95条)。なお、錯誤は改正民法では錯誤は無効ではなく取消事由とされている。

① 意思表示が錯誤に基づくものであること
② 錯誤が法律行為の目的および取引上の社会に通念に照らして重要なものであること
③ 動機の錯誤については、動機である事情が法律行為の基礎とされていることが表示されていること

したがって、動機の錯誤を主張して契約を取り消すためには、少なくとも動機である事情が法律行為の基礎とされていることが表示されていることが必要である。

「錯誤」とは、日本語としては「思い違い、誤り」といったような意味だが、あらゆる「思い違い」が民法95条にいう「錯誤」に該当するわけではない。錯誤には「表示の錯誤」と「動機の錯誤」があるとされている。

「表示の錯誤」とは、契約の一方当事者が、思い違いにより、自分の意思通りの表示をしていなかった場合であり、例えば、売買代金を「100円」とするつもりだったのに、誤って「100百万円」と書いてしまったような場合である。改正民法では、この場合を「意思表示に対応する意思を欠く錯誤」としている(民95条1項1号)。

「動機の錯誤」とは、自分の意思通りの表示をしているが、意思を形成する際に思い違いがあった場合であり、例えば、すでに持っている本なのに、まだ買っていない新刊だと誤解して本を買ったような場合である。改正民法では、この場合を「表意者が法律行為の基礎とした事情についてのその認識が真実に反する錯誤」としている(民95条1項2号)。

3　AIによる意思表示が錯誤取消できる場合とはどのような場合か

以上を前提に、AIによる意思表示が錯誤取消できる場合とはどのような場合であろうか。

まず、AIが想定外の発注をしてしまった場面が「表示の錯誤」になるのか「動機の錯誤」になるのかが問題となるが、前記のような場合、「AI

の判断に従って、物を一定の数量・価格で購入する」という意思と、AIにより行われた表示（AIの判断に基づく具体的な発注）との間に齟齬はない。AIの利用者に思い違いが生じているのは、「AIは自分の想定する範囲内で発注の判断をするだろう」という動機（法律行為の基礎とした事情についての認識）の部分であるので、この場合はAIの利用者に動機の錯誤があると考えるべきであろう。

次に、そうすると、AIの利用者の動機が相手方に表示されていたかが問題となる。AIが自動発注する場合には「自分は、このような理由により、ある特定の商品を発注したいと考えている」という動機が表示されることは稀であろうから、このような動機の表示をすることは通常考えられず、錯誤取消しの主張はできないものと考えられる。

ただし、例えば、AIが異常な量の発注をしていたような場合には、発注を受けた者は、AIを利用した発注だと認識していない場合であっても、何らかの理由による誤発注ではないか相手方に確認すべきであるといえる場合もある。そのような場合に、相手方が確認を怠っていれば、相手方がAIの誤発注に基づく契約が成立していることを前提とした請求（例えば、債務不履行に基づく損害賠償請求）を行ったとしても、過失相殺（民418条）により賠償額が大きく減殺される可能性があるであろう。

他方、取引の相手方がAIの利用を認識していた場合には、利用者が通常の使用する消耗品の量や購入金額、あるいはこれまでの取引実績に照らし、明らかに異常であるといえるような量・金額の発注をAIが行った場合には、AIの利用者側にそのような異常な取引を行う意図がないことは契約当事者双方とも当然の前提としていたと考えられる。そうすると、少なくともその限度では、AIの利用者の動機は（黙示的に）表示され、法律行為の内容となっていたといえ、錯誤取消しが認められる余地はあろう。

もっとも、AIによる発注の逸脱程度が前記に至らないようなレベルであった場合には判断が難しく、個々の事例に則して判断せざるを得ないと考えられる。

また、もし、売主と買主に、AIによる自動売買を可能とするプラットフォームを提供するプラットフォーマがいる場合には、異常な取引を監視して阻止したり、速やかに取り消すことができるシステムを構築していなかったことについて責任が問われることも、場合によっては考えられる。

Ⅳ　AIが勝手に契約をした場合

これまでの議論は、AIの利用者が、少なくとも一定の範囲ではAIに契約の締結を委ねていたといえる場合である。

これに対し、例えば、AIが機械学習の結果として、利用者にまったく無断で勝手に発注を行い、これに対し受注者側が承諾の返事をした場合には、現行法では、法的な意味での契約が成立しないのが原則である。発注側に、権利義務の主体となり得る者の意思表示がどこにもなく、「当事者双方の意思表示の合致」が認められないからである。

ただし、商品購入のためのID（例えば、Amazonのアカウント）やパスワードを利用することをAIに認め、AIがこれを利用して発注したような場合には、アカウント開設者であるAIの利用者と受注者との間に売買契約が成立する余地があるように思われる。このような場合には、アカウント開設者が受注者と継続的に取引を行うに際し、「あらかじめ合意していたID、パスワードを入力して発注が行われた場合には、アカウント開設者と受注者との間で売買契約が成立する」という合意があらかじめなされていたと評価し得る場合があるものと考えられるからである[注3)]。

（福岡真之介）

注３）他人のなりすまし事例に関する言及だが、経済産業省「電子商取引及び情報財取引等に関する準則」1–3–1の1⑵ⅱ）では、「特定のIDやパスワードを使用することにより本人確認を行うこととするなど、本人確認の方式について事前に合意がなされている」場合には、他人が本人になりすまして契約を締結したとしても、原則としてその効果は本人に帰属し、本人と事業者との間で契約が成立するとしている。ただし、事業者に帰責性があるような場合（事業者からIDやパスワードが漏洩した場合）は例外であるとされる。

コラム　AIに法人格を与える方法

AIが人に怪我をさせたような場合、誰が責任をとるのであろうか？　現在の法律では、AIの所有者や利用者に過失責任を問うことは、本文で述べた通り簡単ではない。そこで、法律を改正して、AIが法的主体となるようにして、被害者はAIに損害賠償請求すべきという考えがある（おそらく勤勉に働き遊ばないAIはかなりの貯金があるに違いない！）。そこで、「AIに法人格を付与すべきか？」ということが法律的に問題となる。

「機械であるAIに法人格を認めることができるのであろうか？」と思う人もいるであろう。

この点、現行法では、会社（法人）にも、法人格が与えられている。会社にも法人格が認められているのだから、AIに法人格を付与することは理論的に可能である。

しかし、わざわざ法律の改正などをしなくても、現在の法律の下でもAIに法人格を与えることはできる。その方法は次の通りである。

まず、人間や会社が資金を出して会社を設立し、その会社にAIを購入させる。会社形態としては、設立・維持コストが安い合同会社が手頃であろう。また、会社の設立に当たっては出資者がAIを現物出資してもよい。

この会社は、保有しているAIを使って、消費者や他の会社とサービスなどを提供して、収入を得ることができるし、利益が出れば、株主・出資者に配当することもできる。

このスキームでは、AIが事故を起こして多額の損害賠償請求をされたとしても、出資者有限責任の原則により、出資者が負う責任は、基本的に出資額の範囲に限られる（ただし、法人格否認の法理や、経営者の対第三者責任はあり得る）。したがって、出資者は損害賠償リスクを遮断することができる。

このスキームにより、現時点でも簡単に、実質的にAIに法人格を付与できるのであり、AIに対する法人格付与の立法をわざわざするまでもない。したがって、法律を改正してAIにも法人格を与えるべきだという議論は、このようなAI保有会社が普及し、法人格化のニーズがあることがわかってから議論すべきかもしれない。現時点でも可能であるにもかかわらず、AI保有会社が今のところ普及していないことは、現時点では、そのようなニーズがないことを示しているかもしれないからである。

なお、このようなスキームが広く利用されるようになれば、実質的にAIを保有している出資者に対して責任を問う声が上がり、法人格否認の法理や経営者の対第三者責任についての議論が活発になるかもしれない。

第４章
AIと刑事法

Ⅰ　はじめに

AIと刑事法の関係については、自動運転を舞台に議論されることが多い。その理由の１つは、最も具体的に想起しやすいAIが自動運転技術であるからであろうが、刑事事件にAIが関係する蓋然性が最も高いのも自動運転であるからであろう。

本稿においても、自動運転を題材に、AIと刑事法の関係について検討を加えることとしたい。

Ⅱ　交通事故により人が死傷した場合の刑事責任

自動運転において刑事法が問題となるのは、自動運転車両が交通事故を起こし、人が死傷した場合である。そこで、自動運転車両により交通事故が発生した場合の論点について検討する前提として、人が運転する自動車により交通事故が発生し、人が死傷した場合、誰のいかなる刑事責任が問題となるかを整理する。

1　運転者の刑事責任

交通事故により人が死傷した場合、まず問題となるのは自動車の運転者の刑事責任である。自動車の運転により人を死傷させる行為等の処罰に関する法律５条は「自動車の運転上必要な注意を怠り、よって人を死傷させた者は、７年以下の懲役若しくは禁錮又は100万円以下の罰金に処する。ただし、その傷害が軽いときは、情状により、その刑を免除することができる」と定めている（過失運転致死傷罪）。

このように、運転者に対して過失運転致死傷罪が成立するためには、

「自動車の運転上必要な注意を怠り」、その結果として「人を死傷」させる必要がある。

「必要な注意を怠り」とは、「過失」とも言い換えられるが、その要素を分解すると、①交通事故の発生が予見可能であり（予見可能性）、かつ②交通事故の回避が可能であったにもかかわらず（回避可能性）、③交通事故の発生を予見せず（予見義務違反）、かつ④交通事故の回避のために必要な措置をとらなかった（回避義務違反）ことにより、過失の存在が認められる。予見可能であるか否か、また回避可能であるか否かは、一般人を基準に判定される。

例えば、高速道路を通行して陸橋をくぐる直前に、陸橋から突然人が飛び降り、回避する間もなく自動車が人に衝突し、死亡させた場合、運転者に過失があったと認めることは困難である。この場合、陸橋から人が飛び降りることを予見することはできず、また、衝突を回避することが可能であったとも認められないからである。

また、自動車を運転中、突然ブレーキが効かなくなり、壁に衝突して同乗者に傷害を負わせた場合にも、運行前点検を行っていれば、ブレーキに異常が存在することを発見できた、あるいは、運転中にブレーキの異常を示唆する出来事があったといった事情が存在しない限り、運転者に過失を認めることは困難であると考えられる。やはり、ブレーキが効かなくなることを予見することは困難であり、また、交通事故の発生を回避することも困難であると考えられるからである。

2　自動車製造業者の刑事責任

交通事故により人の死傷が発生した場合、稀ではあるが、自動車製造業者の刑事責任が問題となる場合がある。

例えば、自動車の設計に瑕疵があり、車軸に十分な強度が確保されておらず、車軸が折損した結果、自動車が操舵不能となり交通事故を引き起こし、人を死傷させたとする。

自動車メーカーが市場からもたらされる交通事故情報に基づき、車軸折損による交通事故が発生していることを把握し、自社において検討を行った結果、車軸の設計に瑕疵があることを把握したにもかかわらず、リコールを行わず、漫然と放置したとすれば、その後に発生した車軸折損を原因とする交通事故で人が死傷した場合、自動車製造業者の担当者は業務上過失致死傷罪（刑法211条前段）により刑事責任を問われ得る。

刑法211条前段は「業務上必要な注意を怠り、よって人を死傷させた者は、５年以下の懲役若しくは禁錮又は100万円以下の罰金に処する」旨定める。ここでいう「必要な注意を怠り」の趣旨も過失運転致死傷罪の場合と同様である。

前記の例でいうと、自動車製造業者は、検討の結果、車軸の設計に瑕疵があることを把握しており、自社が製造する自動車の車軸が折損する可能性のあることを認識している。したがって、自動車製造業者は、車軸の折損により交通事故が発生することを予見することが可能であり（予見可能性）、また、予見すべきであった（予見義務違反）といえる。自動車製造業者がリコールを行い、車軸を適切なものに交換するなどの措置をとれば、車軸の折損による交通事故の発生は回避できたと考えられるが（回避可能性）、自動車製造業者はリコールを行っていない（回避義務違反）。したがって、自動車製造業者には過失が認められ、業務上過失致死傷罪が成立し得ることとなる。

３　信頼の原則

過失運転致死傷事件においては、しばしば、「信頼の原則」と呼ばれる考え方が問題となる。

これは、第三者が適切な行動をとることを信頼するのが相当な場合には、たとえそれらの者の不適切な行動により犯罪結果が生じても、それに対して刑事責任を負わなくてよいとされる原則のことである。このような場合には、回避義務が軽減されると考えられる。

例えば、原動機付自転車を運転しながら、進路右側にある小路に入るため、センターラインより若干左側を、右折の合図をしながら時速約20キロメートルで進行し、右折を開始したところ、右後方からセンターラインをはみ出しながら時速60ないし70キロメートルの高速度で進行してきた原動機付自転車に衝突し、その運転者を死亡させたという事案につき、最高裁（最判昭和42・10・13刑集21巻８号1097頁）は、被告人が右折直前に右後方の安全確認をしていれば事故を防ぎ得たとしつつも、「車両の運転者は、互に他の運転者が交通法規に従つて適切な行動に出るであろうことを信頼して運転すべきものであり、そのような信頼がなければ、一時といえども安心して運転をすることはできないものである。そして、すべての運転者が、交通法規に従つて適切な行動に出るとともに、そのことを互に信頼し合つて運転することになれば、事故の発生が未然に防止され、車両等の高速度交通機関の効用が十分に発揮されるに至るものと考えられる。したがつて、車両の運転者の注意義務を考えるに当つては、この点を十分配慮しなければならないわけである。このようにみてくると、本件被告人のように、センターラインの若干左側から、右折の合図をしながら、右折を始めようとする原動機付自転車の運転者としては、後方からくる他の車両の運転者が、交通法規を守り、速度をおとして自車の右折を待つて進行する等、安全な速度と方法で進行するであろうことを信頼して運転すれば足り……あえて交通法規に違反して、高速度で、センターラインの右側にはみ出してまで自車を追越そうとする車両のありうることまでも予想して、右後方に対する安全を確認し、もつて事故の発生を未然に防止すべき業務上の注意義務はないものと解するのが相当である」として、被告人の過失を否定した。

4　許された危険の原則

過失が問題となる事案においては、「許された危険の原則」と呼ばれる考え方が問題となることがある。例えば、技術的難易度が高い外科手術を行うに当たっては、手術が失敗し、患者が死亡する蓋然性が相当程度見込まれる場合がある。そのような場合に、手術を執刀した医師は、患者が死亡する可能性のあることを予見でき、かつ、一切のミスなく手術を遂行すれば死亡という結果を回避することができたとして、医師の刑事責任を問うことは相当とはいえない。高度な医療行為は、失敗の可能性がつきまとうものであり、その可能性を踏まえてもなお、かかる医療行為を行うことに社会的な価値が存在し、社会もそれを受容している。もちろん、医師としての基本的な注意を怠り患者を死亡させた場合は別論であるが、そうでない場合には、医師の過失責任を問うことは相当ではない場合が多い。このような場合には、医師の行為は社会的に相当な行為であるとして、違法性が阻却されることとなる。

Ⅲ　自動運転車両により交通事故が引き起こされ人が死傷した場合の刑事責任

１　自動運転とは

自動運転は、SAE（Society of Automotive Engineering）が提唱する５つのレベルに分類されることが多い[注1)]。

【レベル1】システムが自動的に事象を検知して前後方向、左右方向のいずれかの車両制御を実施し、運転者の運転タスクを補助する。例えば、前方の障害物を感知して自動的にブレーキをかける機能を備えた運転システムなどがこれに該当する。

【レベル2】システムが自動的に事象を検知して前後方向および左右方向双方の車両制御を実施し、ドライバーは、事象検知および反応を補いつつ運転制御を監督する。例えば、前の車との車間距離を一定にとりつつ、一定速度で自動走行してくれる機能を備えた運転システムなどがこれに該当する。

【レベル3】システムがすべての運転タスクを実施する。ただし、システムからの運転要請があった場合や故障時には、ドライバーが対応する。

【レベル4】システムがすべての運転タスクを実施する。ただし、交通量が少ない、天候がよいといった条件が必要となる。

【レベル5】システムがすべての運転タスクを実施する。限定条件はない。

２　運転者の刑事責任

まず、自動運転車両が交通事故を引き起こし人を死傷させた場合、運転

注1）わが国では、従前、自動運転を４つのレベルに分類する考え方を採用していたが、「官民ITSロードマップ2017」では、SAEの分類に従い、５つのレベルに分類することとされた。

者がどのような刑事責任を負うかについて検討する。

(1) レベル3の場合

レベル0からレベル2の自動運転技術が搭載された自動車が交通事故を起こし、人が死傷した場合、運転者の刑事責任を論じる上で、伝統的な議論と異なる議論が必要となるわけではない。

レベル0は当然のことであるが、レベル1およびレベル2のいずれの自動運転においても、システムはあくまで自然人である運転者の運転を補助するものであり、あくまで自動車の運転制御をしているのは運転者だからである。

問題となるのは、レベル3以上のレベルの自動運転車両である。

レベル3の自動運転においては、原則として、システムがすべての運転タスクを処理するものの、例えば、前方から子供が飛び出したといった緊急時などに運転者に対して自ら運転を行うように（自動運転を中止して運転者が運転することを「オーバーライド」という）要請する。この場合、システムからの要請に即時に対応して回避行動をとっていれば事故を回避することが可能であったにもかかわらず、運転者がシステムによる自動運転が行われていることに気を許し、電話での会話に熱中していたため、システムからの要請に直ちに対応して回避行動をとることができず自動車を子供に衝突させ、傷害を負わせた場合、運転者に過失運転致傷罪が成立するか。

結論としては、いずれにせよ運転者には過失運転致傷罪が成立する場合が多いであろう。しかし、過失運転致傷罪が成立するという結論に至る理由付けには2通りの考え方があり得る。それは、レベル3の自動運転において、運転者が何をすることが期待されているかによって異なる。

仮に、自動運転中は、運転者は自動車の周囲を注視する必要はなく、システムから要請がなされてはじめて周囲を注視する義務が生じるとした場合、運転者の過失としては、「システムからの要請に即時に対応しなかった」点を捉えることになると思われる。前方を注視していれば、システムがオーバーライドを要請する前の段階において、子供が飛び出したことは気づけたはずであるが、前記の前提に立つ場合、レベル3の自動運転においては、運転者は、自動運転中に周囲を注視するべき義務を負っておらず、前方を注視していなかった点を捉えて過失責任を認めることは困難であると考えられる。

他方で、レベル3の自動運転であっても、運転者には自動車の周囲を注視する義務があり、仮に交通事故の発生が予見できる場合には、積極的にオーバーライドして運転者による運転を行う義務を負っていると整理することも可能である。その場合には、システムがオーバーライドを要請する前の段階、すなわち、子供が前方に飛び出した段階で、運転者としては、急制動等の措置をとるべきであり、そうしていれば事故を回避することができたとして、過失責任を問うこととなると思われる。

前記いずれの立場をとるべきかは、技術を背景とした社会的コンセンサスの内容によって異なる。レベル3の自動運転技術の信用性が広く社会に受容される状況となれば、自動運転中は、運転者は自動車の周囲を注視する必要はないということになると思われる。他方でレベル3の自動運転技術の信用性がそこまで社会に受容されていないのであれば、自動運転中であったとしても、依然として運転者が自動車の周囲の状況を注視することが求められるであろう。具体的には、道路交通法において、自動運転中に運転者は自動運転中に何をすべきで、何をしてはならないかが規定されることになると考えられるが、いずれとなるかは、レベル3の自動運転の技術水準および信頼性の程度、そして自動運転に対する社会的受容の程度によって変わってくると思われる。

この点、令和元年に公布された道路交通法の一部を改正する法律により、レベル3の自動運転において、運転者がどのような義務を負うかが明らかにされた。改正道路交通法は、2020年4月1日に施行されている。

改正道路交通法は、「自動運行装置」という用語を用いているが、その定義は、道路運送車両法で定められている。道路運送車両法41条1項20号および同条2項によれば、「自動運行装置」とは、「プログラム（電子計算機（入出力装置を含む。この項を除き、以下同じ。）に対する指令であつて、一の結果を得ることができるように組み合わされたものをいう。以下同じ。）により自動的に自動車を運行させるために必要な、自動車の運行時の状態及び周囲の状況を検知するためのセンサー並びに当該センサーから送信された情報を処理するための電子計算機及びプログラムを主たる構成要素とする装置であつて、当該装置ごとに国土交通大臣が付する条件で使用される場合において、自動車を運行する者の操縦に係る認知、予測、判断及び操作に係る能力の全部を代替する機能を有し、かつ、当該機能の作動状態の確認に必要な情報を記録するための装置を備えるものをいう」とされており、保安基準では、自動運行装置について、「自動運行装置の作動中、走行環境条件を満たさなくなる場合、運転者に対し運転操作の引継ぎを促す警報を発し、運転者が運転操作を確実に引き継ぐに十分な時間は安全運行を継続するとともに、引き継がれない場合は安全に停止するものであること。警報は、原則、走行環境条件を満たさなくなる前に十分な時間的余裕をもって発するものであること」等が求められていることから、レベル3の自動運転を可能とするシステムと同義といってよい。上記の国土交通大臣が付する条件は自動運転システムごとに付されるとされている。

改正道路交通法71条の4の2は、自動運行装置を備えている自動車の運転者の遵守事項として、以下の通り定めている。

① 自動運行装置に係る使用条件（道路運送車両法で規定される国土交通大臣が付する条件）を満たさない場合には、自動運行装置を使用して自動車を運転してはならない。

② 自動運行装置を備えている自動車の運転者が当該自動運行装置を使用して当該自動車を運転する場合において、次のいずれにも該当するときは、携帯電話で通話をしたり、スマートフォンの画像を見ることができる。

ⅰ 当該自動車が整備不良車両でないこと。

ⅱ 当該自動運行装置に係る使用条件を満たしていること。

ⅲ 運転者が上記ⅰ、ⅱのいずれかに該当しなくなった場合において、直ちに、そのことを認知するとともに、当該自動運行装置以外の当該自動車の装置を確実に操作することができる状態にあること。

上記法改正の立場を上記設例に沿って一言で言い表すと、「運転者は自動車の周囲を注視する必要はなく、システムから要請がなされ、運転者による運転が開始されて初めて周囲を注視する義務が生じる」との立場であるといえる。もちろん、オーバーライド要請がなされた場合には、直ちにそれを認知し対応できる必要があるため、例えば、座席をリクライニングして寝そべりながら電話をするといったことは言語道断であることはいうまでもない。また、スマートフォンの操作に没頭して、オーバーライド要請に適切に対応できない状態にあったとしても、上記条件を満たすとはいえないであろう（令和元年5月24日の第198回国会衆議院内閣委員会における政府参考人の答弁においても同様の趣旨の説明がなされている）。

改正道路交通法により、運転者がいかなる義務を負うかは相当程度明確化されたといってよいが、いまだ論点となり得る状況はある。

例えば、以下のような事例において、運転者に過失は認められるであろうか。

自動運転中、運転者が前方を中止していたところ、前方を横断中の歩行者の列を発見した。自動車は自動運転を継続中であり、速度を緩める気配はなかったが、運転者は、「程なくしてシステムが車速を緩め、歩行者の列の手前で停止するだろう」と考え、運転者による運転に切り替える（オーバライドする）ことなく、自動運転を継続した。ところが、システムは適切に機能せず、自動車は速度を緩めることなく歩行者の列に突っ込み、多数の死傷者を出した。

この事例は、レベル3のシステムが適切に機能しなかったという事例であり、別途システムを開発した自動車製造業者関係者の刑事責任が問題となり得るが、運転者の責任もまた問題となる。

自動運転中は、運転者は自動車の周囲を注視する必要はなく、システムから要請がなされ、運転者による運転が開始されてはじめて周囲を注視する義務が生じるという改正道路交通法の考え方に立った場合、運転者の過失は認められないとの結論に至りやすいであろう。運転者としては、システムがオーバーライドを要請してこない以上、システムが適切に運転操作を行うことを信頼することが許され、かかる信頼の結果事故が発生したとしても、運転者に過失責任が認められることはない。

これは、前記Ⅱ３で述べた信頼の原則に基づく帰結である。

もっとも、信頼の前提が崩れた場合には、信頼の原則の適用はない。例えば、自動運転システムが適切に作動していない兆候を認識していた場合には、もはや自動運転システムが適切に作動するとの信頼のもとに行動することは許されず、前方に歩行者の列を見つけたならば、運転者自らが運転操作を行い、その前で停止するべきであるといえ、それを怠り交通事故を起こして歩行者を死傷させた場合には、過失運転致死傷罪が成立し得ることとなる（また、自動運転システムが適切に作動していない場合には、そもそも当該自動車は保安基準には適合しておらず、運転者は、道路交通法上および道路運送車両法上、自動車の運転を停止しなければならない法的義務を負うと解される）。

ただし、自動運転システムが適切に作動していない兆候を認識したといえるか否かは、微妙な事実認定の問題となる場合が多いと思われる。交通事故を起こすしばらく前から不自然な兆候を示していたという場合には、さほどの問題はないが、多くの場合は、交通事故を起こす前には不自然な兆候は示しておらず、交通事故の直前になってシステムが制動操作を行わず事故を惹起することになると考えられるからである。この場合、いつもであれば、停止位置より100メートル程度手前からスピードを緩め、緩やかに制動をするはずであるのに、歩行者の手前80メートル程度の位置に至ってもシステムは制動するそぶりをみせず、そのままの速度で進行するかもしれない。この段階において、自動運転システムが適切に作動していないことを認識することは可能であり、その点を捉えて信頼の原則の適用はないと主張されることも考えられる。これに対しては、運転は周囲の状況を総合的に踏まえた上で行われるべきであり、通常は停止位置より100メートル程度手前からスピードを緩めるとしても、すべての場合において自動運転システムがそのような運転をするとは限らず、歩行者の手前80メートル程度の位置に至ってもシステムが制動するそぶりをみせなかったとしても、ただちにシステムへの信頼が否定されるわけではないとの反論も可能である。もちろん、制動可能な距離を超えているにもかかわらず制動を開始しないような場合には、さすがにシステムへの信頼は消滅するはずであるが、その時点においては、交通事故の発生を回避することはできず、いずれにせよ過失は否定される。

このように、レベル3の自動運転中において、自動運転システムが適切に作動しなかったために運転者の過失が認められるか否かは、事実認定上微妙な問題を含む可能性が高い。もっとも、自動運転中は、運転者は自動車の周囲を注視する必要はなく、システムから要請がなされ、運転者による運転が開始されてはじめて周囲を注視する義務が生じるとの前提に立つ以上は、信頼の原則が認められる範囲は広く捉えるのが相当であろう。すなわち、このような前提に立つ以上は、運転者は自動運転中に前方を注視する義務すら負っていないのであり、たまさか前方を注視していたために、歩行者の手前80メートルに至っても制動を開始しないことを把握できたとして、信頼の原則が崩れたと結論付けるのは、いささかバランスを欠くように思われるからである。

⑵　レベル4および5の場合

レベル4およびレベル5の自動運転に関しては、レベル3ほど複雑な考慮が必要となるわけではない。レベル4およびレベル5においては、運転者が運転に介在することは想定されておらず、自動運転中に交通事故が発生し、人が死傷したとしても、運転者には、交通事故の発生を予見する義務も回避する義務も認められないからである。

3　自動車製造業者の刑事責任

続いて、自動運転車両が交通事故を引き起こし人を死傷させた場合、自動車製造業者が刑事責任を負う場合としてどのような場合が考えられるかについて検討する。

⑴　自動運転システムに瑕疵があった場合

前記Ⅱ２記載の通り、自動運転システムに瑕疵が存在し、その結果として交通事故が発生し人が死傷した場合、自動運転システムを設計・製造した自動車製造業者の担当者には、業務上過失致死傷罪が成立し得る。また、設計・製造段階では瑕疵が存在することが予見できなかったとしても、その後、自社が製造した自動運転車両が交通事故を立て続けに引き起こし、その結果として自動運転システムに瑕疵があることを認識したにもかかわらず、リコール等の手段をとらなかった場合にも、自動車製造会社の担当者に業務上過失致死傷罪が成立し得る。

理論的には前記の通りであるが、実際に自動運転プログラムに瑕疵が存在し、それに起因して交通事故が発生したとしても、自動車製造業者の担当者の刑事責任を追及することは困難であろう。

ただし誤解のないように1点述べるとすると、自動車製造業者の担当者の刑事責任を追及することが困難なのは、自動運転システムの中身がいわゆるブラックボックスであり、事故が発生した当時、自動運転システムがどのような過程を辿って判断を行ったのかを事後的に把握することができないからではない。人間の頭の中もブラックボックスであり、人間の判断経過そのものを客観的に検証することはできない。しかし、交通事故の客観的な状況や自動車の客観的な状況を踏まえ、運転者である人間の判断の誤りに起因して交通事故が惹起されたと認定することは可能であり、それゆえに、運転者である人間に対して過失運転致死傷罪の刑責を問うことができる。

同様に、自動運転システムの判断過程を客観的に明らかにすることができなかったとしても、例えば、目の前に壁があるにもかかわらず制動することなく壁に突っ込んだ、自動車にはブレーキ等の不具合はない、その他制動を妨げる外的要因はないといった事情が立証されれば、自動運転システムの判断の誤りにより交通事故が惹起されたことは立証可能であると考えられる。

問題は、自動運転システムを設計・製造した者に対して、自動運転システムが判断を誤ったことを捉えて刑事責任を問えるかどうかであり、自動運転システムがブラックボックスであることが障壁として立ちふさがる。

自動運転システムが客観的にどのように判断して交通事故を惹起するに至ったのかがわからない以上、自動運転システムの設計のどこに問題があったのか、製造過程のどこに問題があったのかを検証することはできず、そもそも瑕疵があることを予見することが可能であったのか、瑕疵の発生を回避することが可能であったのかを確定することはできない。そのため、自動運転システムの判断の誤りにより交通事故が惹起されたことが立証できたとしても、自動運転システムを設計・製造した者の過失責任を問うことは困難であると考えられる。

ただし、自動運転システムの判断の誤りに起因する交通事故が相次ぎ、それにもかかわらずリコール等の措置をとらなかった場合には、自動車製造業者関係者の刑事責任を問うことは可能であろう。この場合には、設計や製造過程のどこに瑕疵があったのかはわからなかったとしても、すくなくとも自動運転システムの判断の誤りにより交通事故が惹起されたことは明らかであり、今後さらなる交通事故が引き起こされることが予想できるのであるから、自動車製造業社としては、リコール等の措置をとるべきであったといい得るからである。

⑵　設計上の選択に基づく刑事責任

自動運転システムの設計に当たっては、トロッコ問題といわれる生命法益が衝突する中でどのように自動車を操縦するかについても、あらかじめプログラミングを行う必要が生じる。

例えば、正面から迫ってくる自動車との正面衝突を回避するためには、路側帯に退避せざるを得ず、退避した結果、必然的に歩行者と衝突することになる場合も考えられる。自動運転システムを設計するに当たっては、このような場合に、正面から迫ってくる自動車との正面衝突を選択するのか、路側帯の歩行者と衝突することを選択するのか、あらかじめ決めておく必要がある。これまで教室や書物の中だけで問題となったジレンマ状況が現実世界にもたらされたといって過言ではないだろう。

これは、ある状況下においては、自動車を歩行者に衝突させるというプログラムをすることを意味し、一見、故意に人を死傷させるプログラムを作成したとして、殺人罪（刑法199条）や傷害罪（同法204条）に該当し得るようにも思われる。しかし、この場合、設計者としては、なるべく全体としての損害が最小化されることを優先するようにプログラムを行うと考えられるが、そのようなプログラムをしている限り、設計者の設計行為は、「緊急避難」（同法37条）として正当化され、違法性は阻却されるものと考えられる。緊急避難は、生じた害が避けようとした害の程度を超えない場合に成立するとされており、被害を最小化することを優先するプログラムをすることは、緊急避難に該当すると考えられるからである。

⑶　自動運転の技術水準と刑事責任

一口にレベル３の自動運転、レベル４の自動運転といっても、その技術水準は自動運転システムによってさまざまなものとなる可能性がある。例えば、歩行者の飛び出しを感知してから急制動をかけるまでのシステムの反応速度、対向車の異常挙動を察知することのできる物理的範囲などは、システムの構築にどれだけの費用と時間をかけるかによって異なる可能性がある。

自動運転システムといえどもあらゆる事故を未然に防止することはできない。そして、人が自動車を運転する場合と異なり、自動運転システムの場合は、どのような場合には事故の発生を回避することができないのか、あらかじめ予測することができる。その点で、自動運転システムを設計・開発する者には、一定の状況下で発生する事故を予見することが可能である。しかし、自動運転システムを構築するに際して、コストを度外視して、技術的に考えるあらゆる手段を講じて事故を未然に防止しなければ、自動運転システムを設計・開発した者に過失責任が発生するとするのは相当ではないであろう。自動運転システムが社会にもたらす便益を考えるならば、これが社会に広く普及するほうが望ましいと考えられるが、コストを度外視したシステム開発はそれを阻害する。一定のレベル以上の自動運転システムであれば、たとえ一定の条件下で事故を回避できないことがあらかじめ想定される者であったとしても、それは「許された危険」として正当化されるというべきであろう。

問題は、その程度のレベルの自動運転システムであれば、正当化されるのかという点であるが、それは、時代時代の自動運転システムの技術水準や社会の受容状況によって異なると思われ、具体的には、道路運送車両法およびその下位法令によって具体的な水準が定められることになると思われる。

Ⅳ　自動運転時代に刑事法が果たす役割

以上の通り、自動運転車両により交通事故が惹起された場合、運転者も自動車製造業社関係者のいずれの刑事責任も問い得ないといった事態は多々生じると思われる。

刑事法は、このような場合に対応するべく変容する必要があるか。答えは否であろう。

何のために刑罰が存在するのか、論者によって表現はさまざまであろうが、広い意味で犯罪を防止し、犯罪によって生じた社会の動揺を鎮めることによって国民全体の利益を図る点にあるといってよいと考えられる。

自動車事故が惹起された場合に、運転者に過失が認められない限り刑罰が科されることがないのも、この刑罰の目的に由来する。過失がない、すなわち非難に値する行為をしたわけでもないのに刑事罰を科したとしても、それは運転者はおろか国民一般の納得を得るものではなく、犯罪（交通事故）を抑止する効果を期待することはできない。また、社会の動揺を鎮めることにもつながらない。

同様に、たとえ自動運転システムが判断を誤ったことが明らかであったとしても、その設計や製造に関与した者において、過失が認められない限り、これらの者を処罰しても、同種事故の発生を抑止することにはつながらないし、社会の動揺を鎮めることにもつながらないであろう。むしろ、このような場合に設計や製造に関与した関係者の刑事責任を追及することは、自動運転車両の開発に携わる者を過度に委縮させ、ひいては自動運転車両の発展を著しく阻害することにもなりかねない。

刑罰は、強い薬であるだけに毒としての側面ももつ。刑罰が原則として謙抑的であることを是としているのもその理由による。

したがって、自動運転車両により交通事故が惹起された場合、運転者も自動車製造業社関係者のいずれの刑事責任も問い得ないといった事態は多々生じると思われるが、これに対して刑罰法規を適用すべく、刑罰法規を変容させることは妥当ではないだろう。

もちろん、安全な自動運転の発展のためには、交通事故が発生した場合にその原因分析を行うことは重要である。航空機事故が発生した場合の航空機事故調査委員会のように、事故発生防止といった観点から調査を行う仕組み作りは不可欠であると思われる。

（平尾覚）

コラム　学習済みモデルのカンブリア爆発

学習済みモデルの重要性については、本文ですでに述べた通りであるが、学習前のAIはポテンシャルはあっても「赤ん坊」であり、実社会で通用するには、学習をして「大人」にならなければならない。同じAIのプログラムをベースとしたとしても、どのようなデータをインプットするか、どのように学習するかによって、その出来あがりは異なってくる。遺伝子が同じ双子であっても、生活環境、教育、人生経験が異なると、性格や能力が異なってくるのと同じである。

AIは、AIの技術的側面（＝素質）に注目が集まりがちであるが、AIも、人間と同じく「教育（＝学習）」も重要なのであって、その重要性についてもっと認識されるべきであろう。

東京大学の松尾豊教授は、ディープラーニングによって機械が認識できるようになったことが、大きなブレークスルーであり、これはあたかも、カンブリア紀（約5億4200万年から5億3000万年前）に、生物が眼を備えたために、生物が突如として爆発的に進化し、今日の生物の基礎ができた「カンブリア爆発」と同様であると指摘されている。

「カンブリア爆発」については、NHKスペシャルの「生命大躍進」(2015)や、アンドリュー・パーカ著『眼の誕生――カンブリア紀大進化の謎を解く』(草思社、2006) が参考となる。

カンブリア爆発について簡単に述べると、カンブリア紀の前は、生物の進化は極めてゆっくりであったが、光を探知できる細胞が「眼」に進化した。これにより、「眼」をもった生物は、捕食や天敵を避けることが容易になり、生存競争の上で有利となったため、「眼」とそれに関連する器官が短期間で急速に進化した。そして、眼の誕生は、眼から入る情報を処理する脳の発達を引き起こし、生物の種が爆発的に多様化し、複雑な生命体に進化するきっかけとなったという仮説である。

機械も、以前は苦手であった画像認識について、ディープラーニングによって人間以上の高精度でできるようになり、「眼」をもつ機械を作ることができるようになった。ここから、どのような技術が生まれていくかは、今後の研究開発次第であるが、眼の誕生が脳の発達を引き起こしたことと同様のことがAIについても起こる可能性は十分ある。

「眼」をもつ機械を製造するには、眼から入力される画像をコンピュータで処理するために、ディープラーニング等を利用した学習済みモデルが必要である。このように、「学習済みモデル」は、眼をもつ機械の基盤技術であり、今後のAIを爆発的に発展させる可能性をもっている。その重要性については強調しても強調しすぎることはないであろう。

松尾豊教授は、日本は、「学習済みモデル」の生産工場としての学習工場に投資し、眼をもった機械の認識部分を作成することで、日本のものづくりは付加価値を大きく向上することができると唱えている。

では、このような眼をもつ機械を日本は、どのように研究開発し、ものづくりに活用することができるのだろうか。

現在、研究開発の流れは、AI時代に突入してから大きく変わってきている。従来は、大学や国の研究機関が基礎研究をしたり研究者を育成し、それらを企業に移転されて製品化するという流れであった。しかし、最近は、Google、Amazon、Facebook、アリババ、テンセントなどの企業は、IT技術をビジネスに結びつけて大きな利益を得て、その中から膨大な研究開発費を最先端技術の開発に再投資することにより、さらに大きな利益を得るという研究開発サイクルを作り上げている*。Amazonは1社で約1兆8000億円、Googleは1社で約1兆5000億円もの研究開発費を投じている（2017年、ただしAI関連に限らない）。現時点で、それに匹敵するだけの研究開発費を投じている日本企業はないであろう。

もっとも、眼をもった機械は、眼を通じて認識した画像などを利用して制御されることになるが、これには産業用ロボットの製造では世界一のシェアを有する日本が得意なロボティックスが必要である。また、モノづくりに関する質の高いデータは日本に数多く存在する。AI競争においては、日本は立ち遅れているという指摘もあるが、それはサイバー世界におけるAIの話であって、ロボティックスが必須の眼をもった機械の製造については日本が巻き返すことができるチャンスは今のところ十分あるであろう（と期待したい）。

日本の製造業が世界一の地位を確保するために、どうすれば「学習済みモデル」を実装した機械の製造を促進できるかについて真剣に考えるべきではないだろうか。

まず、日本も先ほど述べた米中のような研究開発サイクルを作り上げる必要があるだろう。

また、学習済みモデルの権利関係やデータの利活用についての法律制度を整備することが、「学習済みモデル」の製造を促進するために重要なのではないだろうか。もし、製造業で日本が競争力を失ってしまったら、日本には何が残るのかを考えると恐ろしい話である。

* 鳥海不二夫『強いAI・弱いAI――研究者に聞く人工知能の実像』（丸善出版、2017）70頁［松尾豊発言］。

第3編

AIの法律〈応用編〉

第1章
AIのシステム開発

I　総論

近年、システム開発に関する競争環境は激化し続けており、特にAIのシステム開発においては、達成すべき開発目標を開発の初期段階において定義することが困難な場合や、達成すべき開発目標を実現するまでに多数の試行錯誤を要する場合が想定され、従来多く用いられてきたウォーターフォール型開発のような、事前に定められたステップを、順次内容を確定させつつ重ねる開発では対応が困難な案件が増加し、明確に意図されずとも、開発、試験および改善等の各工程を比較的短期間で簡潔するサイクルを反復しながら行うアジャイル、プロトタイプ、スクラム等非ウォーターフォール型と呼ばれる開発手法が用いられることが増加傾向にあるものと思われる。

また、経済産業省が設置したAI・契約ガイドライン検討会作業部会が策定した「AI・データの利用に関する契約ガイドライン1.1版」[注1)]（以下、「AI契約ガイドライン」という）においては、開発プロセスを別個独立した複数の段階的に分けて探索的に開発を行う「探索的段階型」の開発方式が提唱されている。

以下では、かかる傾向を踏まえ、まず主にウォーターフォール型開発における課題点を概観し、非ウォーターフォール型（特にアジャイル型）開発を念頭に置いたAIのシステム開発における課題点について述べ、「探索的段階型」の開発方式を紹介する。

注1）https://www.meti.go.jp/press/2019/12/20191209001/20191209001.html。なお、AI契約ガイドラインは、2018年6月に策定されたが、2019年に12月に改訂されており、「1.1版」とされている。

【図表 3-1-1】ウォーターフォール型の開発方式

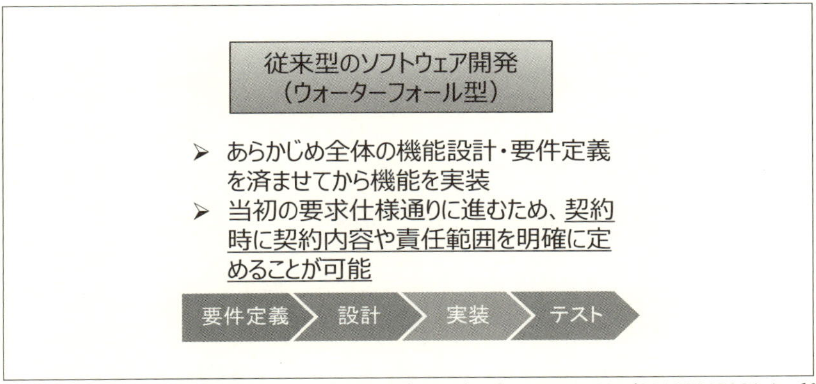

従来型のソフトウェア開発
（ウォーターフォール型）

- あらかじめ全体の機能設計・要件定義を済ませてから機能を実装
- 当初の要求仕様通りに進むため、契約時に契約内容や責任範囲を明確に定めることが可能

要件定義 ＞ 設計 ＞ 実装 ＞ テスト

＊ https://www.meti.go.jp/press/2018/06/20180615001/20180615001-4.pdf

Ⅱ　従来型の開発プロセスと契約の形式

システム開発においては、開発するシステムに応じてさまざまな開発プロセスが考えられるが、ここでは、従来型の開発プロセスを採用するシステム開発においては、経済産業省が設置した情報システムの信頼性向上のための取引慣行・契約に関する研究会が、主にウォーターフォール型開発を対象として2007年4月に公表した「情報システム・モデル取引・契約書（受託開発〔一部企画を含む〕、保守運用）〔第1版〕」注2)（以下、「経済産業省モデル契約」という）がやや古いものであるものの、実務において広く参照されているため、これを参考に整理する。

1　開発プロセス

(1)　企画段階

システム開発の企画段階においては、多くの場合、まず、ユーザから

注2）http://www.meti.go.jp/policy/it_policy/keiyaku/model_keiyakusyo.pdf。なお、2008年4月に「情報システム・モデル取引・契約書（パッケージ、SaaS/ASP活用、保守・運用）〔追補版〕」も公表されているが、これは主にパッケージソフト、SaaSおよびASPを対象としたものである。

ベンダに対して提案依頼書（RFP：Request For Proposal）を交付し、RFPを受けたベンダからの提案書の内容を踏まえて、当該ベンダに開発を委託するか否かユーザにおいて検討が行われる。RFPが単なるコンセプトレベルのものにとどまるケースも散見されるが、RFPは、これを受けたベンダの提案書の前提となり、また、それ以降の開発を方向付けるものであるから、ベンダが提案書に盛り込むべき内容や、システムが必ず具備すべき機能については、可能な限り特定して記載すべきである。

また、マルチベンダ方式をとり、複数のベンダから提案を受けて選定を行う場合には、RFPの内容が抽象的であると、それに応じて各ベンダから提案される提案書の項目および内容の粒度がまちまちになり、それを受けた複数のベンダの提案の比較が困難になることもある。

なお、ユーザにおいて充実した内容のRFPの提出が困難な場合は、RFPに先立ち、情報提供依頼書（RFI：Request For Information）を交付するか、ベンダとは異なるシステムコンサルタント等の専門家を起用してRFPの作成やベンダとのコミュニケーションについてサポートを受ける等の方法をとることが有益であることが多い。

特に、技術の進歩が著しいAIの分野においては、既存のシステムを使用することなく新規にシステムを開発する、いわゆるスクラッチ開発が行われることは、開発期間の短縮のために必ずしも多くないものと推測され、ベンダの既存のAIのプログラムやOSSを用いて学習済みモデルを生成する手法がとられることが多いものと思われる。このような状況を踏まえると、ベンダに対して、ユーザが独自に作成したRFPを交付することは、それがベンダが保有するAIのプログラムに適合するものでなければ、意味のないものとなりかねないため、まずはRFIをベンダに交付して情報の提供を求め、提供された情報を踏まえてRFPを作成することが、一見遠回りでも効率的である場合が多い。

なお、企画段階では、ユーザ・ベンダ間で、情報授受の前提として秘密保持契約は締結されるが、その他の実質的な委託関係に関する契約は締結されないことが一般的である。

(2)　要件定義

次に、開発するシステムに対するユーザの要求を踏まえ、システムに求められる機能要件[注3)]および非機能要件[注4)]を確定する要件定義と呼ばれる工程を行う。

後記2(3)の通り、AIのシステム開発においては、試行錯誤を要するものが想定されることから、後記の探索的段階型の開発方式においては、PoC段階とされるプロセスに吸収されるものといえる。

要件定義にはユーザの要求を取り込む必要があり、ベンダのみで行い得るものではなくユーザ・ベンダの共同作業で行われるのが一般である。したがって、ベンダ単独での仕事の完成が観念しがたいため、要件定義段階では、ユーザ・ベンダ間では仕事の完成を要件とする請負契約[注5)]ではなく、準委任契約[注6)]が締結されるケースが多い（各契約の法的性質については、後記2参照）。前記の経済産業省モデル契約においても、要件定義の段階は、「ベンダにとっても成果物の内容を具体的に想定することは通常不可能である。そのため、請負には馴染みにくく、準委任が適切ということになる」とされている（経済産業省モデル契約44頁）。

ウォーターフォール型の開発においては、ユーザのシステム開発に対する関与は原則として要件定義までであり、後の工程はベンダにより行われる。

(3)　開発

前記の要件定義の結果に従って、ベンダにおいて、①システム設計[注7)]、②システム方式設計[注8)]が行われ、これらの設計結果に基づき（③）プログラムの実装が行われる。

①システム設計においては、ユーザや周辺システムとのインターフェイスに関する設計を行い、②システム方式設計では、当該設計結果を踏まえ、

注3）システムが実現すべき機能に関する要件。

注4）機能要件を充足することを前提としたシステムの応答性、信頼性、拡張性等の性能等の機能要件以外の要件。

注5）当事者の一方がある仕事を完成することを約し、相手方がその仕事の結果に対してその報酬を支払うことを約する契約（民632条）。

注6）当事者の一方が法律行為でない事務を相手方に委託し、相手方がこれを承諾することにより成立する契約（民656条）。

注7）システム外部設計または基本設計と呼ばれることもある。

注8）システム内部設計または詳細設計と呼ばれることもある。

システムのロジックや関連するデータベースの仕様などを定め、③実装段階では、プログラムのコーディングが行われる。

また、プログラムの細分化された機能ごとに試験を行う単体テストについても、開発工程の中で行われることが多い。

開発工程は、原則としてベンダ単独により行われ、ベンダ単独での仕事の完成が観念し得るため、開発工程に関してはユーザ・ベンダ間で請負契約が締結されることが多い。

⑷　試験

開発を行ったシステムについて、①結合テスト、②統合テスト、③運用テストが行われる。

①結合テストは、システムの一定の機能をまとめて試験を行うものであり、②統合テストはシステム全体が機能要件および非機能要件を充足するか確認する試験であり、ここまでがベンダ側の作業として行われ、統合テストが完了した段階でユーザに対して、一旦システムが納品されることになる。

これに対して③運用テストはユーザが実際にシステムを運用する環境に適合するか確認する目的で行われる試験であり、ユーザが主体となって実施することが一般的である。

これらの試験のうち結合テストおよび統合テストはベンダ側が主体となって実施するものであるため、これらの試験に関してはユーザ・ベンダ間で請負契約が締結されることが多く、運用テストはユーザが主体となりベンダは試験の支援を行うという性質があるため、準委任契約の形式がとられることが多い。もっとも、結合テストおよび統合テストについても準委任契約の形式がとられる場合もある。各契約を準委任契約とすることの問題点は、後記２で述べる。

２　契約の形式

⑴　請負契約と準委任契約

前記の通り、システム開発契約においては、各工程の性質に応じて、請負契約、準委任契約の方式が採用される場合があり得る。契約の形式によらず、どのような合意が当事者間において形成されているかが重要であるものの、契約書に当事者間の合意が明確に規定されていない場合は請負契約、準委任契約といった契約の形式が解釈の補助として参照される必要があり、また、契約書によっては明示的に請負型と準委任型の業務を書き分けた上で民法上の取扱いに準拠するものもあるため、この区別を理解しておくことは重要である。

請負契約と準委任契約の違いは、典型的には、請負契約においてはベンダが仕事の完成義務を負い（民632条)、準委任契約においてはベンダに仕事の完成義務がなく、受託した事務について善管注意義務を負うにとどまる（同法656条・643条・644条）という点にある。

一般的には、ベンダは仕事の完成義務を負担することを避けるために準委任契約とすることを希望し、ユーザはベンダに仕事の完成義務を負担させるべく請負契約とすることを希望する場合が多い。

前記の開発プロセスに則して、実務上の扱いを具体的にみてみると、要件定義段階はユーザの要求を具体的な機能要件および非機能要件に落とし込む作業であり、ユーザの関与が不可欠であることから、準委任契約することが適切である場合が多いように思われる。

開発段階は、システム開発に関する専門的知見を有するベンダが要件定義の結果を踏まえて、システム開発を完了すべきであるから、仕事の完成を要件とする請負契約の形式をとることが適切であろう。

試験の中で、結合テストおよび統合テストの段階は請負契約の形式をとることが多いものの、準委任契約とされることもある。もっとも、結合テストおよび統合テストは、ユーザへのシステムの納品の前に行われるベンダにおける最終工程であり、その試験結果は、納品を受けたシステムが完成したものであると評価し得るか、検収を行うべきか否かの判断をユーザが行うための重要な判断材料となる。したがって、少なくとも結合テストおよび統合テストについては、開発工程と不可分のものとして、請負契約とすべきであろう。

また、運用テストについては、前記の通り、試験がユーザの実運用環境下で行われ、かつ実作業を行う主体がユーザであって、ベンダは支援を行うにすぎないことから、準委任契約の形式をとることが実務慣行として定着しているようである。

この点、実際に行われている運用テストは、ベンダが開発したシステムに不慣れなユーザにベンダがシステムの運用方法をレクチャーし、ユーザを支援して、いわば予行演習的にシステムを稼働させるという側面も含まれているように思われる。確かに、このような側面のみに着目すれば、ベンダによる仕事の完成を観念することはできず、契約形式としては準委任契約が妥当することになる。

もっとも、運用テストはそのような性質以外にも、開発されたシステムがユーザの実運用環境下で所定の機能要件および非機能要件を充足するか確認するという純粋な技術的検証の意味合いも有する。

実際に、統合テストを完了し、検収が行われた後の運用テストにおいてユーザの実運用環境に適合しないことが発見され、そもそもそのようなシステムが完成されたものとして検収されるべきであったかが争いになることも、決して稀ではない。

また、運用テストがユーザの実運用環境下で行われるといっても、当該環境は、早ければ企画段階のRFPに明記されており、遅くとも開発段階の外部設計時点では明らかにされているはずであり、運用テストがユーザの実運用環境下で行われることは、運用テストを準委任契約とすべき合理的な理由とはならない。

したがって、運用テスト全般を準委任契約とすべきことは必ずしも適切ではなく、例えば、ユーザの実運用環境下で所定の機能要件および非機能要件を充足するか確認するという技術的な側面は請負契約とし、開発段階の各契約と一体のものとして、当該確認をもって検収を行い、ベンダが開発したシステムに不慣れなユーザにシステムの運用方法をレクチャーするという側面については準委任契約とすることも考えられる。

⑵　多段階契約

前記の経済産業省モデル契約においては、前記1のシステム開発プロセスの各工程に応じて、個別に契約を締結する多段階契約が推奨されており、現在の実務慣行として、少なくとも要件定義、開発および試験で契約を多段階に分ける方式が定着しているものと思われ、ベンダによっては各工程をさらに細分化し、大規模なシステム開発となると、契約本数が数十件となることも稀ではない。

経済産業省モデル契約が多段階契約を推奨する理由は、①開発のゴールが定まらない開発初期の段階で対価を確定することにより、ベンダ・ユーザの双方が不利益を被る可能性、②前記1で述べた各開発プロセスの性質に応じて請負契約および準委任契約を使い分ける必要性、③開発途中でベンダを切り替えることのできるマルチベンダ方式に馴染み、ユーザにとって便宜である点等が指摘されている。

もっとも、①については、確かに合理的な部分もあるが、現在の一部の実務において行われているように、各工程をことさらに分解して多数の契約を締結する必要まではなく、多段階方式がいきすぎると、ユーザにとって、かえってシステム開発全体に要する費用の予測可能性が損なわれることになる。

また、②については実務慣行上、準委任契約とされることが多い運用試験工程についても請負契約とする余地があり、ユーザの立場からは請負契約とすることが望ましいことは、前記⑴で述べた通りである。

③については、旧ベンダが作成したプログラムの開発を別のベンダが引き継ぐことは容易ではない。実際に、引き継いだベンダがプログラムの一部を修正したい場合であっても、プログラムが複雑な処理構造（このようなプログラムは、「スパゲッティコード」と称される）[注9)]となっており、プログラム全体を詳細に分析しないと手が付けられず、保守性を考えると、むしろゼロからプログラムを作成し直したほうがよいという事例が多く発生している。

また、開発途中でベンダを切り替えて旧ベンダからプログラムを引き継いだとしても、旧ベンダが当該プログラムに関する知的財産権を留保していれば、引き継いだプログラムをユーザにおいて使用することが阻害される可能性もある。特にAIのシステム開発のように、ベンダが保有する既存のAIのプログラム等にある程度依存する開発においては、このような観点からも開発途中でベンダを切り替えることは容易ではない。

したがって、実際のシステム開発でマルチベンダ方式を採用することは

注9）このような複雑な処理構造をとるプログラムは、保守性の観点からも問題であり、ベンダを切り替えることを想定していない場合であっても避けるべきである。

容易ではなく、③のようなマルチベンダ方式に馴染むことが多段階方式の契約とすることを正当化する理由となるか疑問である。

また、多段階契約とすること、とりわけベンダの申出に唯々諾々と応じて不必要に契約を細分化して多段階に分けることは、ユーザにとって大きなリスクをもたらすことになりかねない。

例えば、多段階契約の一部として、準委任の形式で締結された運用テストに関する契約に基づき行われたテストにおいて、開発されたシステムがユーザの実運用環境に適合しないことが判明した場合を想定する。このようなケースでは、運用テストはユーザの指示のもとベンダが善管注意義務を尽くして行ったものであって、運用テストに関する契約の債務不履行を構成せず、請負の形式で締結された開発契約の成果であるシステムについては運用テストの前に検収が完了しており、こちらも債務不履行を構成せず、ユーザはどちらの契約についても解除も損害賠償請求もできないという極めて不利な状況に置かれる可能性がある。

ユーザとしては、多段階契約が万能ではなく、そのメリットは開発のプログラムによっては極めて限定的となり、他方で前記のリスクも存在することを十分に認識した上で、契約の形式と検討する必要があろう。

(3) AIのシステム開発において特に留意すべき点

ここまでは、主に従来のシステム開発で多く用いられており、経済産業省モデル契約においても前提とされているウォーターフォール型の開発プロセスを念頭に置いて述べてきたが、AIのシステム開発においては、開発のプロセスが様変わりする可能性がある。

ウォーターフォール型の開発は、前記1の通り、要件定義段階で、ユーザがシステムに要求する機能要件および非機能要件を定義し、それに従って、あたかも水が上流から下流に流れるように、開発および試験の工程を行うものである。

ウォーターフォール型の開発手法は、システム開発においては最も古典的な手法とされ現在も多くのシステム開発で用いられている。この手法は、計画性を重視する開発手法の典型であって、段階的に開発ステップを踏んでいくために工程の管理が比較的容易であり、高度の信頼性を要求されるシステムの開発に適しているといわれる。

他方で、ウォーターフォール型の開発手法は、要件定義の段階でシステムに要求すべき機能要件および非機能要件、すなわちシステム開発のゴールがある程度は明確に定義されることを前提とし、要件定義を固めた上で開発を行うため、試験工程で不備が発見された場合に設計工程に立ち返ることを前提とはしていない開発手法であるため、そのような事態に陥った場合は、多大な時間的ロスが発生しかねない。

この点、AIのシステム開発は、開発初期の段階で開発ゴールが明確に見通せる場合もあろうが、大量の学習用データをAIのプログラムに学習させない限りは開発のゴールを見通せないことが多く、開発プロセスの中で試行錯誤を繰り返す必要が高いものと思われる。

前記のAIのシステム開発の特質に照らせば、ウォーターフォール型の開発手法のように、開発初期の段階でユーザの要求を汲み取った詳細な要件定義を行うことは現実的でなく、要件定義が抽象的なものにとどまれば、開発工程においてユーザの意図に沿わないシステムが構築され、試験が完了した段階で結果的に要件定義にまで遡る見直しが必要となる可能性がある。

このようなウォーターフォール型開発手法の難点を克服するものとして、アジャイル（agile）型開発手法が提唱されている[注10)]。アジャイル型開発手法は、決して目新しいものではなく、2000年前後から提唱され始めたものであるが、開発、試験および改善等の工程で構成されるイテレーション（iteration）と呼ばれる比較的短期間で簡潔するサイクルを反復しながら行う開発手法であり、予測困難な要件を含むシステム開発において特に有効な手法といわれている。

前記のようなアジャイル型開発手法は、提唱されて以降、日本においては定着しなかったと一部においては評価されているが、開発初期の段階では開発ゴールを詳細に設定することが難しいAIのシステム開発において

注10）アジャイル型開発手法をさらに発展させたものとして、DevOps（デブオプス）という開発手法も存在する。DevOpsとは、Development（開発）とOperation（運用）を合わせた造語でありさまざまに説明されているが、共通している点は、おおむね開発と運用が密に協力して行う開発手法であるという点である。

【図表3-1-2】ウォーターフォール型とアジャイル型開発手法の比較

	メリット	デメリット
ウォーターフォール型	✓ 責任範囲が明確 ✓ プロジェクト管理が比較的容易	✓ 試験段階で不備があれば、後戻りで大幅な時間ロスがありうる（完成時には市場ニーズから乖離したシステムとなることも） ✓ 試行錯誤が必要な開発には適さない
アジャイル型	✓ 開発着手時点で、ゴールを厳密に定義できない開発に適する ✓ 仕様変更に柔軟に対応可能	✓ 全工程にユーザが関与するため責任範囲や成果の帰属が不明確となり得る ✓ プロジェクト管理が難しい

は、明確にアジャイル型開発手法を採用することを意図していなくても、結果的にアジャイル型開発手法に近い手法が用いられることが増加するものと推測される。

もっとも、アジャイル型開発手法も万能ではなく、ウォーターフォール型開発手法のメリットの裏返しであるが、【図表3-1-2】の通りデメリットも存在する。

まず、アジャイル型開発手法においては、ウェーターフォール型のように開発初期の段階で要件定義を詳細に行わないため、開発プロセス（イテレーション）にユーザが関与する必要が生じ、開発プロセスで得られた成果の帰属主体や、ユーザおよびベンダ間の責任範囲が不明確とならざるを得ない。

これらの点は、必ずしもアジャイル型開発手法を用いた場合に限られず、AIのシステム開発においては、ユーザから学習用データまたは学習用データの元となる生データが提供されるケースが想定され、この観点からもユーザおよびベンダ間の開発成果の帰属および相互の責任範囲が曖昧になりかねない。AIの開発における開発成果の帰属および責任範囲に関する考え方は、それぞれ後記Ⅳおよび後記Ⅴで述べる。

また、アジャイル型開発手法においては、各工程へのユーザの関与が不可欠となり、そのような意味で、従来のウォーターフォール型開発手法と比較して共同開発に近い性質を帯びることになる。したがって、ベンダとしてはシステム開発に関する契約の中で、自らが負う義務の内容を明確化するだけではなく、別途SOW（Statement Of Work）を定める等して、情報提供等のユーザに求める義務の内容を定める必要がある。

さらに、ウォーターフォール型開発で多く用いられてきた要件定義、開発および試験等の各工程ごとに分割した多段階契約についても、例えばPoC（Proof of Concept：概念実証）と商用サービス向けのシステムや、アジャイル型開発における各イテレーションごとに分割する等の見直しが必要となろう。

Ⅲ　探索的段階型の開発方式

本章では、前記の通りAI契約ガイドラインが、学習済みモデルの開発について、非ウォーターフォール型の中でも、アジャイル型開発[注11)]よりも「探索的段階型」の開発方式が適しているとしていることから、AI契約ガイドラインの整理に基づいて紹介する。

この探索的段階型は、①アセスメント段階、② PoC段階、③開発段階、④追加学習段階の4段階による開発方式としており、それぞれ開発初期に成果物を確定しない点でウォーターフォール型開発と、また、開発全体を1つの基本契約で規律するフレームワークを採用しない点でアジャイル型開発とそれぞれ異なるとしている。

注11）AI契約ガイドラインは、アジャイル型は、「多数の機能を有する大規模システムの開発には適していると考えられるものの、比較的小規模な特定目的を達成するための学習済みモデルの生成においては、たとえば、基本契約と個別契約の組合せによる契約管理コストが許容されないこともある」とする（43頁）。もっとも、アジャイル型と一口に言ってもその外延は明確でなく、多種多様なバリエーションが考えられることから、プロジェクトの目的・体制に照らして、AI契約ガイドラインの評価が妥当しない場合もあり得ることに留意が必要である。

【図表 3-1-3】「探索的段階型」の開発方式

目的	一定量のデータを用いて**学習済みモデルの生成可能性を検証**する	学習用データセットを用いてユーザが希望する精度の**学習済みモデルが生成できるかどうかを検証**する	**学習済みモデルを開発**する	ベンダが納品した学習済みモデルについて、**追加の学習用データセットを使って学習**をする
契約	**秘密保持契約書**等	**導入検証契約書**等	**ソフトウェア開発契約書**等	

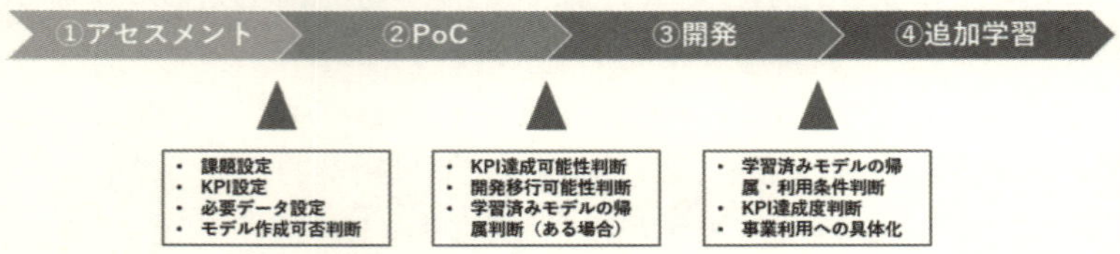

＊AI契約ガイドライン43頁。

確かに、AIシステムの開発においては、試行錯誤が必要であることからウォーターフォール型開発がそぐわない場合があるとはいえるものの、基本契約により規律することが過度な負担ではないとされる場合においては（従前の契約実務からすれば過度な負担にはならないとされる場合が多いのではないかと推測される)、探索的段階型の開発方式がアジャイル型の開発方式に一般的に勝るということはいえず、プロジェクトの目的に応じてケースバイケースで選択されるべきものと思われる。

(1)　アセスメント段階

アセスメント段階は、ユーザが一定量のデータを提供した上で、学習済みモデルを生成することにより、ユーザのニーズを満たすことが可能かを初期的に検証する段階とされる[注12)]。ユーザによるデータ開示がなされるものの、極めて初期的な段階であるため、成果物の作成や知的財産権が生じるケースが想定されず、かつ、無償とされることも考えられることから、秘密保持契約等の比較的簡易な契約が締結されることが想定されている。

アセスメント段階においては、学習済みモデル生成の目的・解決すべき課題の設定、具体的な業務フローの中でどのように学習済みモデルを利用するか（あるいはどのようにデータを収集・加工し、学習済みモデルを生成するか)、スケジュール・予算・ユーザとベンダ間の関係性（単なる委託先

注12) AI契約ガイドライン44頁。

という整理なのか、ビジネスパートナーとして何らかの協業を予定するかなど）について検討する必要がある。

実務において、ユーザがプロジェクトにおける作業をベンダへ委託しようとする際に、秘密保持契約を締結した上で受注の可否やその条件を議論することは比較的よく見られ、アセスメント段階というプロセスは、学習済みモデルの生成において固有の問題をもつものではないと思われるが、ユーザ側が意図する成果を得るための学習済みモデルの生成がそもそも望めないケースや、学習済みモデル生成のために必要なデータが揃っていない、あるいは、データのノイズ除去やメタデータのタグ付け（アノテーション）に想定以上の費用を要するケースなど、そもそも実現可能性がある程度の検証を経ないと判断できない場合が想定されるという観点から、アセスメント段階をAI開発における1つの段階と整理したものと思われる。AI契約ガイドラインにも指摘がある通り[注13)]、アセスメント段階を踏まずに次のPoC段階がスタートする場合やアセスメント段階とPoC段階が一体として実行される場合も多いというのが実態であろう。

⑵　PoC段階

ユーザまたはベンダが保有しているデータを基に学習済みモデルの生成を進めるかを検証する段階であり、アセスメント段階とは異なり学習済みモデルの生成・精度向上作業をある程度行った上でレポート等を作成することを目的とする段階であるとされる[注14)]。

アセスメント段階よりもより踏み込んだ検証作業を試行錯誤をしながら行った上で、ベンダによるレポート等の成果物の納入およびユーザによるこれに対する対価の支払を念頭におくことから、導入検証契約等の締結が想定されている。

この段階においてある程度生成すべき学習済みモデルの内容や生成方法について見通しが立てば次の開発段階に進むことになるが、実際に検証作業を行うまで十分な成果が得られるかが判然としない学習済みモデルの開発においては、PoC段階において見込んでいた成果が得られずその後の

注13）AI契約ガイドライン45頁。
注14）AI契約ガイドライン45頁。

開発に進まないことも十分に想定される。

(3) 開発段階

実際に学習済みモデルを生成する段階であるとされる[注15]。前記1(4)の試験は、AI契約ガイドラインにおいて明記されていないものの、当然に当該プロセスに含まれるということと思われる。この段階においてはソフトウェア開発契約等を締結することが想定される。

(4) 追加学習段階

ベンダが納品した学習済みモデルについて、追加の学習用データセットを使って学習をする段階であるとされる[注16]。ベンダがユーザに対して継続的に提供するサービスの一環として行われる場合もあれば、ユーザがベンダに対して追加学習を依頼し、個別の契約を締結する場合もあると思われることから、AI契約ガイドラインにおいては契約形式はケースバイケースであるとされている。

Ⅳ　開発過程における留意点

1　概要

AIのシステム開発過程における留意点を述べる前提として、まず、典型的なケースとして以下のような開発の流れを想定する。

- ユーザが、ベンダに学習用データセットの元となる生データを提供
- ベンダが自らが保有するプログラムを活用してAIのプログラムを開発
- ベンダが前記AIのプログラムに適合するように生データを加工し、学習用データセットを編成
- ベンダにおいて、前記学習用データセットを用いてAIのプログラムに学習（学習済みパラメータを生成）させ、学習済みモデルを完成

注15）AI契約ガイドライン46頁。
注16）AI契約ガイドライン46頁。

2　データの取扱い

(1)　データの入手

AIのシステム開発には、学習用データセットの整備が不可欠であり、その元となる生データの質および量が最終的な学習済みプログラムの品質に大きな影響を及ぼす。とりわけ、後記3のようにTensorFlow等の著名なAIのプログラムがOSSとして公開されることが多い現状においては、AIのプログラムだけでは競争力の源泉とはなりがたい面があり、質・量ともに充実した生データをいかに入手するかがAIのシステム開発の成否や、開発成果を用いた事業の競争力を左右するといっても過言ではない。

そのような状況下において、ユーザまたはベンダとしては、どのようにして適法に、さらには倫理的な問題を生じさせず学習用データセットの元となる生データを入手するかが問題となる。

(A)　著作権法上の留意点

例えば、画像認識に関するAIのシステム開発においては、実際にインターネット上に存在する画像・動画コンテンツを用いて学習用データセットを作成する手法が多く用いられる。また、自動車の先進運転支援システム（ADAS：Advanced Driver Assistance Systems）に代表されるような自動運転関連のAIのシステム開発においては、公道上を走行する自動車にカメラ等の計測装置を装着し、公道周辺の施設等の画像データ収集が行われている。

このような行為により取得されたデータに第三者が著作権を有するものが含まれている場合、データをストレージに保存する行為は、形式的には著作権者の保有する複製権の侵害となり、データを第三者に提供する行為は、譲渡権または公衆送信権の侵害となる。

もっとも、前記第2編第1章Ⅲ7の通り、この点について著作権法は平成30年改正において、①著作物に表現された思想または感情の享受を目的としない利用（著作30条の4）、②電子計算機における著作物の利用に付随する利用等（同法47条の4）、③新たな知見・情報を創出する電子計算機による情報処理の結果提供に付随する軽微利用等（同法47条の5）

について著作物を利用する行為が、著作物侵害とならないと規定している。

したがって、例えばインターネットで収集したコンテンツや、公道上で撮影された画像・動画に第三者が著作権を保有するものが含まれていたとしても、著作物利用に係る技術開発・実用化の試験、情報解析、人の知覚による認識を伴わない利用その他の思想感情を自ら享受し、あるいは他人に享受させることを目的としない利用として、AIのシステム開発のために必要な限りにおいて、利用することは①として原則として許容される。平成30年著作権法改正前までは、あくまでも例外として許容されるのは「記録媒体への記録又は翻案」に限られており、取得したデータを公衆へ譲渡することは譲渡権（著作26条の2）の侵害となり、ウェブでの公開は公衆送信権（同法23条）を侵害することとされていたが、同改正後においては「いずれの方法によるかを問わず、利用することができる」（著作30条の4および47条の4。著作47条の5は「軽微利用」としている）とされており、上記のような特段の制限はなくなっている。

(B)　個人情報保護法上の留意点

ユーザが会員の購買履歴やサイトの閲覧情報等の情報をベンダに提供してAIのシステム開発を行う際に、当該情報に個人情報が含まれる場合の扱いが問題となるが、この点については、後記第4章を参照されたい。

(C)　プライバシー権等に関する留意点

例えば前記で述べた自動運転に関するAIシステムの開発のために、公道上で人の挙動に関するデータを取得する場合や、公道や施設内での人の流れを予測する技術の開発のために、複数台のカメラを設置して通行する人の特徴や、歩行の軌跡に関するデータを取得する場合は、周囲を通行する人のプライバシー権や肖像権への配慮も必要となる。

この点については、後記第4章を参照されたいが、取得したデータを、専ら限られた関係者の関与の下でのAIのシステム開発に限定して使用し、データの一般公開を想定していない場合は、撮影場所が公共空間であることを踏まえると、周囲を通行する人のプライバシー権や肖像権を侵害するものとして違法と判断される可能性は相当に低いものと思われる。もっとも、一般市民の中には、知らぬ間に撮影されることについて一定の嫌悪感が存在することは間違いなく、レピュテーション・リスクが生じる可能性を踏まえると、プライバシーに配慮した施策を検討すべきであろう。

(D)　不正競争防止法に関する留意点

例えば第三者サービス等を利用して入手した生データは、不正競争防止法上の営業秘密（不正競争2条6項）に該当し、あるいは限定提供データ（同条7項）に該当する可能性がある。仮に生データを提供する側となった場合においては、営業秘密または限定提供データに該当するように管理することが望ましいであろうが、データを利用する立場からすれば、これらのデータの不正競争行為とされないよう、利用可能な範囲を明確に合意することや、データの入手元の確認やデータ提供者から正当な権限に基づいて提供していることの保証を取得することが望ましいといえる。

(2)　ベンダに対するデータの提供

前記(1)で述べた通り、AIのシステム開発においては、質・量ともに充実した生データをいかに入手するかがAIのシステム開発の成否や、開発成果を用いた事業の競争力を左右する。

前記１で述べた想定される典型的な開発フローにおいては、ユーザが生データを取得し、ベンダに提供することとなるが、ユーザとしてはベンダにおいて当該生データが第三者に流出することや、ユーザが委託したAIのシステム開発以外の目的に使用されることを防ぎたいと考えるのが通常であろう。

そのような場合、生データ自体に著作権が成立し、それがユーザに帰属している場合は、当該著作権の侵害を主張することも可能な場合もあろうが、前記第2編第1章Ⅲ６の通り、生データに著作権が成立しないケースも相当ある点には留意すべきである。

したがって、ユーザがベンダにおける生データの第三者への開示や目的外使用を禁じたいと考えるのであれば、契約上その旨明記すべきであり、次頁はその規定例である。なお、生データを利用して得られた学習用データセット等の権利帰属については、後記Ⅳにおいて述べる。

規定例は1項においてデータの目的外使用を禁止し、2項において契約終了時のデータの破棄を義務付け、3項においてデータに関する権利がユーザに帰属することを確認するものである。

データの取扱いを定める契約の中には、データに関する著作権等の知的財産権がユーザに帰属することを確認するにとどまるものも存在するが、仮にデータに著作権等の知的財産権が成立しなければユーザはベンダによる目的外利用等を何ら制限できないことになりかねない。そのような観点から、規定例の３項においては、対象を知的財産権に限定することなく、知的財産権を含むデータを排他的・独占的に利用することのできる権限がユーザに帰属することを確認する旨を規定している。このような権限は必ずしも法定されているものではないため、例えば、「利用権限」とは、「データについて利用権（複製、編集、提供、公開等を行う権利を含むがこれに限らない）、保有・管理・処分に係る権利、権利付与に係る対価請求権、消去・開示・訂正・利用停止の請求権等の権利を自由に行使できる権限をいう」等の定義を設けてその内容を明確化することも考えられる。

１項から３項の規定は、ベンダによる目的外使用を禁じるためには、必要最小限なものであるが、実際にデータが目的外に使用されたことをユーザが検知することは相当に困難であり、かかる規定を実効性のあるものとするためには、４項から６項のようにより詳細にデータの保管体制や、アクセス権者の制限等について契約上規定し、さらにはかかる規定の遵守状況についてユーザの監査を可能とする規定を設けることも考えられる。なお、前記の規定例は、１項でデータを本契約における秘密情報として扱う旨を規定しているが、契約の中に秘密保持に関する規定が設けられていることを前提としており、以下は秘密保持に関する規定例である。より厳格な取扱いを求める場合には、秘密保持誓約書を添付し、アクセス権者に対してそれぞれ当該誓約書への同意をさせることを義務付けることも考えられる。

もっとも、このような規定を設けることは、ベンダによる目的外利用やデータの流出を牽制することに一定程度は有益であるが、あくまで契約での取決めにすぎないので、これらを完全に阻止することは困難であることに留意する必要がある。

データの目的外利用や流出の可能性を可及的に低減するためには、そもそもデータをベンダに渡さず、ユーザの管理下にあるサーバやクラウド上に保存し、ベンダの限定された従業員のみにアクセスを許容する方法も考えられる。

生データの取扱いに関する規定例

第○条　（データの取扱い）

1. ベンダは、ユーザがベンダに提供したデータ（以下、「ユーザ提供データ」という）について、本契約における秘密情報として扱い、本委託業務の遂行のためにのみ利用するものとする。
2. ベンダは、本委託業務が完了し、または本契約が終了した場合、ユーザの指示に従って、ユーザ提供データが記録された媒体を破棄若しくはユーザに引き渡し、ベンダが管理する一切の電磁的記録媒体から削除し、破棄又は削除をした場合にはこの旨を証明する書面をユーザに対して提出するものとする。
3. ベンダは、ユーザ提供データに排他的・独占的にアクセスし、かつ、これを利用することのできる権限（特許権および著作権その他の知的財産権（特許その他の知的財産権の登録を受ける権利並びに著作権法27条および同28条に関する権利を含む）を含むがこれに限られない）がユーザに帰属することを確認する。
4. ベンダは、ユーザ提供データをその他のデータと分別して、ベンダの○拠点における入退室管理の行われたエリア内に設置されたサーバ内に保存し、本契約における開発業務に従事する必要最小限のベンダの従業員に対してのみアクセスする権限を付与するものとする。
5. ベンダは、ユーザから要求があった場合は、速やかに、前項の居室内への入退室記録およびユーザ提供データに対するアクセスログをユーザに対して書面（電磁的記録を含む）により報告するものとする。
6. ユーザは、その費用負担において、ベンダに対して合理的な予告を行った上で、ベンダの通常の営業時間内にベンダの拠点に立ち入り、書面の提出を求め、またベンダの従業員に質問する等の方法により、ユーザ提供データの管理体制を検証するための監査を行うことができるものとする。

データをクラウド上に保存する場合、データを暗号化した状態のままで演算処理を可能とする準同型暗号処理の開発が進められている[注17)]。特にデータが極めて重要な価値を有する場合は、このような暗号処理方式の採用についても検討すべきであろう。

注17）国立研究開発法人情報通信研究機構による準同型暗号技術SPHERE（スフィア）とロジスティック回帰分析技術を組み合わせた解析技術について https://www.nict.go.jp/press/2016/01/14-1.html 参照。

秘密保持義務に関する規定例

第○条　（秘密保持）

1. 各当事者は、本契約の存在および内容、並びに本契約書の締結および履行に関して他の当事者（以下かかる情報を開示する当事者を「開示当事者」といい、情報を取得する他の当事者を「受領当事者」という）から取得した一切の情報（以下「秘密情報」という）をいかなる者に対しても開示し、または漏洩してはならず、また、かかる秘密情報を本契約締結およびその実行以外の目的のために使用してはならない。但し、受領当事者は、本契約において企図されている行為を検討・実行するために合理的に必要な限度で、各当事者およびその親会社・子会社の役員・従業員、弁護士、公認会計士、税理士、ファイナンシャルアドバイザーその他の専門家アドバイザーに対して秘密情報を開示することができる。その場合、当該受領当事者は、秘密情報の開示または提供を受けた者が、開示された秘密情報を他の第三者に開示し、または他の目的に使用することがないよう、これらの者に対して本契約に基づく秘密保持義務を遵守させるものとし、そのために必要な合理的措置を講じるものとする。
2. 前項の規定は、以下の情報については適用されないものとする。
   (1) 開示当事者から開示された時点で既に公知となっていたもの
   (2) 開示当事者から開示された後で、自らの帰責事由によらずに公知となったもの
   (3) 正当な権限を有する第三者から秘密保持義務を負わずに適法に開示されたもの
   (4) 開示当事者から開示された時点で、既に適法に保有していたもの
   (5) 開示当事者から開示された情報を使用することなく独自に開発したもの
3. 1項にかかわらず、受領当事者は、司法・行政機関等により要求された場合または法的手続、届出その他類似の手続で要求された場合には、その限度において秘密情報を開示することができる。

3　OSSの利用

現在後記(2)の通りTensorFlow等の著名なAIのプログラムがOSSとして公開されており、AIのシステム開発においては、OSSをモジュールとして組み込むことが多く行われている。

ここでOSSとは、オープン・ソース・ソフトウェア（Open Source Software）の略であり、文字通り、プログラムのソースコード注18)が公開されているソフトウェアのことをいう。OSSの定義にはさまざまなものがあるが、OSSの普及促進を目的とするOpen Source Initiative（以下、「OSI」という）により、再頒布の自由、ソース・コード公開、派生物の自由な利用等の10項目がその要件とされており、当該定義が一般的であろう（https://opensource.org/osd）。

一般的に、プログラムをユーザに提供する際には、ソース・コードをコンパイルしてオブジェクト・コード注19)に変換した上で提供され、システム開発のノウハウが化体したソース・コードはユーザには提供されない。このようなプログラムを、OSSと対置する概念としてプロプライエタリ・ソフトウェア（Proprietary Software）ということがある。

OSSは、①開発コスト削減、②多くのプログラマの目にふれることによる脆弱性やバグに対する迅速な改良（への少なくとも期待）、および③汎用的なOSSをシステム基盤とすることによって、特定ベンダへの過度の依存（いわゆるベンダ・ロックイン）を回避すること等を目的として、現在はさまざまなシステムで用いられている。

前記の通り、現在多くの著名なAIのプログラムがOSSとして公開されているが、これは、AIのプログラムが今後の画期的な製品・サービスの開発に不可欠な基盤となるものであり、OSSというオープンなコミュニティで開発のスピードを加速させる狙いがあるといわれている。もっと

注18）ソースコードとは、コンピュータに対する命令を人間の理解できるプログラム言語で記述したプログラム。

注19）コンピュータが読みとることができる「0」と「1」の二進法で表現されたプログラム。

も、裏を返せば、すでにAIのプログラム自体一定程度コモディティ化[注20]し、競争力の源泉がAIのシステム開発に不可欠なデータに移行したものとも考えられる。

いずれにせよ、AIのプログラムがOSSとして公開される傾向は、今後も続くものと思われるが、OSSの中には、OSSを改変したり、OSSを組み込んだ派生プログラムのソース・コードの開示を義務付けているものも存在し、開発したプログラムのソース・コードを秘匿して事業の競争力の源泉とする戦略を採用している場合には、かかる戦略はOSSのライセンス・ポリシー（以下、「OSSライセンス」という）と真っ向から反する場合がある。

以下では、OSSのライセンス・ポリシーの類型についてふれた上で、AIのシステム開発における留意点について述べる。

(1)　OSSライセンスの３類型

OSIは、オープン・ソースに適用されるライセンス・ポリシーを認定しているところ、本稿執筆時点で、83件のライセンス・ポリシーがOSIにより認定されている[注21]。

OSSをシステム開発において用いるに際しては、適用されるOSSライセンスの全文を詳細に確認する必要があることはいうまでもないが、相当数に及ぶOSSライセンスを理解するためには、これらを「コピーレフト」（copyleft）と呼ばれる概念の適用状況に従って分類することが有益である。

ここで、コピーレフトとは、コピーライト（copyright）に対置するものとして、フリーソフトウェア財団（Free Software Foundation, Inc. 以下、「FSF」という）により広められた概念であり、プログラム等の著作者が、自己の著作権を保有したまま、その著作物の自由な利用、改変、再頒布等を認めるものである。著作者が著作権を保持し続けるという点におい

注20）論者の中には、単なるコモディティ化を超えて、AIのプログラムが社会インフラとして積極的に共有化される「民主化」のフェーズに移行したと評価する者も存在する。

注21）https://opensource.org/licenses/alphabetical

【図表 3-1-4】OSS ライセンスの３類型

カテゴリ	ⅰ　改変*部分の開示	ⅱ　組み合わせたソフトウェアの開示
コピーレフト型	必要	必要
準コピーレフト型	必要	不要
非コピーレフト型	不要	不要

*改変の基準については、OSSのオリジナル・ソースコードに修正または追加を加えた場合は、いずれも改変したものとみなされる。なお、OSSから動的リンク（プログラムの実行時に必要なライブラリとリンクを行う方式）または静的リンクを行った場合に改変とみなすか否かは、OSSライセンスにより異なるため、適用を受けるOSSライセンスの原文を確認されたい。

て、著作者が著作権を放棄ないし一切主張しないとするパブリックドメインとは異なる点に留意が必要である。

OSSライセンスは、前記コピーレフト概念を取り込んでいる程度に応じて、【図表3–1–4】の通り、①コピーレフト型、②準コピーレフト型および③非コピーレフト型に分類することができる。

ⅰ　ユーザがOSSのソースコードを改変した場合に、改変部分の開示を義務付けるか

ⅱ　ユーザがOSSを他のソフトウェアと組み合わせた場合に、組み合わされたソフトウェアの開示を義務付けるか

前記の観点から、OSIにより認定されているOSSライセンスのうち代表的なものを分類した結果は【図表3–1–5】の通りである。

(2)　AI開発における留意点

OSSは技術の普及・促進に寄与するものであるが、その利用に当たりリスクはゼロではない。

特に、前記の通りコピーレフト型、準コピーレフト型のOSSを利用する場合は、オリジナル・ソフトウェアの改変部分についてソースコードの開示が義務付けられ、さらにコピーレフト型のOSSにおいては、オリジナルソフトウェアと組み合わせたソフトウェアについてもソースコードの開示が義務付けられる。

例えば、Linux等に採用されるGNU General Public License（以

【図表3-1-5】代表的OSS

カテゴリ	OSSライセンス	作成者
コピーレフト型	GNU General Public License	FSF
準コピーレフト型	Mozilla Public License	Mozilla Foundation
	Lesser GNU General Public License	FSF
非コピーレフト型	BSD License	University of California, Barkley
	Apache License	Apache Software Foundation
	MIT License	Massachusetts Institute of Technology

下、「GPL」という）3.0は、対象となるソフトウェアを改変して配布(Convey)[注22]する場合には、当該ソフトウェアに基づく著作物（a work based on the Program）[注23]のソースコードの開示義務が課されている（GPL 3.0第5条第1パラグラフb）。

このため、開発したAIのプログラムのソースコードを秘匿して事業の競争力の源泉とすることを意図している場合は、当該OSSの採用に当たってソースコードの開示義務が課されないかを確認する等、細心の留意が必要となる。なお、GPL 2.0とGPL 3.0との違いとして、GPL 3.0においては、許諾したプログラムの利用に関して、当該許諾した権利者が保有する特許に基づくライセンスを許諾する旨が定められていることが挙げられ、この点も留意が必要である。

注22）GPL 3.0では、特定の国の法律に依拠しているとの誤解を避けるため、あえて著作権法上のdistribution等の用語を用いず、conveyという用語を定義して用いている。この点はGPL 2.0とは異なるため留意されたい。

注23）FSFのQ&A（https://www.gnu.org/licenses/gpl-faq.html.en）によれば、動的または静的にリンクされたプログラムを含むとされる。

【図表3-1-6】著名なAIのプログラムと適用されるOSSライセンス

プログラム名	開発元	OSSライセンス
TensorFlow	Google	Apache License 2.0
CNTK	Microsoft	MIT License
PyTorch	Facebook	BSD License
amazon-dsstne	Amazon	Apache License 2.0

【図表3-1-6】は本稿執筆時点で確認した著名なAIのプログラムに適用されるOSSライセンスである。現状では、いずれも非コピーレフト型のOSSライセンスであるBSD License、MIT LicenseおよびApache License 2.0が適用されていることがわかる。

では、非コピーレフト型のOSSライセンスであれば、何らの制限なくOSSとして公開されたAIのプログラムを利用することができるのであろうか。

まず、具体的に、非コピーレフト型の原型といわれるBSD Liceseの内容をみると、BSD Licenseは、その規定内容が数次にわたり見直されており、現在は2項からなる2-Clause版から4項から4-Clause版の3種類が併存する。4-Clause版の内容は以下の通りである[注24]。

① ライセンシは、OSSをソースコード形式で配布する際、ライセンス本文・著作権表示・Disclaimer条項（OSSに関する無保証と免責に関する条項）を含めなければならない

② ライセンシは、OSSをオブジェクトコード形式で配布する際、ライセンス本文・著作権表示・Disclaimer条項を、配布時に提供する関連文書等に含めなければならない

③ ライセンシは、OSSの宣伝または販売促進のために、開発者または他の利用者の名前を許可なく使用してはならない。

注24）「OSSライセンスの比較および利用動向ならびに係争に関する調査報告書」（2010年5月 独立行政法人 情報処理推進機構）参照。

【図表3-1-7】BSDライセンスの類型

BSD License	前記①	前記②	前記③	前記④
2-Clause	適用	適用	非適用	非適用
3-Clause	適用	適用	適用	非適用
4-Clause	適用	適用	適用	適用

④　ライセンシは、OSSを宣伝する際には、広告内にオリジナル開発者の名前を明記しなければならない。

なお、3種類のBSD Licenseにおける前記規定の適用状況は【図表3-1-7】の通りである。

また、MIT Licenseは前記の2-Clause BSD Licenseとほぼ同様の内容となっている[注25)]。

このように、BSD LiceseおよびMIT Licenseはともに、利用者にソースコードの開示を義務付けるものではないが、ライセンス本文、著作権の表示等を行う必要がある。

次に、Apache License 2.0は、BSD License等と同様、非コピーレフト型ライセンスに分類されるが、BSD LicenseおよびMIT Licenseと異なり、特徴的な規定として、以下の特許ライセンスに関する規定が存在する[注26)]。

> 3　Grant of Patent License. Subject to the terms and conditions of this License, each Contributor hereby grants to You a perpetual, worldwide, non-exclusive, no-charge, royalty-free, irrevocable (except as stated in this section) patent license to make, have made, use, offer to sell, sell, import, and otherwise transfer the Work, where such license applies only to those patent claims licensable by such Contributor that are necessarily infringed by their Contribution (s) alone or by combination of their

注25）https://opensource.org/licenses/mit-license.php
注26）http://www.apache.org/licenses/LICENSE-2.0

Contribution (s) with the Work to which such Contribution (s) was submitted. If You institute patent litigation against any entity (including a cross-claim or counterclaim in a lawsuit) alleging that the Work or a Contribution incorporated within the Work constitutes direct or contributory patent infringement, then any patent licenses granted to You under this License for that Work shall terminate as of the date such litigation is filed.

このようにApache License 2.0は、OSSの利用者がApache License 2.0の適用されるOSSを利用する限りにおいて、OSSを配布した者（コントリビューター）の保有する特許についてライセンスを受けられることを認めるものであるが、他方で、OSSの利用者が誰かを特許侵害で訴えた場合は当該ライセンスは失効することを定めているといえる。なお、Apache License 2.0の適用を受けるOSSを利用する場合は、前記規定中で用いられている用語の定義規定を含めて原文を必ず確認いただきたい。

このように、現状ではOSSとして公開されている著名なAIのプログラムに適用されるOSSライセンスは、利用者に対する制限が比較的緩やかな非コピーレフト型のものが多いが、非コピーレフト型といっても何らの制限なくOSSを利用できるものではない。さらには、開発を担うベンダにおいてユーザの意図しないところでコピーレフト型・準コピーレフトのOSSライセンスが適用されるOSSがAIのシステムに組み込まれた場合は、本来秘匿することを意図していたAIのシステムのソース・コードの開示が義務付けられることもある。

したがって、ユーザがベンダにAIのシステムの開発を委託する場合は、OSSの利用について、委託契約中に例えば以下の規定を設けてOSSの利用についてはユーザの事前承諾を要することを義務付けることが望ましい。

OSSの取扱いに関する規定例

第○条　（オープンソースソフトウェアの取扱い）
ベンダは、本件システムにオープンソースソフトウェア（以下、「OSS」という）を組み込もうとする場合（OSSに改変および機能追加を行う場合ならびにOSSとリンクを行う場合を含む）は、当該OSSの内容、組込態様およびOSSに適用されるライセンス条件を通知のうえ、事前にユーザの書面（電磁的記録を含む）による承諾を得るものとする。

なお、前記の規定例は、OSSを組み込む場合は、ユーザの承諾を得ることを必要としているが（それゆえ、OSS選定の最終的な責任はユーザが負うことが含意されている）、組み込むことが想定されるOSSが多数となり逐一承諾を得ることが実務的に困難となることが想定される場合は、事前に組込みが可能なOSSの類型を契約において指定しておくことも考えられる。

また、現在は相当数のOSSが展開されており、開発するシステムの規模によっては、そのソースコードのすべてを人が確認しOSSの流用や、意図しない混入がないか確認することは現実的ではない場合もある。そのような場合に備えて、OSSが組み込まれているか否かを機械的に検出するツールが複数のベンダから提供されている[注27)]。より慎重を期すのであれば、開発過程の中で、ベンダに前記ツールを利用してOSSの網羅的な検出とユーザへの報告を義務付けることも考えられる。

V　開発成果の帰属およびライセンス

1　概要

システムの開発過程においては、さまざまな知的財産権が発生することになるが、それらをベンダおよびユーザのいずれに帰属させるかは、システム開発契約に関するベンダ・ユーザ間の交渉において、往々にして大きな論点となる。

この点、前述の経済産業省モデル契約は、「著作権を除く特許その他の知的財産権等は発明者主義で統一している」（経産省モデル契約16頁注40）とし、システムの開発過程で生じた発明等について、その発明を行った者

注27）イスラエルのWhite Source社の提供する「WhiteSource」や、米国Black Duck社の提供する「Protex」等。

が属する当事者に帰属する旨の条文案を提示している。また、AI契約ガイドラインも、発明者主義をモデル秘密保持契約書の条項案として設けている（第6条B案、AI契約ガイドライン82頁）。

ここで「発明者」とは、当該発明について、その具体的な技術手段を完成させた者を指し、単なる補助者、助言者、資金の提供者、あるいは単に命令を下した者は発明者にはならないと解されている[注28]。

この点、システムの開発において、前記Ⅱの通り、ウォーターフォール型の開発手法を用いる場合は、システム設計、システム方式設計およびプログラムの実装工程はベンダ・ユーザ間で合意された要件定義に従ってベンダ間で行われることが通常である。

このような場合、ユーザがよほど詳細に要件定義を行わない限りはシステム開発にはベンダに一定の裁量が生じ、これに前記の経済産業省モデル契約の発明者主義を当てはめると、システムのにシステムの開発過程で生じる知的財産権は多くの場合ベンダに帰属することになる。前記のアジャイル型においても、開発過程にユーザが関与する度合いはウォーターフォール型と比較して高まるとしても、具体的な開発はベンダを主体として行われるものと想定され、ウォーターフォール型の開発と同様に、多くの知的財産権がベンダに帰属することとなろう。

このようにシステムの開発過程で生じる特許権等の帰属を発明者主義によって定めることは、ベンダには有利であっても、ユーザがシステム開発の成果を競争力の源泉と位置付けている場合は、その競争力が削がれる可能性がある。

他方で、システムの開発過程で生じる特許権等をすべてユーザ帰属とする場合は、ベンダが類似の開発を他社から受託する際の制約となり、ベンダとしては受け入れられない場合が多いものと思われる。

この点、経済産業省モデル契約のいう発明者主義はあくまで、使用者（会社）と発明者との関係においては特許を受ける権利は発明者に帰属するとする考え方であり（なお、平成27年改正特許法により、一定の条件のもと特許を受ける権利を会社に原始的に帰属させることも認められた）、ベンダ

注28）中山・特許法45頁。

とユーザの関係において無条件にこれを適用する必然性はない。例えば、ベンダに属する発明者が何らかの発明を行った場合、原始的に特許を受ける権利を取得することが可能となるのは、ベンダまたは当該従業員であるが、ユーザが特許を受ける権利の移転を受ける必要があれば、（場合によっては発明を行った従業員から特許を受ける権利の承継を受けた）ベンダから、特許を受ける権利の移転を受ければ足りる。

前記のように、従来型のシステム開発においても、システム開発の過程で生じる知的財産権の帰属については、発明者主義で帰属を単純に決定できるものではなくベンダ・ユーザ間で利害が対立し、多くの案件で交渉が難航するケースが多かったが、AIのシステム開発においては、学習用データセットや学習済みモデルに関する知的財産権の帰属をめぐって交渉がより複雑化する可能性がある。

以下では、まず従来のシステム開発における知的財産権の帰属に関する議論を俯瞰し、AIのシステム開発において特に留意すべき点について、開発委託契約における知的財産権の帰属に関するサンプル条項を交えながら述べる。

2　従来型のシステム開発

従来型のシステム開発においても、成果物として要件定義書や試験結果報告書等さまざまなものが存在するが、その帰属が問題となるのは主にはプログラムであろう。

このような従来型のシステム開発においても、前記経済産業省モデル契約のような「発明者主義」を採用して、その成果物に関する知的財産権の帰属を決定することは実務上は多くなく、前記1で述べたようなすべてベンダ帰属とすることにより減殺されるユーザの競争力と、逆にすべてユーザ帰属することにより生じるベンダの事業に関する制約のバランスを図るために、ベンダ・ユーザ間で交渉が行われることが多い。

そのような交渉の結果、前述の発明者主義により帰属を定める場合に加え、開発するシステムの規模や性質に応じて、以下のように帰属を定める場合がある。

①　システムに関する知的財産権を含む利用権限をベンダに帰属させ、

ユーザに対してはその利用を許諾する。

② システムのうち汎用的な部分とユーザの委託を受けて開発した固有の部分に分離し、前者に関する知的財産権を含む利用権限をベンダに、後者をユーザに帰属させ、前者についてはベンダがユーザに対してその利用を許諾する。

③ システムに関する知的財産権を含む利用権限をユーザに帰属させる。

以下は、実務上最も採用されるケースが多い前記のパターン②の規定例であり、開発に着手する前からベンダが保有していた知的財産権や、汎用性が高くベンダにおける他のシステム開発に利用し得るものはベンダに帰属させた上でユーザにライセンスを行う旨を定めるものである。

従来型のシステム開発における知的財産権の帰属に関する規定例

> 第○条　（知的財産権の帰属）
>
> 1. 本件システムに係る特許権および著作権その他の知的財産権（特許その他の知的財産権の登録を受ける権利ならびに著作権法27条および同28条に関する権利を含む）を含む本件システムを排他的・独占的に利用することのできる権限は、①本契約締結以前よりベンダまたはその他の第三者が保有していたものおよび②汎用性が高く他システムへの転用が可能である〔とベンダおよびユーザが書面（電磁的記録を含む）により合意する〕ものを除き、ユーザのベンダに対する本契約に関する委託料の支払が完了した時点で、ベンダからユーザに移転するものとする。
> 2. 前項に基づきベンダおよび第三者に留保された権限に基づき、ベンダはユーザに対して、〔○年間／期限の定めなく〕〔別途の対価の支払を要することなく／別途合意する対価を支払ったうえで〕、ユーザが本件システムを利用することのできる〔独占的な／非独占的な〕権限を許諾し、第三者をして許諾させるものとする。
> 3. ベンダは、ユーザの本件システムの利用について自ら本件システムに関する著作者人格権を行使せず、第三者をして行使させないものとする。

＊前記の規定例の〔　〕内の記載は案件の性質に応じて適宜選択されたい。

(1)　1項

ベンダに対する開発委託の対象である本件システムに係る知的財産権の帰属に関するものである。本項においては、前記の通りベンダ・ユーザ間のバランスを図るために、一定の知的財産権についてはベンダに留保される旨を規定しているが、開発するシステムの規模や性質によっては、本件システムに関する知的財産権のすべてをユーザに移転することが適切な場合もあろう。

まず、①において本契約の締結以前よりベンダまたは第三者が保有していたものをユーザに対する移転の対象から除外している。第三者が保有していたものの典型的な例としては前述のOSSが挙げられる。

また、②においては、汎用性が高く他システムへの転用が可能であるものは、ベンダに留保することを許容しているが、汎用性の有無は一義的に明らかではない場合が多く、ベンダにおいては、これを狭く解釈されると他事業へ悪影響を及ぼすこともあろうし、ユーザにおいては、汎用性が高いがゆえにベンダから競合他社に対して展開されることを阻止したいと考えることもあろう。

したがって、契約上、②によりベンダに留保される知的財産権については、定性的であれ可能な限り特定することが後日の紛争を回避するために望ましい。

なお、ユーザがベンダから著作権を含む知的財産権の移転を受ける場合、著作権法61条２項の規定には留意が必要である。すなわち、同項は、「著作権を譲渡する契約において、第27条又は第28条に規定する権利が譲渡の目的として特掲されていないときは、これらの権利は、譲渡した者に留保されたものと推定する」と規定する。このため、契約上明記しなければ、本件システムを改変することのできる翻案権（同法27条）および２次的著作物に関する原著作者の権利（同法28条）については、ベンダからユーザに移転しない旨推定され、ユーザによる本件システムの改変等の利用行為が制限される。よって、ユーザがかかる制限を受けたくない場合は、前記サンプル条項の１項のように、著作権法27条および28条の権利についても移転対象に含まれる旨を明記する必要がある。

また、前記サンプル規定においては、単に知的財産権を含む本件システムの利用権限をベンダからユーザに移転すると規定するにとどめているが、より詳細にベンダの義務を規定することもあり得る。例えば、ユーザがベンダから本件システムに関する特許を受ける権利の移転を受けた場合を想定すると、ユーザが特許出願や、出願後の特許庁との応答を行うに際して、ベンダから技術的なサポートを受ける必要があることが多い。ユーザとしてはベンダから移転を受けた知的財産権が画に描いた餅とならないようベンダに合理的に必要となる協力を義務付けておく必要があろう。

⑵　２項

前記サンプル条項の２項は、１項でベンダに留保された権限に基づき、ベンダがユーザにライセンスを与えるものである。本項では、ユーザに対する許諾の範囲は、「本件システムを利用することのできる」範囲としているが、ユーザにおいて、本件システムを改変等する必要があるのであれば、かかる行為態様についても許諾の範囲に含まれるよう規定すべきである。

また、前記サンプル条項の２項は、ユーザが本件システムを利用する範囲において、ベンダに留保された知的財産権を利用することを認めるものにすぎない。すなわち、ベンダがユーザの競合会社等の第三者に対して、さらにライセンスを行うことは許容される。ベンダにとって、およそすべての第三者に対してライセンスを禁じられることは、そもそも、知的財産権をベンダに留保した意味がなくなり受け入れられるものではないだろうが、本件システムや留保される知的財産権の性質に応じて、制限された範囲でユーザに対して独占的なライセンスを行い、第三者（具体的にユーザの競合会社を列挙することもあり得る）へのライセンスを禁じる旨を規定することも考えられる。

⑶　３項

著作権法59条は「著作者人格権は、著作者の一身に専属し、譲渡することができない」と定め、ユーザはベンダから移転を受けることができないため、ベンダからの著作者人格権の行使を抑制するためには、ユーザとしては、前記サンプル条項の３項のような規定を設ける必要がある。

前記サンプル条項の３項は、前記の通り著作者人格権が譲渡できないことを踏まえ、ベンダおよび第三者に帰属する著作者人格権の不行使を定めるものである。

３　AIのシステム開発

AIのシステム開発においては、開発過程において、プログラムと独立して価値を有し得る学習用データセットが生成され、また開発の最終成果である学習済みモデルも、その元となった学習前のAIのプログラムと学習済みパラメータで構成されていると考えることができ（前記第２編第１章Ⅲ２参照）、それぞれについてベンダ・ユーザのいずれに帰属させるのか問題となる。

AIのシステム開発においては、従来型のシステム開発と比較して、前記のように学習用データセットと学習済みモデルの権利関係について決定する必要があり、従来型のシステム開発と比較して問題がより一層複雑化する。他方で、AIを利用した製品・サービスの市場における競争環境は激化し、かかる競争環境下で勝ち抜くためにはAIのシステム開発を加速する必要があり、ベンダ・ユーザ間の契約交渉に割ける時間は決して長くはない。

以下では、このようなベンダ・ユーザ間のAIのシステム開発の成果である知的財産権の帰属およびライセンスに関する交渉における望ましい解を示すものではないが、交渉に当たりベンダ・ユーザの双方が留意することが望ましい点を示すものである。

(1)　学習用データセット

生データがユーザからベンダに提供され、ベンダにおいて学習用データセットが編成されるような前記１において仮定したケースを想定すると、まず当該学習用データセットに関する知的財産権の帰属が問題となる。

この点、ユーザとしては、学習用データセットの元となる生データを自ら収集し、ベンダに提供した以上は、学習用データセットに関する知的財産権はユーザに帰属し、自ら自由に利用し、他方でベンダによる目的外利用は制限したいと考えることが当然である。特に、質・量ともに充実した生データをいかに入手するかがAIのシステム開発の成否や、開発成果を用いた事業の競争力を左右するような状況においては、その傾向は顕著であろう。

他方、学習用データセットの編成は、単にベンダが保有するAIのプログラムが読み込むことができるように配列を編集するような機械的な作業にとどまらず、生データにデータについての注釈（正解データ）を付すアノテーションと呼ばれる作業や、少量の生データに汎用性をもたせて大量の学習用データセットを生成するための拡張技術（データオーギュメンテーション）等の技術の重要性も指摘されているところであり、ベンダとしては、かかる技術については自らに留保したいと考えるであろう。

(A)　ベンダ・ユーザ間の契約において明示的な規定を設けない場合

仮に著作権が成立する場合、前記1において仮定したケースを想定すると、学習用データセットの編成を行ったベンダに帰属することが原則であるが、では、仮に学習用データセットの権利関係について、ベンダ・ユーザ間の契約において何も規定しなければ、ユーザは何らの制限なく学習用データセットを利用できるのであろうか。また、ベンダによる目的外利用を制限し得るのであろうか。

まず、そもそも、学習用データセットに著作権が成立するか否かについては、学習用データセットの編成の過程で「情報の選択又は体系的な構成によって創作性を有する」に至った（著作12条の2第1項）場合には、データベースの著作物（同法2条1項10号の3）に該当し、著作権が成立する可能性がある。

次に、当該著作権の帰属主体については、学習用データセットの編成行為についてベンダだけではなくユーザも創作的な寄与をしていると認められる場合には、学習用データセットに関して新たに発生した著作権はユーザとベンダの共有に属する可能性がある。

【図表3–1–8】は、前記の著作権の成否および帰属主体ごとにベンダ・ユーザにおける学習用データセットの利用の可否について整理したものである。

まず、学習用データセットに著作権が成立し、当該著作権がベンダに帰属する場合は、ユーザは学習用データセットをベンダから許諾を受けない限りは利用することができない。他方でベンダは、学習用データセットの著作権者として自由に利用することができる。仮に、学習用データセットの元となる生データに著作権が成立し、ユーザに帰属する場合は、ユーザは2次的著作物（学習用データセット）の原著作物（生データ）の著作権者

【図表3-1-8】著作権法上の学習用データセットの利用可否

学習用データセットの著作権の成否	学習用データセットに関する著作権の帰属主体	学習用データセットの利用	
		ベンダ	ユーザ
成立	ベンダ	原則自由 ただし、本文記載の例外あり	ベンダの許諾が必要
	ベンダ・ユーザの共有	ユーザの同意が必要	ベンダの同意が必要
不成立	—	自由	自由

として、ベンダによる学習用データセットの利用を制限し得ることになるが（著作28条）、この場合であっても、著作権法30条の4により情報解析のための利用に関しては著作権の行使が制限されているため、原則として、その範囲においてはベンダによるかかる行為について制限を及ぼすことはできない[注29]。

次に、学習用データセットに著作権が成立し、当該著作権がベンダ・ユーザの共有となる場合は、ベンダ・ユーザともに共有相手方の同意がなければ学習用データセットを利用することができない（著作65条2項）。なお、ベンダ・ユーザのいずれも著作権法30条の4で許容される限りにおいて学習用データセットを利用することは前記と同様である。

最後に、そもそも、学習用データセットに著作権が成立しない場合は、ユーザは学習用データセットを自由に利用できるが、著作権に基づいてはベンダの利用についても制限することができない。

前記のような帰結は、学習用データセットを自らは何らの制限なく利用し、ベンダの目的外利用や外部への流出を禁止したいというユーザの意思には著しく反することとなる。

注29）例外として、著作権法30条の4ただし書に該当する場合や、ベンダとユーザの間で契約が締結されている場合が考えられる（ただし、同条が契約に優先する〔強行法規である〕とするか否かについては議論がある）。

他方で、「学習用データセットに関する一切の知的財産権は、ユーザに帰属するものとする」といった抽象的な規定をベンダ・ユーザ間の契約に設けると、前記のデータオーギュメンテーション等の生データから学習用データセットを生成するような、汎用性が高くベンダにおいて継続して利用が必要な技術に関する知的財産権までユーザに移転することになりかねない。

したがって、ベンダ・ユーザ間の契約においては、両社の利害関係を踏まえた適切な権利配分を定めることが必要となる。

なお、生データに、ベンダ・ユーザ以外の第三者がアノテーションを付し、教師データセットを生成し、それにベンダが機械学習用の加工をして学習用データセットを生成する場合もあり、その場合には、権利配分についてより複雑な交渉となろう。

(B)　ベンダ・ユーザ間の契約におけるサンプル規定

以下は、前記のような想定される利害関係を踏まえた規定例であり、1項および2項については、前記Ⅲ２(2)で述べた生データの取扱いとほぼ同様である。

学習用データセットの取扱いに関する規定例

第○条　（学習用データセットの取扱い）
1. ベンダは、ユーザがベンダに提供したデータを利用して作成した学習用データセット（以下、「学習用データセット」という）について、本契約における秘密情報として扱い、本委託業務の遂行のためにのみ利用するものとする。
2. ベンダは、本委託業務が完了し、または本契約が終了した場合、ユーザの指示に従って、学習用データセットが記録された媒体を破棄若しくはユーザに引き渡し、ベンダが管理する一切の電磁的記録媒体から削除し、破棄又は削除をした場合にはこの旨を証明する書面をユーザに対して提出するものとする。
3. 学習用データセットに排他的・独占的にアクセスし、かつ、これを利用することができる権限（学習用データセットに係る特許権および著作権その他の知的財産権（特許その他の知的財産権の登録を受ける権利並びに著作権法27条および同28条に関する権利を含む）を含むがこれに限られない。）は、学習用データセットの作成に係るものを除き、ユーザのベンダに対する本契約に関する委託料の支払が完了した時点で、ベンダからユーザに移転するものとする。
4．ベンダは、ユーザの学習用データセットの利用について自ら学習用データセットに関する著作者人格権を行使せず、第三者をして行使させないものとする。

規定例の3項においては、原則として学習用データセットに関する知的財産権はユーザに移転するものとしつつ、前記(i)で述べたデータオーギュメンテーション等の学習用データセットの編成技術に関する知的財産権はベンダに留保され、ユーザに移転しないことを規定している。

規定例の4項は前記2で述べた通り著作権人格権が譲渡できないことを踏まえ、ベンダからユーザに対する権利不行使を定めるものである。

なお、前記Ⅲ2(2)で述べた生データと同様、学習用データセットの重要性を踏まえ、前記2(2)の規定例の4項ないし6項のデータの管理体制、監査等について契約に規定することも考えられる。

(2)　学習済みモデル

AIのシステム開発における最終的な成果である学習済みモデルについては、前記第2編第1章Ⅲ2の通り、その元となった学習前のAIのプログラムと学習済みパラメータで構成されていると考えることができる。

ベンダとしては、AIのプログラム部分については、ベンダがユーザからの委託前から保有していたプログラムや汎用的な技術を利用したものである場合は重要な開発基盤として他社へも展開するために、その知的財産権を自らに留保することを望むことが通常であろう。

他方、ユーザとしては、学習済みパラメータ部分については、ユーザが収集した生データに基づき編成された学習用データセットを利用して得られた成果であり、かかる学習済みパラメータについては自ら自由に利用でき、かつベンダによる目的外利用や外部への流出は禁止したいと考えるものと思われる。

この点、AIのプログラムと学習済みパラメータの関係は、開発の着手前からベンダが保有していたものと開発により生じたものという意味において、前記2の従来型システム開発においてベンダに留保される汎用的なプログラムと、ユーザの委託を受けて開発されたシステムに固有のものとしてベンダからユーザに移転されるプログラムの関係に類似する。

もっとも、学習済みパラメータはAIのプログラムにおけるニューラル・ネットワーク間の重み付けを規定するものであるため、汎用的なプログラムと固有のプログラムのように、それぞれが独立した技術的な価値を有し得る場合と異なり、AIのプログラムと切り離してしまうと、それ自体は技術的な価値がなくなる可能性が高いように思われる。

したがって、ユーザとしては、仮にAIのプログラムに関する知的財産権をベンダに留保した上でライセンスを受けることを認めたとしても、学習済みパラメータのAIのプログラムに対する技術的依存性を踏まえて、ベンダからライセンスを受ける範囲については慎重に検討することが必要である。

以下では、学習済みモデルに係る知的財産権の帰属とライセンスに関して想定される類型ごとにサンプル規定を挙げて検討を加える。なお、学習済みモデルに係る知的財産権の帰属については、理論上は以下の３つのパターンが存在する。

① 学習済みモデルに係る知的財産権をベンダに帰属させ、ユーザに対してはその利用を許諾する。

② 学習済みモデルを、ⅰAIのプログラム部分、ⅱ学習済みパラメータ部分に分離し、前者に係る知的財産権をベンダ、後者に係るものをユーザに帰属させベンダがユーザに対してその利用を許諾する。

③ 学習済みモデルに関する知的財産権をユーザに帰属させる。

なお、AIのプログラム部分について、汎用的な部分とユーザからの委託を受けて開発されたユーザに固有の部分を分けて、それぞれについて個別に帰属を定める場合もあり得る。

(A) パターン①：学習済みモデルの知的財産権をベンダに帰属させるケース

以下は、学習済みモデルについて、その元となったAIのプログラムと学習済みパラメータの双方をベンダに帰属させ、ユーザがライセンスを受けることを想定した規定例である。もっとも、本ケースは、知的財産権がベンダに帰属する以上、ユーザの保護は最も手薄になってしまうため、以下に述べるようにユーザを保護するためには、サンプル規定をベースとしつつもさまざまな修正を加えることについて検討を行う必要がある。

(i)　ユーザに対するライセンスを非独占的なものとする場合

パターン①の規定例

第○条　（学習済みモデルの取扱い）
1. ユーザは、第○条に基づきユーザからベンダに提供されたデータを用いてAIのプログラムを学習させることにより得られた学習済みモデル（以下、「学習済みモデル」という）を排他的・独占的に利用することができる権限（特許権および著作権その他の知的財産権（特許その他の知的財産権の登録を受ける権利ならびに著作権法27条および同28条に関する権利を含む）を含むがこれに限られない。但し、本契約締結以前より第三者が保有していたものを除く）がベンダに帰属することを確認する。
2. ベンダは、ユーザに対し、〔○年間／期限の定めなく〕、学習済みモデルを〔○のために〕利用することのできる非独占的権限を〔無償／有償で〕許諾し、第三者をして許諾させるものとする。
3. ベンダは、2項の範囲のユーザの学習済みモデルの利用について自ら学習済みモデルに関する著作者人格権を行使せず、第三者をして行使させないものとする。

（第1項）

規定例1項においては、ベンダに知的財産権を含む学習済みモデルを排他的・独占的に利用することのできる権限が帰属する旨を規定している。本規定は、対象を知的財産権に限定していないので、知的財産権が成立しない可能性があるもの（例えば、データや学習済みパラメータ）についても本規定の対象となる。なお、本項においては、「本契約締結以前より第三者が保有していたもの」、すなわち例えばOSS等の第三者が知的財産権を有するソフトウェアがAIのプログラムに組み込まれている場合を対象から除外している。

（第2項）

前記サンプル規定2項においては、ベンダからユーザに対するライセンスの範囲を、仮に、「〔○のために〕使用する」と規定しているが、ユーザとしては、学習済みモデルの目的を限定することを受け入れることができるか検討を要するし、ライセンスの対象となる行為態様も、単に学習済みモデルを「使用」することで足りるのか、「使用」を超えて、学習済みモデルを改変することまでライセンスの対象とすべきか検討が必要となる。

なお、本項においては、１項で対象から除外した「本契約締結以前より第三者が保有していたもの」を除外することなく、ベンダからユーザに対して利用許諾を行う旨定めているため、ベンダは当該第三者から再実施許諾権限付きで利用許諾を受け、ユーザに対して再利用許諾を行う必要が生じる。ベンダとしてそのようなアレンジを行うことが困難な場合は本項の利用許諾から「本契約締結以前より第三者が保有していたもの」を除外する必要があろうし、ユーザとしては、そのようなものが具体的に何か、また当該第三者から直接利用許諾を受けることが可能か確認する必要がある。

（第３項）

前記２まで述べた通り著作権人格権が譲渡できないことを踏まえ、ベンダからユーザに対する権利不行使を定めている。

また、ユーザがベンダから学習済みモデルについて利用許諾を受けるに際し、例えば、ベンダの管理するサーバやクラウド上に存在する学習済みモデルをインターネット等経由で利用する場合は、ベンダ側のシステム基盤や環境により学習済みモデルの品質および性能や機密性が影響を受ける可能性がある。したがって、このような場合には、ユーザとしては、別途SLA（Service Level Agreement）をベンダとの間で取り決める等して、学習済みモデルの応答性等の性能、可用性等の信頼性、機密性等をベンダとの間で合意しておくことが必要となる場合も多い。

(ii)　ユーザに対する学習済みパラメータのライセンスを独占的なものとする場合

前記サンプル規定においては、ユーザはベンダから非独占的権限を許諾されているにすぎないため、ベンダは、学習済みモデルのAIのプログラムおよび学習済みパラメータの双方ともに自ら自由に利用し、ユーザの競合会社のような第三者に対してもライセンスすることが可能となる。

このような帰結は、ユーザにとっては、前記１で仮定したケースにおいては、学習済みモデルのAIのプログラム部分については、ベンダがもともと保有していた汎用性の高いものに基づくものであるため納得できたとしても、ユーザの収集した生データを利用して得られた学習済みパラメータ部分についてもベンダが自由に利用し、第三者にライセンスできるとするのは承服しがたい場合もあるであろう。

このようなケースを想定し、学習済みモデルのうち、AIのプログラム部分については、ベンダからユーザに対して非独占的なライセンスを行い、ベンダによる自由な利用と第三者に対するライセンスを許容し、学習済みパラメータについてはユーザに対して独占的にライセンスする旨を規定したものが以下の規定例である。

パターン①の規定例（学習済みパラメータを独占的ライセンスとする場合）

第○条　（学習済みモデルの取扱い）

1. ユーザは、第○条に基づきユーザからベンダに提供されたデータを用いてAIのプログラムを学習させることにより得られた学習済みモデル（以下、「学習済みモデル」という）を排他的・独占的に利用することができる権限（特許権および著作権その他の知的財産権（特許その他の知的財産権の登録を受ける権利ならびに著作権法27条および同28条に関する権利を含む）を含むがこれに限られない。但し、本契約締結以前より第三者が保有していたものを除く）がベンダに帰属することを確認する。
2. ベンダは、ユーザに対し、〔○年間／期限の定めなく〕AIのプログラムを〔○のために〕使用することのできる非独占的権限を許諾する。
3. ベンダは、ユーザに対し、学習済みパラメータを〔○年間／期限の定めなく〕、〔○のために〕〔有償／無償で〕利用することのできる独占的権限を許諾する。
4. 疑義を避けるために述べれば、学習済みモデルのうち、AIのプログラム部分のみについては、ベンダは、ユーザの事前の承諾を得ることなく自ら自由に利用し、第三者に対してその利用を許諾することができる。
5. ベンダは、2項に基づく許諾を行っている期間内は、ユーザの事前の書面による同意なく学習済みパラメータを自ら利用し、第三者に利用許諾を行ってはならず、本契約に基づく秘密情報として取り扱うものとする。

（1項）

本(i)冒頭の規定例1項と同内容である。

(2項)

本項においては、AIのプログラムについては、前記1で前提としたケースではベンダが開発着手前から保有する汎用的なものに基づくものであることから、ユーザに対しては非独占的なライセンスとし、ベンダにおける自由な利用と第三者に対するライセンスを許容している。

(3項)

他方、学習済みパラメータは前記1で前提としたケースでは、ユーザが提供した生データを編成して得られた学習用データセットを用いてAIのプログラムを学習させた成果であるため、ベンダからユーザに対して独占的なライセンスを行うこととしている。

(4項)

前述の規定例と同様、著作者人格権の不行使を定めるものである。

(5項)

2項に基づくAIのプログラムのライセンスは独占的であるため、自明であるが、疑義を避けるために規定している。

(6項)

本項においては、学習済みパラメータについては事前にユーザの書面による同意がなければ、ベンダが利用と第三者に対するライセンスを行えないこと、すなわち、3項のライセンスを独占的なものとする具体的な内容を規定している。この点、ライセンス契約の中には、ライセンスが独占的であることのみを規定し、「独占的」の意味合いが必ずしも一義的に明らかでないものも散見されるが、前記の通り、ベンダによる第三者のライセンスを制限する趣旨か、それを超えてベンダ自身の利用にも制限を行う趣旨か明記すべきである。

(B)　パターン②：学習済みモデルのうち、AIのプログラム部分をベンダに、学習済みパラメータ部分をユーザに帰属させるケース

本ケースにおいては、前記(i)のケースと異なり、学習済みパラメータに関する知的財産権がユーザに帰属することになる。

このことから、ユーザとしては、かかる学習済みパラメータの知的財産権が得られた以上、基本的には競争力の源泉となる知的財産権はユーザにおいて確保され、ベンダからは残るAIのプログラムに関する知的財産権について、非独占的なライセンスを受けておけば十分であるとの考え方もあろう。

もっとも、前記第2編第1章Ⅲ２の通り、AIのプログラムと切り離された学習済みパラメータのみに著作権が成立するかは疑問が残るところであり、それ自体は単なる数値の羅列にすぎない学習済みパラメータに特許性を認めることは困難であろう。

したがって、ユーザとしては学習済みパラメータがAIのプログラムと一体となって初めて技術的価値を有するのであれば、学習済みパラメータ単体ではなく、あくまでもAIのプログラムと一体となった学習済みモデル全体としての知的財産権の保護について検討することが望ましい。

以下は、前記の観点から、学習済みモデルのうち、AIのプログラム部分をベンダに、学習済みパラメータ部分をユーザに帰属させるケースについて、前記(i)のサンプル規定のうち、ユーザに対するライセンスを独占的なものとする場合をベースとしたサンプル規定である。

パターン②の規定例

第○条（学習済みモデルの取扱い）

1. ユーザは、学習済みモデルのうち、AIのプログラムを排他的・独占的に利用することができる権限（AIのプログラムに関する特許権および著作権その他の知的財産権（特許その他の知的財産権の登録を受ける権利ならびに著作権法27条および同28条に関する権利を含む。以下同じ）を含むがこれに限られない。但し、本契約締結以前より第三者が保有していたものを除く）がベンダに帰属することを確認する。
2. 学習済みモデルのうち、学習済みパラメータを排他的・独占的に利用することができる権限（学習済みパラメータに関する知的財産権を含む）は、ユーザのベンダに対する本契約に関する委託料の支払が完了した時点で、ベンダからユーザに移転するものとする。
3. ベンダは、本委託業務が完了し、または本契約が終了した場合、ユーザの指示に従って、学習済みパラメータが記録された媒体を破棄若しくはユーザに引き渡し、ベンダが管理する一切の電磁的記録媒体から削除し、破棄又は削除をした場合にはこの旨を証明する書面をユーザに対して提出するものとする。
4. ベンダは、ユーザに対し、〔○年間／期限の定めなく〕、AIのプログラムを〔○のために〕〔有償／無償で〕使用することのできる独占的権限を許諾する。
5. ベンダはユーザによる学習済みパラメータの利用について、著作者人格権を行使せず、第三者をして行使させないものとする。
6. 疑義を避けるために述べれば、学習済みモデルのうち、AIのプログラム部分のみについては、ベンダは、ユーザの事前の承諾を得ることなく自ら自由に利用し、第三者に対してその利用を許諾することができる。
7. ベンダは、3項に基づく許諾を行っている期間内は、ユーザの事前の書面による同意なく学習済みパラメータを自ら利用し、第三者に利用許諾を行ってはならない。

なお、パターン①および②において共通であるが、ベンダがユーザに学習済みモデルの利用許諾を行うに際し、ユーザにおける当該学習済みモデルの派生モデルおよび蒸留モデル（第2編第1章Ⅲ４および５参照）の生成を禁じる必要があるのであれば、当該生成行為は、従来、多くのライセンス契約の中で禁止行為として規定されてきたリバース・エンジニアリングには、必ずしも該当しないものと思われるため、例えば、以下の規定例の2号および3号のように明示的に禁じる旨の規定を設けることが望ましい。この点についてはパターン②についても同様である。

派生モデル・蒸留モデルに関する規定例

第○条　（リバース・エンジニアリングおよび派生・蒸留モデルの生成の禁止）
ユーザは、ベンダの事前の書面による承諾なく学習済みモデルについて、以下の各号の行為を行ってはならない。
① リバース・エンジニアリング、逆コンパイル、逆アセンブルその他の方法でソースコードを抽出する行為
② 本委託業務に用いたものと異なる学習用データセットを用いた派生モデルの生成
③ 学習済みモデルにデータの入出力を繰り返すことで得られた結果を用いて得られる学習済みモデル（いわゆる蒸留モデル）生成
④ その他上記に準じる行為

(C)　パターン③：学習済みモデルの知的財産権をユーザに帰属させるケース

本ケースは、ベンダがAIのプログラムを自社の競争力の源泉と位置付けていないときには採用される場合があると思われる。なお、その場合であってもAIのプログラムのうち、汎用的な部分とユーザからの委託を受けて開発されたユーザに固有の部分を分けて、それぞれについて個別に帰属を定める場合もあり得る。

パターン③の規定例

> 第○条　（学習済みモデルの取扱い）
> 1. 学習済みモデルを排他的・独占的に利用することができる権限（特許権および著作権その他の知的財産権（特許その他の知的財産権の登録を受ける権利ならびに著作権法27条および同法28条に関する権利を含む）を含むがこれに限られない。但し、本契約締結以前より第三者が保有していたものを除く）は、ユーザのベンダに対する本契約に関する委託料の支払が完了した時点でベンダからユーザに移転するものとする。
> 2. ベンダは、本委託業務が完了し、または本契約が終了した場合、ユーザの指示に従って、学習済みモデルが記録された媒体を破棄若しくはユーザに引渡し、ベンダが管理する一切の電磁的記録媒体から削除するものとする。
> 3. ベンダは、ユーザの学習済みモデルの利用について、自ら著作者人格権を行使せず、第三者をして行使させないものとする。

なお、本規定例においても、パターン①および②と同様に、「本契約締結以前より第三者が保有していたもの」については、1項におけるベンダからユーザに対する移転の対象から除外しているが、ユーザとしては、そのようなものが具体的に何か、また当該第三者から直接利用許諾を受けることが可能か確認する必要がある。

Ⅵ　AI契約ガイドラインのモデル契約書についての検討

AI契約ガイドラインにおいては、アセスメント段階の秘密保持契約書、

PoC段階の導入検証契約書および開発段階のソフトウェア開発契約についてモデル契約書が提示されているため、これらについて紹介するとともにその検討を行う。

AI契約ガイドラインは、ガイドラインとしての性格を踏まえて、ユーザおよびベンダ双方に一方的に不利にならないよう慎重に配慮された上で作成されていることがうかがわれることから、実際の契約を作成する段階においては、ユーザまたはベンダいずれの立場であるかに応じて調整は必須といえる。

1　アセスメント段階の秘密保持契約（モデル契約書）（AI契約ガイドライン80頁以下）

秘密保持契約書

○○（以下「ユーザ」という。）と○○（以下「ベンダ」という。）は、○○の実施可能性の検討（以下「本件検討」という。）に伴い、相互に開示する秘密情報の取扱いに関して、次のとおり契約を締結する。

第1条（秘密情報の定義）から第5条（秘密情報の保証の限定）まで省略

第6条　（知的財産権）

【A案】知的財産権の取扱いについて、協議により定めるとする場合

1　本契約に基づく秘密情報の開示によって、本契約で明示的に認めた内容を除き、受領者は、開示者の秘密情報に関するいかなる権利についても、取得し、また許諾を受けるものではない。

2　受領者は、開示者の秘密情報に基づき、新たに発明その他の知的財産（以下あわせて「発明等」という。）が生じた場合、速やかに開示者に通知し、当該発明等にかかる特許権その他の知的財産権の取扱いについて両者協議の上決定するものとする。

【B案】知的財産権の取扱いについて、発明者主義とする場合

1　本契約に基づく秘密情報の開示によって、本契約で明示的に認めた内容を除き、受領者は、開示者の秘密情報に関するいかなる権利についても、取得し、また許諾を受けるものではない。

2　本件検討の過程で生じた発明その他の知的財産（以下あわせて「発明等」という。）にかかる特許権その他の知的財産権（以下、特許権その他の知的財産権を総称して「特許権等」という。）は、当該発明等を創

出した者が属する当事者に帰属するものとする。

3　ユーザおよびベンダが共同で行った発明等にかかる特許権等については、ユーザおよびベンダの共有（持分は貢献度に応じて定める。）とする。この場合、ユーザおよびベンダは、共有にかかる特許権等につき、それぞれ相手方の同意なしに、かつ、相手方に対する対価の支払いの義務を負うことなく、自ら実施または行使することができるものとする。

4　ユーザおよびベンダは、前項に基づき相手方と共有する特許権等について、必要となる職務発明の取得手続（職務発明規定の整備等の職務発明制度の適切な運用、譲渡手続等）を履践するものとする。

第7条（有効期間）以下省略

(1)　第6条（知的財産権の取扱いに係る規定の要否）

第6条（知的財産権）の規定以外は、比較的一般的な規定ぶりとされており、企業であれば通常使用しているひな型で網羅できているものであると考えられる。

第6条（知的財産権）は、「簡易な検証を前提しているため、権利帰属が問題となるような知的財産が生じない場合も多いと想定される。また、アセスメント段階に入る前の時点で、どのような知的財産が生じるかについて予測することは極めて困難である。そのような状況においては、当事者間であらかじめ知的財産権についての取り決めをするための交渉に時間を費やすよりも、知的財産が生じた時点で当事者間で協議する方が合理的であることも多い」とし協議により知的財産権の帰属を決する【A案】と発明者主義に従う【B案】を提示している。

秘密保持契約書が締結されなければデータの提供等を行うことができず、したがって、実質的な業務開始ができないことから、秘密保持契約書を速やかに締結するとニーズがあるといえ、交渉に時間をかけるよりも早期の妥結を図るほうが望ましい場合が多いという指摘は正当と思われる。そもそもアセスメント段階においては軽微な検証作業が想定されていることを踏まえると、特段重要な知的財産権が生じることは想定しがたいという点もその通りかと思われる。もっとも、そのような指摘を前提にすれば、あえて知的財産権の帰属について規定をしない（第6条を削除する）という選択肢もあるように思われる。知的財産権の帰属に係る条項を設ける場合、その後のプロセスにおける契約書のベースラインになる場合もあるであろうから秘密保持契約書においてはあえて規定せず、後の契約において規定すべきという評価もあり得ると考えられるからである。

(2)　第6条（知的財産権の取扱いに係る規定の内容）

内容としても、知的財産権の取扱いについて協議により定めるとする【A案】と、発明者主義とする【B案】のほか、アセスメント段階であれば、すべてユーザ側に帰属する（少なくともその範囲でのみ作業を依頼する）というアレンジも十分考えられるように思われる。

2　PoC段階の導入検証契約書（AI契約ガイドライン86頁以下）

導入検証契約書

○○（以下「ユーザ」という。）と○○（以下「ベンダ」という。）は、［検証対象となるベンダのAI技術名］のユーザへの導入・適用に関する検証に関して、○○○○年○○月○○日に、本契約を締結する。

第1条（目的）から第8条（責任者の選任および連絡協議会）まで省略

第9条　（再委託）

1　ベンダは、ユーザが書面によって事前に承認した場合、本検証の一部を第三者（以下「委託先」という。）に再委託することができるものとする。なお、ユーザが上記の承諾を拒否するには、合理的な理由を要するものとする。

2　前項の定めに従い委託先に本検証の遂行を委託する場合、ベンダは、本契約における自己の義務と同等の義務を、当該委託先に課すものとする。

3　ベンダは、委託先による業務の遂行について、ユーザに帰責事由がある場合を除き、自ら業務を遂行した場合と同様の責任を負うものとする。ただし、ユーザの指定した委託先による業務の遂行については、ベンダに故意または重過失がある場合を除き、責任を負わない。

第10条（契約内容の変更）から第15条（個人情報の取り扱い）まで省略

第16条　（ベンダ提供物等の著作権）

1　ベンダ提供物および本検証遂行に伴い生じた知的財産に関する著作権（著作権法27条および28条の権利を含む。）は、ユーザまたは第三者が従前から保有しているものを除き、ベンダに帰属するものとする。
2　ベンダは、ユーザに対し、ユーザが本検証の結果について検討するために必要な範囲に限って、ユーザ自身がベンダ提供物を使用、複製および改変することを許諾するものとする。ユーザは、かかる許諾範囲を超えてベンダ提供物を利用しないものとし、またベンダ提供物を第三者に開示または提供してはならないものとする。
3　ユーザによるベンダ提供物の使用、複製および改変、並びに当該複製等により作成された複製物等の使用は、ユーザの負担と責任により行われるものとする。ベンダはユーザに対して、本契約で別段の定めがある場合または自らの責に帰すべき事由がある場合を除いて、ユーザによるベンダ提供物の使用等によりユーザに生じた損害を賠償する責任を負わない。
4　ベンダは、ユーザに対し、本契約に従ったベンダ提供物の利用について、著作者人格権を行使しないものとする。

【オプション条項：フィードバック規定】
5　本検証遂行の過程で、ユーザがベンダに対し、本検証に関して何らかの提案や助言を行った場合、ベンダはそれを無償で、ベンダの今後のサービスの改善のために利用することができるものとする。

第17条　（特許権等）
【A案】共同発明等にかかる特許権等の権利帰属を協議の上定める場合
1　本検証遂行の過程で生じた発明その他の知的財産（以下あわせて「発明等」という。）にかかる特許権その他の知的財産権（ただし、著作権は除く。）（以下、特許権その他の知的財産権を総称して「特許権等」という。）は、当該発明等を創出した者が属する当事者に帰属するものとする。
2　ユーザおよびベンダが共同で行った発明等にかかる特許権等の、権利帰属その他の取扱いについては、両者間で協議の上決定するものとする。
3　ユーザおよびベンダは、前項に基づき相手方と共有する特許権等について、必要となる職務発明の取得手続（職務発明規定の整備等の職務発明制度の適切な運用、譲渡手続等）を履践するものとする。

【B案】共同発明等にかかる特許権等の権利帰属を共有とする場合

1　本検証遂行の過程で生じた発明その他の知的財産（以下あわせて「発明等」という。）にかかる特許権その他の知的財産権（ただし、著作権は除く。）（以下、特許権その他の知的財産権を総称して「特許権等」という。）は、当該発明等を創出した者が属する当事者に帰属するものとする。
2　ユーザおよびベンダが共同で行った発明等にかかる特許権等については、ユーザおよびベンダの共有（持分は貢献度に応じて定める。）とする。この場合、ユーザおよびベンダは、共有にかかる特許権等につき、それぞれ相手方の同意なしに、かつ、相手方に対する対価の支払いの義務を負うことなく、自ら実施することができるものとする。
3　ユーザおよびベンダは、前項に基づき相手方と共有する特許権等について、必要となる職務発明の取得手続（職務発明規定の整備等の職務発明制度の適切な運用、譲渡手続等）を履践するものとする。

第18条（知的財産権侵害の非保証）以下省略

⑴　第9条（再委託について）

（この点は、AIに固有の問題ではなく、ドラフティングの問題にすぎないように思われるが、ガイドラインをベースに検討を開始する事業者もいることを踏まえて念のため指摘する。）

第9条（再委託）第3項は「ユーザに帰責事由がある場合を除き」という除外文言を設けている。再委託の場合においてユーザに帰責事由がある場合に、ベンダが自ら業務を遂行した場合と同様の責任を負わない、すなわち、有利な取扱いを受けるのか説明がなされていない。そもそもユーザに帰責事由がある部分については、因果関係または過失相殺等によりベンダの責任が軽減されるはずであり、あえて再委託の場合に限ってこれを明示する必要はないはずである（ユーザに「帰責事由」があればベンダが一切責任を負わないようにも解釈されかねず、その意図が十分に反映できているとはいいがたいと思われる）。したがって「ユーザに帰責事由がある場合を除き」という除外文言は削除することでよいのではなかろうか。

⑵　第16条（ベンダ提供物等の著作権について）

第16条第1項は、ベンダ提供物および検証遂行に伴い生じた著作権については、原則としてベンダに帰属するものとされている。この理由としてAI契約ガイドラインは「検証段階において、ユーザとしては、レポートを利用できれば導入可否の検討を行う、という目的を達成できると考えられること、また、ユーザが、ベンダ提供物を用いて合理的な理由なくベンダを乗り換えることは抑制すべきと考えられること」を挙げており[注30]、ベンダ側の意見が反映されているものと思われるが、対価を支払うユーザ側からすれば、ユーザのプロジェクトの検証のためにのみ作成されたレポートの権利がベンダ側に帰属するという条件を受入れることに抵抗があることもあるのではないかと思われる。もっとも、ベンダは、複数のユーザに対して検証サービスを提供し、それぞれのユーザ向けにレポートを作成することを想定しているところ、各レポートの著作権がそれぞれのユーザに帰属してしまうと、あるレポートの内容を他に利用することができなくなってしまい、それぞれのレポートの作成業務に支障が生じるおそれがある点に懸念をもつと考えられ、この懸念は合理的なものと思われる。したがって、この点に配慮して、少なくともベンダが検証サービスを提供するために必要な汎用性のある部分についての著作権は、ベンダに帰属するものとするか、ライセンスを供与するアレンジが考えられよう。

また、AI契約ガイドラインは、検証サービスの成果物としてレポートが想定されるとしているが、学習済みモデルのパイロット版を生成しソフトウェアプロトタイプを作成することも考えられる。このような場合、この著作権がベンダに帰属するとされると、今後の開発の基礎がベンダ帰属とされることも考えられ、このような想定で開発を進めてよいか、成果物としてレポートのみを想定することでよいか検討の必要があろう。

3　開発段階のソフトウェア開発契約書（AI契約ガイドライン102頁以下）

> ソフトウェア開発契約書
>
> ○○（以下「ユーザ」という。）と○○（以下「ベンダ」という。）は、コンピュータソフトウェアの開発に関して、○○○○年○○月○○日に、本契約を締結する。

注30）AI契約ガイドライン95頁。

第１条（目的）から第８条（責任者の選任および連絡協議会）まで省略

第９条　（再委託）

1　ベンダは、ユーザが書面によって事前に承認した場合、本件業務の一部を第三者（以下「委託先」という。）に再委託することができるものとする。なお、ユーザが上記の承諾を拒否するには、合理的な理由を要するものとする。

2　前項の定めに従い委託先に本検証の遂行を委託する場合、ベンダは、本契約における自己の義務と同等の義務を、委託先に課すものとする。

3　ベンダは、委託先による業務の遂行について、ユーザに帰責事由がある場合を除き、自ら業務を遂行した場合と同様の責任を負うものとする。ただし、ユーザの指定した委託先による業務の遂行については、ベンダに故意または重過失がある場合を除き、責任を負わない。

第10条（本契約の変更）から第15条（個人情報の取り扱い）まで省略

第16条　（本件成果物等の著作権）

【A案】ベンダに著作権を帰属させる場合

1　本件成果物および本開発遂行に伴い生じた知的財産（以下「本件成果物等」という。）に関する著作権（著作権法第27条および第28条の権利を含む。）は、ユーザまたは第三者が従前から保有していた著作物の著作権を除き、ベンダに帰属する。

2　ユーザおよびベンダは、本契約に従った本件成果物等の利用について、他の当事者および正当に権利を取得または承継した第三者に対して、著作者人格権を行使しないものとする。

【B案】ユーザに著作権を帰属させる場合

1　本件成果物および本開発遂行に伴い生じた知的財産（以下「本件成果物等」という。）に関する著作権（著作権法第27条および第28条の権利を含む。）は、ユーザのベンダに対する委託料の支払いが完了した時点で、ベンダまたは第三者が従前から保有していた著作物の著作権を除き、ユーザに帰属する。なお、かかるベンダからユーザへの著作権移転の対価は、委託料に含まれるものとする。

2　ユーザおよびベンダは、本契約に従った本件成果物等の利用について、他の当事者および正当に権利を取得または承継した第三者に対して、著作者人格権を行使しないものとする。

【C案】ユーザ・ベンダの共有とする場合

1　本件成果物および本開発遂行に伴い生じた知的財産（以下「本件成果物等」という。）に関する著作権（著作権法第27条および第28条の権利を含む。）は、ユーザのベンダに対する委託料の支払いが完了した時点で、ユーザ、ベンダまたは第三者が従前から保有していた著作物の著作権を除き、ベンダおよびユーザの共有（持分均等）とする。なお、ベンダからユーザへの著作権移転の対価は、委託料に含まれるものとする。

2　前項の場合、ユーザおよびベンダは、共有にかかる著作権につき、本契約に別に定めるところに従い、前項の共有にかかる著作権の行使についての法律上必要とされる共有者の合意を、あらかじめこの契約により与えられるものとし、相手方の同意なしに、かつ、相手方に対する対価の支払いの義務を負うことなく、自ら利用することができるものとする。

3　ユーザおよびベンダは、相手方の同意を得なければ、第1項所定の著作権の共有持分を処分することはできないものとする。

4　ユーザおよびベンダは、本契約に従った本件成果物等の利用について、他の当事者および正当に権利を取得または承継した第三者に対して、著作者人格権を行使しないものとする。

第17条　（本件成果物等の特許権等）

1　本件成果物等にかかる特許権その他の知的財産権（ただし、著作権は除く。以下「特許権等」という。）は、本件成果物等を創出した者が属する当事者に帰属するものとする。

2　ユーザおよびベンダが共同で創出した本件成果物等に関する特許権等については、ユーザおよびベンダの共有（持分は貢献度に応じて定める。）とする。この場合、ユーザおよびベンダは、共有にかかる特許権等につき、本契約に定めるところに従い、それぞれ相手方の同意なしに、かつ、相手方に対する対価の支払いの義務を負うことなく、自ら実施することができるものとする。

3　ユーザおよびベンダは、前項に基づき相手方と共有する特許権等について、必要となる職務発明の取得手続（職務発明規定の整備等の職務発明制度の適切な運用、譲渡手続等）を履践するものとする。

第18条　（本件成果物等の利用条件）

【A案】原則型

ユーザおよびベンダは、本件成果物等について、別紙「利用条件一覧表」記載のとおりの条件で利用できるものとする。同別紙の内容と本契約の内容との間に矛盾がある場合には同別紙の内容が優先するものとする。

【B案】ベンダ著作権帰属型（16条A案）の場合のシンプルな規定
ベンダは、本件成果物等を利用でき、ユーザは、本件成果物をユーザ自身の業務のためにのみ利用できる。

【C案】ユーザ著作権帰属型（16条B案）の場合のシンプルな規定
ユーザは、本件成果物等を利用でき、ベンダは、本件成果物等を本開発遂行のためにのみ利用できる。

第19条　（リバース・エンジニアリングおよび再利用等の生成の禁止）以下省略

⑴　第９条（再委託について）

上記２⑴と同様である。

⑵　第16条（本件成果物等の著作権）、第17条（本件成果物等の特許権等）、第18条（本件成果等の利用条件について）

AI契約ガイドラインは、まず知的財産権の対象となるものとならないものを分けた上で、知的財産権の対象となるものをさらに著作権の対象となるものおよびそれ以外の特許権等に分けてその帰属を定め（第16条および第17条）、知的財産権の対象とならないものについては利用条件を合意するとしている（第18条）。この大きな建付けについては、知的財産権の対象とは必ずしもならない学習済モデル（パラメータ）やデータ等が重要となるAIシステムの開発においては妥当なものであると思われる。

もっとも、著作権や知的財産権の対象とならないものについては、前記３⑴および⑵のように、権利のみならず、その対象となるものの性質に応じて権利を分属させ、あるいは、利用条件を規定することも考えられる。

また、特許権等については、発明者主義に留まることなく、より踏み込んだ規定をすることも考えられよう。

確かに、前記Ⅳ１の通り、従前のシステム開発においてはベンダが実際の開発を行うことから発明者主義に基づけば原則としてベンダに権利帰属がなされるものであったといえる。

これに対して、AIシステム開発においては、発明等が生じるまでに、ユーザがデータの提供をし、かつ、これをベンダが解析する必要があり、データの質・量が重要な場合もあることから、発明者主義を採用したとしても帰属が明らかでない場合が想定される。また、従前のシステム開発と異なり、ユーザが学習済みモデルの生成により、あるいはその過程で生じる発明を獲得し、活用することを念頭に置いている場合も想定される[注31]。

以上を踏まえて、例えば一定の分野に係る発明についてはユーザまたはベンダに帰属する旨規定することや、生データの解析結果に関する発明と解析方法に関する発明を分けて前者をユーザに、後者をベンダに帰属すると定めることも考えられる。いずれにせよどのような類型の発明が生じるかを想定の上、帰属を議論する必要がある点に留意が必要である。

（仁木覚志・沼澤周）

注31）ユーザがある程度具体的な課題および解決策をもっており、この特許化が見込めるが、この因果関係（相関関係）を検証し、あるいは、具体な解決条件を発見するためにベンダに解析を依頼する場合も想定される。

コラム　学習済みモデルのモデル

学習済みモデルを人に説明するときに、わかりやすく説明するため、何かうまいたとえ（説明モデル）はないかと考えることがある（なお、たとえ話をしたときに、「この点が違う」と指摘する人がいるが、そのような人はたいがい弁護士である）。

そこで、学習済みモデルのたとえとして、最初に考えたのが、学習済みモデル「アンパン説」である。つまり、プログラムが外のパン生地であり、学習済みパラメータが中のアンである。両方の要素がおいしいアンパンとなり得るために必要であり、かつ、それぞれ独立に存在し得ることをうまく説明できるモデルなのではないかと思う。個人的には、アンのほうが重要であると思うが、パン派も当然いるであろう。

このモデルは、例えば、「アンパンのアンが変われば味も当然変わってくるように、学習済みパラメータが変われば、学習済みモデルの精度も変わってきますよね」というように使うことができる。木村屋總本店のアンパンには、アンが違う「桜」「小倉」「けし」「うぐいす」「白」などがあるが、アンが違えば味わいも異なることが実感できるはずである（なお、木村屋はパンの発酵にイーストではなく米食文化の日本人に合う酒種を使用しておりこの点でも独自性がある）。

次に、本著の共著者と焼鳥をつまみながら話をした時に出たモデルが、学習済みモデル「焼鳥のつけダレ説」である。

老舗の焼鳥屋の伝統のつけダレには、「50年間、継ぎ足し継ぎ足して守り抜いた伝統の味でっせ！」というようなものがある。そのつけダレは何年前のものだろうかと思うが、学習済みモデルにデータを入れて派生モデルを作成し、さらに追加でデータを入れて派生モデルができるとなると、まさに、継ぎ足し継ぎ足した秘伝のつけダレのようなものである。数多くの会社のデータで学習させた派生モデルも秘伝のつけダレのようになると権利関係が複雑になることがある。データを付け足していくと、そもそも、どのデータ（タレ）が派生モデル（現在の味）に影響しているのかわからなくなってしまうことを説明するためのモデルである。

最後に、学習済みモデル「料理説」である。料理は、「素材」＋「調理」である。和食であれば、素材が重要視され、料理人は素材を生かすことが求められる。他方で、フレンチやイタリアンなどの典型的な洋食であれば、素材も重要かもしれないが、料理人の調理の比重が大きい。いうまでもなく、AIでいうと、素材はデータであり、調理は学習である。レシピはプログラムといったところであろうか。素材も重要であるが、調理方法によっていかようにも味は変わる。データ提供者側に立つと、素材が重視される和食派となり、開発者側に立つと、調理が重視される洋食派となると思われる。
　以上、独断と偏見に基づく３つのモデルを示したが、読者の皆さんはどのモデルがしっくりくるであろうか。食い意地の張っている筆者の好みを反映して、本コラムの「モデル」は全部食べ物でのたとえになってしまったが、アイドル好きであれば、AKB48や乃木坂46を例にとって、データの質と量の重要性を説明するモデルも作れるかもしれない。
　なお、弁護士の先生方におかれては、前記のモデルについて「この点が違う」とはくれぐれもいわないでほしいと願う次第である。あくまで「たとえ」なのだから。

第2章
AIと個人情報・プライバシー

I　概要

AIを開発・利用するためには、大量かつ良質なデータの重要性が指摘されているところであるが、これらのデータにパーソナルデータ（個人に関する情報）[注1)]が含まれている場合がある。そのような場合に、どのようにデータを取り扱えばよいのかが問題となる。

2017年5月に改正個人情報保護法が施行され、個人情報の範囲がより詳細に規定されるとともに、個人データの第三者提供や匿名加工情報等の規定も整備された。そして、ディープラーニングを用いたAI技術の発展により、日々新たなビジネスが展開されている。米国シアトルでAmazonが無人のAIコンビニ「Amazon Go」をオープンさせたのを皮切りに、日本でも無人コンビニの導入が進められつつある。カメラとセンサーを使って、それぞれの客が選んだ商品を把握する。あらかじめ登録したクレジットカードで決済するため、客はレジに並ばずにそのまま店を出ることができる。店舗側は、これまでのPOSレジでは得られなかったより詳細なデータを得ることができる。また、対話型の音声操作が可能なスマートスピーカー（AIスピーカー）も普及してきており、音声だけで家電の操作やメール等の送受信を行うこともできる。

このように画像認識・音声認識技術の進歩により、われわれの日常生活の中にAIが浸透してきている。それに伴って、個人情報やプライバシーの保護との関係で問題となる場面も増えている。本稿では、まずAIに関する個人情報保護法の法的問題について、主に近時のAI技術で注目され

注1）本稿では、個人情報保護法上の「個人情報」と区別するため、「個人情報」に該当しないものも含めて、広い意味での個人に関する情報という意味で使用する。

ているバイオメトリクス認証にも用いられている画像認識機能を具体的な例として、個人情報保護法に関する留意点を検討する。次に、IoTの普及により容易に取得することができるようになった家電等の機器の稼働データや位置情報に関する個人情報・プライバシーとの関係について述べる。また、AIを用いたプロファイリングに関して、個人情報保護法だけでなくプライバシーとの問題も多く指摘されていることから、その問題点について考察する。そして最後に、パーソナルデータの利活用として期待されている情報銀行について簡単にふれることとする。

Ⅱ　個人情報保護法

1　AIによる画像認識

2012年に行われた世界的な画像認識コンテストであるILSVRCで、ディープラーニングを用いて機械学習により学習した画像認識機能を開発したカナダのトロント大学が圧倒的な勝利を収めてから、ディープラーニングを用いた画像認識技術のさらなる研究・発展により、現在では相当程度の確度でAIによる画像認識機能によって個人を識別することができるようになっている。このAIによる画像認識機能を利用した顔認証は、オフィスビルや空港、コンサート会場でのセキュリティに利用されているほか、支払時の顔認証決済サービスなどにも利用されるようになってきている。ゆくゆくは中央銀行総裁の記者会見での顔の表情を読み取り、AIで分析して金融政策を予測することもできるのではないかといわれているが、現実的なところでもカメラ画像による人の識別・認証機能の利活用の方法はすでにさまざまなものがあり、大きく分けて防犯・公共目的の利用と商用利用がある。以下では、個人情報保護法における個人情報等の範囲を概括した上で、これらの利活用事例における個人情報保護法との関係での留意点をみていくこととする。

(1)　カメラ画像の利活用事例

カメラ画像の利活用においては、一般には【図表3-2-1】のように、カメラにより被写体となる個人を撮影して画像情報を入手し、その画像情報を分析して処理・保存し、自らその情報を利用する、あるいは第三者に提

【図表 3-2-1】カメラ画像利活用の過程

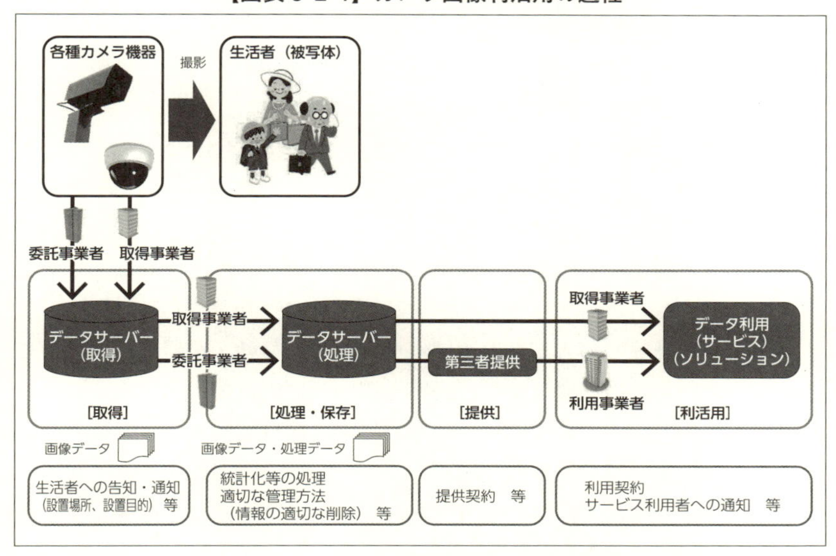

＊「カメラ画像利活用ガイドブック ver2.0」9頁。

供するという流れになる。

人物を撮影するカメラ画像の利活用方法として、防犯・公共目的の場合には、例えば、以下のようなものが考えられる[注2)]。

<事例①>街中の監視カメラの録画画像から迷子や不審者などの特定の人物をAIによって識別して検出する。

<事例②>商業施設やイベント会場等に設置した監視カメラや警備員の装着したウェアラブルカメラ等でリアルタイムに映像を監視して、トラブル等の発生時に迅速に対処する。

<事例③>オフィス、商業施設やイベント会場等において設置したカメラで人物を特定して認証し、入場許可を行うことでセキュリティの向上を図る。

注2）IoT推進コンソーシアムデータ流通促進ワーキンググループ事務局「新たなカメラ画像利活用のニーズと課題について」第16回データ流通促進ワーキンググループ資料3-1（以下、「データ流通促進WG資料」という）4頁。

＜事例④＞公共空間において、街中の看板・交通標識、道路の混み具合等を識別して把握する。

＜事例⑤＞駅の改札等の準公共空間において、通行する人物を撮影し、アイコン化処理をして移動履歴等を把握する。

また、商用目的の場合としては、以下のようなものが挙げられる[注3)]。

＜事例⑥＞個人ごとの人物属性を推定し、性別・年齢等の把握により、商品開発等へ活用する。

＜事例⑦＞店舗等で来店者数を計測し、統計情報として出店計画等に活用する。

＜事例⑧＞店舗等で個人ごとの座標値を取得し、移動・滞留状況や棚前での行動の把握により、通路や棚の最適配置等に活用する。

＜事例⑨＞個人ごとの来店履歴、動線データ、購買履歴、推定した人物属性を一定期間取得（取得のために個人識別符号をキーとして利用、当該機関終了後速やかに削除）し、統計情報として品揃えや最適配置に利用する。

＜事例⑩＞同一店舗における来店者の情報を継続的に把握して、来店者と会員情報等とを紐付けて来店履歴、購買履歴等を分析し、商品販売やお得意様へのクーポン配信等で活用する。

これらのカメラ画像の利活用に当たっては、取得、処理・保存、提供の各段階において、個人情報保護法上の取扱いが問題となり得る。

⑵　個人情報保護法の概要

個人情報取扱事業者（個人情報2条5項）は、その取り扱う個人に関する情報（パーソナルデータ）の内容および利用方法等によって「個人情報」（同条1項)、「個人データ」（同条6項)、「保有個人データ」（同条7項）といった分類に応じて一定の義務を負うことになる。

以下では、パーソナルデータの分類とともに個人情報取扱事業者が負うこととなる義務等について詳述する。

注3）IoT推進コンソーシアム・総務省・経済産業省「カメラ画像利活用ガイドブックver.2.0」（2018年3月）（以下、単に「カメラ画像利活用ガイドブック」という）5頁～8頁、データ流通促進WG資料8頁。

【図表3-2-2】個人情報保護法の概要

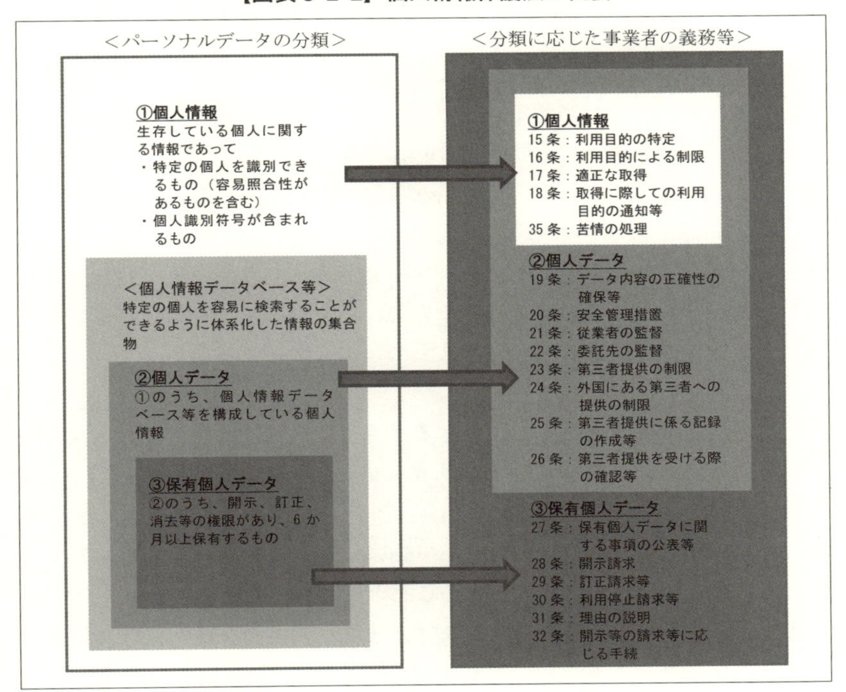

＊福岡・IoT43頁をもとに作成。

(A)　個人情報

「個人情報」（個人情報2条1項）とは、生存する個人に関する情報であって、①当該情報に含まれる氏名、生年月日その他の記述等により特定の個人を識別できるもの（他の情報と容易に照合することができ、それにより特定の個人を識別することができることとなるものを含む）、または、②個人識別符号[注4)]が含まれるものをいう。

この「個人情報」への該当性に関しては、容易照合性の判断と相まって、その判断が非常に難しいものが少なくない。特定の個人を識別できるか否か（識別性の問題）は一般人を基準として判断されるのに対して、「他の情報と容易に照合することができ」るか否か（容易照合性の問題）は、事業者の実態に即して個々の事例ごとに判断されると考えられており、当該事業者の通常の業務における一般的な方法で他の情報と容易に照合することができる状態にある場合に、容易照合性が認められる。もっとも、カメラ画像に関していえば、その画像により特定の個人を識別できる顔の画像は、上記①の個人情報に該当する。したがって、人物を撮影することを目的としていないカメラ画像に人物が映り込んでしまった場合でも、特定の個人を識別できるものであれば、個人情報に該当することになる。

また、顔認証に用いることを目的とした装置やソフトウェアにより本人を認証できるようにしたものは、個人識別符号（個人情報令1条1号ロ）として前記②の個人情報に該当するので、いずれにしても特定の個人を識別できる顔画像は、個人情報保護法上の「個人情報」である。

⑻　**個人データ**

特定の個人を検索することができるように体系的に構成された「個人情報データベース等」を構成する個人情報が、「個人データ」（個人情報2条6項）である。したがって、顔の画像が「個人データ」に該当するか否かは、画像がインデックス等を付与して体系化されて特定の個人を検索できるようになっているかどうかによることとなる。したがって、インデックス等を付与せず、検索性をもたせないまま顔等の個人を識別できる特徴が含まれる画像を保存している場合には、通常は、「個人情報データベース等」に該当しないと考えられるが、専門家間でも意見が分かれるところであるため、管理方法には十分に留意する必要があるとの指摘もある[注5)]。

⒞　**保有個人データ**

「保有個人データ」（個人情報2条7項）とは、前記⑻の「個人データ」のうち、①個人情報取扱事業者が、開示、内容の訂正、追加または削除、利用の停止、消去および第三者への提供の停止を行うことができるもので

注4）「個人識別符号」とは、個人情報保護法施行令および同施行規則に列挙されている遺伝子情報、容貌、指紋、マイナンバー、パスポート番号など、その情報単体から特定の個人を識別することができるものをいう。なお、携帯電話番号、IPアドレス、メールアドレス、クレジットカード番号、サービスIDなどは平成27年の改正時に議論があったものの、個人識別符号には指定されなかった（福岡・IoT111頁以下）。

注5）カメラ画像利活用ガイドブック10頁。

あって、②ⓘその存否が明らかになることにより公益その他の利益が害されるもの（個人の生命・身体・財産に危害が及ぶおそれがあるものや、違法または不当な行為を助長・誘発するおそれがあるもの等）またはⓘⓘ6か月以内に削除することとなるもの以外のものをいう。すなわち、①に該当する個人データであれば、②ⓘまたはⓘⓘいずれかの除外事由に該当しない限り、保有個人データとなる。

なお、2020年6月に成立した個人情報保護法の改正法（本章において以下、「2020年改正法」という。2020年6月12日に公布され、一部を除き公布後2年以内に施行される）では、保有個人データの定義から②ⓘⓘ6の部分が削除されている。そのため、①に当てはまる個人データは、保有期間にかかわらず、例外的に②ⓘの除外事由に該当しない限り、保有個人データとして開示・削除・利用停止等の請求の対象となる。

(D)　要配慮個人情報

前記の分類に加えて、人種、信条、社会的身分、病歴、犯罪の経歴（前科）、犯罪被害を受けた事実その他本人に対する不当な差別、偏見、その他の不利益が生じないようにその取扱いに特に配慮を要するもの（詳細は個人情報令2条各号および個人情報則5条に列挙されている）は、「要配慮個人情報」（個人情報2条3項）とされる。これらの要配慮個人情報は、取得する時点で当該個人から同意を取得する必要がある（同法17条2項）。ただし、身体障害をもつ体の不自由な方が店舗に来店し、その様子が店舗に設置されたカメラに写りこんだような場合等には、本人の同意を得ることなく当該要配慮個人情報を取得することができる（個人情報令7条1号）。

なお、本人がSNSで公開している場合や、報道機関、公的機関等により公開されている場合には、本人の同意なく要配慮個人情報を取得することができる（個人情報17条2項5号）。また、後記Ⅲの項で詳述する要配慮個人情報の生成の問題とも関連するが、要配慮個人情報を推知させる情報にすぎないもの（例えば、宗教に関する書籍の購買や貸出しに関する情報）は、GL通則編2-3では要配慮個人情報には含まれないと整理されている。

2　カメラ画像の利活用事例の検討

以上のパーソナルデータの分類を前提に、冒頭のカメラ画像の利活用事例について、カメラ画像の取得過程、処理・保存過程に分けて、どのような対応が必要となるであろうか。

(1)　カメラ画像の取得過程

前述の通り、顔により特定の個人が識別できる状態のカメラ画像[注6)]や顔認証目的の画像は「個人情報」に該当することとなるため、その取得に際して利用目的の特定、通知または公表等が必要となる。この点に関して、カメラで撮影した顔画像を一時的に取得して数秒以内にすぐに破棄する場合（例えば、冒頭の＜事例⑥＞において年齢・性別等の属性を判別してすぐに画像を破棄する場合や、＜事例⑦＞において人数をカウントしてすぐに画像を破棄する場合、＜事例⑧＞において座標値を把握してすぐに画像を破棄する場合等）に、個人情報の「取得」と評価すべきかどうかについては見解が分かれるところであるが[注7)]、数秒で破棄しているかどうかは外部からは判別できないため、「取得」と解した上で、その点の説明も含めて取得目的を特定して公表することも考えられる。

なお、＜事例②＞において、リアルタイムの画像を単にモニターに写すのみで録画保存はしないという場合には、「取得」には該当しないことになると考えられるが[注8)]、それ以外の場合は、防犯カメラのように一時的に録画保存はするが解析はしないという場合を含めて、＜事例①～⑨＞においてすべて個人情報を「取得」することになる。

(A)　利用目的の特定

個人情報取扱事業者が個人情報を取り扱うに当たっては、その利用目的をできる限り特定しなければならない（個人情報15条1項）。この利用目的の特定に当たっては、一律の基準はなくケース・バイ・ケースではある

注6）防犯カメラ画像等によって特定の個人の顔が、いわば「この人」であると識別し得るような場合には、当該個人の実名等が不明であっても、「特定の個人」に該当し得る（岡村・個人情報72頁）。

注7）経済産業省「消費者向けサービスにおける通知と同意・選択のあり方検討WG報告書」（2016年4月）12頁・14頁。また、福岡・IoT141頁参照。

注8）個人情報を含む情報がインターネット等により公にされている場合であって、単にこれを閲覧するにすぎず、転記等を行わない場合は、個人情報を取得しているとは解されない（GL通則編3-2-1）。

が、利用目的を単に抽象的、一般的に特定する（例えば、事業活動に用いるため、マーケティング活動に用いるため等）のではなく、個人情報が最終的にどのような事業の用に供され、どのような目的で利用されるのかが、本人にとって一般的かつ合理的に想定できる程度に具体的に特定することが望ましいとされている（GL通則編3-1-1）。後述する第三者提供を行うことを想定している場合には、その旨を明確に特定して記載しておく必要がある。

この特定された利用目的の達成に必要な範囲を超えて個人情報を取り扱うことになる場合には、原則として、あらかじめ本人の同意を得る必要がある（個人情報16条1項）。かかる同意を得るために個人情報を利用すること（メールの送信や電話をかけること等）は、当初特定した利用目的として記載されていない場合でも、目的外利用には該当しない（GL通則編3-1-3）。

以上に加えて、現行法の規定に照らして違法ではないとしても、個人情報の保護に照らして看過できないような方法で個人情報が利用されている事例が一部にみられることを理由に[注9)]、2020年改正法では、違法または不当な行為を助長し、または誘発のおそれがある方法により個人情報を利用してはならないとして、不適正な利用の禁止を定めている（2020年改正法16条の2）。もっとも、具体的にいかなる方法が不適正な利用に該当するのかは法文からは明らかではないため、ガイドライン等により対象となる範囲が明確にされることが望まれる。

(B)　利用目的の公表・通知

個人情報取扱事業者が個人情報を取得した場合には、あらかじめその利用目的を公表している場合を除き、速やかに、その利用目的を、本人に通知し、または公表しなければならない（個人情報18条1項）。

ここにいう「公表」とは、例えば、自社のホームページから1回程度の操作で到達できる場所への掲示や、自社の店舗や事務所等、顧客が訪れることが想定される場所におけるポスター等の掲示、パンフレット等の備

注9）個人情報保護委員会「個人情報保護法　いわゆる3年ごと見直し　制度改正大綱」（2019年12月13日）（本章において以下、「制度改正大綱」という）16頁。

置き・配布等が挙げられる（GL通則編2-11）。

なお、防犯カメラにより個人の容貌を撮影・録画することは、前述の通り個人情報の「取得」に該当するが、防犯カメラは犯罪を予防することを目的とすることは明らかであるものとして（個人情報18条4項4号）、防犯カメラの設置者は利用目的を本人に通知・公表する必要はないが、防犯カメラが作動中であることを店舗の入口や設置場所等に掲示する等、本人に対して自身の個人情報が取得されていることを認識させるための措置を講ずることが望ましいとされ、カメラ画像の取得主体や内容を確認できるよう、問い合わせ先等について店舗の入口や設置場所に明示するか、これを掲載したWebサイトのURLまたはQRコード等を示すことが考えられる[注10)]。また、単に防犯カメラで容貌を撮影するにとどまらず、＜事例①③⑨⑩＞のように、顔認証等の画像処理により特定の個人を認識するような場合には、通常の防犯カメラと比べて肖像権[注11)]やプライバシーの侵害度合いが強い[注12)]。そのため、「顔認証」等の画像処理の方法等は利用目的として直ちに記載が求められているものではないが、透明性を確保するために、被写体となる本人が確認できるよう、画像処理の方法等の詳細やプライバシーポリシーについて掲載したWebサイトのURLやQRコードを掲示しておくことが考えられる[注13)]。

注10）福岡・IoT122頁、個人情報保護委員会「『個人情報の保護に関する法律についてのガイドライン』及び『個人データの漏えい等の事案が発生した場合等の対応について』に関するQ&A」（以下、「GLに関するQ&A」という）1–11。

注11）肖像権に関するリーディングケースとして、京都府学連事件に関する最判昭和44・12・24刑集23巻12号1625頁が挙げられる。同判決は、「個人の私生活上の自由の1つとして、何人も、その承諾なしに、みだりにその容姿・姿態を撮影されない自由を有する」と判示し、実質的に肖像権を承認した（村上康二郎『現代情報社会におけるプライバシー・個人情報の保護』〔日本評論社、2017〕196頁～197頁）。

注12）従来のカメラ画像と異なる点は、撮影した画像の①識別性、②照合性、③検索性、④自動処理性を確保することができる点にあるとされる（新保史生「AIの利用と個人情報保護制度における課題」福田雅樹ほか編著『AIがつなげる社会——AIネットワーク時代の法・政策』〔弘文堂、2017〕223頁以下）。

注13）GLに関するQ&A1-11。

⑵　カメラ画像の処理・保存過程

⒜　処理・保存するデータの種類等

取得したカメラ画像は、その後どのように加工処理し、どのように保存するかによって、その取扱いが異なってくる。その加工処理方法の類型としては、①特徴量データ（＜事例①③⑨⑩。なお、人物の顔を特徴量で認識して追跡するような場合は②も特徴量データを取得することになる＞）、②属性情報（＜事例⑥＞）、③カウントデータ（＜事例⑦＞）、④動線データ（＜事例⑧＞）、⑤処理済データ（＜事例④⑤＞）などがあるので、以下それぞれについて検討する[注14)]。

(i)　特徴量データ（顔認証データ）（＜事例①③⑨⑩＞）

特徴量データとは、取得した顔画像から人物の目、鼻、口の位置関係等の特徴を抽出し、数値化したデータをいう。個人の容貌を本人認証のためにデジタル化したデータは個人識別符号であることから、そのデータを特徴量に変換したとしても、「個人情報」に該当することには変わりがない[注15)]。むしろ、前述の通り、生態情報としての特徴点を数値化することにより、特定の個人の識別性が飛躍的に高まる[注16)]。

そのため、＜事例①③⑨⑩＞において、当該特徴量データをデータベースとして検索可能な状態で保管すれば「個人情報データベース等」に該当することになり、それを構成する個人情報は「個人データ」に、さらに6か月超保有するものは「保有個人データ」に該当することになり（なお、2020年改正法において、6か月超の保有期間の要件が削除されていることは前述の通り）、これを保有する個人情報取扱事業者は、それぞれのデータに応じた義務を負うこととなる。

(ii)　属性情報（＜事例⑥＞）

取得したカメラ画像のデータから機械処理で推定した性別や年齢といった属性情報だけでは、「個人情報」には該当しない。したがって、これを

注14）カメラ画像利活用ガイドブック12頁以下。

注15）データを数値化して特徴量に変換したとしても、特定の個人を識別できる以上、第三者提供が可能となる匿名加工情報とはいえない（福岡・IoT143頁）。

注16）新保・前掲注12）224頁。

検索可能な状態で保管したとしても、「個人情報データベース等」には該当しない。ただし、抽出元の本人を判別可能なカメラ画像や他の本人を識別し得る情報と容易に照合できる場合には、「個人情報」となることから、属性情報を抽出後、抽出元の画像は速やかに破棄する必要がある点には留意が必要である（この点は以下の(iii)〜(v)においても同様である）。

(iii)　カウントデータ（<事例⑦>）

カウントデータとは、顔部分等の人物の特徴量データを識別せずに、カメラ画像から形状認識技術等を用いて人の形を判別して、その数量を計測したデータである。このように人数をカウントするだけの情報は、特定の個人を識別することはできないため、「個人情報」には該当しない。

(iv)　動線データ（<事例⑧>）

動線データとは、カメラ画像に写った人物がどのように行動したかを示すデータであり、どの時間にどこで何をしていたかを示す座標値を時系列に蓄積することによって生成される。個々の座標値を取得するたびに特徴量データを破棄し、動線データと特徴量データを紐付けて管理しない場合は、動線データのみでは「個人情報」には該当しない。

他方で、特徴量データと紐付けて管理する場合や、抽出元のデータを破棄せずに、容易に照合して特定の個人を識別できる場合には、「個人情報」に該当することとなる。また、それにインデックスを付けて検索可能なデータベースにした場合には、「個人情報データベース等」に該当することになり、それを構成する個人情報は「個人データ」となる。

(v)　処理済データ（<事例④⑤>）

処理済データとは、カメラ画像にモザイク処理等を施して、特定の個人が識別できないように加工したデータをいう。この処理済データが、個人の識別が技術的に困難となるように加工されたものであれば、「個人情報」には該当しない。ただし、不十分な処理や復元加工を行うことによって「個人情報」となり得るため、処理加工に際しては、個人の識別が技術的に困難となるように注意する必要がある。例えば、顔にモザイク処理を施したとしても、歩き方などから個人が特定できてしまう場合もあり、その場合は「個人情報」となる。

(B)　個人データに関する事業者の義務等

前記のように画像処理によっても「個人情報」該当性が失われず、かつ検索可能な状態にして「個人情報データベース等」にした場合には、それを構成する「個人データ」を利用する個人情報取扱事業者には、以下の義務等が生じることになる。個人情報をデータベース化することで、ビジネス上は非常に有用なものとなる一方で、これらの義務は、単に「個人情報」を取得・保有しているのみにとどまる場合と比較して格段に重いものであるため、データベースを作成する否か、作成するとして、どのように画像を処理して「個人情報」該当性を失わせるか（データベースを作成しても「個人データ」に該当しないようにする）、という点が非常に重要になってくる。

(i)　個人データの内容の正確性の確保等

個人情報取扱事業者は、利用目的の達成に必要な範囲内において、個人データを正確かつ最新の内容に保つとともに、利用する必要がなくなったときは、当該個人データを遅滞なく消去するよう努めなければならない（個人情報19条）。どの程度の正確性・最新性を確保すべきかは、個人データの内容や利用目的によって大きく異なるため、法令により一律に義務付けることにはなじまないことから努力義務とされているが[注17)]、正確性・最新性を欠いた個人データをそのままにしておくことにより、プライバシー権侵害等に該当するとして紛争となる可能性もある点には留意が必要である[注18)]。

(ii)　安全管理措置

個人情報取扱事業者は、その取り扱う個人データの漏えい、滅失または既存の防止その他の個人データの安全管理のために必要かつ適切な措置を講じなければならない（個人情報20条）。かかる安全管理措置として講じなければならない措置等の概要は、【図表3-2-3】の通りである。

(iii)　従業者・委託先の監督

安全管理措置の一環として、個人情報取扱事業者は、従業者に個人デー

注17）福岡・IoT127頁。
注18）岡村・個人情報210頁〜211頁。

【図表 3-2-3】安全管理措置の概要

安全管理措置の実施

第20条

個人情報取扱事業者は、その取り扱う個人データの漏えい、滅失又はき損の防止その他の個人データの安全管理のために必要かつ適切な措置を講じなければならない。

安全管理措置には、「組織的」、「人的」、「物理的」、「技術的」の4つの側面があります。それぞれ、具体的には以下のような措置を実施することが求められます。

組織的安全管理措置

❶ 組織体制の整備
例｜個人情報保護管理者の設置、部署や従業者の役割・責任の明確化、監査実施体制の整備など

❷ 規程等の整備と規程等に従った運用
例｜情報システムの安全管理措置に関する規程等の整備とそれに従った運用、監査証跡の保持など

❸ 取扱状況を一覧できる手段の整備
例｜個人データ取扱台帳の整備など

❹ 安全管理措置の評価、見直し及び改善
例｜監査計画の立案・実施など

❺ 事故又は違反への対処
例｜事故発生時の対応手順の整備など

物理的安全管理措置

❶ 入退館（室）管理の実施
例｜入退館（室）管理を実施している物理的に保護された室内での個人データを取り扱う業務など

❷ 盗難等の防止
例｜個人データを記した書類、媒体、携帯可能なコンピュータ等の机上及び車内等への放置の禁止

❸ 機器装置等の物理的な保護
例｜盗難破壊、破損漏水、火災、停電等からの物理的な保護など

人的安全管理措置

❶ 雇用契約時における従業者との非開示契約の締結、及び委託契約等における委託元と委託先間での非開示契約の締結

❷ 従業者に対する内部規程等の周知・教育・訓練の実施

技術的安全管理措置

❶ アクセスにおける識別と認証
例｜ID／パスワードによる認証、生体認証など

❷ アクセス制御
例｜アクセス権限を付与するべき者の最小化など

❸ アクセス権限の管理
例｜アクセスできる者を許可する権限管理の適切かつ定期的な実施など

❹ アクセスの記録
例｜アクセスや操作の成功と失敗の記録など

❺ 不正ソフトウェア対策
例｜ウィルス対策ソフトウェアの導入など

❻ 移送・送信時の対策
例｜暗号化等の秘匿化など

❼ 情報システムの動作確認時の対策
例｜情報システムの変更時にセキュリティが損なわれないことの検証など

❽ 情報システムの監視
例｜情報システムの使用状況の定期的な監視、アクセス状況の監視など

＊経済産業省「『個人情報』の『取扱いルール』が改正されます！」5頁。

タを取り扱わせる場合や個人データの取扱いの全部または一部を外部業者に委託する場合には、当該従業者や委託先に対して必要かつ適切な監督を行う必要がある（個人情報21条・22条）。

「委託」については、契約の形態・種類を問わず、当該業者が他の者に個人データの取扱いを行わせることをいい、具体的には、個人データの入力（本人からの取得を含む）、編集、分析、出力等の処理を行うことを委託すること等が想定される（GL通則編3-3-4）。

AIによるビッグデータの解析をクラウド上で行うことも多いが、個人情報取扱事業者がクラウドサービスを利用して個人データを利用・保存している場合に、それがクラウドサービス事業者への「委託」に該当してクラウドサービス事業者の監督義務を負うか否かに関しては、クラウドサービス事業者が当該サービス契約内容を履行するに当たって、個人データをその内容に含む電子データを取り扱うか否かが基準となると解されている[注19]。

⒤　**第三者提供の制限等**

個人データを第三者に提供する場合には、原則として、あらかじめ本人の同意を得る必要がある（個人情報23条１項・２項）。ただし、以下の適用除外事由に該当する場合には、同意を得る必要はない。かかる適用除外事由は、利用目的の範囲外で利用可能な場合の例外事由と同じものである。

＜適用除外事由＞

①　法令に基づく場合

②　人の生命、身体または財産の保護のために必要がある場合であって、本人の同意を得ることが困難であるとき

注19）例えば、契約条項によって当該クラウドサービス事業者が個人データをその内容に含む電子データを取り扱わない旨が定められており、適切にアクセス制御を行っている場合等には、個人データの取扱いの全部または一部の委託を受けたとはいえないとされる（GLに関するQ&A5-33、岡村・個人情報228頁）。もっとも、実際にはクラウドベンダが用意した統一的な約款によって契約が締結されることが多く、上記のような契約条項が規定された契約を締結することは難しい場合が多いことなどから、このような整理には疑問が呈されている（村上康二郎『現代情報社会におけるプライバシー・個人情報の保護』〔日本評論社、2017〕196頁～197頁、松尾剛行『クラウド情報管理の法律実務』〔弘文堂、2016〕161頁）。

③　公衆衛生の向上または児童の健全な育成の推進のために特に必要がある場合であって、本人の同意を得ることが困難であるとき

④　国の機関もしくは地方公共団体またはその委託を受けた者が法令に定める事務を遂行することに対して協力する必要がある場合であって、本人の同意を得ることにより当該事務の遂行に支障を及ぼすおそれがあるとき

また、以上の第三者提供の制限の例外として、①個人データの取扱いの委託先、②一定の手続に則った共同利用の相手方、③合併その他の事業の承継先については、「第三者」には該当せず、本人の同意なく個人データを提供することができる（個人情報23条5項）。また、オプトアウト方式による第三者提供の場合にも、本人の同意を得る必要はない（同条2項）。これらの例外については、ビジネス上も非常に重要なポイントとなるため、項を改めて後述する。

なお、この第三者提供の制限の対象となる個人データは、提供元の事業者からみて個人データに該当するものの提供を禁止するものであり（いわゆる「提供元基準」）、それだけでは個人を特定できず個人情報・個人データに該当しないものが、提供先において個人データとして取り扱われるか否かにまで及ぶものではない。しかしながら、近時、提供元では個人データに該当しないデータ（例えば、クッキー等の識別子に紐付く個人情報ではないユーザーデータ）について、提供先において他の情報と照合することにより個人データとして扱われることを前提とした上で、これらのデータが提供される取引も行われており、規制の必要性を指摘されていた。

この点について、2020年改正法では、新たに「個人関連情報」（生存する個人に関する情報であって、個人情報、仮名加工情報［→Ⅱ2⑶(F)(iv)］および匿名加工情報［→Ⅱ2⑶(F)(iii)］のいずれにも該当しないもの）というカテゴリーを設け、これを検索することができるように体系的に構成したものを「個人関連情報データベース等」と定義した上で、第三者が個人関連情報データベース等を構成する個人関連情報を「個人データ」として取得することが想定されるときは、本人の同意なく当該第三者に提供してはならないこととしている（2020年改正法26条の2第1項1号）。

(C) 保有個人データに関する事業者の義務等

個人情報取扱事業者が、開示、内容の訂正、追加または削除、利用の停止、消去および第三者への提供の停止を行うことのできる権限を有する「個人データ」(つまりデータベース化された個人情報)を、6か月を超えて継続利用することとなる場合には、当該「個人データ」は「保有個人データ」となる。この場合、前記の個人データに関する事業者の義務に加えて、①保有個人データに関する事項の通知等の義務、および②保有個人データの開示、訂正、利用停止等の請求に応じる義務を負うこととなる。なお、従前は、個人情報をデータベース化するか否かに加えて、これらの義務を負うか、あるいは6か月以内にデータベース化した個人データを廃棄するか、という点もビジネススキームを構築する上での1つの重要な判断となってくるところであったが、前述の通り、改正法案では、6か月超の保有期間の要件は削除され、保有期間によって義務に違いはないことになる点に注意が必要である。

(i) 保有個人データに関する事項の通知等

個人情報取扱事業者は、保有個人データに関し、以下の事項について、本人の知り得る状態(本人の求めに応じて遅滞なく回答する場合を含む)に置かなければならない(個人情報27条1項)。

① 当該個人情報取扱事業者の氏名または名称
② すべての保有個人データの利用目的(ただし、一定の場合を除く)
③ 利用目的の通知請求や保有個人データの開示、訂正、利用停止等の請求に応じる手続等
④ 保有個人データの取扱いに関する苦情の申出先等

また、本人から求められた場合には、個人情報取扱事業者は、保有個人データの利用目的を、遅滞なく本人に対して通知しなければならない(ただし、前記除外事由①～③の場合、および「本人の知り得る状態」に置かれた措置により利用目的が明らかな場合には、通知をする必要はない〔個人情報27条2項〕)。

(ii) 保有個人データの開示、訂正、利用停止等の義務

(ア) 保有個人データの開示義務

個人情報取扱事業者は、本人から当該本人が識別される保有個人データ

の開示の請求を受けたときは、遅滞なく、当該保有個人データを本人に開示しなければならない（個人情報28条1項・2項）。例えば、防犯カメラの映像について、6か月を超えて保有するものは「保有個人データ」に該当するが、一般的には数日から数週間程度で録画画像は破棄されるものが多く、その場合は、「保有個人データ」には該当しないことから、開示請求はできない（ただし、2020年改正法施行後は保有期間の要件は削除されるため、「保有個人データ」に該当することになる）。なお、この義務に基づいて保有個人データを開示する場合には、カメラの精度によっては第三者を本人と識別している場合もあり得るため、誤って第三者の情報を開示してしまわないように慎重に対応する必要がある[注20)]。

(イ)　保有個人データの訂正等の義務

個人情報取扱事業者は、本人が識別される保有個人データの内容が事実でないことを理由としてその訂正、追加または削除の請求を受けた場合には、利用目的の達成に必要な範囲内において、遅滞なく必要な調査を行い、その結果に基づいて当該保有個人データの内容の訂正等を行わなければならない（個人情報29条1項・2項）。

この訂正等の請求は、「内容が事実でない」ことを理由とするものに限られる。評価、判断、診断等の評価情報は事実そのものではないので、訂正等の請求に応じる義務はないが、評価情報であってもその内容に誤記があるときや、評価等の前提となった事実が誤っているときは、その限度で訂正等に応じる義務を負う[注21)]。

(ウ)　保有個人データの利用停止等の義務

個人情報取扱事業者は、本人が識別される保有個人データが目的外利用されている（個人情報16条違反）、または、不正の手段により取得され（同法17条1項違反）もしくは同意なく要配慮個人情報が取得された（同法17条2項違反）ことを理由として、当該保有個人データの利用の停止または消去の請求を受けたときは、これらの違反を是正するために必要な限度で、遅滞なく、利用停止等を行わなければならない（同法30条1項・

注20）カメラ画像利活用ガイドブック24頁。
注21）岡村・個人情報314頁。

2項)。また、本人が識別される保有個人データが同意なく第三者に提供されている（同法23条・24条違反）ことを理由として、第三者提供の停止の請求を受けたときは、遅滞なく、第三者提供を停止しなければならない（同法30条3項・4項)。

カメラ画像で撮影する人数が多ければ多いほど、これらの義務に対応するよう要求される可能性は高くなる。そのため、本当にカメラで撮影した画像を「個人情報」として残しておく必要があるのか（画像処理によって「個人情報」ではない情報として利用するだけでは足りないのか)、体系化して「個人情報データベース等」にする必要があるのか、またそれを6か月を超えて継続保有する（「保有個人データ」にする）必要があるのか、それぞれについて慎重に吟味してビジネススキームを組む必要があろう。

㈀　2020年改正法による個人の権利の拡大

2020年改正法では、上記㋐～㋒に関する個人の権利を拡大している。まず、繰り返しになるが、「保有個人データ」の定義から保有期間の要件（6か月超）が削除されたことに伴い、保有期間に関係なく保有個人データに該当することとなり、結果として開示等の請求の対象が拡大されている。

現行法上の開示・訂正・追加・削除に係る請求の対象は、「当該本人が識別される保有個人データ」であるが（個人情報28条1項・29条1項)、改正法案は、これに加えて、第三者に個人データを提供した場合および第三者から個人データの提供を受けた場合に作成することが必要となる記録（「第三者提供記録」）［→Ⅱ 2⑶(E)］についても、開示等の請求の対象としている（2020年改正法28条5項)。

また、利用停止・消去の請求等について、現行法上は保有個人データの目的外利用および不正取得の場合に限定され（個人情報30条1項)、第三者提供の停止についても、法令の規定に違反して提供されている場合に限定されている（同条3項)。これに対して、改正法案では、不適正な利用の禁止（2020年改正法16条の2）に違反した場合を利用停止・消去の請求の対象とするとともに（改正法案30条1項)、以下に掲げる場合には、利用停止・消去または第三者提供の停止を請求することができることとしている（同条5項)。

①　当該本人が識別される保有個人データを当該個人情報取扱事業者が

利用する必要がなくなった場合

② 当該本人が識別される保有個人データに係る2020年改正法22条2の第１項に定める事態（漏えい、滅失、毀損その他の個人データの安全の確保に係る事態であって、個人の権利利益を害するおそれが大きいものとして個人情報保護委員会規則[注22)]で定めるもの）が生じた場合

③ その他当該本人が識別される保有個人データの取扱いにより当該本人の権利または正当な利益が害されるおそれがある場合

上記③については、ⓘ個人情報保護委員会の相談ダイヤルやタウンミーティングにおいて、事業者が利用停止等を行わないことへの強い不満が見られたこと、ⓘⓘ事業者の中にはプライバシーマークの審査基準の根拠である「JIS Q 15000個人情報保護マネジメントシステム－要求事項」に即するなど、自主的に顧客の利用停止等の要求に対応する例も存在すること、ⓘⓘⓘEUのGDPRにおいて、プロファイリングを含む個人データの取扱いについて異議を申し立てる権利が定められていること等を踏まえて新設されたものであるが、改正法案の文言だけでは具体的にどのような場合が対象となるのかは明らかでないため、ガイドライン等により対象となる範囲が明確にされることが望まれる。

なお、かかる保有個人データに関する個人の権利が拡大された反面、事業者側の義務が重くなることに対して、事業者のデータの利活用を促進する観点から、改正法案では、開示や利用停止等の対象とならない「仮名加工情報」というカテゴリーが新設されている［→Ⅱ２⑶(F)(iv)］。

⑶ カメラ画像の利活用

これまではカメラ画像により個人情報を取得する場面および取得者自らが利用する場面をみてきたが、当該個人情報を自ら利用するだけでなく、個人情報のデータベースを第三者と共有することによってビジネスで有用な利用ができる、あるいは自らのビジネスを効率的に進めることができることも多いため、個人情報を第三者と共有したいという要請も少なくない。

この点に関して、データベース化されていない単なる「個人情報」に関しては、（他の法令や契約等の制限がある場合は別として、個人情報保護法

注22）なお、かかる規則は本稿脱稿時点では制定されていない。

との関係では）本人の同意なく第三者に提供できるが[注23]、「個人データ」、つまり「個人情報」を体系化して検索可能となった「個人情報データベース等」を構成するものについては、前述の通り、本人の同意がある場合を除いて、原則として第三者への提供が制限されている（個人情報23条1項）。しかしながら、ビジネス上利用している個人情報データベース等にある個人データの本人全員から同意を得るのは、実際問題として現実的ではない場合が多いであろう。

そのため、①個人データの取扱いの委託先、②一定の手続に則った共同利用の相手方、③合併その他の事業の承継先に対しては、本人の同意なく個人データの提供をすることができることとしている（個人情報23条5項）。これは、提供元の個人情報取扱事業者とは別主体であり形式的には第三者に該当するものの、本人との関係で提供元の事業者と一体として取り扱うことに合理性があることから、前記の「第三者」には該当しないものと整理されたことによるものである（GL通則編3-4-3）。

また、前述の適用除外事由（法令、生命・身体・財産の保護、公衆衛生の向上または児童の健全育成推進、国・地方公共団体の事務）に加えて、オプトアウト方式により提供する場合にも、第三者提供の制限の例外として本人の同意を得る必要はない（個人情報23条2項）。

これらの個人データを第三者に提供できる場合を整理すると、【図表3-2-4】のような関係になっている。

(A)　委託先への提供

個人情報取扱事業者が利用目的の達成に必要な範囲において個人データの取扱いの全部または一部を委託することに伴って当該個人データが提供される場合には、本人の同意は不要である（個人情報23条5項1号）。例えば、データの打込等の情報処理を委託する場合や商品の注文を受けた事業者が当該商品の配送のために宅配業者に個人データを提供する場合等がある（GL通則編3-4-3(1)）。

この場合には、当該委託先に対して必要かつ適切な監督を行う必要がある（個人情報22条）。具体的には、個人情報取扱事業者は、20条に基づ

注23）岡村・個人情報263頁。

き自らが講ずべき安全管理措置と同等の措置が講じられるようにする必要があり、委託する業務内容に必要のない個人データを提供しないようにすることは当然のこととして、取扱いを委託する個人データの内容を踏まえ、かつ、個人データが漏えい等をした場合に本人が被る権利利益の侵害の大きさを考慮して、委託する事業の規模および性質、個人データの取扱状況（個人データの性質・量を含む）等に起因するリスクに応じて、①適切な委託先の選定、②委託契約の締結、③委託先における個人データ取扱状況の把握等の措置を講じなければならない（GL通則編3-3-4）。

なお、当該委託先は、委託された業務の範囲内でのみ、本人との関係において委託元である事業者と一体のものとして取り扱われることに合理性があるため、委託された業務以外に当該個人情報を取り扱うことはできない点に注意が必要である[注24]。そのため、例えば、複数の事業者からそれぞれが保有する個人データの分析の委託を受けることは可能であるが、それぞれの事業者から提供を受けたデータを区別せず、混ぜて一緒に分析することはできない[注25]。

(B)　共同利用の相手方への提供

本人の同意を得ずに、特定の者に個人データを提供して共同して利用する場合には、共同利用する旨、および共同して利用される個人データの項目（例：氏名、住所、年齢、商品購入履歴）に加えて、①共同して利用する者の範囲、②利用する者の利用目的の情報、③当該個人データの管理について責任を有する者の氏名または名称をあらかじめ本人に通知し、または本人が容易に知り得る状態に置く必要がある（個人情報23条5項3号、GL通則編3-4-3(3)）。

上記①の共同利用者の範囲については、必ずしも事業者の名称等を個別にすべて列挙する必要はないものの、社会通念上、本人が当該個人データの本人が通常予期し得ると客観的に認められる範囲内、すなわち、本人がどの事業者まで将来利用できるか判断できる程度に明確である必要がある[注26]。共同利用者の要件として、グループ会社、特定のキャンペーン事

注24）GL通則編3-4-3(1)。
注25）GLに関するQ&A5-26-2。

【図表3-2-4】第三者に個人データを提供できる場合

<第三者提供の制限の適用除外>

❶法令に基づく場合

- 警察や検察等から、刑事訴訟法第218条(令状による捜査)に基づく照会があった場合
- 所得税法第225条第1項等による税務署長に対する支払い調書等の提出の場合

❷人の生命、身体又は財産の保護に必要であり、かつ、本人の同意を得ることが困難である場合

- 急病その他の事態時に、本人について、その血液型や家族の連絡先を医師や看護師に提供する場合

❸公衆衛生・児童の健全育成に特に必要な場合

- 健康保険組合の保険者が実施する健康診断の結果を、健康増進施策の立案を目的として疫学研究のために、個人名を伏せて研究者に提供する場合

❹国の機関等への協力

- 事業者等が、税務署の職員等の任意調査に対し、個人情報を提出する場合
- 統計調査に協力する場合

<「第三者」に該当しない>

❶ 委託先

❷ 事業の承継

❸ 共同利用

以下の4つについて、あらかじめ本人に通知等をしなければなりません。

①共同して利用される個人データの項目
②共同して利用する者の範囲
③利用する者の取得時の利用目的
④当該個人データの管理について責任を有する者の氏名又は名称

「共同利用」か「委託」かは、個人データの取扱形態によって判断されるので、共同利用者の範囲に委託先事業者が含まれる場合にも委託先との関係では監督義務を免れるわけではありません。

オプトアウト

個人データ

名前：
住所：
年齢：
注文商品：
感想：

あらかじめ右記次項を本人に通知、又は本人が容易に知り得る状態に置くとともに個人情報保護委員会への届出が必要です。

通知、容易に知り得る状態に置く、届出事項

- 第三者提供を利用目的にすることとその対象項目
- 第三者への提供の方法
- 求めに応じて第三者提供を停止すること及び本人の求めを受け付ける方法

※要配慮個人情報は、オプトアウトによって第三者提供をすることができません(第23条第2項)。

※外国の第三者に提供する場合には、委託先等への提供であっても本人からの同意が必要な場合や、オプトアウトが利用できない場合があります(第24条)。

＊経済産業省「『個人情報』の『取扱いルール』が改正されます!」7頁。

業の一員であること、共同利用による事業遂行上の一定の枠組み（フランチャイズ加盟店等）が挙げられるが、例えば、グループ会社について、「当社の子会社および関連会社」といった表記とする場合において、当該子会社および関連会社のすべてがホームページ上で公表されているような場合

注26）GL通則編3-4-3⑶。

が考えられる[注27]。

(C)　合併その他の事業の承継先への提供

合併、会社分割、事業譲渡等により事業が承継されることに伴い、当該事業に係る個人データが提供される場合には、当該提供先は「第三者」に該当しないことから、本人の同意を得ることなく提供することができる（個人情報23条5項2号）。この場合、提供先の個人情報取扱事業者は、承継前における当該個人情報の提供前の利用目的の達成に必要な範囲内でのみ利用することができる（同法16条2項）。

(D)　オプトアウト方式による提供

個人情報取扱事業者は、個人データ（要配慮個人情報を除く）について、オプトアウト方式による場合には、本人の同意を得ずに第三者に提供することができる（個人情報23条2項）。

オプトアウト（opt-out）方式とは、一旦本人の同意を得ずに第三者提供された個人データであっても、本人が求めた場合には提供を停止しなければならないこととして、いわば本人に事後的な拒否権を与えるものである。したがって、このオプトアウト方式により第三者提供を行う場合には、当該第三者提供を停止することを本人が求めたときには当該本人が識別される個人データの提供を停止することを前提に、一定の事項を、あらかじめ本人に通知しまたは本人が容易に知り得る状態に置き、かつ個人情報保護委員会に届出を行うことが必要となる（GL通則編3-4-2-1）。

かかるオプトアウト方式による第三者提供の手続の概要は【図表3–2–5】のようになる。オプトアウト方式では、本人の同意を得る必要がない一方で、本人への通知等や個人情報保護委員会への届出、第三者提供の停止要求への対応等が必要となる上に、次に述べるトレーサビリティ確保のための措置（記録の作成等）も必要となることを考えると、それなりに大きな事務負担が生じることとなる。

(E)　第三者提供におけるトレーサビリティの確保

個人データを第三者に提供したときは、個人情報取扱事業者は、①当該個人データを提供した年月日、当該第三者の氏名または名称、本人の氏名、

注27）GLに関するQ&A5-28。

【図表 3-2-5】オプトアウト方式による第三者提供手続の概要

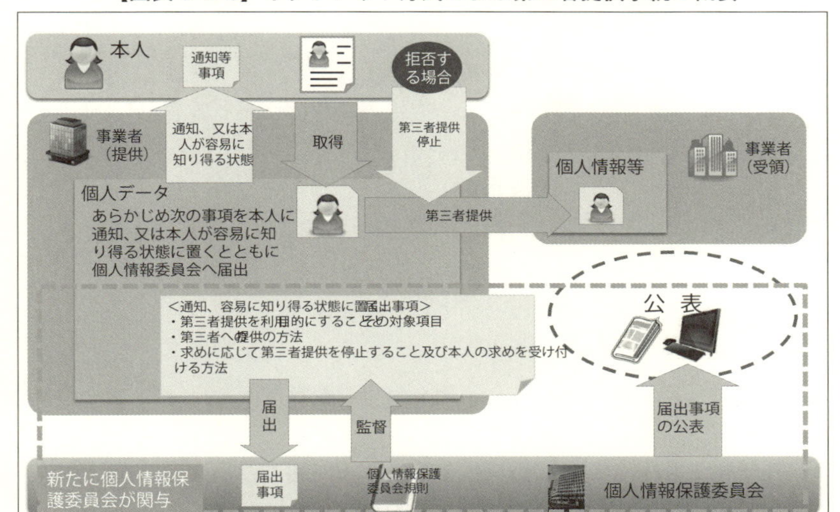

＊内閣官房 IT 総合戦略室「パーソナルデータの利活用に関する制度改正に係る法律案の骨子（案）」11 頁。

【図表 3-2-6】トレーサビリティの制度の概要

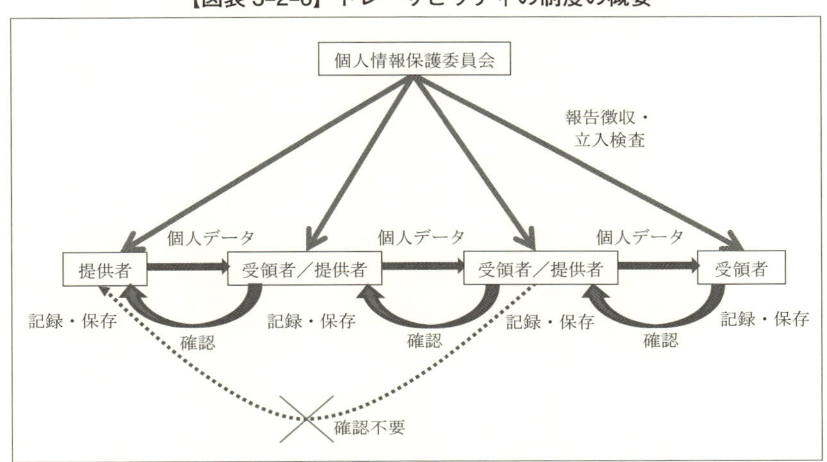

＊福岡・IoT154 頁。

当該個人データの項目等に関する記録を作成し、一定期間保存しなければならない（個人情報25条1項、個人情報則12条ないし14条）。

また、第三者から個人データの提供を受けるときは、提供者の氏名・名称、住所等および当該個人データの取得の経緯について確認を行い、その記録を作成し、一定期間保存しなければならない（個人情報26条1項・3項、個人情報則15条ないし18条）。

かかるトレーサビリティの制度の概要は、【図表3–2–6】の通りである。この制度が設けられた際の2015年改正の経緯からして、名簿屋対策として定められているこの制度については、現行法上は、個人情報保護委員会が報告徴求や立入検査を行う場合等に、提供時・受領時の第三者提供記録を確認できることを前提にした、あくまでも監督機関から見たトレーサビリティの確保であって、本人から見たトレーサビリティは確保されていない。しかし、第三者提供記録は、本人にとって利用停止権等を行使する上で必要不可欠な要素であることから、2020年改正法では、開示請求の対象とされている（2020年改正法28条5項）。

(F)　実務上の問題点

(i)　複数の事業者間での個人データの利活用

＜事例⑨＞のように各店舗で来店者の情報を継続的に収集している場合に、それを異なる店舗間で利活用したいというニーズも少なくないであろう。同一企業内のチェーン店であれば個人データを共有することに個人情報保護法上の制約はないが、グループ企業（親子会社・兄弟会社等）や組織体としては別会社のフランチャイズ店同士、あるいは共通ポイントカードを発行する異なる事業者の間で個人データを共有すると、第三者提供に該当してしまうことになる。このような場合には、事業者としては、①本人からあらかじめ同意を取得する、②オプトアウト方式により第三者提供を行う、③個人データの取扱いを委託する、④個人データを共同利用する、という方法によって個人データを共有することが考えられる。

まず、①の同意取得に関しては、会員登録をする際に同意を条件としておくことで対応ができる場合もあると思われるが、すでに走り出しているビジネスで一定数の会員がいる場合には、全員から事後的に同意を得ることは事実上困難な場合も多いのではないかと思われる。もっとも、スマートフォンのアプリやウェブサービスの場合は、ポップアップで同意取得画面を出すことで対応できる場合もあるであろう。

次に、②のオプトアウト方式の場合には、一定の事項の公表等や個人情報保護委員会への届出、記録の作成・保存、入手経緯の確認に加えて、オプトアウトの要請への対応等もある。特に、オプトアウト方式の場合は、記録を一括して作成することができず、提供する度に速やかに記録を作成しなければならず、事務負担が大きい。さらに、カメラの画像から身体障害をもっていることがわかってしまう方の画像は要配慮個人情報となるため、オプトアウト方式では提供することができない。

上記①②と比べると、③個人データの取扱いを委託する場合、あるいは④個人データを共同利用する場合には、記録・保存義務はなく比較的事務負担は軽い。両者を図示すると【図表3–2–7】のようなイメージである。

③の委託スキームの場合には、例えば、フランチャイズ店であるＡ社、Ｂ社、Ｃ社それぞれからフランチャイズ本部のＸ社に個人データの処理を委託し、解析結果を本部から各フランチャイズ店に報告することになる。もっとも、この場合には、フランチャイズ店がフランチャイズ本部を監督する必要があるが、個々のフランチャイズ店が本部を定期的に監査することは、フランチャイズ店の人的・物的リソースを考えると現実的ではない。もっとも、これがフランチャイズではなく、グループ企業間や共通ポイントカードを発行する事業者同士である場合には、監督自体はできるかもしれない。また、この場合には、委託先であるＸ社は、個々のフランチャイズ店から個人データの処理の委託を受けているものであり、各フランチャイズ店から提供を受けた個人データを混ぜて分析することはできないし、その結果をフランチャイズ本部であるＸ社が自らの戦略立案等のために利用することもできない。なお、実態に即したものとする必要はあるが、個人データの取扱いの委託には「取得」の委託も含まれることから、Ｘ社が個人情報の取得をＡ社、Ｂ社、Ｃ社に委託する一方で、Ａ社、Ｂ社、Ｃ社がＸ社の保有する個人データを分析した結果を基にマーケティングのアドバイスを行うことをＸ社に委託していると整理できる場合もあるであろう。

④の共同利用スキームの場合には、利用目的における記載や通知・公表

【図表 3-2-7】委託スキームと共同利用スキーム

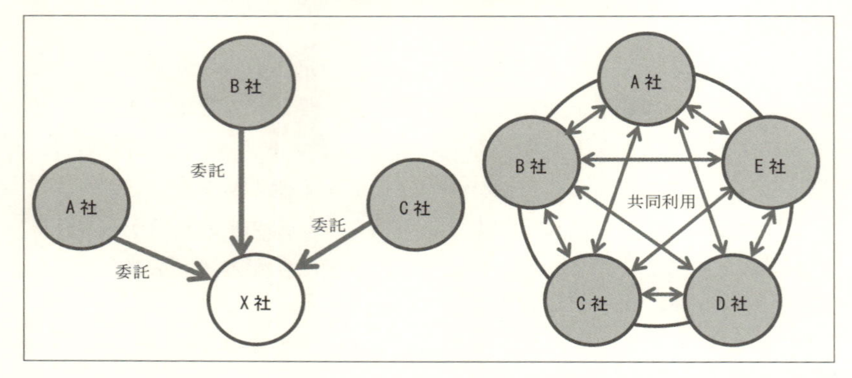

＊福岡・IoT158頁をもとに作成。

【図表 3-2-8】各利活用方法（国内）の比較表

	本人同意	オプトアウト	委託	共同利用
本人同意の要否	○	×	×	×
利用目的における記載の要否	×	○	×	○
通知・公表の要否	×	○	×	○
個人情報保護委員会への届出の要否	×	○	×	×
記録保存・確認義務の有無	○	○	×	×
監督義務の有無	×	×	○	×
要配慮個人情報の提供	提供可	提供不可	提供可	提供可

＊福岡・IoT159頁をもとに作成。

等が必要となるものの、各社に監督義務はない。実務上は、共同利用者の範囲が問題となり得るが、これについては、本人がどの事業者まで将来利用されるか判断できる程度に明確にする必要があるものの、当該範囲が明確である限りにおいては、必ずしも事業者の名称等を個別にすべて列挙する必要はないと解されている。例えば、○○フランチャイズグループの店舗というような範囲で明確になるのであれば、後からフランチャイズに加盟した店舗とも共同利用が可能になる。もっとも、会員情報が、同一グループ企業あるいはフランチャイズグループだけでなく、他業種とも共通するポイント会員に関するものであるような場合には、本人が予測可能な範囲との関係で新たに参加する事業者が共同利用者の範囲に含まれず、参加者を拡大することができないこともあり得る。実際に、大規模に展開する共通ポイントの場合には、①の同意取得で対応していることが多いと思われる。

以上のように、どの方法も一長一短があることから、実際に行うビジネスに合わせて、どれが最も簡便かをケースバイケースで判断していくほかないであろう。各手法における手続の比較は【図表3-2-8】の通りであるが、あまりに複雑すぎるスキームや見えないところでの情報のやりとりも、BtoCビジネスにおいては消費者の不信感を招きかねない。もともとの利用目的に第三者提供が含まれている場合には、オプトアウト方式によることを検討すべき場合もあるであろう。

(ii)　万引き犯のカメラ画像の共有

前記(i)のような利活用の方法のほか、万引き犯や疑わしい人物のカメラ画像を、来店客に無断で、①小売店舗の事業者が店頭に掲示、あるいはホームページに掲載するという事例や、②データベース化して小売店舗事業者間で顔画像データを共有して、該当する人物が来店した場合にアラートするという事例なども話題となった。

この点に関しては、まず、特定の個人が識別できる顔画像や顔認証用の特徴量データは「個人情報」であることから、利用目的の特定や通知・公表が必要となることはもちろんである。もっとも、データベースとして体系化していない顔画像データを「個人データ」には該当しないと解した場合、上記①のように万引き犯または疑わしい人物の写真を店頭やホームページで掲示・掲載することは、個人情報保護法上は制限されないことになる。ただし、プライバシー権・肖像権（撮影された写真をみだりに撮影されたり、公表されない人格的利益）の侵害や名誉毀損等に問われる可能性はある点には注意が必要である。

肖像権侵害に関して、最判平成17・11・10（民集59巻9号2428頁）は、人はみだりに自己の容貌、姿態を撮影されないことにつき法律上保護されるべき人格的利益を有し、ある者の容貌、姿態をその承諾なく撮影することが不法行為法上違法となるかどうかは、被撮影者の社会的地位、撮影された者の活動内容、撮影の場所、撮影の目的、撮影の態様、撮影の必要性等を総合考慮して、被撮影者の前記人格的利益の侵害が社会生活上受忍すべき限度を超えるかどうかを判断して決すべきであるとし、さらに、人は自己の容貌、姿態を描写したイラスト画についてみだりに公表されない人格的利益を有すると判示している[注28)]。

次に、上記②の場合にデータベース化して顔画像データを共有していることについては、「個人データ」の第三者提供の制限との問題が生じ得る。そのため、複数の事業者間で個人データを共有する場合の委託スキームまたは共同利用スキームの問題点をクリアできなければ、オプトアウト方式によらない限り、本人の同意なく第三者提供はできない。しかも、万引きに関しては犯歴等の要配慮個人情報に該当する場合もあり、その場合にはオプトアウト方式による第三者提供はできない点には注意が必要である。なお、第三者提供の制限の例外である「財産の保護のために必要がある場合であって、本人の同意を得ることが困難であるとき」に該当しないかも問題となるが、「本人の同意を得ることが困難であるとき」には該当しないことも多いであろう。

なお、この万引き犯の情報共有に関して、防犯目的のために取得したカメラ画像・顔認証データを共同利用しようとする場合には、共同利用されるカメラ画像・顔認証データ、共同利用する者の範囲を目的の達成に照らして真に必要な範囲に限定することが適切であるとされ、例えば、共同利用するデータベースへの登録条件を整備して、犯罪行為や迷惑行為に関わらない者の情報については登録・共有しないことが必要とされている[注29)]。

注28）岡村・個人情報190頁参照。
注29）GLに関するQ&A5-32-2。

(iii) 匿名加工情報としての利活用

これまでみてきたように、個人情報保護法は体系化された「個人データ」の共有には厳しい態度をとっている。一方で、IoT機器を利用して収集したビッグデータをAIで解析した情報は、特定の個人が識別できなくてもビジネス上も非常に有用なものがある。本人の同意がない限り、これらを原則として第三者提供ができないとすると、すでに膨大なビッグデータを集めて世界的にビジネスを展開している海外事業者等にはまったく太刀打ちができない。そこで、これらの情報を有効的に利用できるようにするために、2015年の改正で「匿名加工情報」が新設された。

(ア) 匿名加工情報

「匿名加工情報」とは、個人情報の記述等の一部を削除することによって、特定の個人を識別することができないよう個人情報を加工したものをいう（個人情報2条9項）。顔認証データ等の個人識別符号については、その全部を削除することが求められるが、個人識別符号でない単なる個人情報の場合には、「一部」を削除するか、復元することのできる規則性を有しない方法により他の記述等に置き換える（例えば、ハッシュ化など）必要がある。

したがって、冒頭の事例との関係では、特徴量データ（＜事例①③⑨⑩＞）は全部削除しなければならないため、匿名加工情報に加工して利用することはできないが、購買情報等の会員情報と紐付いている情報については、「匿名加工情報」に加工することにより、一定のルールの下で、本人の同意を得ることなく目的外利用や第三者提供ができるようになる。

なお、上記の「特定の個人を識別することができない」という匿名加工情報の要件は、あらゆる手法によって特定することができないよう技術的側面からすべての可能性を排除することまでを求めるものではなく、少なくとも、一般人および一般的な事業者の能力、手法等を基準として当該情報を個人情報取扱事業者または匿名加工情報取扱事業者[注30)]が通常の方法により特定できないような状態にすることを求めるものである[注31)]。

注30）匿名加工情報を検索可能な状態に体系的に構成したもの（匿名加工情報データベース等）を事業の用に供している者をいう（個人情報2条10項）。

(イ)　匿名加工情報に係る事業者の義務等

匿名加工情報データベース等を構成する匿名加工情報を作成する個人情報取扱事業者は、一定の義務等を負うことになる注32)。

例えば、当該匿名加工情報に含まれる個人に関する情報の項目を公表しなければならず、かつ、その作成に用いた個人情報から削除した記述等および個人識別符号ならびに加工方法に関する情報の漏えいを防止するために必要な安全管理措置を講じる必要がある（個人情報36条2項・3項）。また、第三者に提供する場合には、提供される匿名加工情報に含まれる個人に関する情報の項目および提供方法について公表し、かつ、当該第三者に匿名加工情報である旨を明示しなければならない（同条4項・37条）。

さらに、匿名加工情報を取り扱うに当たっては、当該匿名加工情報の作成に用いられた個人情報に係る本人を識別するために、他の情報と照合することが禁止されている（個人情報36条5項・38条）。識別ができるか否かを問わず、識別を目的とした照合行為自体がこれらの義務違反となる注33)。

(iv)　**統計情報としての利活用**

データの利活用に際しては、匿名加工情報と似て非なるものとして、「統計情報」が利用されることも多い。統計情報は、個人情報に該当しない点では匿名加工情報と同様であるが、複数人の情報から共通要素に係る項目を抽出して、同じ分類ごとに集計して得られるデータであり、集団の傾向または性質などを数量的に把握するものをいうことから、特定の個人との対応関係を排斥してされている限りにおいては、「個人に関する情報」には該当しないものである注34)。このように、統計情報は集団化された情報であるが、どれだけ集団化すれば統計情報となるかについて明確な基準はなく、ケースバイケースで判断せざるを得ない。また、例えば、統計情

注31）GL匿名加工情報編2-1。なお、GL匿名加工情報編のほか、匿名加工情報への加工方法等については、個人情報保護委員会事務局「匿名加工情報　パーソナルデータの利活用促進と消費者の信頼性確保の両立に向けて」（以下、「匿名加工レポート」という）が参考になる。

注32）なお、データベース化されていない匿名加工情報を作成しまたは取り扱うだけであれば、これらの義務は負わない。

注33）匿名加工レポート41頁。

注34）GL匿名加工情報編2-1。

報の作成において、分類の仕方によってはサンプルが著しく少ない（高齢者、高額利用者、過疎地における位置情報等）が生じる可能性があり、誰の情報か特定できてしまうこともあり得ることから、個人との対応関係が十分に排斥できるような形で統計化されていることが重要である[注35]。

(v)　仮名加工情報の創設

2020年改正法において、「仮名加工情報」という制度が新たに設けられている。「仮名加工情報」とは、以下の措置を講じて、他の情報と照合しない限り特定の個人を識別することができないように個人情報を加工して得られる個人に関する情報をいう（2020年改正法2条9項）。

① 記述等により特定の個人を識別することができる情報（容易照合性を含む）の場合（個人情報2条1項1号）：当該個人情報に含まれる記述等の「一部」を削除すること（当該一部の記述等を復元することのできる規則性を有しない方法により他の記述等に置き換えることを含む）

② 個人識別符号の場合（個人情報2条1項2号）：当該個人情報に含まれる個人識別符号の「全部」を削除すること（当該個人識別符号を復元することのできる規則性を有しない方法により他の記述等に置き換えることを含む）

前述の通り、仮名加工情報の作成に用いられた原データ（保有個人データ）は、本人からの開示・利用停止の請求の対象となるが、仮名加工情報については、これらの請求の対象とはならない。これにより、事業者内部におけるデータの利活用が促進されることが期待される。もっとも、仮名加工情報は事業者内部における分析のために用いられることが前提とされているものであることから、匿名加工情報と異なり、当初の利用目的を超えて利用することはできず（2020年改正法35条の2第3項）、原則として第三者に提供することもできないこととされている（同条6項・35条の3）。

3　プライバシーとの関係

前記のようなカメラ画像に関するパーソナルデータの利活用に関しては、個人情報保護法の遵守だけでなく、プライバシーへの配慮も必要となる。

注35）匿名加工レポート13頁。

プライバシーについては、後記Ⅲのプロファイリングにおいて詳述するが、冒頭の事例のように、防犯目的のみならず商用利用目的でのデータの利活用を望むニーズは高まっている一方で、誰がどのような目的で撮影し、どのように画像が使われるのか、カメラをみただけでは一見してはわからないし、場合によってはどこにカメラがあるのかすらわからないため、カメラにさらされる者の不安が拭えないという事象もみられる。そのため、例えば、店舗において防犯カメラにより防犯目的のみに撮影する場合、「取得の状況から見て利用目的が明らか」（個人情報18条4項4号）であることから、利用目的の通知・公表は不要と解されているものの、防犯カメラが作動中であることを店舗の入口に掲示する等、本人に対して自身の個人情報が取得されていることを認識させるための措置を講ずることが望ましいとされている[注36]。

また、カメラ画像の利活用に当たって、事前告知時、画像の取得時、取扱時、管理時の配慮事項も提唱されており[注37]、例えば、冒頭の<事例⑨>（リピート分析）において配慮すべき事項として、【図表3-2-9】のような対応が挙げられている。

なお、かかる配慮事項に関して、具体的な事前告知の方法等を掲載した「カメラ画像利活用ガイドブック　事前告知・通知に関する参考事例集」（2019年5月）も公表されている。

また、プライバシーに関しては、カメラを搭載したドローンとの関係でも問題となっており、総務省から「『ドローン』による撮影映像等のインターネット上での取扱いに係るガイドライン」（2015年9月）も公表されている。同ガイドラインでは、ドローンに搭載したカメラ撮影での撮影は、通常予期しない視点から戸建住宅やマンションの部屋の中などを居住者の同意なしに撮影することも可能であることから、当該撮影や撮影した映像をインターネット上で公表する行為がプライバシーや肖像権を侵害する可能性があることを前提に、①住宅地にカメラを向けないようにするなど撮影態様に配慮する、②人の顔や車両のナンバープレート、住居内の生活状

注36）GLに関するQ&A1-11。
注37）カメラ画像利活用ガイドブック改訂案21頁以下参照。

【図表3-2-9】配慮事項の対応例

分類	配慮事項	実施する対応例
基本原則	①リスク分析の適切な実施 一元的な連絡先の設置	・データのライフサイクルを分析し、システム管理者等を定めた運用体制を構築 ・問い合わせ窓口を設置 ・小規模な実証実験から段階的に実施
事前告知時の配慮	②事前告知の実施	・開始1か月前に自社HPで告知 ・店舗入口の見やすい位置にポスターを掲示
	③事前告知内容	・当社が運営主体となって実施するリピート分析（マーケティング）であること、「来店履歴・行動履歴・購買履歴を分析する」という目的を明示 ・生活者に対するメリット、社会的メリットをイラストを用いて記載 ・問い合わせ先を記載
	④多言語化	・英語、中国語、韓国語等による情報発信
取得時の配慮	⑤通知の実施	・店舗入口、自社HPへの掲載
	⑥通知内容	・③と同様
	⑦多言語化	・④と同様
取扱い時の配慮	⑧画像の破棄	・カメラ画像はシステムメモリ上で処理され、保存されることなく破棄 ・一定期間（○日間）後、特徴量データを破棄
	⑨処理方法の明確化	・顧客の識別のため、カメラ画像から特徴量データを抽出し、一定期間（○日間）保存 ・再来店時に、特徴量データをキーとして、来店履歴、行動履歴、購買履歴を紐付け
	⑩処理データの保存	・一定期間（○日間）後、特徴量データを破棄 ・紐付けられた来店履歴、動線データ（来店日時、店内行動履歴）、購買履歴を、特定の個人を識別できない形で（統計情報として）保存

管理時の配慮	⑪適切な安全管理対策	・カメラ画像データは特徴量データ抽出後、直ちに破棄 ・特徴量データは、一定期間（〇日間）保存した後、遅滞なく破棄 ・特徴量データは、再来店時のキーとして利用し、来店履歴、動線データ、購買データ以外に、画像やその他の情報等の紐付けは行わない
	⑫利用範囲、アクセス権	・データの利活用は自社内（同一事業者内）に限定 ・データアクセスをシステム管理者のみに限定
	⑬開示請求対応	・開示請求を受け付ける体制を整備
	⑭削除請求対応	・削除請求があった場合の画像特定の手順を決定 ・特定できなかった場合には可能性のあるレコードをすべて削除
	⑮第三者提供時の適切な契約締結	・他社へ提供しないことを自社HP上に明記
	⑯契約変更時の事前告知	—

＊カメラ画像利活用ガイドブック41頁〜42頁をもとに作成。

況を推測できるような私物にぼかし処理等を施すなどの方策を提示している。

４　セキュリティの問題

個人情報取扱事業者には安全管理措置を講ずる義務や委託先の監督義務も課されているところ、プライバシー保護の観点からも、事業者にとってセキュリティの確保は非常に重要な課題である。ビッグデータを扱う事業者にとっては、仮に情報漏えいが起こった場合の損害賠償額が大きくなるばかりか、当該事業者のレピュテーションも低下し、対応を誤れば事業活動が継続できなくなるリスクもはらんでいる。第３編第７章において詳述する通り、セキュリティへの攻撃もAIを用いたものも多く、漏えい

【図表 3-2-10】個人情報漏えいインシデント（2018 年）

漏えい人数	561 万 3797 人
インシデント件数	443 件
想定損害賠償総額	2684 億 5743 万円
1 件あたりの漏えい人数	1 万 3334 人
1 件あたりの平均想定損害賠償額	6 億 3767 万円
1 人あたりの平均想定損害賠償額	2 万 9768 円

事故は後を絶たない。2018 年における個人情報漏えいインシデントの概要データは【図表 3-2-10】の通りであり、漏えい原因は、443 件のうち、「紛失・置忘れ」（116 件）が一番多く、次いで「誤操作」（109 件）、「不正アクセス」（90 件）と続き、上位 3 種の原因で約 70%を占める[注38)]。

このセキュリティ問題について、個人情報保護法 83 条は、自己もしくは第三者の不正な利益を図る目的で個人情報データベース等を提供または盗用した者に罰則を定めて、情報漏えいを未然に防止しようとしている。また、政府もさまざまな方向から対策を推奨しており、経産省が「サイバーセキュリティ経営ガイドライン」（2017 年 11 月に Ver2.0 に改訂）を公表し、総務省も「IoT セキュリティ総合対策」（2017 年 10 月）を公表している。さらに、内閣官房内閣サイバーセキュリティセンターも「サイバーセキュリティ関係法令 Q&A ハンドブック」（2020 年 3 月 2 日）を公表している。

また、個人情報保護委員会は、GL 通則編 8-1 以下において、個人データの安全管理措置として具体的な方策を提示している（例えば、ログ等の定期的な分析により、不正アクセス等を検知するなど）。その上で、個人データ等の漏えい等の事案が発生した場合等の対応として、2 次被害の防止、類似事案の発生防止の観点から、個人情報取扱事業者が講ずることが望ま

注 38）NPO 日本ネットワークセキュリティ協会『2018 年情報セキュリティインシデントに関する調査結果——個人情報漏えい編（速報版）』3 頁・7 頁。

しい措置として、以下のものを列挙している[注39]。

①　事業者内部における報告および被害の拡大防止	責任ある立場の者に直ちに報告するとともに、漏えい等事案による被害が発覚時よりも拡大しないよう必要な措置を講ずる。
②　事実関係の調査および原因の究明	漏えい等事案の事実関係の調査及び原因の究明に必要な措置を講ずる。
③　影響範囲の特定	前記②で把握した事実関係による影響の範囲を特定する。
④　再発防止策の検討および実施	前記②の結果を踏まえ、漏えい等事案の再発防止策の検討および実施に必要な措置を速やかに講ずる。
⑤　影響を受ける可能性のある本人への連絡等	漏えい等事案の内容等に応じて、２次被害の防止、類似事案発生防止等の観点から、事実関係等について、速やかに本人へ連絡し、または本人が容易に知り得る状態に置く。
⑥　事実関係および再発防止策等の公表	漏えい等事案の内容等に応じて、２次被害の防止、類似事案発生防止等の観点から、事実関係および再発防止策等について、速やかに公表する。

個人情報の漏えいに関しての報告は現行法上は義務ではないが、2020年改正法において個人データの漏えい等について義務化されている。すなわち、個人データの漏えい、滅失、毀損その他の個人データの安全の確保に係る事態であって個人の権利利益を害するおそれが大きいものとして個人情報保護委員会規則で定めるものが生じたときは、原則として、個人情報保護委員会に報告するとともに、本人に対して通知しなければならない(2020年改正法22条の2)。「個人の権利利益を害するおそれが大きいもの」として具体的にどのような形態の漏えい事案が規則で定められるかについ

注39）個人情報保護委員会「個人データの漏えい等の事案が発生した場合等の対応について」（平成29年個人情報保護委員会告示第１号）参照。

て、制度改正大綱では、一定数以上の個人データ漏えい、要配慮個人情報の漏えい等、一定の類型に該当する場合に限定するとしている。また、委員会への報告・本人への通知についても、個人情報保護委員会規則で定める方法によってなされる必要があるが、この点に関して制度改正大綱では、事業者が事態を把握する日数は個別具体的な事情によるところが大きく、一律に日数を規定することは困難であることから、報告内容を一定程度限定した上で「速やかに」報告することを義務付けた上で、かかる速報とは別に、一定の期限までに確報としての報告を求めるとされている[注40)]。

Ⅲ　機器の稼働データ・位置情報の利活用

これまで主にカメラ画像の顔認証機能について検討してきたが、他にも新たな機器、新たなサービスが登場している。例えば、最近では声認証機能搭載AIスピーカー、顔認証決済サービスや、テレマティクス保険における運転情報や健康増進型保険における健康情報等に関しても、個人情報やプライバシーの問題となり得る。

1　機器の稼働データ

まず、第3編第6章でテレマティクス保険や健康増進保険において、IoT機器等により取得した情報がどこまで個人に「関する」情報に該当するかについては、前述の容易照合性の判断と相まって、非常に悩ましい問題が生じ得る。この個人に「関する」の範囲については、広く解するのが支配的な見解であり、例えば、GL通則編2-1では、「氏名、住所、性別、生年月日、顔画像等個人を識別する情報に限られず、個人の身体、財産、職種、肩書等の属性に関して、事実、判断、評価を表す全ての情報」とされている。このような見解を前提とした場合に、機器の状況、例えば、スマートホームにおける冷蔵庫やテレビの稼働状況、車両走行中の車の稼働状況（エンジン回転数やブレーキの作動状況等）などはどこまで個人に「関する」ものとして「個人情報」に含まれるのであろうか。

注40）制度改正大綱15頁。

この点に関して、2015年5月8日第189回国会衆議院内閣委員会における政府委員は、「冷蔵庫とかテレビのような家電製品の稼働状況等を精査、取得したようなものにつきましては、生存する個人に関する情報とは言えず、それ単体では個人情報には該当するものではないと考えております。しかしながら、物を利用する者の氏名等と一緒に取得されている、あるいは、事業者が物の利用者に係る別の個人情報を保有し、容易照合性がある状態になれば、これはまた個人情報に該当するものと考えられます」と回答している。このような回答からすると、家電の稼働状況に関するデータや走行中の自動車のエンジン回転数、アクセルやブレーキの稼働状況に関するデータについては、会員情報等により個人と紐付けられていれば(容易照合性があれば)、個人情報に該当することになると解される。

2　位置情報

上記のような機器の稼働データの他に、機器の位置情報が個人情報・プライバシーとの関係で問題となることも多い。この点に関して、2015年6月2日第189回国会参議院内閣委員会財政金融委員会連合審査会において、政府委員は、「委員御指摘のウエブ検索、閲覧の履歴や位置情報等の個人の行動に関する情報につきましては、情報に含まれる内容の詳細さ、特異さ、あるいは蓄積度の度合いによっては特定の個人を識別できる場合もあるものの、基本的には個人情報に該当しないものと考えております。ただし、個人の行動に関する情報が個人情報に該当しない場合であっても、これを取り扱う事業者が氏名や顔写真その他の情報を保有しており、これと容易照合性が認められる場合や、今回の法案でお示しした個人識別符号とともに一つのデータセットとして保有されている場合であれば、これらも個人情報に該当することとなると考えております」と回答している。この回答を前提とすれば、移動履歴・位置情報についても、氏名等と容易照合性がある場合には、個人情報であると解することになるであろう。これに関連して、直接的には匿名加工情報に関するものであるが、匿名加工レポートにおいて、自動車に搭載したGPS受信機によって取得できる位置情報（移動履歴）について、「詳細な時刻情報と紐づく位置情報の連続したデータからは、ある地点から別の地点への移動の経路のみならず、夜間に同じ場所に滞留している位置情報からは自宅を推定することができ、昼間に同じ場所に滞留している位置情報からは、勤務先や通っている学校等を推定することが可能である」としており、また、移動履歴は長くなればなるほど他人と重複する可能性が低く、一意な情報となるという特徴を有する[注41]としている。総務省が公表している「スマートフォン プライバシーイニシアティブ Ⅲ」(2017年7月) 11頁においても、「行動履歴や利用履歴に関する情報としては、GPSや基地局・Wi-Fiアクセスポイント情報に基づく位置情報、通信履歴（通話内容・履歴、メール内容・送受信内容等)、ウェブページ上の行動履歴などが蓄積される場合がある。また、アプリケーションの利用により蓄積される情報やアプリケーションの利用ログ、システムの利用に関するログなどが蓄積されることもある。これらは、それ自体で一般には個人識別性を有しないことが多いと考えられるが、長期間網羅的に蓄積した場合等において、態様によって個人が推定可能となる場合もある。移動履歴は、短期間のものでも、自宅、職場等の情報と等価になる場合がある。また、大量かつ多様なこれらの履歴の集積については、個人の人格と密接に関係する可能性が指摘される」としている。これらの指摘からすると、位置情報については他の情報と容易照合性があって個人が特定できる場合はもちろん個人情報に該当すると解されるが、連続した移動履歴のデータそのものから個人を特定することが可能である場合には、他の個人情報と照合しなくても、それ自体で個人を識別できる個人情報と解され得ることを前提にしているものと考えられる。

この位置情報については個人情報保護法における取扱いよりも高いレベルの保護が求められており、「電気通信事業者における個人情報保護に関するガイドライン」(2017年9月14日最終改訂）およびその解説（2019年1月最終改訂）では、位置情報の取得・第三者提供には、違法性阻却事由がある場合を除いて、本人の個別具体的かつ明確な同意が必要とされている(35条関係)。また、「位置情報プライバシーレポート」(2014年7月）においても、プライバシー性の高低による分類等（例えば、基地局に係る位置情

注41) 匿名加工レポート28頁・60頁。都市部と地方、昼間と夜間等、環境や状況に応じて同じ範囲から取得できる位置情報の数が変わるという特徴も有する。

報の精度は概ね数百メートル単位であるのに対して、GPS位置情報やWi-Fi位置情報の精度は数メートル単位〜数十メートル単位であり、より高いプライバシー性を有する）に応じて適正に取り扱うこととされている[注42)][注43)]。

3　ディープフェイク

近時、AIを用いて本人そっくりの偽の動画等を生成する「ディープフェイク」が話題になっている。オバマ前大統領の偽演説の動画をニュースでみたことがある方もいるであろう。「ディープフェイク」は、ディープラーニング（深層学習）とフェイク（偽物）を組み合わせた造語であり、AIが本人の動画や画像から顔の特徴をディープラーニングにより学習し、別人が動いたり話したりしている動画に本人の顔を合成することによって生成されるという。音声データもAIに学習させ、動画に合わせて再現する。

このようなディープフェイクは、すでに詐欺やポルノに悪用され問題となっている事案もあるが、個人情報保護法との関係では、元の本人の画像や音声についての目的外利用や不正取得、インターネット等で公表することによる第三者提供、さらに改正法案における不適正な利用の禁止等との関係で問題となり得る。また、プライバシー権や肖像権の侵害、名誉毀損等との関係でも問題が生じ得るであろう。

ディープフェイクの生成技術が向上して本物と偽物の見分けがつかなくなってきており、生体認証の突破に使われる懸念も指摘される反面、それを見破るための偽動画の判別技術の研究も進んでいる。動画を配信するこ

注42）なお、「十分な匿名化」がなされた位置情報については、（通信の秘密に該当するものを除いて）利用者の同意なく利用・第三者提供することが可能であるが、その場合でも位置情報の取扱いについてわかりやすく説明・表示を行うべきとされる。

注43）総務省「スマートフォン プライバシー イニシアティブ——利用者情報の適正な取扱いとリテラシー向上による新時代イノベーション」（2012年8月）59頁以下では、（位置情報に限られないが）通知・同意取得すべき事項が挙げられており、また、平成29年度総務省委託事業の「位置情報等のプライバシー情報等の利活用モデル実証事業報告書」（2018年3月・株式会社野村総合研究所作成）117頁以下では、電気通信事業者が扱う位置情報等に係るデータ取引に関する契約書サンプルが掲載されている。

とが可能なプラットフォームの運営者等は、今後はディープフェイクを排除することも重要な課題の1つとなってくるであろう。

Ⅳ　プロファイリング

プロファイリングと聞くと、テレビや小説で犯罪捜査の一環として状況証拠等から犯人像を割り出す手法を用いる場面がすぐに思い浮かぶが、われわれの身近なところでもプロファイリングは行われている。例えば、インターネットの閲覧履歴や購買履歴から消費者の趣味・嗜好を推知して公告を行うターゲティング広告や、AIを用いたローン審査や個人の信用力を分析してスコアリングする信用スコア（AIスコア）の算定も行われており、プロファイリングはビッグデータビジネスにおいて当たり前のものとなっている。他方で、サービスを利用するために開始時に同意はしているとしても、消費者がほとんど意識しないうちに個人情報・プライバシー情報が収集されることが常態化しているのもまた事実であり、個人情報保護法やプライバシーとの関係で問題が生じ得る。

このプロファイリングに関しては、個人情報保護法改正のベースとなった内閣官房IT総合戦略本部作成の「パーソナルデータの利活用に関する制度改正大綱」において、「多種多量な情報を、分野横断的に活用することによって生まれるイノベーションや、それによる新ビジネスの創出等が期待される中、プロファイリングの対象範囲、個人の権利利益の侵害を抑止するために必要な対応策等については、現状の被害実態、民間主導による自主的な取組の有効性及び諸外国の動向を勘案しつつ、継続して検討すべき課題とする」とされていたが、最終的に2017年に施行された改正個人情報保護法では直接の規定は設けられなかった。

これに対してEUでは、2018年5月に施行されたEUの一般データ保護規則（GDPR:General Data Protection Regulation）において、プロファイリングを犯罪捜査に限定されないより一般的な文脈で定義している。具体的には、プロファイリングとは、「自然人に関する特定の個人的側面を評価するために、特に、当該自然人の職務遂行能力、経済状況、健康、個人的選好、関心、信頼性、行動、位置もしくは動向を分析または予測するために、個人データを用いて行うあらゆる形式の自動化された個人データ処理」と定義した上で、個人情報・プライバシー保護法制の中核に据えられている[注44]。

すなわち、データ主体（本人）は、公共の利益または正当な利益に基づいて行われる自己の個人データの処理（プロファイリングの場合を含む）に対して、いつでも異議を唱える権利を有するとし（GDPR21条1項)、特に個人データがダイレクトマーケティングの目的のために取り扱われる場合、データ主体は、そのようなマーケティングのための自己の個人データの処理（ダイレクトマーケティングと関係する範囲内でのプロファイリングを含む）に対して、いつでも異議を述べる権利を有する（同条2項)。さらに、データ主体は、当該データ主体に関する法的効果またはデータ主体に対して同様の重大な影響を及ぼすプロファイリングを含むもっぱら自動化された処理に基づいた決定の対象とされない権利を有する（GDPR22条1項)。これは、AIのみの判断に基づいて重要な決定を下されてしまうことを回避するものである。

なお、改正法案では、プロファイリングについて正面から規制する規定は設けられていないが、ターゲティング広告等を念頭に、クッキー等の識別子に紐付く個人情報ではないユーザーデータ等について「個人関連情報」として規制の対象として、第三者が個人関連情報データベース等を構成する個人関連情報を「個人データ」として取得することが想定されるときは、本人の同意なく当該第三者に提供してはならないこととしている(2020年改正法26条の2第1項1号)。

1　AIによるプロファイリングと個人情報保護法

現行の個人情報保護法においてプロファイリングについて直接の規定が設けられていないとしても、実際にプロファイリングを行うに当たって個人情報保護法上の「個人情報」を取得する場合には、当然に個人情報保護法の適用対象となる。例えば、AIがインターネット上でパーソナルデ

注44）山本龍彦「ビッグデータ社会とプロファイリング」論究ジュリスト2016年夏号38頁。

ータを収集してプロファイリングを行う際に、プラットフォーマーやクレジットカード会社が消費者の購買履歴等の情報を取得する場合はもとより、SNSなどによって公表されている情報を取得する場合であっても「個人情報」に該当するため[注45)]、取得に当たっては原則として利用目的を通知または公表する必要があり、また、取得した個人情報がデータベース化されて「個人データ」となっていれば、安全管理措置を講じる義務等を負うほか、原則として本人の同意なく第三者に提供することはできない。

(1)　AIによる要配慮個人情報の生成

前記の義務等のほか、AIがプロファイリングのためにインターネットでパーソナルデータを収集する場合には、原則として本人の同意を得ずに要配慮個人情報（人種、信条、社会的身分、病歴、前科・前歴、犯罪被害を受けた事実等が含まれた機微情報）を取得することが禁止される（個人情報17条2項）[注46)]。本人や公的機関、報道機関等により公開されている場合には、その取得を禁止する合理的な理由がないので、本人の同意なく要配慮個人情報の取得することができるが（同項5号）、「法第17条第2項第5号及び規則第6条で定める者（筆者注：本人、公的機関、報道機関等）以外がインターネット上で公開している情報から本人の信条や犯罪履歴等に関する情報を取得し、既に保有している当該本人に関する情報の一部として自己のデータベース等に登録すること」は、同法17条2項に違反している事例として挙げられている点には留意が必要である（GL通則編3-2-2）。なお、公開されている情報であっても、「個人情報」を取得する場合には、その利用目的を通知・公表する必要があることに変わりはない（同法18条1項）。

では、AIが直接に要配慮個人情報を取得しないとしても、インターネット上で収集した情報から要配慮個人情報を推知、あるいは生成することは問題ないであろうか。例えば、宗教に関する本の購入履歴や、薬の購入

注45）特定の個人を識別できる情報であれば、一般に他人に知られたくないセンシティブな情報であるか否かを問わず、個人情報保護法上の「個人情報」に該当する（菅原貴与志『詳解個人情報保護法と企業法務〔第7版〕』〔民事法研究会、2017〕156頁以下）。

注46）菅原・前掲注45）15頁・155頁。

履歴などから信条や病歴を推知することができる場合があるであろう。この点に関して、GL通則編2-3では、要配慮個人情報を推知させるにすぎない情報は、「要配慮個人情報」には含まないこととしている。この整理に基づけば、前記の例のように信条や病歴を推知したとしても、要配慮個人情報を取得したことにはならない。

もっとも、プロファイリングによって要配慮個人情報に該当するデータを生成する可能性があり、仮に事業者が要配慮個人情報を取得したと解釈できる場合であれば、それは個人情報保護法17条２項に抵触するという結論にもなりかねないという指摘[注47]や、プロファイリングによって迂回的に要配慮個人情報にアクセスできるとすれば、本人の同意を求めた同項の趣旨が骨抜きにされる可能性があることから、センシティブな事項を一定の制度で予測するプロファイリングは要配慮個人情報の「取得」に該当するとする見解（取得同視論）[注48]もある。しかしながら、立法論としてはともかく[注49]、前述の通り、「パーソナルデータの利活用に関する制度改正大綱」では検討課題とされていたプロファイリングが最終的には個人情報保護法の改正に盛り込まれなかったことからすれば、現行法の解釈論としては要配慮個人情報の取得には当たらないと解するのが自然であろう[注50]。取得の解釈を事後的な取得にまで拡張することになると、要配慮個人情報の取扱いにおける「事後取得の予見可能性」を事前に認識するこ

注47）菅原・前掲注45）155頁。

注48）山本・前掲注44）39頁。

注49）山本龍彦「プロファイリング規制の現状」NBL1100号（2017）24頁は、バイアスやエラーを含んだアルゴリズムによってプロファイリングがなされ、それによって自動的に不採用とされたり、融資を断られたりするようなことがあれば、本人は謂われのない理由で人生の可能性を奪われた（あるいは差別を受けた）と感じるだろうと指摘し、日本でも、GDPRのようにプロファイリングについて一定の制限を設けて、本人の検証や反論を可能にするような制度ないし手続を構築する必要があるとする。

注50）平成27年の個人情報保護法改正時に、匿名加工情報を他の情報と照合して本人を識別することを禁止しているように（個人情報36条５項・38条）、他の情報を照合して要配慮個人情報を取得・生成することも禁止できたはずであるが、このような規制も設けられていない。

とが困難であることや、プライバシー侵害との関係で検討すべき問題であることも指摘されている[注51]。

なお、当初予定していなかった要配慮個人情報が生成されてしまった場合には、目的外利用との関係が問題となるであろう。また、改正法案では、違法または不当な行為を助長し、または誘発おそれがある方法により個人情報を利用してはならないとして、不適正な利用の禁止を定めている点には留意が必要となる（2020年改正法16条の2）。

⑵　信用スコアの算定

近時、AIを利用して個人の信用力をスコアリングした信用スコアを提供するビジネスが広まりつつある。個人データを基に算出され、個人と紐付いて管理されるものは当然に個人データとして管理等することが必要となるが、かかる信用スコアについては、データの利活用として利便性が向上することが期待される一方で、スコアの低い人が理由もわからないままに排除される「バーチャル・スラム」の問題も指摘されている。AIの意思決定プロセスがブラックボックス化し、そのロジックを誰も説明できなくなれば、雇用、与信、保険、教育等の重要な場面で個人が不利益を被ることになったとしても、自己改善の方法もわからず、一旦AIに嫌われた者は、挽回の機会なく一生嫌われ続けるかもしれないという問題である[注52]。また、後記Ⅴにおいて述べる情報銀行においても信用スコアの情報の提供が想定されているところ、その利用方法いかんによっては、スコアに「迎合」する者が増えて、社会の多様性が損なわれたり、結婚や就職等に利用され、人間の差別や選別につながりかねない危険をはらんでいると指摘されている[注53]。そのため、信用スコアを取り扱う場合には、個人にとって不利益とならないように留意する必要があることから、【図表3-2-12】のように、類型別の留意点が挙げられている。

注51）新保・前掲注12）234頁以下。

注52）山本龍彦『AIと憲法』（日本経済新聞出版社、2018）70頁以下。

注53）「情報信託機能の認定スキームの在り方に関する検討会とりまとめ」（2019年10月8日）（本章において以下、「指針とりまとめ」という）27頁。

【図表3-2-12】信用スコアを取り扱う場合の留意点

情報銀行が信用スコアを取り扱うパターン	①　個人がすでに保有している信用スコアを情報銀行に対して提供し、情報銀行が当該信用スコアを第三者に提供する場合 ②　個人が信用スコア算出の元となるデータを情報銀行に提供し、情報銀行が当該元データを第三者に提供する場合 ③　個人が信用スコア算出の元となるデータを情報銀行に提供し、情報銀行が信用スコアを算出して第三者に提供する場合
(i)同意取得	（パターン①および③） 情報銀行は、個人に対し、信用スコアが提供先においてどのように利用されるのか、およびそれによるリスクについて、明示的に説明すること （パターン②および③） 情報銀行は、個人に対し、取得または第三者提供される個人情報が信用スコアの算定に利用されること、およびそれによるリスクについて、明示的に説明すること
(ii)信用スコアの利活用	（パターン①） 情報銀行は、「個人のためにデータを活用する」ことが原則となることから、提供することによって、個人にとって不利益となるおそれがある場合は提供しない、または個人に対してリスクを示す等、個人の利益を踏まえた利活用を行うこと
(iii)非提携企業による信用スコアの二次利用	（パターン②） 情報銀行は、他者が作成したスコアを作成者またはスコアの対象となる個人から取得し、他の第三者に提供する場合で、作成者が二次利用に対して制限を設けている場合には、制限に反しない範囲で提供を行うこと
(iv)信用スコアの基礎データ	（パターン②） 情報銀行は、「個人のためにデータを活用する」ことが原則となることから、遺伝情報や、差別につながる過去の情報を信用スコアを算定する者に対して提供しないこと （パターン③） 情報銀行は、「個人のためにデータを活用する」ことが原則となることから、遺伝情報や、差別につながる過去の情報を基礎データとして用いないこと

(v)説明責任・透明性	（パターン③） 情報銀行は、スコアに用いたデータおよびスコアの算出方法について、アカウンタビリティをもつこと
(iv)人間の関与	（パターン③） 信用スコアを機械化された処理により数値化する場合において、人間の関与を本人が求めることを認めるという対応を行うかについても検討すること

＊指針とりまとめ27頁～28頁をもとに作成。

これらの留意点のほか、2020年改正法では、不適正な利用に該当しないような利用が求められる（2020年改正法16条の2）。

(3)　AIによる匿名加工情報の本人識別

匿名加工情報は本人の同意や第三者提供の手続を経ずに一定の情報を第三者と共有する手法として、パーソナルデータの利活用の促進という観点からは有用な手法であるが、個人情報保護法は、個人が特定されることを可及的に防止するため、匿名加工情報の作成に用いられた個人情報に係る本人を識別するために、他の情報と照合してはならないとしている（個人情報36条5項・38条）。この匿名加工情報の作成方法については、「あらゆる手法によって特定することができないよう技術的側面から全ての可能性を排除することまでを求めるものではなく、少なくとも、一般人及び一般的な事業者の能力、手法等を基準として当該情報を個人情報取扱事業者又は匿名加工情報取扱事業者が通常の方法により復元できないような状態にすることを求めるものである」（GL匿名加工情報編2-1）とされているところ、AIは膨大なビッグデータから人間が気付かないような関連性をみつけるのが得意であり、AIが匿名加工情報を利用した分析を行う際に、ビッグデータから匿名加工情報の作成元になった個人情報の本人を識別できてしまう場合もあり得る。このような場合に、照合禁止規定に違反することになるのであろうか。

この点に関して、当初から本人を識別するためにビッグデータと照合するアルゴリズムを組んでいる場合は照合禁止規定に違反することは明らかである。他方で、偶然に匿名加工情報の作成元となった個人情報を識別してしまい、本人を識別するために他の情報と照合しているとはいえない場合には、直ちに照合行為の禁止に該当するものではないと考えられる。もっとも、取り扱う匿名加工情報に記述等を付加して特定の個人を識別できる状態となった場合には、個人情報の不適正な取得となるため、速やかに削除すべきであろう[注54)]。

2　プライバシー等との関係

AIによるインターネット上での情報の収集やそれに基づくプロファイリングは、個人情報保護法だけでなく、プライバシーとの関係でも問題になり得る（【図表3-2-11】参照）。

⑴　プライバシー権

伝統的なプライバシー権としては、宴のあと事件において東京地判昭和39・9・28（下民集15巻9号2317頁）が、「私生活をみだりに公開されないという法的保障ないし権利」と理解した上で、不法行為のプライバシー侵害となるためには、①私生活上の事実または私生活上の事実らしく受け取られるおそれのあること、②一般人の感受性を基準として当該私人の立場に立った場合、公開を欲しないであろうと認められる事柄であること、

【図表3-2-11】個人情報保護法とプライバシーの関係

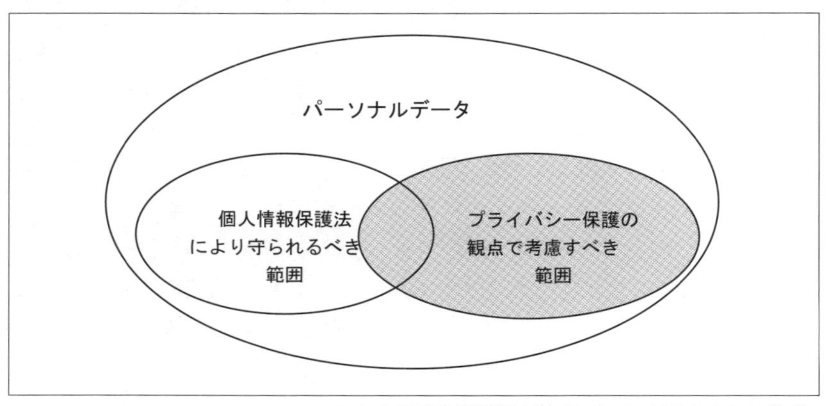

＊カメラ画像利活用ガイドブック4頁をもとに作成。

注54）GLに関するQ&A11–21、匿名加工レポート42頁参照。

③一般の人々にいまだ知られていない事柄であること、④公開によって当該私人が実際に不快、不安の念を覚えたこと、の要件を満たすことが必要であると判示したことが有名である。もっとも、その後のITの発展により、このような消極的権利として捉えるだけでは不十分であると認識されるようになり、プライバシー権を「自己に関する情報をコントロールする権利」（自己に関する情報を不当に取得・収集されないという側面と、自己に関する情報について閲覧・訂正・削除を請求することができるという側面がある）として、積極的な権利として捉える見解が憲法学説において主張され、有力視されるようになった[注55)]。実際に、本稿のプロファイリングに関しては、前記のように宴のあと事件判決の私生活に関する情報を公開することの是非についてのスコープでは捉えきれない。裁判所も、「自己情報コントロール権」という言葉を使うことには消極的であるが、その趣旨については広く受容しているように思われる[注56)]。

また、最判平成15・9・12（民集57巻8号973頁）は、学籍番号、氏名、住所および電話番号は、秘匿されるべき必要性が必ずしも高いものではないが、本人が、自己が欲しない他者にはみだりにこれを開示されたくないと考えることは自然なことであり、そのことへの期待は保護されるべきものであって、法的保護の対象となると判示しており、公知性を有する情報であっても、プライバシー侵害の対象となることを認めている。

⑵　プライバシー・バイ・デザイン

現在では、その権利の内容や権利侵害の有無だけでなく、プライバシー感情へ配慮した運用や、プライバシー・バイ・デザイン（プライバシー情報を扱うあらゆる側面において、プライバシー情報が適切に扱われる環境をあらかじめ作り込もうというコンセプト）といった考え方[注57)]、また、その重要な要素としてのプライバシー影響評価（PIA：Privacy Impact Assessment。個人情報の収集を伴う情報システムの企画、構築、改修に当た

注55）村上康二郎『現代情報社会におけるプライバシー・個人情報の保護』（日本評論社、2017）195頁、福岡・IoT46頁以下。

注56）山本龍彦『プライバシーの権利を考える』（信山社出版、2017）13頁。

注57）堀部政男ほか編『プライバシー・バイ・デザイン』（日経BP社、2012）10頁。

り、情報提供者のプライバシーへの影響を「事前」に評価し、情報システムの構築・運用を適正に行うことを促すプロセス）注58）等も考慮することが求められるようになってきている。

これらのプライバシー情報の取扱方法に関しては、2015年改正の個人情報保護法には直接の規定は設けられなかったが、「パーソナルデータの利活用に関する制度改正大綱」17頁の検討事項として、「番号法における特定個人情報保護評価の実施状況を踏まえ、事業者に過度な負担とならずに個人情報の適正な取扱いを確保するための実効性あるプライバシー影響評価の実施方法等については、継続して検討すべき課題とする」とされている。

また、AIの開発・利活用の観点からも、【図表3-2-13】のように、各種ガイドライン等においてプライバシーに配慮した取組みがなされている。

【図表3-2-13】プライバシーへの配慮

ガイドライン等	プライバシーに関する記載
「AI利活用ガイドライン　」（2019年8月9日）	プライバシーの原則 利用者およびデータ提供者は、AIシステムまたはAIサービスの利活用において、他者または自己のプライバシーが侵害されないよう配慮する。 ・AIの利活用における最終利用者および第三者のプライバシーの尊重 ・学習等に用いるパーソナルデータの収集・前処理・提供におけるプライバシーの尊重 ・自己等のプライバシー侵害等への留意およびパーソナルデータ流出の防止
「国際的な議論のためのAI開発ガイドライン案　」（2017年7月28日）	プライバシーの原則 開発者は、AIシステムにより利用者および第三者のプライバシーが侵害されないよう配慮する。 ・事前のプライバシー影響評価 ・プライバシー・バイ・デザイン

注58）福岡・IoT53頁。

「人間中心のAI社会原則」(2019年3月29日)	プライバシー確保の原則 AIを前提とした社会においては、個人の行動などに関するデータから、政治的立場、経済状況、趣味・嗜好等が高精度で推定できることがある。これは、単なる個人情報を扱う以上の慎重さが求められる場合があることを意味する。パーソナルデータが本人の望まない形で流通したり、利用されたりすることによって、個人が不利益を受けることのないよう、各ステークホルダーは、以下の考え方に基づいて、パーソナルデータを扱わなければならない。 ・個人の自由、尊厳、平等が侵害されないようにすべきである。 ・AIの使用が個人に害を及ぼすリスクを高める可能性がある場合には、そのような状況に対処するための技術的仕組みや非技術的枠組みを整備すべきである。 ・パーソナルデータは、その重要性・要配慮性に応じて適切な保護がなされなければならない。
「人工知能学会倫理指針」(2017年2月28日)	3) 他者のプライバシー尊重 (Respect for the privacy of others) 人工知能の利用および開発において、他者のプライバシーを尊重し、関連する法規に則って個人情報の適正な取扱いを行う義務を負う。

＊各ガイドライン等をもとに作成。

プライバシー・バイ・デザインの具体的な手法としては、利用者が無意識の間にプライバシーにかかわる情報を事業者が収集・利用する状況が常態化している中で、収集される情報が利用者にとって許容できるか否かは、各利用者の価値観に依存するため、サービスを提供する事業者が利用者の判断を可能にするための説明を行うことが不可欠であり、そのためにプライバシー・バイ・デザインの実施体制を構築し、【図表3-2-12】のように企画・開発・構築・運用においてプライバシー保護のためのチェックポイントを設けることが必要であるとされる[注59]。

【図表3-2-14】プライバシー保護のためのチェックポイント

＜プライバシーポリシーの検討・策定＞		＜プライバシーポリシーの実行＞
・収集データの内容検討 ・第三者提供の可否検討 ・各種法令への抵触検討	・データ収集方法の検討 ・特定性低減化手法の検討 ・自己情報コントロール方法検討	・適切な方法によるプライバシーポリシーの提示 ・自己情報コントロール（停止／変更／削除等）機械の提供 ・第三者提供時の再特定化禁止措置、契約 ・運用を適時見直し透明性を確保

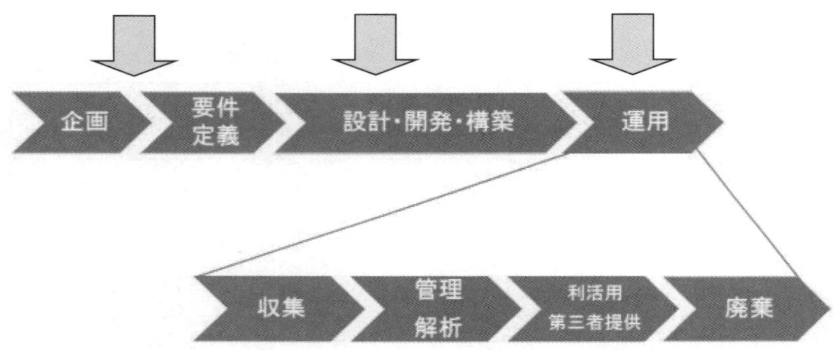

＊八津川・前掲注59）をもとに作成。

プライバシーの保護と情報の利活用という対立する要請をいかに調和して、社会全体の受容性を確保していくかということが、ビッグデータを扱う際の１つの重要なポイントであろう[注60)]。

改正法案において義務化はなされなかったものの、制度改正大綱において、プライバシー影響評価（PIA）の取組み、個人データの取扱いに関する責任者の設置、企業の自主的な取組みを推奨する仕組みも推奨されている[注61)]。

注59）八津川直伸「プライバシー・バイ・デザインに基づく適正なパーソナルデータの取り扱い」技報（Unisys Technology Review）123号（2015）52頁。

注60）村上・前掲注55）220頁以下。

注61）制度改正大綱19頁。

3　意思決定の自由・内心の自由との関係

プロファイリングに関しては、前記のように個人情報保護法やプライバシーとの関係のみならず、意思決定の自由や内心の自由とも深く関わってくる。

意思決定の自由との関係では、「フィルター・バブル」の問題が指摘される。これは、ある人物のプロファイリングの結果割り出された趣味嗜好に合致した情報で、その者のパソコンのスクリーンが埋め尽くされることによって、趣味嗜好に合致しないとアルゴリズムが判断した情報はフィルタリングされ、スクリーン上に現れないこととなる問題である[注62)]。これにより、その者の商品選択等に対して誘導的・操作的な影響を与えるということ以上に、自分と異なる見解をもった他者と接触し、議論する機会を減少させ、異なる意見がぶつかり合うことによって維持される民主主義社会にも否定的な影響を与えるともいわれている[注63)]。

また、個人のSNSやブログなどの発言やアクションを分析して、選挙における投票行動を推測し、選挙結果を予測できるようになったり、それを踏まえて有権者に対する効果的な働きかけを行うことが想定される。2016年の米国大統領選挙やEU離脱に関する英国の国民投票でも、ビッグデータ分析を行う企業が、有権者のSNSの情報の行動様式を把握して、それに基づいて働きかけを行っていたようである[注64)]。データブローカーから顧客情報を買い、投票記録やオンライン行動と合わせて複雑なアルゴリズムにより分析すると、誰を支持しているかさえも知ることができるとされ、フェイスブックの画面上に投票所の場所、すでに投票を済ませた友達の写真、自らが投票したことを友人に告げるボタンを選択的に表示された者は、表示されなかった者と比して実際に投票に行く可能性が高くなることが実証されており、これらを合わせて、ある特定政党を支持し得ると予測された者にのみこうした情報を表示させれば、選挙結果の操作も可能

注62）山本・前掲注56）144頁。
注63）山本・前掲注56）144頁。
注64）山本・前掲注44）38頁。

になるということも指摘されている[注65]。このように当事者に情報力の不均衡が認められる場合、これらの力をもたざる者（＝消費者）が、もつ者（＝事業者）によって「決めさせられている」と解すべき事態が生じ得るのである[注66]。

さらに、内心の自由との関係では、一定の個人情報から鬱状態にあることを予測したり、重罪を犯す可能性が高い者を予測して警告を与えるなどのプロファイリングは、本人すら気付いていない心理状況を覗き見する行為であるといわれている[注67]。このような予測と、例えばうつ病の女性は化粧品を購入しやすいという分析結果をあわせて、化粧品の公告を表示するような行為は、惰弱な精神状態につけ込んで商品購入を強力に誘導するものと評価され得るものであり、心理的プロファイリングを前提とした過度に操作的で誘導的な公告がはらむ契約法的問題を惹起しかねないという指摘もある[注68]。

V　情報銀行

「情報銀行」は、実効的な本人関与（コントローラビリティ）を高めて、パーソナルデータの流通・活用を促進するという目的の下、本人が同意した一定の範囲において、本人が、信頼できる主体に個人情報の第三者提供を委任するというものである[注69]。これは、民間の認定団体により認定を受けた情報銀行が、本人からの委託に基づき、本人の個人情報を第三者に提供することにより、円滑なデータ流通と個人が安心してデータを活用できる環境整備のバランスを考慮して設けられた新たな制度である。総務省および経済産業省が設置した「情報信託機能の認定スキームの在り方に関する検討会」により、2018年6月に「情報信託機能の認定に係る

注65）山本・前掲注44）38頁。
注66）山本龍彦「ビッグデータ社会における『自己決定』の変容」NBL1089号（2017）29頁。
注67）山本・前掲注44）39頁、山本・前掲注56）142頁。
注68）山本・前掲注44）39頁。
注69）指針とりまとめ7頁。

指針 ver1.0」が公表されたことを受けて、同年12月に一般社団法人日本IT団体連盟が「『情報銀行』認定申請ガイドブック ver1.0」やモデル約款等を公表して、事業者からの認定申請の受付を開始している。その後、2019年10月に指針とりまとめとともに「情報信託機能の認定に係る指針 ver2.0」が公表され、本稿脱稿時点までに、前述の信用スコアの提供を行う事業者を含めて５社が情報銀行の認定（通常認定１社、P認定４社）を受けており、個人情報の安全・安心な流通・活用が期待されている。

（松村英寿）

第3章
AIと競争法

I　概要

現代の情報化社会においては、ICTの発展やIoTの普及によりさまざまなデータを入手することが可能となり、集積されたビッグデータをAIを用いて解析して利活用される。こうしたAIのアルゴリズムによる取引の価格決定が行われることも常態化しており、それに伴って、いわゆるデジタル・カルテルへの懸念も顕在化しつつある。さらに、その収集・利用方法によっては市場を独占できてしまう状態が生じることから、近時データと競争法のあり方についてもさまざまな議論がなされている。

日本の私的独占の禁止及び公正取引の確保に関する法律（以下、「独占禁止法」という）との関係では、3条において「事業者は、私的独占又は不当な取引制限をしてはならない」と規定した上で、19条において「事業者は、不公正な取引方法を用いてはならない」と規定しており、デジタル・カルテルは、主に「不当な取引制限」との関係で問題となり、データの独占は、主に「私的独占」または「不公正な取引方法」との関係で問題となる。そこで、本稿では、まずデジタル・カルテルについて論じた上で、データの独占に関する問題について考察を加えることとする。

II　AIによる価格設定における問題点（デジタル・カルテル）

AI技術の発展に伴い、近時はオンラインショッピングなどでAIが一定のアルゴリズムに基づいて価格設定をしていることも多く、このAIによる価格設定が協調行為（いわゆるデジタル・カルテル）に該当するか否かについて、議論がなされている。例えば、オンラインショッピングにおいて、複数の事業者が市場の需要を観察しつつ一定の利益を確保する同種のアルゴリズムをもった価格設定プログラムを利用した結果、自律的に相互に依存する協調行為が観察される状況に至った場合や、消費者の支払意思を直接的に推定しつつ一定のアルゴリズムをもったプログラムを利用して個別に価格提示を行った結果、同じような価格となった場合等である[注1)]。

OECDの競争委員会が2016年に公表した「BIG DATA：BRINGING COMPETITION POLICY TO THE DIGITAL ERA」では、ビッグデータが市場支配力と競争優位性をもたらし得ることに言及しながら、競争法の執行に対してどのような意味をもつかが検討されており[注2)]、「事業者が共通の価格決定アルゴリズムを使用すれば、市場データに基づいて価格調整が可能」、「AIを用いて利益最大化アルゴリズムを組むことで黙示の共謀が可能」という問題提起もなされている[注3)]。

いわゆる「カルテル」と呼ばれるものは、前述の通り、日本の独占禁止法上は「不当な取引制限」として規制されており、「事業者が、契約、協定その他何らの名義をもってするかを問わず、他の事業者と共同して対価を決定し、維持し、若しくは引き上げ、又は数量、技術、製品、設備若しくは取引の相手方を制限する等相互にその事業活動を拘束し、又は遂行することにより、公共の利益に反して、一定の取引分野における競争を実質的に制限すること」と定義されている（独禁2条6項）。

「他の事業者と共同して」という要件に該当するためには、共同行為参加者の間に「意思の連絡」が必要となり、複数の者の行動が結果的に一致しているというだけでは、「他の事業者と共同して」の要件を満たすとするには足りないと解されている[注4)]。この「意思の連絡」の認定は、競争

注1）市川芳治「人工知能（AI）時代の競争法に関する一試論――“アルゴリズム”によるカルテル：欧米の最新事例からの示唆を受けて（上）」国際商事法務45巻1号（2017）1頁。

注2）経済産業省「第四次産業革命に向けた競争政策の在り方に関する研究会報告書――Connected Industriesの実現に向けて」（2017年6月）（以下、「第四次産業革命に向けた競争政策報告書」という）3頁。

注3）林秀弥「AIとビッグデータを見すえた今後の競争政策」福田雅樹ほか編著『AIがつなげる社会――AIネットワーク時代の法・政策』（弘文堂、2017）139頁。

注4）白石忠志『独占禁止法〔第3版〕』（有斐閣、2016）201頁。

への影響をもたらし得るような内容の合意等が認定できればよく、それ以上の詳細な内容の合意まで存在することについて立証される必要はないし、沈黙していた場合であっても、暗黙の了解がされたと認定できるのであれば意思の連絡を認定できる場合もある[注5)]。

この「意思の連絡」について、東京高判平成7・9・25（判タ906号136頁）も「ここにいう『意思の連絡』とは、複数事業者間で相互に同内容又は同種の対価の引上げを実施することを認識ないし予測し、これと歩調をそろえる意思があることを意味し、一方の対価引上げを他方が単に認識、認容するのみでは足りないが、事業者間相互で拘束し合うことを明示して合意することまでは必要でなく、相互に他の事業者の対価の引き上げ行為を認識して、暗黙の内に認容することで足りると解するのが相当である（黙示による『意思の連絡』といわれるのがこれに当たる。）」と判示している。デジタル・カルテルとの関係では、アルゴリズムが価格を決定している点で、この「意思の連絡」があったとして価格カルテルを認定できるかが、最も問題となる。近時、デジタル・カルテルの類型として、以下の4類型が挙げられている[注6)]。

① メッセンジャー型：アルゴリズムなどをコミュニケーションの手段に用いる場合

② ハブ＆スポーク型：典型的には、競争事業者間の連絡を欠くものの、アルゴリズム自体やその提供者が情報のハブとなる場合

③ 予測可能な代理人（Predicable Agent）型：同一産業において、合意なく単独で、他社の動向を予測する同種のアルゴリズムが多用され、そのような状況が認知されているような場合

④ 自律機械（Autonomous Machine）型：③よりさらに進んで、利益最大化、組織最適化を目指すアルゴリズムを各社単独で導入したような場合

注5）白石・前掲注4）203頁以下。

注6）市川芳治「人工知能（AI）時代の競争法に関する一試論――"アルゴリズム"によるカルテル：欧米の最新事例からの示唆を受けて（下）」国際商事法務45巻2号（2017）166頁、池田毅「デジタルカルテルと競争法――AI・アルゴリズム・IoTは独禁法理論に変容をもたらすか」ジュリスト1508号（2017）55頁以下。

デジタル・カルテルが成立するためには、前記4類型のそれぞれにおいて、「意思の連絡」が問題となるが、特に③④については単独行為であり、それぞれのAI同士で交信しているわけではない。③について、米国では、黙示的な協調を意図してアルゴリズムが構築された場合には規制できる可能性があるといわれているものの、日本法の下では、不公正な取引方法には本類型を規制できるような項目がなく、シグナリングカルテルとして、相互拘束を認定できる場合を除いて、実効的に規制することは難しいとされており、これは④についても同様である[注7)]。

もっとも、例えば、競争の機能の侵害のおそれが想定されるアルゴリズムをもつソフトウェアの利用について、一定の回避措置を期待し、需要者に対して、当該アルゴリズムの透明性・説明責任確保を何らか果たしたか否かという点を通じて、カルテルの責任を問うという視点もあり得るのではないかという指摘もなされている[注8)]。

また、AIによる機械間の自動的な相互作動が、競争法により禁止される協調行為とみなされるかという問題が生じるという指摘もあり、欧州裁判所が、2016年1月21日に、コンピュータの管理による自動データ交換が反トラスト法に違反しているかが問題となった事例において、参加企業が交換されたデータの内容を知っていたかまたは知るべきであり、かつ、当該システムに参加し続けた場合には、競争法の違反を認める余地があると判断した点には留意が必要であろう[注9)]。

このデジタル・カルテルに関しては、これまでの伝統的なカルテルのように、競合他社の従業員が会議室に集まって話し合いにより案件を分配するといった側面がないため、これらの行為をどのように発見し、立証するかという執行面での課題も指摘されている[注10)]。

また、公正取引委員会が2017年に公表した「データと競争政策に関する検討会報告書」(以下、「データと競争政策報告書」という)においても、

注7）池田・前掲注6）55頁以下。

注8）市川・前掲注6）168頁。

注9）ヤンセン・マークースほか「ドイツにおけるインダストリー4.0及びモノのインターネット」国際商事法務44巻7号（2016）985頁以下。

注10）池田・前掲注6）55頁。

データと競争政策に関して残された課題として「デジタル・カルテル」を挙げており、デジタル・カルテルが競争を実質的に制限する効果を有するものであれば、従来から存在するカルテル等と同様に厳正に対処する必要があるとした上で、今後、その実態を注視し、必要に応じて「不当な取引制限」の解釈における「意思の連絡」についての考え方との関係でも論点を整理していくことが望ましいとされている[注11)]。その後も、ダイナミック・プライシングの導入例が増えていく中で、デジタル・カルテルをめぐる論点の重要性も増しつつあるところ[注12)]、公正取引委員会のシンクタンクである競争政策研究センターは、2018年6月8日、「シグナリングカルテルに係る独占禁止法上の論点整理」の最終報告および「ハブアンドスポークカルテルに係る独占禁止法上の論点整理」の最終報告を取りまとめた模様であるが、その内容は公表されていない[注13)]。今後、2020年7月22日に設置された「デジタル市場における競争政策に関する研究会」において、デジタル・カルテルの問題も議論される模様であるため、その結果の公表が待たれる。

Ⅲ　AI分析に用いるデータの独占による寡占化

機械学習（ディープ・ラーニング）などのAI技術の発展により、データの収集だけでなく、それを解析してサービス・機能の向上に利用するアウトプットまで自動化されている。特に、オンライン上のデジタル・プラットフォーム事業者においては、ネットワーク効果によって、情報が集まるところにはより情報が集まりやすくなり、データの収集能力がサービス・商品の競争力に直結するようになっている。

(1)　パーソナル・データ／産業データ

AI分析に利用されるデータには、個人（特に消費者）に関するパーソナ

注11）データと競争政策報告書56頁。

注12）ダイナミック・プライシングをめぐっては、消費者に対して優越的地位にあるプラットフォーム事業者が、探索的に価格を変動させ、消費者に有利誤認をさせて、購買を強いるといった濫用行為を行う契機になり得る可能性も示唆されつつある。

注13）https://www.jftc.go.jp/cprc/katsudo/ws/index.html

【図表3-3-1】データの処理過程

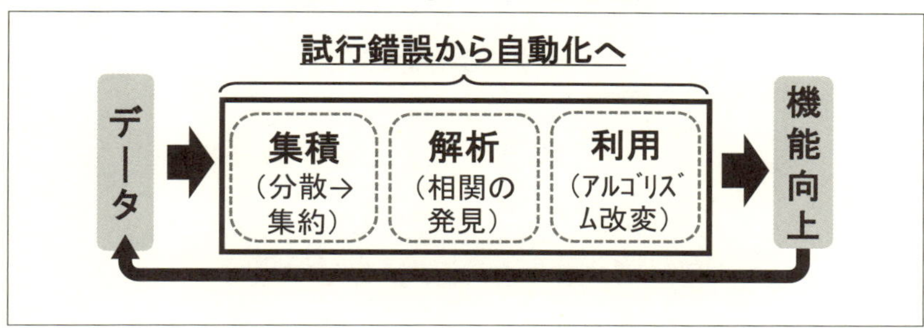

＊公正取引委員会・競争政策研究センター「データと競争政策に関する検討会」報告書（概要）1頁。

ル・データと、工場等でIoT機器等により収集される産業データがあるが、すでにインターネット上のサービスを利用することによって取得されるパーソナル・データはその収集・利活用が大規模に進んでおり、また、産業データの収集・利活用も今後増大していくとみられている[注14)]。

IoTやAIの技術が高度化し、パーソナル・データあるいは産業データをビジネスに利用することにより、効率的な消費者へのアプローチや、生産性の向上等が期待できることから、どの事業者もデータの収集・利用を公正かつ自由な競争環境で行えることが必要となる。データの利活用そのものは、革新的な技術を生み出したり、消費者が便利に利用できる物事が増えることになるという意味では競争促進的である。他方で、大量のデータが一部の事業者に集中することとなる場合には、消費者の利益が損なわれるおそれもあり、独占禁止法上の検討が必要となる。

そのような状況の中で、近時のデジタル化時代におけるパーソナル・データの収集・利用に関して、以下のような競争上の懸念が指摘されている[注15)]。

①　多面市場を担うデジタル・プラットフォーム事業者の提供するサー

注14）データと競争政策報告書9頁。個人向けスマートホームのように、家電の稼働状況などの産業データとオンライン・パーソナルデータの双方が紐付けられ、融合してさまざまなサービスが生まれていくことが予想される（同17頁）。

【図表 3-3-2】パーソナル・データの利用

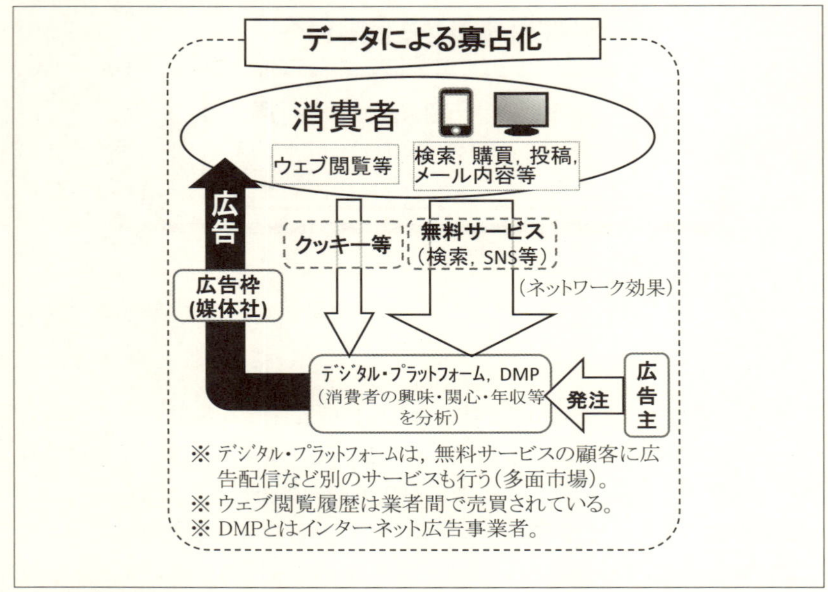

＊公正取引委員会競争政策研究センター「データと競争政策に関する検討会」報告書（概要）１頁。

ビスは、ネットワーク効果、低廉な限界費用、規模の経済等の特性を通じて拡大し、独占化・寡占化が進みやすい。

②　ネットワーク効果や規模の経済の結果として、新規参入者がすでにサービスを展開しているデジタル・プラットフォーム事業者と同様のデータを収集することは、技術的には不可能ではないにせよ、経済的には現実的ではない。

③　すでにデジタル・プラットフォーム事業者のサービスにロックインされている状況においては、当該サービスに関する取引条件や利用条件が不利益に変更されても、利用者は当該不利益を甘受せざるを得な

注 15）データと競争政策報告書 13 頁以下、公正取引委員会「デジタル・プラットフォーム事業者と個人情報等を提供する消費者との取引における優越的地位の濫用に関する独占禁止法上の考え方」（2019 年 12 月 17 日）１頁～２頁。

い可能性がある。

④　SNS等のロックイン効果により、パーソナル・データのポータビリティが確保されないと、市場支配力が維持されやすい。

また、産業データをめぐっても、以下のような競争上の懸念が指摘されている[注16]。

①　センサー等でデータを収集する経路が限定され、それが市場支配力につながる可能性がある。

②　深層学習に必要となる希少性が高いデータを始め、価値の高いデータについて、第三者による不当な収集が行われる可能性がある。

③　他社による「AI」の模倣は困難であること等から、個別の工場等で「AI」の利用を開始した後に、他社の「AI」にスイッチすることが困難となる場合がある。

④　解析技術などの要素技術の保有者が、当該要素技術の提供条件として、他の要素技術保有者との取引を制約するといった競争制限的な条件が付されることが懸念される。

(2)　市場画定に係る考え方

日本の独占禁止法は、前述の通り、「私的独占」を禁じているが、「私的独占」とは、「事業者が、単独に、又は他の事業者と結合し、若しくは通謀し、その他いかなる方法をもつてするかを問わず、他の事業者の事業活動を排除し、又は支配することにより、公共の利益に反して、一定の取引分野における競争を実質的に制限することをいう」と定義されている（独禁2条5項)。

「市場」とは、独占禁止法上の「競争」（独禁2条4項）が行われる場であり、「一定の取引分野」と同義である。「一定の取引分野における競争を制限することとなる場合」には企業結合が認められず（独禁10条1項等)、また他の事業者の事業活動を排除しまたは支配することにより「一定の取引分野における競争を制限すること」が私的独占として禁止されることとなるため、この「一定の取引分野」すなわち「市場」は、これらの規制の適用範囲を決定するために重要な意味をもつ。

注16）データと競争政策報告書17頁以下。

(A)　市場画定

企業結合ガイドラインにおいては、市場（一定の取引分野）は、商品（役務提供も含む）および地理的範囲をもって画定され、基本的には需要者にとっての代替性（需要代替性）の観点から判断されるものの、必要に応じて供給者にとっての代替性の観点も考慮される[注17]。

一般に、需要者にとっての代替性の程度は、商品の効用等の同種性の程度（商品の範囲）、需要者および供給者の行動や当該商品の輸送に係る問題の有無（地理的範囲）等について関係事業者、消費者から得られる情報を元に判断できる場合が多い[注18]。企業結合ガイドラインによれば、商品の効用等の同種性の程度について、例えば以下の事情が考慮される。

①　ある商品が取引対象商品と同一の用途に用いられているか（または用いることができるか）

②　価格水準の違い、価格・数量の動き等

③　需要者の認識・行動

この市場画定についての考え方は、データの収集・利活用に関する取引についても、原則として他の商品一般と異なるところはないと考えられており、検討対象となる商品について、基本的には、需要者にとっての代替性という観点から、必要に応じて供給者にとっての代替性という観点を加えて、商品の範囲および地理的範囲について市場が画定されることになる[注19]。

なお、一般に、データの取引では、輸送面での制約がほぼゼロであり、既存の用途から他の分野へ転用される可能性があることから、その内容等が地理に固有の特性・性向をもたないなど、国内のみでなく国外でも需要が存在するデータについては、地理的範囲は国境を越えて広い範囲で成立する余地があり[注20]、このことは、画像認識、解析等、言語や行動面での地理的制約を伴わない技術についても同様である。

注17）白石忠志ほか『論点体系　独占禁止法』（第一法規、2014）240頁。

注18）データと競争政策報告書25頁。

注19）データと競争政策報告書25頁。

(B)　多面市場／無料市場

近時デジタルデータを大量に集積し、ビッグデータをAIで解析することによってビジネスに最も活用しているのが、デジタル・プラットフォーム事業者である。一般の取引市場であれば、前記のような考え方によって市場を画定することができるが、デジタル・プラットフォーム事業者が運営するプラットフォームでは、いわゆる多面市場を構成し、特に、ある市場ではSNSをはじめとする金銭的対価を伴わない無料サービスが消費者等に提供される一方で、他の市場（例えば、オンライン広告市場）において金銭的対価を得ている場合が多く、この無料サービスに関して価格競争は行われないが、競争者間で品質をめぐる非価格競争が行われている[注21]。

このような無料サービスについて市場と捉えることができるかという点が問題となるが、無料サービスであっても、当該競争が阻害される可能性が認められるのであれば、その競争の場を「市場」として考えることが適切な場合があり、金銭的対価を伴わない無料サービスの取引が行われる場を、多面市場を構成する1つの市場、すなわち無料市場として画定することが可能と考えられている[注22]。この無料市場の画定については、前記①③により、検討対象のサービスの用途や、サービスに対する需要者の認識・行動（消費者がどのような他のサービスを代替的な選択と考えているのか、選択基準は何か等）を消費者等に対して調査することにより、需要者にとっての代替性を相当程度、客観的に明らかにできることが多い[注23]。

なお、無料サービスであっても、消費者が、そのサービスの利用の対価

注20）過去の企業結合の事例では、地理的範囲を「日本全国」と画定した実例が見当たる公正取引委員会「エムスリー株式会社による株式会社日本アルトマークの株式取得に関する審査結果」(2019年10月24日)、(「(平成27年度：事例8）ヤフー㈱による㈱一休の株式取得」等)。

注21）データと競争政策報告書28頁以下。

注22）データと競争政策報告書29頁以下。実際に、企業結合規制の文脈においても、プラットフォーム事業者が異なる需要者層の取引を仲介し、間接ネットワーク効果が強く働くような場合には、それぞれの需要者層を包含した1つの一定の取引分野を重層的に画定され得ることが確認されている（「企業結合審査に関する独占禁止法の運用指針」第2の1)。

注23）データと競争政策報告書30頁以下。

として個人情報等を提供している場合には、その個人情報等はデジタル・プラットフォーム事業者の事業活動に利用されている以上は経済的な価値がある（ただし、個人情報等の経済的価値は、その量および使い方に左右される可能性がある）との考え方を背景にして、当該無料サービスの利用を個人情報等を対価とする「取引」と整理して、優越的地位の濫用が問題となることが明示的に確認されている[注24)]。

(3)　競争減殺効果の分析方法

データの集積・利活用に関して、「競争が実質的に制限される」か否か、すなわち市場における競争が減殺されるか（またはそのおそれがあるか）否かについては、ⓘ問題となる行為の内容および態様、ⓘⓘ当該行為に係る当事者間の競争関係の有無、ⓘⓘⓘ当事者が市場において占める地位（シェア、順位等）、当該市場全体の状況（当事者の競争者の数、市場集中度および取引される商品の特性、差別化の程度、流通経路、新規参入の難易性等）、ならびに、ⓘⓥ制限行為においては制限を課すことについての合理的理由の有無およびデータ集積・利活用を積極的に行う意欲（投資インセンティブ）への影響を総合的に勘案し、判断することになるが、データの特性等から以下の点に留意する必要がある[注25)]。

① 異なる種類のデータを組み合わせて利用できることとなることの効果、同様のデータがより大量に集積されることによる利用価値の増加の程度、当該データの入手源の限定性といった観点を踏まえ、新規参入者が同程度の利用価値があるデータ集積を実現することが技術的または経済的に可能かどうかを考慮する必要があること。

② 商品の性能に大きな影響を与える生データを収集する能力に関する大きな差異が生じる可能性も想定される場合には、特定の事業者へのデータの集積は、他の事業者による新規参入または事業活動の継続を困難なものとし、市場支配力の形成、維持、強化に資する可能性があ

注24）公正取引委員会・前掲注15）3頁〜4頁、「デジタル・プラットフォーム事業者と個人情報等を提供する消費者との取引における優越的地位の濫用に関する独占禁止法上の考え方　原案に対する意見の概要及びそれに対する考え方」No.46・50。
注25）データと競争政策報告書32頁以下。

ること。例えば、

ⓐ　商品の提供に不可欠な生データであって、センサーの設置面での制約その他の事情により、特定の事業者以外の事業者は、同様の生データの入手経路にアクセスする等の方法により、同様の生データを入手することが技術的または経済的に困難であり、かつ、当該商品の提供のために代替するデータが存在しない場合

ⓑ　生データの収集、当該生データの機械学習を通じた商品の機能向上の循環がネットワーク効果により強化されている場合

③　商品によっては、顧客の利用履歴に関するデータが当該商品を提供する事業者に集積されることによって、他の商品へのスイッチングが困難となる（ロックイン効果が生じる）場合があること。

(4)　データの収集・利用に関する独占禁止法上の問題点

(A)　単独行為

市場支配力を有するプラットフォーム事業者によるデータ収集について留意すべき点としては、従来におけるデータの収集に関する独占禁止法上の問題は、①優越的地位の濫用の認定において、典型的には、事業者間取引を念頭に適用されてきたものであることに加え、②個々の取引当事者の関係に着目しているものであって市場支配力そのものに着目している規制ではないことが挙げられた[注26)]。例えば、公正取引委員会は、優越的地位にある製造業者が、その優越的地位を利用して、営業秘密に当たるようなデータ等の不当な開示を要求することも、優越的地位の濫用に該当し得ることが指摘されている[注27)]。

もっとも、①の点に関して、公正取引委員会は、デジタル・プラットフォーム事業者と消費者との間の取引に対しても、優越的地位の濫用規制が適用される旨を明確化した[注28)]。これによれば、優越的地位にあるデジタル・プラットフォーム事業者が、消費者から、その提供するサービスの対

注26）データと競争政策報告書38頁以下。

注27）公正取引委員会「製造業者のノウハウ・知的財産権を対象とした優越的地位の濫用行為等に関する実態調査報告書」（2019年6月14日）。

注28）公正取引委員会・前掲注15）。

価として個人情報等の提供を受けている場合に、その収集・利用が個人情報保護法に抵触する態様のものである場合等には、当該収集・利用は優越的地位の濫用に該当し得る。具体的には、デジタル・プラットフォーム事業者は、消費者がデジタル・プラットフォーム事業者から不利益な取扱いを受けても、消費者がサービスを利用するためにはこれを受け入れざるを得ないような場合には、当該消費者に対する優越的地位にあると判断される。そして、優越的地位にあるデジタル・プラットフォーム事業者による濫用行為の例としては、①利用目的を消費者に知らせずに個人情報等を取得・利用する行為、②利用目的の達成に必要な範囲を超えて、消費者の意に反して個人情報等を取得・利用する行為、③個人情報の安全管理のために必要かつ適切な措置を講じずに、個人情報等を取得・利用すること、または④自己の提供するサービスを継続して利用する消費者に対し、消費者がサービスを利用するための対価として提供している個人情報等とは別に、個人情報等の経済上の利益を提供させる行為が挙げられる。

(B)　協調行為

複数の事業者によるデータの共同収集や利用は、一般的には競争促進的効果をもたらす場合が多いと考えられるが、共同収集・利用するデータにより競争関係にある他の参加者が今後販売する商品の内容、価格、数量を相互に把握することが可能となり、これにより競争者間における協調的行為の促進を生じさせる場合には、独占禁止法2条6項（不当な取引制限）の問題になり得ると考えられるし、共同収集・利用の取組みに参加できない事業者が市場から不当に排除されるような効果を生じさせる場合には、独占禁止法2条5項（私的独占）等の問題になり得ると考えられる[注29)]。

例えば、自動走行システムの開発に際しての地図、測量、機器、自動車等の事業者の提携や、共通ポイントサービス提供事業者と小売業者の提携等といった、業種横断的データ連携型業務提携について、典型的には、①データ連携に向けた標準化活動、②データ共有等を通じた集積・解析・新データ創出に係る活動、③得られた創出データを利用した技術や商品・サービスに係る事業活動の3段階からの分析が可能だとされている[注30)]。

注29）データと競争政策報告書39頁以下。

具体的には、①データ連携に向けた標準化活動においては、提携当事者の間で、当該業務提携に係るデータ連携の実施や相互運用性の確保といった標準化のメリットの実現に必要な範囲を超えた統一・規格化を行うことや、統一・規格化に基づいた当該業務提携により創出されるデータを重要な投入財として利用する技術または商品・サービス市場において競争関係にある提携当事者の間で、当該市場に今後投入される技術または商品・サービスに係る内容、価格、数量等の競争上重要な情報が交換・共有すること等が問題となり得る。

次に、②データ共有等を通じた集積・解析・新データ創出に係る活動においては、各提携当事者が、協業せずとも事業目的を達成し得るにもかかわらず、データを共有・共同収集し、集積・解析による新たなデータ創出を共同して行うこと等が問題となり得る。

さらに、③得られた創出データを利用した技術や商品・サービスに係る事業活動においては、創出されたデータを重要な投入財として利用する技術または商品・サービス市場において競争関係にある提携当事者の間で、当該市場に今後投入される技術または商品・サービスに係る内容、価格、数量等の競争上重要な情報が交換・共有すること等が問題となり得る。

(5)　収集されたデータへのアクセスに関する独占禁止法上の問題点

自ら収集したデータの開示先を選択することは、原則として独占禁止法上問題となるものではないが、当該行為の態様によっては、排除型私的独占（独禁2条5項）または取引拒絶（同条9項〔不公正な取引方法・一般指定第2項〕）に該当する可能性がある。また、競争者に対する取引妨害（同項〔不公正な取引方法・一般指定第14項〕）にも該当する可能性がある。

そのほかにも、データの提供とその解析など他のサービスを抱き合わせで販売するといった行為や、自らとのみデータの取引することを義務付ける、あるいは機械学習技術などの要素技術を有償または無償で提供する条件として、当該提供者以外の者（産業データに係る機器の所有者を含む）によるデータの収集や利用を制約したりするなどによって、データを不当に

注30）競争政策研究センター「業務提携に関する検討会報告書」（2019年7月10日）50頁以下。

利用することを可能としたりするような拘束条件付取引、排他条件付取引などの問題も生じ得る[注31]。

(6) 企業結合によるデータの集積等

プラットフォーム事業者が自動走行自動車や金融関係事業者などまったくの異業種に進出する混合型企業結合が増加している状況を踏まえ、企業結合審査においては、データの希少性、代替性の有無等を踏まえつつ、以下の点に留意すべきとされている[注32]。

① データの競争上の重要性や当該データを持つ事業者が有力な潜在的競争者となるかの評価に当たっては、(i)どのような種類のデータを保有・収集しているのか、(ii)どの程度の量のデータを保有しており、日々どの程度広い範囲からどの程度の量のデータを収集しているのか、(iii)どの程度の頻度でデータを収集しているのか、(iv)保有・収集するデータが、他方当事会社の商品市場におけるサービス等の向上にどの程度関連するのかといった点を考慮に入れる。また、(v)競争者が入手可能なデータと比較して、保有・収集しているデータが、これら(i)〜(iv)の観点から、どの程度優位性があるのかも考慮に入れる。

② プライバシーの保護水準が重要な競争手段となっている場合において、当該保護水準の低下により競争減殺効果を評価することもあり得る。また、市場支配力の形成、維持、強化につながるようなプライバシー保護方針の変更を行わないといった条件付けを行うことが必要となる場合もあり得る。

③ 開発中のデータの集積・利用する技術に関して、当該データを利用する技術開発ないし当該データの集積それ自体について、市場支配力が形成されるおそれを判断する必要がある場合がある。

④ データそれ自体が取引の対象となる場合があり、当該データを用いる商品の競争関係にかかわらず、データの取引市場も独占禁止法上の評価対象となる。その場合、競争上重要なデータを有する川上市場の

注31）データと競争政策報告書50頁以下。

注32）データと競争政策報告書51頁以下、公正取引委員会「企業結合審査に関する独占禁止法の運用指針」。

当事会社と当該データを活用してサービス等を提供する他の当事会社が企業結合を行うことにより、他の事業者に対するデータの供給拒否等が行われ、川下市場の閉鎖性・排他性を判断する必要があるときがある。

⑤　一定の取引分野における当事会社の市場シェアが小さい場合でも、当該当事会社が競争上重要なデータを有する等、市場シェアに反映されない高い潜在的な競争力を有しているような場合には、例外的に当該企業結合が一定の取引分野における競争を実質的に制限することとなるか否かについての個別具体的な検討が必要となり得る。

(7)　データの集積・活用度合いに応じた検討

データを活用したビジネスを展開する際には、①データを集積する仕組みをどのように構築するか、②集積したデータを用いてどのような付加価値を生み出すかが重要となるところ、データが競争政策に与える影響を検討するに当たっては、データをビジネスに利用する事業者のデータの集積・活用度合いに応じて、以下のようにデータが競争環境に与える影響を段階的に捉えることも提唱されている[注33]。

①　単独成長型：サービスの提供等を通じて、顧客からのフィードバックを得る等によりデータを集積し、そのデータを活用してサービス等を改善し、付加価値を高めていくような類型（例：検索サービス、レコメンデーション等）

②　付随成長型：あるサービス等（サービスA）の顧客に対して別のサービス等（サービスB）を提供する場合に、サービスAで得られるデータをサービスBで用いることにより、サービスBの付加価値を高めていくような類型（例：製品販売とメンテナンス実施、デバイス販売とアプリ提供等）

③　他面活用型：あるサービス等（サービスA）を軸として、まったく別の需要者を顧客とするサービス等（サービスC・D）を組み合わせることにより、サービスAの価値を向上させる、サービスAに顧客を誘導する、サービスAのほかの収入源を得る等の効果をもたらす

注33）第四次産業革命に向けた競争政策報告書9頁以下。

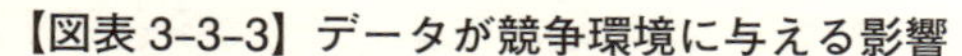
【図表3-3-3】データが競争環境に与える影響

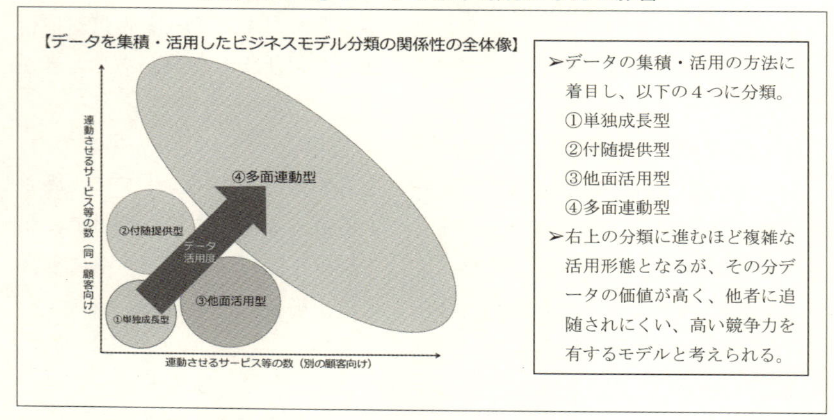

＊第四次産業革命に向けた競争政策報告書９頁。

ような類型（例：健康支援アプリのデータを利用した生命保険等）

④　多面展開型：前記①～③の類型をさらに組み合わせることで複数のサービス等を連動させ、全体としてデータの集積や活用を行うシステム（エコシステム）を構築することにより、各サービス等が相互に価値を高めあうような類型（例：高度なターゲティング広告等）

これは、データが源泉となっている製品・サービスをの競争環境を把握するため、その市場シェア等の「市場の状況」だけでなく、集積・活用に関する「データの状況」も捉えることを目的として、データの影響度、集積可能性、活用可能性について検討するものである。

Ⅳ　違反行為のスクリーニング

前記のようにAIの利用が競争法に違反する行為に結びつき得る場合だけでなく、競争法の違反行為を探知するためにAIが用いられることもあるであろう。各国の競争当局において競争法違反行為の端緒探知の手段としてのスクリーニング手法が検討されており、公正取引委員会においても、「主に一般的に入手可能なデータを用いて統計的に分析を行うことにより、談合、カルテル等の競争法違反行為の端緒として、そのような行為の主体や違反被疑行為の特定を目的とする手法」としてスクリーニング手法を定義し、研究を進めている[注34]。

V　特定デジタルプラットフォームの透明性及び公正性の向上に関する法律

経済産業省は、2020年2月18日、「特定デジタルプラットフォームの透明性及び公正性の向上に関する法律案」が閣議決定されたことを公表していたところ、同法律は2020年5月27日に成立した。今後、公布の日（2020年6月3日）から1年以内に施行されることになる。

この法律は、当面、大規模なオンラインモールおよびアプリストアを適用対象とすることが想定されている。もっとも、具体的にどのようなデジタルプラットフォーム・デジタルプラットフォーム事業者が適用対象となるかは、政省令で規定される事業区分・事業規模を踏まえて経済産業大臣による指定を待つ必要がある（これにより指定されたデジタルプラットフォーム事業者が、「特定デジタルプラットフォーム提供者」としてこの法律の規律の対象となるほか、指定を受けていないデジタルプラットフォームでも、所定の基準に達している場合は届出を行う義務がある）。

その上で、特定デジタルプラットフォーム提供者に対しては、情報開示等を行うことが義務付けられる。具体的には、特定デジタルプラットフォーム提供者は、商品等提供利用者に対しては、①取引拒絶をする場合の判断基準や、②他のサービスの利用を要請する場合におけるその旨・理由、③検索順位を決定する主要な事項、④取得・使用するデータの内容・条件、⑤苦情等への対応に関する事項のほか、⑥契約変更や契約にない要請等を行う場合の内容と理由についての事前通知、⑦取引拒絶をする場合のその旨と理由についての事前通知、⑧提供条件の変更の内容と理由についての事前通知等の情報を開示することが求められる。また、特定デジタルプラットフォーム提供者は、一般利用者に対しては、前記③や④等に関する情

注34）公正取引委員会「独占禁止法違反行為の端緒探知ツールとしてのスクリーニング手法に関する研究」（2016年6月24日）2頁。

報を開示することが求められる。もしこれらの開示義務に違反した場合は、勧告の対象となり、さらに正当な理由なく是正を行わない場合は措置命令の対象にもなるし、公正取引委員会との連携も予定されている。

さらに、特定デジタルプラットフォーム提供者は、これらの開示義務等の遵守に関する自己評価を付したレポートを経済産業大臣に対して提出する義務を負う。なお、こうした事業者による自己評価をガバナンスの手法として導入するアイディアは、経済産業省が、2020年7月13日に公表した、「GOVERNANCE INNOVATION: Society5.0の時代における法とアーキテクチャのリ・デザイン」報告書においても示されている。

（松村英寿・角田龍哉）

第4章
AIと労働法

I　AIが雇用や働き方に与える影響

1　AI代替と雇用

AIの影響を労働法の視点から捉えると、AIの活用・導入が雇用や働き方にどのような影響を与えるかという視点からのさまざまな議論がある。

まず挙げられるのは、人間の仕事がAIに代替され、人間の雇用が奪われるのではないか、という「AI代替」とも呼ばれる議論である。

AIやロボットなどによる自動化技術が雇用に与える影響に関する先行研究として最も有名なのは、オックスフォード大学のカール・ベネディクト・フレイ博士とマイケル・オズボーン博士による2013年の分析結果であろう[注1)]。この研究では、米国の職業の約47%が今後10～20年間に70%超の可能性で機械に代替されると推計し、話題を集めた[注2)]。

日本についても、2015年に、野村総合研究所、フレイ博士およびオズボーン博士が、AIなどの自動化技術が日本の雇用に与える影響に関する共同研究を行っている[注3)]。この研究では、国内601種類の職業について、人口知能やロボット等で代替される確率を試算し、今後10～20年後に、日本の労働人口の約49%が就いている職業が代替される、との推計結果

注1）“The future of Employment: How Susceptible are jobs to computerization?” Carl Benedict Frey and Michael A. Osborne, Oxford University（2013年9月）。

注2）この研究では、アメリカに存在する職業が機械に代替されにくい性質を数値化し、各職業の自動化可能性を算出している。具体的には、「社会的知能」「創造性」「知覚と操作」を、機械が人間の仕事を代替する上でのボトルネックとなる変数としてモデルに組み込み、2010年のアメリカの全雇用の代替可能性を算出している（岩本晃一「人口知能AI等が雇用に与える影響と社会政策」IoT／インダストリー4.0が与えるインパクト第64回独立行政法人経済産業研究所、2017年10月31日）。

【図表 3-4-1】人工知能やロボット等による代替可能性が高い労働人口の割合（日本、英国、米国の比較）

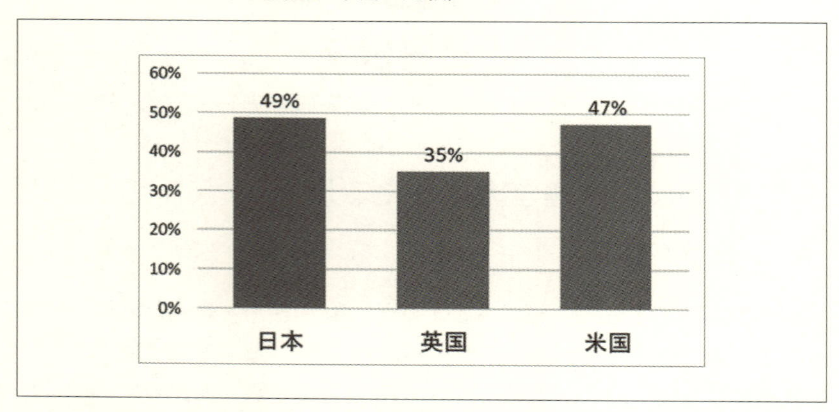

注）米国データはオズボーン准教授とフレイ博士の共著“The Future of Employment”（2013）から、また英国データはオズボーン准教授、フレイ博士、およびデロイトトーマツコンサルティング社による報告結果（2014）から採っている。
＊出典：野村総合研究所 News Release・前掲注3）。

を出している（【図表 3-4-1】参照）注4)。

この研究結果においては、特別の知識・スキルが求められない職業に加え、データの分析や秩序的・体系的操作が求められる職業については、AI等で代替できる可能性が高い傾向にあるとする。他方で、抽象的な概念を整理・創出するための知識が要求される職業、他社との協調や他者の理解、説得、ネゴシエーション、サービス志向性が求められる職業は、

注3）野村総合研究所 News Release「日本の労働人口の49％が人口知能やロボット等で代替可能に――601種の職業ごとに、コンピューター技術による代替確率を試算」(2015年12月2日)。

注4）この研究では、米国および英国における先行研究と同様の分析アルゴリズムを用いて、従事する1人の業務すべてを、コンピュータが代替できる確率が高い（66％以上）職種に就業している人数を推計し、それが就業者全体に占める割合を算出している。あくまで、コンピュータによる技術的な代替可能性であり、実際に代替されるかどうかは、労働需給を含めた社会環境要因の影響も大きいと想定されるが、それらは考慮していない。また、従事する1人の業務の一部分のみが代替される確率や可能性は検討されていない（野村総合研究所 News Release・前掲注3））。

【図表3–4–2】AI等による代替可能性が高い／低い職業

人工知能やロボット等による代替可能性が高い職業（抜粋）	人工知能やロボット等による代替可能性が低い職業（抜粋）
● 一般事務員、経理・人事係事務員	● 経営コンサルタント
● 受付係、銀行窓口係、レジ係	● 商品開発部員
● 保険事務員	● 医療ソーシャルワーカー
● 自動車組立・塗装工	● ケアマネージャー
● 金属加工・プレス工	● 保育士
● タクシー運転者	● アートディレクター
● 宅配便配達員	● ファッションデザイナー
● 測量士	● スポーツインストラクター

＊出典：野村総合研究所 News Release・前掲注3)。

AI等での代替が難しい傾向にあるとする（【図表3-4-2】参照)。

他方で、AIなどの自動化技術が雇用に与える影響については、このような“自動化技術か人間か”といった二者択一的な捉え方だけではなく、自動化技術が雇用に与える影響をより多面的に捉える方向で、国内外でさまざまな調査・分析・研究が進んでいる。

日本国内の関係省庁もAI等の技術革新が雇用・労働に与える影響についてさまざまな調査・研究結果を出している[注5)]。例えば、経産省の「新産業構造ビジョン」[注6)]では、AIなどがもたらす第4次産業革命が就業構

注5）本文で紹介したもののほか、①総務省情報通信政策研究所「AIネットワーク社会推進会議報告書2019」(2019年8月)、②三菱UFJリサーチ＆コンサルティング株式会社「IoT・ビッグデータ・AI等が雇用・労働に与える影響に関する研究会報告書」厚労省委託事業、平成28年度今後の雇用政策の実施に向けた現状分析に関する調査研究事業（2017)、③厚労省「令和元年版労働経済の分析——人手不足の下での『働き方』をめぐる課題について」(2019年9月)、④第3回労働政策審議会労働政策基本部会資料1「技術革新が労働に与える影響について（先行研究)」、⑤労働政策審議会労働政策基本部会「報告書・進化する時代のなかで、進化する働き方のために」(2018年9月）が挙げられる。

【図表 3-4-3】第４次産業革命による就業構造変革の姿

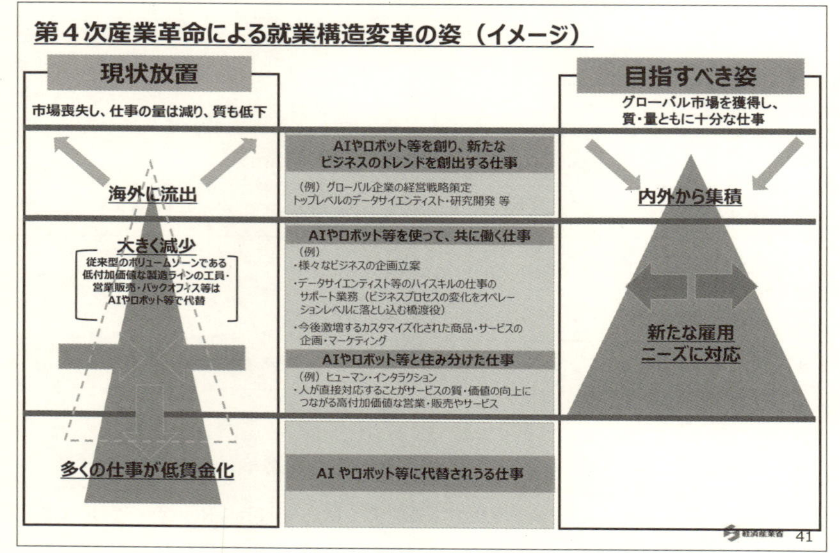

＊出典：新産業構造ビジョン・前掲注6)。

造に与える影響について、産業・雇用の縦割りを温存した「現状放置シナリオ」では、日本の産業の下請け化と国内産業の付加価値の海外流出・低付加価値化が進み、仕事の量が減る上に、多くの仕事が低賃金に陥ると分析する。特に、わが国の雇用のボリュームゾーンである製造ラインの工員、営業販売・バックオフィス等の従来型のミドルスキルのホワイトカラーの仕事が大きく減少すると指摘する（【図表 3-4-3】参照)。

これに対し、第４次産業革命によるビジネスプロセスの変化は、ミドルスキルも含めて新たな雇用ニーズを生み出していくため、こうした就業構造の転換に対応した人材育成や、成長分野への労働移動が必要とする[注7)]。

注 6）経済産業省産業構造審議会「新産業構造ビジョン――一人ひとりの、世界の課題を解決する日本の未来」(平成 29 年 5 月 30 日)。

注 7）参考：新産業構造ビジョン（https://www.meti.go.jp/press/2017/05/20170530007/20170530007-2.pdf)。

また、平成28年版・総務省情報通信白書[注6)]では、AIの普及によって業務効率や生産性が向上し、AIが導入される職種のタスク量は減少するが、「AIを導入・普及するために必要な仕事」や「AIを活用した新しい仕事」が創出され増加するとする。そして、AIの利活用拡大により、①雇用の一部代替、②雇用の補完、③産業競争力の直結による雇用の維持・拡大（AIを利活用し産業競争力を向上させた企業による雇用の維持・拡大）、④女性・高齢者等の就労環境の改善（AIの利用により生産性が向上し、長時間労働を前提としないフレキシブルな働き方が可能となる）という4つの影響が想定されるとする（【図表3-4-4】参照）。

以上の通り、AIなどの自動化技術による雇用への影響は、AIが雇用を代替する場合もあれば、仕事の一部を代替するにとどまる場合もあれば、むしろ新規の雇用や仕事を生み出す場合もあり、また、業界、職種・業務内容、労働需給環境、自動化技術の導入コスト等、さまざまな要因によってその影響の程度や範囲が異なり得るため、一概に評価することは難しい。

もっとも、将来的にどの仕事についてどの程度の影響があるかは不明

【図表3-4-4】AIの普及による雇用への影響

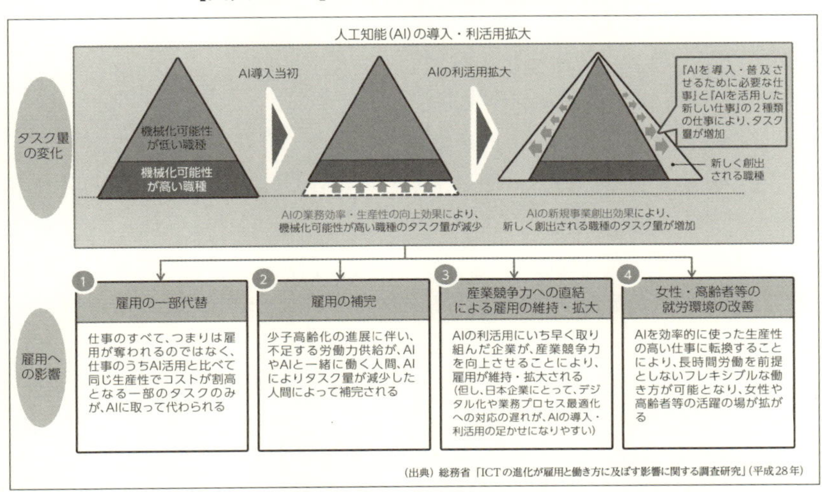

＊出典：平成28年版・総務省情報通信白書第1部第4章第3節「人工知能（AI）の進化が雇用等に与える影響」。

でも、AIなどの自動化技術の進展により、少なくとも一部の仕事について、何らかの雇用代替が出るであろうとの予測は共通認識となってきているのではないかと考える。他方で、自動化技術によって新しく創出される仕事・業務が、自動化技術により減少する仕事・業務を上回り、全体の仕事・業務が増大するのであれば、全体とすれば雇用にプラスの効果をもたらすことになる。また、すべての仕事・業務がAIに置き換わるわけではなく、タスク単位で代替が生じ、AIが行う仕事・業務と、人間が行う仕事・業務が共存する状態が（少なくとも今後しばらくは）続くことになる。したがって、AIと雇用の問題で最も重要なのは、いかにしてこの新規業務・事業を生み出していくか、新たな雇用ニーズに対応できるような人材育成や成長分野への労働移動を果たしていくか、さらには、どのようにAIと共存して人間が働くかの点にあるといえる。

2　働き方改革やHRテクノロジーとAI

第2次安倍内閣が働き方改革を最重要課題と位置付け、その流れを受けて多数の企業が働き方改革に経営課題として取り組む中、長時間労働を是正し、多様な人々の労働参加と多様な働き方を可能とするためには、労働生産性の向上が必須となる。そのため、今後ますますAIやICTなどのテクノロジーの活用が期待される。

AI等の技術革新の導入が今後進むと、企業においては、人間と機械との適切な役割分担を行い、人間を機械では代替できない高付加価値・専門性の高い仕事に振り分け、人間に割り当てた仕事に人間を最大限活用することが非常に重要となる。そのため、企業では、高付加価値・専門性の高い人材の獲得と最適配置を実現するため、人事労務のさまざまな場面（採用、組織・人員配置、人事評価、社内教育・訓練等）での改革が求められ、人々の働き方も大きく変化すると考えられている。

この点、AI等の自動化技術がさまざまな企業活動に活用される流れの中で、人事労務の分野にAI等のテクノロジーを活用していく「HR Tech」あるいは「HRテクノロジー」と呼ばれる動きが欧米を中心に新たな市場として注目されている。

「HR Tech」あるいは「HRテクノロジー」とは、「Human Resource」

と「Technology」を掛け合わせた造語で、先端的な情報技術を駆使し、人材マネジメント業務の効率化や人材の価値の最大化を図るソリューションや手法を指す[注8]。HRテクノロジーでは、クラウドやデータ解析、人工知能（AI）、仮想現実（VR）など、最先端のテクノロジーを使って、採用・育成・評価・配置などの人事関連業務を行う[注9]。

HRテクノロジーは、米国では5年以上前から注目され、拡大している市場であるが[注10]、日本でも、働き方改革を推進するためのテクノロジーの1つとして近年急速に注目を集め、2017年には、経済産業省等が主催する「HR-Solution Contest」が開かれ、人事労務上の課題をテクノロジーで解決するサービスを企業が競い合った[注11]。

HRテクノロジーが対応する技術は、AI、VR、AR、ロボティクス等さまざまであるが、とくにAIの活用が注目を浴びている。HR領域におけるAIの活用については、戦略立案、採用、異動・配置・昇進、評価、リテンション・退職、健康管理・メンタルヘルス、業務効率化、リモートワークと多様な分野でサービスが生まれ、活用されている[注12]。

すでに日本の企業でも、適性検査とAIによる分析を用いた採用サービスや、AIを用いたビジネスマッチングアプリ、眼鏡型デバイスで集中力の計測を通じHR施策の効果を検証するサービス、バイタルモニタービーコンで取得した行動・ストレス情報をAIが解析し、組織を最適化するサービス等が実用化されている[注13]。こうした人事労務領域でのAIの活

注8）酒井雄平「HR techの現状と可能性——テクノロジーがもたらす、人事の新たな価値創出のアプローチ」労政時報3941号（2017年11月）。

注9）「日本の人事部 HR Tech」「HR Tech 基礎講座」（https://jinjibu.jp/hrt/lecture/）。

注10）海外リサーチ機関による調査結果によれば、市場に投入されているHRテクノロジー関連のスタートアップの資金調達額は、2011年の約3億ドル（約330億円）から2015年には24億ドル（約2600億円）まで、その規模は約10倍までに急速に拡大しており、1つのビッグマーケットとして成立しつつあるとする（北崎茂「HRテクノロジーが人事にもたらす効果と日本での実情」Web労政時報）。

注11）経済産業省「『HR-Solution Contest』グランプリ決定!!～『働き方改革』を実現する『HRテクノロジー』～」（http://www.meti.go.jp/press/2017/07/20170725006/20170725006.html）。

注12）日本の人事部HRテクノロジーホームページ（https://jinjibu.jp/hrt/lecture/）。

【図表3-4-8】HR Techの具体例

日本におけるHR Techの具体例	
A社	● 採用にAIを活用 ● 既存従業員が適性試験を受験、適性人材を可視化 ● 応募者が適性試験を受検、結果をAIが分析し採用に生かす
B社	● 組織活性化・従業員満足度の向上にAIを活用 ● 名札型ウェアラブルセンサーで取得した従業員の身体運動に関するデータを計測 ● AIによる分析で組織活性度に影響する要素等を算出
C社	● リテンション・配置にAIを活用 ● 人事データを利用して、AIによる退職予測モデル、異動後活躍組織予測モデルを構築
D社	● 従業員の健康管理にAIを活用 ● リストバンド型ウェアラブルにより取得した行動・ストレス情報を解析し、AIによる情態予測により労働災害防止

用によっても、人々の働き方に変化がもたらされることが期待できる。

他方で、こうした人事労務領域におけるAIの活用については、従来にない新しいサービスであるため、新たな法的リスクに十分留意する必要がある。特に、上記のとおり、採用、異動・配置、評価、リテンション、健康管理等々、さまざまな領域で人事データが活用され、その取得や分析の対象となるデータも、経歴等の基本情報から、メールや社内SNSから生体情報や位置情報まで幅広いデータに拡がっていく場合に、これまでに問題とならなかった新たな法的問題点や社会的・倫理的問題点が生じる可能性があり、近時の個人データの保護規制やプライバシーに関する意識の変化も勘案して導入時および運用に当たっての慎重な対応が求められる。

注13）経済産業省「『HR-Solution Contest』ファイナリスト決定！～7月25日、公開プレゼンによってグランプリを決定します」(http://www.meti.go.jp/press/2017/07/20170705001/20170705001.html)。

Ⅱ　AIと労働法に関する法的問題点

1　採用とAI

(1)　採用の場面でのAIの活用

HRテクノロジーの1つとして、採用の場面でAIが活用され、また今後のさらなる活用が期待されている。例えば、AIが、さまざまなデータ(エントリーシートや企業の質問への回答やSNS等のインターネット上で公開されている情報等）から採用担当者の行動特性や能力を判定し、企業とのマッチング行うといった活用方法である。

AIが採用時の評価を行うメリットは、これまで採用担当者が行ってきたエントリーシートや面接等における選別・評価は、その基準や手法が属人的であり、ブラックボックス化しやすいものであったのに対し、AIによる評価は一定の基準を設定し、一定の傾向の中で、公正・客観的に行うことができ、採用基準を可視化できる点にある。また、膨大な採用データの処理について、AIの活用で採用業務を省力化できるメリットもある。

採用場面における現在のAI活用は、人事担当者等による採用の判断をサポートしたり参考として用いられるのみで、採用の意思決定自体をAIが行うわけではない。しかし、将来的には、採用の意思決定あるいは実質的な決定といえるまでの絞り込みのレベルまでAIが行う事態も想定できないわけではない。このように企業の採用に関しAIが利用され、あるいはAIが採用の意思決定まで行うことは、法律上どのような問題があるのだろうか。

(2)　企業の採用の自由から導かれる問題点

この点、労働契約は雇用主たる会社と労働者との合意によって成立し、会社には、契約自由の原則から導かれる採用の自由がある（労契1条・3条1項)。この採用の自由には、雇入人数決定の自由、募集方法の自由、選択の自由、契約締結の自由、調査の自由が含まれる[注14]。AIが採用の場面で活用される場合に関係するのは、③選択の自由（どのような者をどのような基準で採用するかを決める自由）や⑤調査の自由（採用の判断材

注14）菅野・労働法223頁。

料を得るための調査をする自由）である。

(3)　選択の自由とAIの活用

選択の自由において、判例[注15)]は、企業には広い範囲での雇入れの自由があるとし、企業が労働者の思想・信条を理由としてその採用を拒否できるかとの問題についても、憲法の基本的人権の規定は私人の行為を直接禁止するものではなく、企業の採用拒否は当然には違法とならないと判示する。

このように、企業には雇用する者を選択する場面で広範な裁量が認められるから、AIによる分析が間違っていた場合（例えば計測誤差や統計バイアスにより〔性別・年齢・人種等の〕差別的な分析結果が出てしまった場合）や、会社がAIによる分析結果を過度に重視してしまったような場合、あるいは、AIによる分析が信頼性があるのか会社が検証していなかったり、AIによる分析の手法を会社が理解していないで利用していたとしても、原則として、会社が違法となる（不法行為が成立する）わけではない。

また、会社が採用の場面で、AIを使って入手したさまざまなデータからある思想・信条が判明する、あるいはその傾向が示される（例えば特定の政治的思想や宗教の信仰をうかがわせる傾向がある）場合に、それを理由に採用しないとの判断を会社がしたとしても、ただちに違法となるわけではない（ただし、後述する調査の自由における制約の問題は生じる）。

さらに、会社には採用基準を開示する法的義務はないので、採用時にAIを用いたどのような選考をしているかを候補者に説明しなくても、または理解していないのでそもそも説明できなくても、違法となるわけではない。

(4)　調査の自由とAIの活用

これに対し、会社が採用の場面で候補者を調査するに当たっては、応募者に対する選択の自由から派生する企業の調査の自由が認められるが、応募者の人格的尊厳やプライバシーなどとの関係で制約を受ける。まず、調査方法については、社会通念上妥当な方法で行われることが必要で、応募者の人格やプライバシーなどの侵害になるような方法での調査は場合によっては不法行為を構成する[注16)・注17)]。

注15）最判昭和48・12・12民集27巻11号1536頁［三菱樹脂事件］。

調査事項についても、企業が質問や調査をなし得るのは応募者の職業上の能力・技能や従業員の適格性に関連した事項に限られると解すべきであるとされる[注18]。職業安定法5条の4は、個人情報保護の観点から、労働者の募集を行う者等は、本人の同意その他正当な事由がある場合を除き、求職者等の個人情報を「収集し、保管し、又は使用するに当たっては、その業務の目的の達成に必要な範囲内で求職者等の個人情報を収集し、並びに当該収集の目的の範囲内でこれを保管し、及び使用しなければならない」と規定する（職安5条の4第1項）。

これを受けて、平成11年労働省告示第141号[注19]では、労働者の募集を行う者等は、①その業務の目的の範囲内で求職者等の個人情報を収集することとし、社会的差別の原因となるおそれのある個人情報（人種、民族、社会的身分、門地、本籍、出生地等）や思想・信条、労働組合への加入状況を収集することは原則として認められないとする（ただし、特別な職業上の必要性が存在することその他業務の目的の達成に必要不可欠であって、収集目的を示して本人から収集する場合は例外的な収集が認められるとする）。また、同告示では、労働者の募集を行う者等が個人情報を収集する際には、本人から直接収集し、または本人以外の者から収集する場合には本人の同意の下で収集する等、適法かつ公正な手段によらなければならないとされる。

さらに、厚生労働省においても、応募者の適性・能力とは関係ない事柄で採否を決定しないよう、公正な採用選考を行う必要性を示しており、就職差別につながるような以下の情報を採用時に入手しないよう働きかけている[注20]。

注16）菅野・労働法226頁。

注17）例えば、応募者本人の同意を得ないで使用者が行ったHIV抗体検査（東京地判平成15・5・28判タ1136号114頁［警視庁警察学校事件］）や、本人の同意を得ないで行ったB型肝炎ウイスル感染検査（東京地判平成15・6・20労判854号5頁［B金融公庫事件］）は、プライバシー侵害の違法行為であるとされている。

注18）菅野・労働法226頁。

注19）職業紹介事業者、労働者の募集を行う者、募集受託者、労働者供給事業者等が均等待遇、労働条件等の明示、求職者等の個人情報の取扱い、職業紹介事業者の責務、募集内容の的確な表示等に関して適切に対処するための指針（平成11年労働省告示第141号）。

【採用選考時に配慮すべき事項】
次のaやbのような適性と能力に関係がない事項を応募用紙等に記載させたり面接で尋ねて把握することや、cを実施することは、就職差別につながるおそれがあります。
＜a. 本人に責任のない事項の把握＞
・本籍・出生地に関すること（注：「戸籍謄（抄）本」や本籍が記載された「住民票（写し）」を提出させることはこれに該当します）
・家族に関すること（職業、続柄、健康、地位、学歴、収入、資産など）（注：家族の仕事の有無・職種・勤務先などや家族構成はこれに該当します）
・住宅状況に関すること（間取り、部屋数、住宅の種類、近郊の施設など）
・生活環境・家庭環境などに関すること
＜b. 本来自由であるべき事項（思想信条にかかわること）の把握＞
・宗教に関すること
・支持政党に関すること
・人生観、生活信条に関すること
・尊敬する人物に関すること
・思想に関すること
・労働組合に関する情報（加入状況や活動歴など）、学生運動など社会運動に関すること
・購読新聞・雑誌・愛読書などに関すること
＜c. 採用選考の方法＞
・身元調査などの実施（注：「現住所の略図」は生活環境などを把握したり身元調査につながる可能性があります）
・合理的・客観的に必要性が認められない採用選考時の健康診断の実施

かかる観点からすると、採用時におけるAIの分析・評価に当たっても、これまでの採用手法と同様、基礎とする応募者のさまざまなデータの中に求職者の個人情報（特に、社会的身分や思想信条等に関する情報）が入らないようなシステムとなっているかどうかの配慮が必要となる。このような情報を入れて採用の判断を行う場合は、事案によって違法（不法行為）となる可能性が出てくることに留意が必要である。

注20）厚生労働省「公正な採用選考の基本」（http://www2.mhlw.go.jp/topics/topics/saiyo/saiyo1.htm）。

実際のケースでも、AIの分析の基礎とするデータの中に含めるのは、ビジネス目的であることが明らかなソーシャルメディアであったり、求人している職種に関係する公開された論文といった、応募者の職業上の能力・技能や従業員の適格性に関連することが明確なデータに限定し、FacebookやTwitterといったプライベート目的での利用があるSNSは除外するといった配慮が行われているようである。

(5) レピュテーション・リスク等の問題

違法まで至らなくても、例えばAIを導入して採用選考し、仮にそのAIによる分析がでたらめであった場合、または分析の基礎とするデータ採取が間違っていた場合、あるいはAIによる分析・評価の対象となるデータに不適切な個人情報が含まれていた場合には、不法行為のレベルに至らなくても、レピュテーション・リスクや社会的・倫理的問題は残る。また、こうした問題はなくとも、そもそもサービスの設計に社会的・倫理的問題がないかも重要である（例えば、内定者辞退率についてのいわゆるリクナビ問題は記憶に新しい）。

したがって、応募者の人格やプライバシーへの配慮は重要であり、会社が採用の場面でAIを活用する場合（外注する場合も同様である）は、そもそものサービス設計の慎重な検討と、AIがどのようなデータを基礎に、どのような仕組みで分析・評価しているのかを十分把握し、データ採取が適切かや、分析・評価に間違いがないか定期的に検証させた上で用いるのが望ましいと考える。

2　人事評価とAI

採用時および採用後に蓄積されたデータを利用して、従業員の人事評価にAIを活用することも期待される。人事評価にAIを活用するメリットとしては、採用の場面と同様、上司の属人的な評価ではなく、客観的・公正な評価が可能となることや、膨大なデータを分析・解析できるため、評価項目を拡大し、多面的な評価が可能となる点が挙げられる。

この点、人事評価については、労働者の労働能力や成績等の多種の要素を総合判断し、その評価も一義的に定量判断が可能なわけではないため、会社に広範な裁量権があると認められており[注21)]、社会通念上著しく不合理である等の人事権の濫用と認められる場合でなければ違法にはならないと解されている[注22]。人事権の濫用となる場面としては、人事考課制度自体が法規定や公序良俗に違反したり[注23]、人事考課が所定の制度を利用せずになされたり[注24]、制度に反する場合や、事実に基づかないか、評価の基礎となった事実に誤認がある場合、考慮すべき事項を考慮しないとか・考慮すべきでない事項を考慮した場合、不当な目的・動機に基づいた評価を行う場合[注25]が挙げられる[注26]。また、労働法上、国籍、信条または社会的身分を理由とする労働条件の差別的取扱いや性別による賃金に関する差別的取扱いは禁止されており（労働基準法3条・4条)、これらに反するような人事評価も認められない。いずれにせよ、人事権の濫用となる場合は、限定された場面であると想定できる。

したがって、従業員の人事評価にAIを活用することは、原則として、会社の人事権の範囲内の行為であると評価できる。もっとも、AIによる統計的差別が明らかな場合や、事実誤認や考慮すべき事項の優先付けが間違っている等、AIによる分析が間違っていた場合には、人事権の濫用となる可能性もあり得る（私見ではあるが、社会通念上の妥当性を考慮されることから、AIによる分析の手法を会社が検証しておらず、AIの分析の間違いを会社が容易に把握できた場合など、プロセスの妥当性も、人事権の濫用の有無の判断に影響を及ぼすのではないかと考える)。

さらに、AIによる人事評価を採用する場合には、会社にAIによる人事評価を採用していることや、その評価方法を開示・説明する義務はないが、従業員の納得を得るためには、従業員に対しその人事評価制度の仕組みを説明するのが望ましいと考える。

注21）大阪高判平成9・11・25労判729号39頁［光洋精工事件］。

注22）前掲・大阪高判平成9・11・25［光洋精工事件］、大阪地判平成17・11・16労判910号55頁［NTT西日本事件］。

注23）大阪地判平成12・11・20判タ1069号109頁［商工組合中央金庫事件］。

注24）前掲・大阪地判平成17・11・16［NTT西日本事件］。

注25）前掲・大阪高判平成9・11・25［光洋精工事件］、大阪地判平成21・10・8労判999号69頁［日本レストランシステム事件］。

注26）柳屋孝安「人事考課の裁量性と公正さをめぐる法理論」日本労働研究雑誌617号（2011）33頁。

3　従業員のモニタリングとAI

⑴　AIを用いた従業員のモニタリング

HRテクノロジーのなかには、ウェアラブルデバイス・ウェアラブルセンサーを活用して、従業員の位置情報、移動・行動情報、脈拍・血圧等の生体信号、まばたきや眼球運動、体の動き・ぶれ・姿勢、脳波などのさまざまなデータを計測してデータ化し、あるいはウェアラブルデバイスにカメラを搭載して従業員の視点から見るさまざまな画像・動画を入手しデータ化し、これらのデータをおのおの、あるいは組み合わせてAIに解析させることで、各従業員の行動状況や仕事への集中度・関心度・満足度・ストレスの有無等の把握や、各従業員・部署・組織単位でのパフォーマンス分析を行い、人事評価や配属・人材活用、組織活性等に役立てる技術が開発・実施化され、あるいは将来の活用が期待されている。

また、従業員のメンタルヘルスや健康管理の目的で、会社がウェアラブルデバイス等で従業員の健康情報をモニタリングすることも想定できる。

⑵　AIを用いたモニタリングと従業員のプライバシー

個人の位置情報、他とのコミュニケーションの様子・頻度、自らの生体反応等の情報は、個人の行動や内心と密接に結びつくため、他人にはみだりに知られたくはないプライバシーに関する情報となり得、こうした情報を企業がモニタリングすることがプライバシー権の侵害とならないかが問題となる[注27)]。

判例では、従業員のプライバシー権は無制約に保障されるものではなく、雇用主が従業員の情報を把握する合理的な必要があり、また、手段が相当であれば、従業員の情報を把握することは許容され、雇用主による監視が、従業員のプライバシー権の侵害とされるのは、監視の目的、手段およびその態様等を総合考慮し、監視される側に生じた不利益とを比較衡量の上、

注27）ピープル・アナリティクスの活用によるメンタルリスク分析やハイパフォーマー分析において、個人の位置情報やメールの履歴、健康情報等の活用に当たり、個人情報保護やプライバシーの制約を指摘するものとして、土橋隼人「ピープル・アナリティクスによる意思決定精度（HR Effectiveness）の向上」Web労政時報。

社会通念上相当な範囲を逸脱した監視がなされた場合であると解されている[注28]。

そして、GPS電波を受信することにより、電話会社の提供するナビシステムに接続した携帯電話（子機）の位置を確認することで、子機を携帯する従業員の居場所を会社が常時確認していた事例において、①外回りの多い従業員について、その勤務状況を把握し、緊急連絡や事故時の対応のために当該従業員の居場所を確認することを目的とするものであり、②特定の従業員だけでなく複数の従業員についても、ナビシステムが使用されていることから、当該目的には相応の合理性があり、③ナビシステムを使用して従業員の勤務状況を確認していたのが勤務時間帯およびその前後の時間帯であったことも考慮して、ナビシステムによる従業員の位置情報の確認は違法ではないと判断した裁判例がある[注29]。他方で、同判例は、④早朝、深夜、休日、退職後のように、従業員に労務提供義務がない時間帯、期間において、ナビシステムを利用して原告の居場所を確認することは、特段の必要性のない限り、許されないとし、かかる形態でのナビシステムの利用につき、会社の不法行為を認めている。

この判例によれば、GPSによる従業員の位置情報の把握は、勤務時間中に実施する限りは基本的にはプライバシー権の侵害には当たらないが、勤務時間外にも監視することは、従業員の私的領域に踏み込むことになり、プライバシー権の侵害となり許されないと考えられる[注30]。

これをAIを活用する従業員のモニタリング・システムに当てはめると、人事評価や人材活用、組織活性といった目的で、ウェアラブルデバイス等によって従業員のさまざまな情報を取得することは相応に合理的であり、特定の従業員ではなく合理的・公正な基準で対象を定め、勤務時間内に限りモニタリングするのであれば、従業員のプライバシー権の侵害に当たら

注28）東京地判平成13・12・3労判826号76頁［F社Z事業部事件］。

注29）東京地判平成24・5・31労判1056号19頁［東起業事件］。

注30）なお、同裁判例では、「労務提供が義務付けられる勤務時間帯」のみならず、「その前後の時間帯」において従業員の居場所を確認することを許容している。これによれば、勤務時間に近接した前後の時間帯であれば、厳密には勤務時間内でなくとも位置情報の取得がプライバシー権侵害にならない余地がある。

ないと評価される可能性がある。この場合、雇用主が前記のモニタリングにより従業員の情報を取得することは、労務指揮権の行使の一環として認められると解される。言い換えれば、この場合、会社としては、業務命令として例えば勤務時間内のウェアラブルデバイスの装着を命じることができ、従業員は、雇用主の労務指揮権に服するため、ウェアラブルデバイスの装着を拒否する自由はないことになる。

もっとも、これまでの判例の事例では、会社が従業員の個別の情報について把握する程度で、業務上の必要性との関連もある程度明確であったのではないかと考えるが、AIの活用で想定されている従業員のモニタリングは、多様な情報を大量に常時取得し蓄積する点で、会社による情報把握の方法・程度が従来とは比較にならないと思われる。こうした場合でも、従来の判例の枠組みで、業務上の必要性を認め、使用者の労務指揮権の行使としてのモニタリングを認めてよいのかは問題となる。会社によるこうした広範・継続的な従業員へのモニタリングは、従業員のプライバシーに対する配慮から、業務上の必要性を厳しく認定する、あるいは、手段の相当性を厳格に解する必要性も出てくるのではないかと考える。

さらに、従業員に対するこうしたモニタリングについて会社の労務指揮権が認められる場合でも、実際に導入する場合には、社内規程も整備し、事前に従業員に説明し十分に理解を求めることが重要であると考える（もちろん、個別同意まで取得すれば最も安全である）。

(3) 健康管理目的のモニタリングにおける問題

次に、健康管理目的のモニタリングの場合は、勤務時間内だけでなく、勤務時間外も（さらには24時間）モニタリングをしたほうが効果的といえ、従業員からもその旨の希望が出る可能性もあるが、その場合には、従業員のプライバシー権の侵害とならないよう、従業員から個別同意を取得して実施する必要がある。

また、海外では、従業員にマイクロチップを埋め込み生体情報を取得するようなケースがみられるが、ウェアラブルデバイスを超えて身体への侵襲を伴う形態でモニタリングをする場合は、従業員の同意が必須と考える。

この場合、従業員からの同意が「真の同意」であると評価されるために、事前の十分な説明が必要であること、より多くの情報を取得したい会社側からの同意圧力があったとみなされないように、同意しない従業員に著しい不利益が生じない仕組み（例えば、同意しない従業員には福利厚生の健康サービスが一切利用できない等の不利益がないか、同意しない従業員に代替サービスが用意されているか等）を整えることも重要である。

(4)　個人情報保護との関係

さらに、ウェアラブルデバイスから取得したさまざまな情報は、従業員の氏名等と紐付けて管理されるのが通常であり、これらの情報と照合することにより特定の個人を識別可能であるため、個人情報保護法2条が定める「個人情報」に当たり得る。特に、健康情報については「要配慮個人情報」に該当する可能性があり[注31]、その場合は原則として取得に当たって従業員の同意が必要となり（個人情報17条2項）、オプトアウトによる第三者提供も認められない（同法23条2項）ことに留意が必要である。

また、「雇用分野による個人情報のうち健康管理を取り扱うに当たっての留意事項」では、①従業員の健康情報は従業員個人の心身の健康に関する情報であり、本人に対する不利益な取扱いまたは差別等につながるおそれのある要配慮個人情報であるため、事業者においては健康情報の取扱いに特に配慮を要すること、②従業員の健康情報は、従業員の健康確保に必要な範囲で利用されるべきものであり、事業者は、従業員の健康確保に必要な範囲を超えてこれらの健康情報を取り扱ってはならないこと、③詳細な医学的情報を含まないストレスチェックの結果については、事業者はその情報を産業保険業務従事者以外に取り扱わせることができるが、従業員の同意を得ていない場合は、当該労働者について直接の人事権を有する者に取り扱わせることはできず、また、直接の人事権を有しない人事担当者に取り扱わせる場合でも、労働者の健康確保に必要な範囲を超えて人事に利用されることのないよう当該担当者には秘密保持義務が課される等の事項を周知する必要があるとされていることにも、留意が必要である。

注31)「雇用分野による個人情報のうち健康情報を取り扱うにあたっての留意事項」(https://www.ppc.go.jp/files/pdf/koyoukanri_ryuuijikou.pdf) 第2においては、「任意に労働者等から提供された本人の病歴、健康診断の結果、その他の健康に関する情報」は個人情報保護法2条3項に定める「要配慮個人情報」に該当するとする。

4　従業員のデータ保護に関する欧州の議論

以上で述べた、HRテクノロジーにおける従業員のプライバシーや従業員データの活用の問題は、2018年5月25日から適用が開始されたEUの一般データ保護規則（General Data Protection Regulation, 以下、「GDPR」という）においても問題となっている。

EUデータ保護指令の元で活動する第29条作業部会（Article 29 Working Party）は、HRテクノロジーがもたらすプライバシー侵害の可能性に着目し、2017年2月に、従業員のプライバシー侵害の観点から雇用主が遵守すべきポイントや、許容される形態と許容されない形態について意見を述べた[注32]。第29条作業部会は欧州データ保護会議（European Data Protection Board）へ改組され、第29条作業部会時の意見はGDPRにも引き継がれている。

第29条作業部会の意見では、企業による従業員のモニタリングについて、従業員の同意をとっても、それは真の自由意思に基づいたものとは考えられないため、原則として正当化根拠にならないこと、例外として認められる場面も相当限定されることが示されている。また、従業員はモニタリングの内容について、雇用主である企業から十分な情報提供を受けなければならないことが明記されている。加えて、仮にモニタリングが許容される場面でも、すべての情報にアクセスするのではなく、プライバシーへの影響を最小限にする部分的な方法に限定できないかを考慮すべきとする。

また、個別の場面として、企業が採用に当たり、候補者のソーシャルメディアを参考とする場合、公開情報であるという理由だけではデータの利用は許容されず、ソーシャルメディアがビジネス目的のものであることや、当該情報が当該役職の適任者を判断するための情報として関連性を有し、かつ必要不可欠であること、雇用されないことが決まったら直ちに当該候補者の情報が削除されること、こうした情報を入手することを候補者に事前に説明していること等の条件が満たされていることが必要とされて

注32）Opinion 2/2017 on data processing at work - wp249 (http://ec.europa.eu/newsroom/article29/item-detail.cfm?item_id=610169)

いる。また、候補者のソーシャルメディアの「友達」に加える等の方法で、企業が、候補者のソーシャルプロファイルへのアクセス権が持てるよう候補者に要求することは認められないとする。

ウェアラブルデバイスを用いたモニタリングについても、企業が健康情報を入手することは原則許容されず、従業員の同意が正当化根拠となることも極めて限定的であるとする。仮にそのようなシステム（例えば従業員の歩行数、心拍数、睡眠パターンを記録するモニタリングデバイス）を従業員への福利厚生として提供するとしても、健康情報にアクセスするのは従業員サイドのみで、使用者である企業側はアクセスできないシステムにすべきなのが原則であるとする。

第29条作業部会の上記意見は、GDPRの適用対象となる、EUに子会社、支店、営業所を有している日本企業が、日本だけでなく、欧州も含めたグローバルでHRテクノロジーの導入を検討する場合に関係してくる。また、欧州に関係のない事案でも、こうした厳しいデータ保護に関する考え方が、将来的には日本にも導入される可能性があるため、参考とすべき議論であると考える[注33]。

5　「AI代替」と配置転換

AIにより仕事全体が代替され、企業のなかである特定の部門すべてが不要になる場合、あるいは業務の一部が代替されることによって従来より少ない人員数しかいらなくなった場合でも、その仕事に就いていた労働者が直ちに職を失うとは限らない。

特に、日本の企業は、これまでの技術革新においても、機械により代替される職種に就いていた労働者について、解雇することなく、別の仕事に就くための教育訓練を施し、配置転換することで雇用を維持してきた。これは、わが国では長期雇用システムを前提に、期間の定めのない労働者（いわゆる正社員）を職種や勤務地の限定なく雇用することが通常であり、

注33）日本においても、一般社団法人ピープルアナリティクス＆ＨＲテクノロジー協会が『人事データ利活用原則〔第１版〕』（https://peopleanalytics.or.jp/2020/03/19/hrdatautilizationprinciples/）を作成しており、参考になる。

企業側は配置転換により労働者の適性配置や人材活用を柔軟に行える一方、こうした無期労働者を解雇するハードルが高いため、配置転換が解雇回避措置と機能してきたという背景に基づく。

したがって、日本の企業でAIなどの自動化技術の導入が進展し、雇用や業務が代替される事態が起こった場合でも、企業においてまず問題になるのは、代替される労働者を他の部署に配置転換できるか、という問題になる[注34)]。

配置転換には、同一勤務地（事業所）内で所属部署が変更される場合（狭義の配置転換という）と、勤務地が変更される場合（転勤という）が含まれる[注35)]。企業がどのような場合に配転を命ずることができるかは、従業員との間で職種や勤務地を限定する労働契約となっているかどうかで異なる。

労働契約の締結時あるいは締結後に、雇用主たる企業と従業員との間で、職種や勤務場所が特定され合意されている場合には、職種や勤務場所の変更は労働契約の内容の変更であるため、労働者の同意なく企業が一方的に配置転換を命ずることはできない。この場合、労働者は自分の意思に反して違う職種や勤務場所に配置転換されることはない。したがって、職務や勤務場所が限定された労働契約として雇用された労働者は、AIなどの自動化技術により仕事が代替される場合でも、自らが同意しない限りは配転を受けることはない。他方で、AIなどの自動化技術により当該職種あるいは勤務地が完全に消失する事態になった場合は、それでも企業が当該労働者をそのままの職種あるいは勤務地で雇用し続けることは困難であるため、当該労働者が配置転換に同意するか、同意しない場合には解雇の問題になる[注36)]。

もっとも、職種や勤務地限定の合意は、採用時に募集広告・求人票・採用通知書において職種や勤務場所が明記されているだけでは成立せず、ま

注34）なお、ここでは、AI代替の影響の大きい、期間の定めのない労働者（いわゆる正社員）を念頭に置いて議論する。

注35）菅野・労働法727頁。

注36）東京地決平成11・11・29労判780号67頁［角川文化振興財団事件］。

た、特別の訓練・養成を経て一定の技能・熟練を修得し、長い間その職種や勤務場所に従事してきたとしてもそれだけで認められるわけではない[注37]。

むしろ、日本の企業では、長期雇用を前提とした正社員は、職種や勤務地を限定せずに採用し、企業内の人員調整や従業員の教育・訓練等の意味合いで広範囲な配転が行われるのが通常である。その代わり、企業は賃金が下がる配置転換は通常行わない。

このような職種や勤務地を限定しない労働契約を締結している従業員との関係では、判例は、企業が労働者の賃金を維持する限りは、従業員の個別の同意なしに配置転換を認めることができる配転命令権を広い範囲で認めている。具体的には、使用者は業務上の必要に応じ、その裁量により配置転換を命じることができ、この業務上の必要性は、高度の必要性ではなく、「労働力の適正配置、業務の能率増進、労働者の能力開発、勤務意欲の高揚、業務運営の円滑化など企業の合理的運営に寄与する点が認められる限り」肯定される[注38]。

ただし、この配転命令権も無制約ではなく、当該配転命令に業務上の必要性がない場合や、業務上の必要性が存する場合であっても、他の不当な動機・目的をもってなされたものであるときや、労働者に対し通常甘受すべき程度を著しく超える不利益を負わせるものであるとき等の「特段の事情」が存する場合には権利濫用になるとされている[注39]。しかし、判例は、何らかの合理性があれば業務上の必要性を広く認め、不当労働行為に該当する場合や差別的意図・嫌がらせ等の「不当な動機・目的」をもってなされた場合等、限定的な場合にしか権利濫用を認めない傾向にあるとされる。また、「労働者に対し通常甘受すべき程度を著しく超える不利益を負わせるもの」であるか否かについても、判例は、転居や家族との別居を伴う配転も受任限度を著しく超える不利益とはいえないとし、配転命令が権利

注37）金子征史「人事異動」労判702号6頁。判例においても、十数年から20年にわたって「機械工」として就労してきたものであっても、職種を「機械工」に限定する旨の労働契約上の合意が否定されている（最判平成元・12・7労判554号6頁［日産自動車村山工場事件最高裁判決］）。

注38）最判昭和61・7・14判時1198号149頁［東亜ペイント事件最高裁判決］。

注39）東亜ペイント事件最高裁判決、日産自動車村山工場事件最高裁判決。

濫用となる場面を限定的にしか認めない傾向にある。したがって、配転について労働者側がその効力を争うことは、配転命令が明白に他の不当な動機・目的をもってなされたものである場合を除いて、判例上はかなり難しい状況であるといえる[注40]。

これに対し、賃金の低い職種に配転することで労働者の賃金を引き下げる配転命令は、原則として労働者の同意なしには認められないと考えられる[注41]。配転命令と降格が同時に行われ、降格によって賃金が引き下げられる場合には、その配転命令は降格の要件をも満たす必要があり、その要件を満たさない場合には、配転・降格が一体として無効となる[注42]。

以上の通り、日本の企業には、当該労働者の賃金を維持する限り、配置転換を命ずる広範な裁量がある。AIなどの自動化技術の導入によりある職種の仕事がなくなった、あるいは人員削減を余儀なくされた場合には、労働力の適正配置等の業務上の必要性があるとして、当該職種に従事する労働者をこれまでの業務とまったく関係のない他の職種に配置転換することも基本的には認められる。裏返すと、日本の企業は、広範な配置転換権を認められている一方、企業から労働者を解雇することが後述の通り厳しく制限されているため、AIなどの自動化技術で代替される労働者についても、まずは配置転換で対応することになる。その意味で、現在のわが国の労働法制を前提にすれば、AI代替が生じても企業はまず配置転換で対応するのが通常で、AI代替で多くの労働者が解雇され、失業する、という事態は直ちには生じないのではないかと考える。

6　「AI代替」と解雇

前記の通り、AIなどの自動化技術により仕事が代替される場合でも、

注40）金子・前掲注36）12頁。
注41）菅野・労働法733頁。
注42）仙台地決平成14・11・14労判842号56頁［日本ガイダント事件］。同判例は、「労働者の適性、能力、実績等の労働者の帰責性の有無及びその程度、降格の動機及び目的、使用者側の業務上の必要性の有無及びその程度、降格の運用状況等を総合考慮し、従前の賃金からの減少を相当とする客観的合理性がない限り、当該降格は無効と解すべき」であるとする。

企業が配置転換で人員を吸収できる限度では、解雇の問題は生じない。しかし、将来的には、AIによる代替の規模が大きく、配置転換だけでは余剰人員を吸収しきれないレベルに至れば、企業が解雇を選択せざるを得ない事態も想定し得る。また、AIなどの自動化技術が企業に浸透し、ほとんどの業務で何らか自動化技術への対応が必要になるにもかかわらず、これに対応できない労働者を企業が解雇するケースも想定できる。

この点、期間の定めのない労働契約における解雇は、客観的に合理的な理由を欠き、社会通念上相当であると認められない場合は、権利濫用として無効となる（労働契約法16条）。解雇が認められるための「客観的に合理的な理由」には、例えば労働者の勤務成績の不良や、経営上の必要性（合理化による職種の消滅と他職種への配転不能、経営不振による人員整理）が含まれる[注43]。また、「客観的に合理的な理由」が認められる場合でも、当該解雇が「社会通念上相当」と認められない場合には解雇は無効となるが、この相当性の要件について、裁判所は、一般的には、長期雇用システムを前提とする正社員との関係では、解雇の事由が重大な程度に達しており、他に解雇の手段がなく、かつ労働者の側に宥恕すべき事情がほとんどない限定的な場合にのみ相当性を認めている[注44]。

例えば、長期雇用システムの下で正社員として雇用された労働者に対する成績不良に基づく解雇については、単に成績が不良であるというだけでなく、それが企業経営に支障を生じるなどして「企業から排斥すべき程度」に達していることを必要とするのが判例の傾向である[注45]。エース損害保険事件[注46]では、「長期雇用システム下で定年まで勤務を続けていくことを前提として長期にわたり勤続してきた正規従業員を勤務成績・勤務態度の不良を理由として解雇する場合」には、「それが単なる成績不良ではなく、企業経営や運営に現に支障・損害を生じ又は重大な損害を生じる恐れがあり、企業から排除しなければならない程度に至っていることを要

注43）菅野・労働法786頁。
注44）菅野・労働法787頁。
注45）菅野・労働法790頁。
注46）東京地決平成13・8・10判時1808号129頁［エース損害保険事件］。

し」、かつ、「その他、是正のため注意し反省を促したにもかかわらず、改善されないなど今後の改善の見込みもないこと」、「使用者の不当な人事により労働者の反発を招いたなどの労働者に宥恕すべき事情がないこと」、「配転や降格ができない企業事情があること」なども考慮して、解雇権の濫用に当たらないか判断すべきという厳しい判断基準を設定し、解雇を無効とした。また、解雇の前に教育指導などの解雇回避措置が求められ、それを経ない解雇は解雇権濫用とされやすいのが判例の傾向である[注47)]。

したがって、企業としては、たとえAIなどの自動化技術に対応できない労働者がいたとしても、当該労働者の能力不足や成績不良を理由に直ちに解雇できるわけではなく、まずはAIリテラシーを獲得するための社員教育を施し、あるいは対応能力がない／低くても従事できる職種に配置転換する等の解雇回避措置を講じ、それでも改善の余地がない場合にはじめて解雇を検討することになる。

さらに、企業が経営上必要とされる人員削減のために行う整理解雇においては、判例は、解雇権濫用法理の適用をより厳しく判断する傾向にある。整理解雇の有効性に関する判例の判断は、①人員削減の必要性が認められること、②配転、出向、一時帰休、希望退職の募集等の解雇回避努力義務を尽くしたこと、③被解雇者選定の妥当性（客観的・合理的な基準を設定し、公正に適用したこと）、④手続の妥当性（労働組合や労働者代表への十分な説明と協議等）の4つの事項を考慮して行われてきた[注48)]。ここでいう「人員削減の必要性」は、当該人員削減を実施しなければ「倒産必至」の状況までは不要だが、債務超過や赤字累積等の高度の経営上の困難がある場合が判例上多く、そこまでに至らず、黒字経営だが経営合理化や競争力確保のための戦略として人員削減措置がとられる場合には、人員削減は配転・出向や退職金上積みの希望退職募集などで実現すべきであり、人員削減の

注47）菅野・労働法791頁、東京地決平成11・10・15判タ1050号129頁［セガ・エンタープライゼス事件］。

注48）これら4つの事項につき、裁判所は、近年までは整理解雇が有効となるためにはすべてを満たすべき「要件」として解してきたが、バブル崩壊後の長期かつ深刻な経済変動の中で、整理解雇の有効性を判断する4つの「要素」とし、これらの事情を総合考慮する枠組みを採用する裁判例が増加している（菅野・労働法797頁）。

必要性が認められない、あるいは解雇回避措置義務を尽くしていないとの理由で解雇が認められないことが多いと考えられる[注49]。

以上に鑑みると、日本の企業としては、AI代替が大規模に起こるため配置転換では吸収できず、人員削減が必要となっても、黒字経営である限りは早期退職優遇制度や希望退職で人員削減を図るのが第1であり、解雇のハードルは依然として高いと考えられる。しかし、技術革新や経済情勢の変動はますます加速していくであろうから、経営不振までいかなければ事実上強制的な人員削減は難しいという法制度のままで日本の企業が競争力を維持していけるのかという指摘もあり、AIなどの自動化技術に雇用が代替される規模・範囲が大きくなっていけば、将来的に、現在の解雇法制に影響する議論に発展する可能性も否定できない。

Ⅲ　まとめ

AIが雇用や働き方に与える影響についての労働法上の問題点は、AIの活用が入口段階であり、いまだ議論が成熟していないが、AIの活用が進むに連れ今後の発展が期待できる。特に、従業員に関わるデータが大量に収集され蓄積し、これらのデータを基礎にAIの活用が進展していくと、これまでにない規模、範囲、時間軸で従業員の情報が企業に利用されることになるが、それにより従業員の人格やプライバシー、個人情報保護の点でどのような問題が引き起こされるのかが問題になる。従業員のプライバシーの問題は、これまで労働法の分野でそれほど活発に議論されてきていない論点と思われるが、個人データ規制が世界的に強化されている状況から今後は重要な問題となっていく可能性が高い。

（菅野百合）

注49）菅野・労働法796頁、東京高判昭和54・10・29判時948号111頁［東洋酸素事件］。

第5章
AIと金融法

I　総論

1　金融分野におけるAIの活用状況

金融分野におけるAIの活用状況は多岐にわたるが、現時点でその活用が進められている主要な分野として、①トレーディング・資産運用分野における活用、②融資・与信分野における活用、③保険分野における活用[注1)]などが挙げられる。いずれも、AI（特に近年のディープラーニングによる技術的ブレークスルーを果たした後のいわゆる第3次AIブームの要因となっている新しいAI）の登場前から、前記①でいえばさまざまなアルゴリズム取引などの資産運用戦略の開発場面で、前記②でいえば信用リスクに関するスコアリングモデリングの開発場面で、前記③でいえば保険料率の算定など保険商品の開発場面で、統計的・数学的な方法を用いた開発・改良がなされてきた分野であり、一般論として、金融分野とAIとの相性がよいことには特に疑問はないであろう。

また、これら金融業界におけるAIの活用といった場面に加えて、AI技術の商業化（例えば自動運転走行車の販売）の局面において、これまでとは異なるリスク配分が必要となることに伴い、新たな金融商品の開発ニーズが生まれるかもしれない[注2)]。

2　AIと金融規制

(1)　AIによるサービスと金融市場規制

前記1のように、金融分野はもとより数理的な分析との相性がよく、

注1）ただし、保険分野については独立して第3編第6章で述べているので、本章では詳述することはせず、金融とAIの文脈において必要な範囲でふれるにとどめる。

AIを用いた技術革新の影響を受けやすい分野であるといえるが、一方で、AIを用いたビジネス展開により、既存の金融規制がどのような影響を受けるかについては、本稿執筆時点において必ずしも議論が整理されているとはいいがたく、想定し得る問題点について関係者による分析が開始され、これから本格的に具体的な対応（立法の対応や実務の形成など）につき手当てがなされていく段階であると考えられる。これに関連する動きとして、日本国内でも近時High Frequency Trade（以下、「HFT」という）[注3]に関する規制が導入され[注4][注5]、人の手を介さずに行われるトレーディングが金融市場（より広くは金融システムそのもの）に与える影響を踏まえ、概要以下の内容で、立法という形で手当てが行われている。

注2）例えば、東京大学の松尾豊教授は、「今までの保険、金融商品と違って、そこ〔筆者注：保険や金融商品のことを指すと思われる〕の料率の計算というのに非常にテクノロジーの理解が必要になってきますから、そういう意味ではかなりテクノロジーと金融というのが融合した、そういった領域になってくるんじゃないかと思います」と指摘しており（金融庁「フィンテック・ベンチャーに関する有識者会議（第2回）」議事録参照）、金融商品の設計におけるリスク算定の局面でもAIの発達により、これまでとは異なった知見を必要とする可能性があるものと考えられる。

注3）高度のコンピュータと情報通信技術を駆使して、あらかじめプログラムされたコンピュータ・アルゴリズムと、コロケーションと呼ばれる手法などにより、千分の一秒、万分の一秒（場合によっては、百万分の一秒）単位で、注文の発注とキャンセルを繰り返す取引手法だと解されている（横山淳「アルゴリズム高速取引（HFT）規制の導入——金融市場WG報告」2017年1月24日、大和総研グループ金融資本市場レポート3頁～4頁参照）。

注4）「金融商品取引法の一部を改正する法律」により、2017年5月24日付けで公布され、2018年4月1日から施行されている。なお、同法の細目については、関連する政省令・告示（金融商品取引法施行令、金融商品取引法第二章の六の規定による重要情報の公表に関する内閣府令、金融商品取引法第二条に規定する定義に関する内閣府令、高速取引行為となる情報の伝達先を指定する件）により具体化されている。

注5）なお、欧州でも第2次金融商品市場指令等によりHFTの登録制などが定められ、2018年1月3日に施行され、米国でも先物市場について、電子的に取引所に直接アクセスする手法を用いて自己勘定でアルゴリズム取引を行う業者に新たに登録を求める等の規制を採用することが検討されるなど、HFTについては各国当局による規制の導入に向けた検討が行われている。

① HFTを行う投資家に対する登録制の導入
② HFTを行う者に対する行為規制の導入、監督当局による監督の実施
③ 金融商品取引業者等がHFTを行う場合の監督当局への届出義務
④ 金融商品取引業者等が、無登録でHFTを行う者から取引を受託することの禁止

当該改正の骨子については、すでにいくつかの論考で解説がなされており、本稿では詳細を取り上げることはしないが、問題となり得る行為を定義した上で、登録制／届出制とすることで、監督当局として実態の把握に努めることに主な規制の主眼があると考えられる[注6]。なお、HFTは必ずしもAIによるトレーディングを意味するとは限らず、その意味で前記規制についても、AIが金融市場に与える影響について網羅的に対応することを目的とするものではない点には留意が必要である[注7]。

また、AIを用いた金融事業に対する規制については、日本のみならず、各国の金融機関や政府に関心のみられるところであり、かつ金融市場が日本国内で閉じられているものではなく、世界中の金融取引・金融秩序が相互に影響を与え合う関係に立つものであることにも鑑みると、日本国内における金融市場の健全性を保護するための法規制のあり方を考える上でも、日本国内のみならず、海外の規制とのイコール・フッティングを考慮する

注6）立法の契機となった、金融審議会市場ワーキング・グループ報告「国民の安定的な資産形成に向けた取組みと市場・取引所を巡る制度整備について」（平成28年12月22日）（以下、「市場WG報告」という）においても、証券会社、取引所、監督当局による実態の把握が困難となっていることについての指摘がなされており、当該実態把握を行う体制を整えることが立法の主目的となっていると考えられる。

注7）もっとも、前記HFTへの規制に関する改正法の制定過程における、2017年5月16日付け参議院財政金融委員会における池田唯一政府参考人（金融庁総務企画局長）の答弁において、「投資判断にAIが用いられた場合でも、直接的には、どのような取引施設において、どのような金融商品に対し、どのような戦略に基づいて取引を行うことを前提にAIが設計されているかといったような届出をしていただき、注文やキャンセルなどの実際の取引状況は記録していただくと、そうした中で実態を把握していくということになろうかと思っております」と述べられており、AIを用いたトレーディングについても、本規制により一定程度実態を補促することが想定されているものと思われる。

ことが不可欠である。そこで、以下本稿Ⅱ１で、金融市場に与えるAIのインパクトおよびそれに対する必要な法制度のあり方について、国際的にどのような議論が行われているかを整理した上で、日本の法制度についての考察を行うこととしたい。具体的には、国際的な議論状況を検討するに当たり、Financial Stability Board（以下、「FSB」という）[注8)]が発表した、『Artificial intelligence and machine learning in financial services Market developments and financial stability implications』（2017年11月１日）（以下、「FSBレポート」という）を参考にしている。FSBは、国際的な金融システムの安定確保を目的として設立された組織であり、当該FSBにおいて、AIが金融システムにどのような影響を与えるものと認識しているかを確認しておくことは、現状における国際的な議論状況を認識する上で効果的であると思われる。

⑵　AIによるサービスと顧客保護等

また、近時の動きとして、いわゆるロボ・アドバイザーによる資産運用サービスが発展をみせており、個人資産を人間の手を一部または全部介することを経ずして、運用することを可能とするサービスが登場している。現状、日本において提供されているロボ・アドバイザーが、ポートフォリオの決定やリバランスの方針を決定するに当たり、AIを利用する場合とAIを利用しない場合とがあり、またAIを利用する場合でも、どのような段階のAIを利用するか必ずしも明らかではないが、より精緻なポートフォリオ・マネジメントを行うことを目的として、機械学習やディープラーニングの手法を取り入れたAIが利用される傾向が高まることが予想される。このようなロボ・アドバイザーの運用については、人手を介さないで行われるそれぞれの判断過程に瑕疵がある場合の顧客保護をどのように考えるかとの論点が今後生じ得ると考えられる。このような問題に対して、現状、日本で十分に議論が蓄積されているとはいいがたいが、ロボ・

注8）1999年に設立された金融安定化フォーラム（FSF、Financial Stability Forum）を前身とし、FSFを強化・拡大する形で2009年４月に設立された金融安定理事会のことを指し、金融システムの脆弱性への対応や金融システムの安定を担う当局間の協調の促進に向けた活動などを行っている（日銀HP＜https://www.boj.or.jp/announcements/education/oshiete/intl/g06.htm/＞参照）。

アドバイザーの中心地である米国[注9]においては、政府がロボアドバイザーの利用について、投資家向けのアラートを出していたり[注10]、業界団体であるFinancial Industry Regulatory Authority[注11]（以下、「FINRA」という）により、デジタル技術を用いた投資アドバイスサービスに関する問題点などにつき検討を行った、『Report on Digital Investment Advice』（以下、「FINRAレポート」という）が発表されるなど、日本に比べて、ロボアドバイザーの利用者保護という観点に立った議論が蓄積されている。もちろん、米国と日本におけるサービス内容には違いがあり、法体系も異なるため、米国の議論を直接日本に当てはめることはできないが、これらを参照資料としつつ、日本法上の問題を考えることとしたい。

(3)　その他AIによるサービスと金融規制

上記以外にも、旧来には想定されていなかったサービスがAIなどのテクノロジーの進展により実現可能となることを踏まえ、そのまま維持することが不合理と思われる規制を時代に即した形でアップデートすることも行われている。例えば、クレジットカード会社が利用者の与信枠を決める際に、ビッグデータをAIで解析した結果を用いた審査方法の構築等を行うことを可能にする割賦販売法の改正案が2020年3月3日に閣議決定され（改正割賦販売法30条の5の4〜30条の5の7および30条の6等を新設）[注12]、

注9）米国のロボ・アドバイザーにおける市場規模は2014年12月末時点で20社超のロボ・アドバイザーが存在し、関連残高は190億ドルを超える（和田敬二朗＝岡田功太「米国で拡大する『ロボ・アドバイザー』による個人投資家向け資産運用」野村資本市場クォータリー71号〔2015〕参照）。

注10）例えば、2015年5月8日付けで、SEC（Securities and Exchange Surveillance Commission）による『Investor Alert: Automated Investment Tools』が出され、ロボ・アドバイザーは、不正確な情報に基づき判断を行う可能性があること、ないしは個人に関する個別の情報を正確に反映できない場合があることから、投資家個人にとって適切でない投資の機会を提供するおそれがあることにつき警鐘がならされている。

注11）Financial Industry Regulatory Authorityの略。2007年7月、NASD（National Association Of Securities Dealers、全米証券業協会）とNYSE（New York Stock Exchange）の自主規制部門の統合により設立された。米国のすべての証券会社が加盟する非政府規制機関で、投資家保護や証券取引の透明性の確保、不正行為の摘発などを目的に、米国において証券会社などの行動を監視・規制する機能を有する。

これにより、クレジットカード会社は、利用・返済実績や取引履歴等を分析・解析し、より制度の高い限度額の設定を行うことが可能になることが期待されている[注13]。具体的な審査方法や当該審査方法を可能とする内部管理体制等については、経済産業相の認定を受ける必要があり、実態としてどのような方法が認められるかは今後の運用状況を待つ必要があるが、AIなどのテクノロジーを駆使する事業者向けに規制を柔軟に見直した一例と考えられる。

Ⅱ　個別項目の検討

1　AIと金融市場規制

(1)　AIによるサービスが金融市場に与え得る影響

(A)　これまでの議論の動向

FSBレポートによれば、まずAIの利用により、各種データが価格形成に与える影響の分析を容易に行うことが可能になり、それにより情報の分析に要するコストが減少し、各市場参加者による情報の収集が容易となる結果、金融市場における情報の非対称性の解決へとつながる可能性が指摘されている。しかし、同時に、仮にAIを用いた市場分析が効果的である場合、より多くの市場参加者が、同様のまたは類似したAIを用いることが想定されるが、利用者が増えれば市場に与えるインパクトも大きくなるため、AIによる何らかのリスクが生じる場合には、結果的に市場の安定性を脅かしかねないことが指摘されている（以上、FSBレポート4.1参照。なお、具体的にどのようなリスクがAIの利用に伴って生じるかは特に指摘されていないが、前記の通りAIの利用が金融商品の価格形成にも影響を与えるものであるとすると、金融商品の価格が不当に形成される場合等が想定されていると考えられる）。また、当該AIを用いたツールが会社の内部者や犯罪者に

注12）改正内容については、経済産業省のプレスリリースを参照（https://www.meti.go.jp/press/2019/03/20200303001/20200303001.html）。

注13）現行の規制では、利用限度額を支払可能見込額×90/100の限度で定めることとされており、支払可能見込額については、「年収（預貯金）- クレジット債務 - 生活維持費」の算式で算出される（割賦販売法30条の2・30条の2の2参照）。

【図表3-5-1】金融市場規制の概念整理表

No.	規制類型	規制対象行為	適用対象市場	適用主体
①	風説流布の禁止等（法158条）	有価証券の売買、デリバティブ取引等のため、または有価証券等の相場の変動を図る目的をもって、①風説を流布し、②偽計を用い、③暴行・脅迫をすること	発行市場／流通市場	何人に対しても適用される
②	相場操縦行為の禁止等（法159条・160条）	①仮装取引・なれ合い取引、②繁盛操作・変動操作・変動流布・虚偽表示等、③違法な安定操作取引	流通市場	何人に対しても適用される
③	投機的行為の規制（法161条等）	空売り等	流通市場	何人に対しても適用される
④	インサイダー取引規制等（法166条・167条）注14)	上場会社等に係る業務等に関する重要事実を知った者が当該重要事実が公表される前に上場会社等の特定有価証券等に係る売買等をすること	流通市場	上場会社等の会社関係者等
⑤	投資者の投資判断が歪められることの防止等（法168条・169条等）	虚偽の相場の公示の禁止、対価を受けて行う新聞等への意見表示の制限等	流通市場／発行市場	何人に対しても適用される

*「法」として引用されている条文は、金融商品取引法の条文番号を指す。

注14）同様の趣旨に係る規制として、フェア・ディスクロージャー・ルール（法27条の36第1項）や法人関係情報の管理等に係る規制（法38条9号および金融商品取引業等に関する内閣府令117条1項14号・14号の2・16号、ならびに法40条2号および同府令123条1項5号参照）も存在する。

よって相場操縦（manipulate market prices）等不当な目的に利用される懸念が示されている。

(B)　**日本法の検討**

日本における金融市場の安定化を担保することを目的として、概要以下のような規制が定められている。

【図表3-5-1】で整理された規制対象行為に関して、例えば、①風説流布の禁止等や、②相場操縦行為の禁止等の規制については、AIによる相場操縦等に該当する行為についての規制法として機能する可能性があると考えられる。もっとも、前記①②で規定されている行為については、当該行為を行う「目的」を有していることが要件とされているため、AIの利用を想定した場合、この主観要件をどのように考えるかが問題となり得ると考えられる。これについては、AIの背後にいる者（通常は、当該AIを用いたトレーディングツールを利用して何らかの利益を出そうとする者）が、まさに当該禁止される行為の目的をもって、当該AIを用いたトレーディングツールを利用している場合等、当該行為者の「目的」を認めることが比較的容易な場合もあるだろう。

これに対して、AIが独自に、トレーディングにおける儲けを最大化するための「合理的な判断」としてそのような市場の歪みを「人為的に」作出することが考えられるとすると、純粋な意味でのヒトの「目的」をそこに見出すことは困難かもしれない。このようなAIが登場した場合に、ヒトの判断を前提とした金融市場規制が最適な規制のあり方であり続けるかは議論されることになるであろう。

また、いわゆるオルタナティブ・データ[注15)]をAIにより解析することで企業業績を公表前に予測することが可能になる可能性があり[注16)]、その場合に上場会社等の株式等を売買することが、上記図表④のインサイダー取引規制等に関して問題とならないかも検討対象となる。この点について

注15）従来の財務情報等の伝統的なデータに限らず、人工衛星から収集された画像データ、気象情報、POSデータ、新聞記事の記事データ、SNSのやりとり等のデータを総称していう（福岡真之介＝上島正道「オルタナティブ・データの取扱いにおける法的問題点（上）」西村あさひ法律事務所ロボット/AIニューズレター2019年11月11日号）。

は、日本銀行金融研究所が設置した「アルゴリズム・AIの利用を巡る法律問題研究会」報告書[注17)]でも検討されており、①取引責任者は未公表重要事実を知っているが、アルゴリズム・AIに未公表重要事実が与えられていない場合、②取引責任者は未公表重要事実を知らないが、アルゴリズム・AIに未公表重要事実が与えられている場合に区分けし、検討が行われている。①の場合、取引責任者が重要事実を知っている以上、形式的には金商法166条3項（いわゆる第1次情報受領者および当該伝達を受けた者が所属する法人の役員等でその者の職務に監視重要事実を知った者を指す）の要件に該当し得ることから、実務上は、アルゴリズム・AIに当該事実を学習させていない場合でも、売買等を控える対応をとるべきと考えられる（そもそもアルゴリズム・AIに学習させない未公表の重要事実を取引責任者に伝達することを避けるような体制を整えるべきであると考えられる）[注18)]。また、②については、取引責任者は未公表事実を知らない以上、当該責任者にインサイダー取引規制等への違反を理由として、刑事罰や課徴金を課すことはできないと考えられ、かつ法人に課徴金等を課すことにも慎重にならざるを得ないと考えられるが、当該法人が金融商品取引業者等である場合には、法人関係情報に係る不公正取引防止のための必要かつ適切な措置を講じていない状況（金融商品取引業等に関する内閣府令123条1項5号）にあるとして、行政処分の対象になる可能性がある点には留意が必要である[注19)]。

(2)　AIが金融機関に与え得る影響

(A)　これまでの議論の動向

FSBレポートによれば、AIの導入により、金融機関のオペレーション・コストの削減が見込まれることはもちろん、金融機関が顧客のニーズ

注16）例えば、商品のPOSデータをAIにより分析することによって、その商品を製造する企業の売上げを推測することなどが考えられる（福岡真之介＝上島正道「オルタネティブ・データの取扱いにおける法的問題点（下）」西村あさひ法律事務所ロボット／AIニューズレター2019年11月25日号）。

注17）アルゴリズム・AIの利用を巡る法律問題研究会「投資判断におけるアルゴリズム・AIの利用と法的責任」2018年9月11日（https://www.imes.boj.or.jp/japanese/kenkyukai/ken1809.pdf）。

注18）福岡＝上島・前掲注16）4頁。

注19）福岡＝上島・前掲注16）5頁。

をより適切に捉え、より利益を生みやすい顧客ごとに対し、テーラーメードで設計された商品を提供しやすくなること、などを通じて金融機関の収益力向上にもつながり得ることが指摘されている。また、前記のような対顧客との関係以外にも、より早期に、より正確にリスクを計測可能になることから、金融機関自身のリスクマネジメントにも応用可能であることが指摘されている。一方で、AIが過去に発生した事象をベースに大量のデータを学習した結果、新しいタイプのリスクを見逃してしまうのではないかとの懸念も示されている（以上、FSBレポート4.1参照）[注20)]。

前記に加えて、金融機関に与える以下のような懸念が示されている（以下FSBレポート4.2参照）。

①まず、意思決定に際してのブラックボックス化の問題である。すでに第１編第２章Ⅲ３においても述べた通り、ディープラーニングの手法によるAIの学習は、特徴量自体をAI自身が見つけ出すことに特徴があり、そのため、AIの開発者ですら、なぜAIがそのような特徴量を導き出したのか、また学習した結果を利用して下した「判断」につき、なぜそのような「判断」を下したのかが明らかでなく、ブラックボックス化されているといわれている。その結果、例えば、ある投資判断が行われたとして、当該意思決定がどのようなプロセスで導き出されたのかが明らかでない、との問題が生じることになる。これは、特に、突発的な事象（テールイベント）、例えば、短期間で大きく株価が下落するような現象などを生じさせたときに、金融機関や規制当局がどのようにして問題の所在を把握するかを困難にさせるとの意味で、複雑な問題を生じさせかねないとされている。

②次に、AIを用いたある意思決定が、金融システム全体に損害をもたらしたような場合の、責任の所在が不明確である点が指摘されている。すなわち、外部の第三者に開発を委託したある特定のAIベースのアプリケーションが損失を生じさせたときに、当該アプリケーションを用いて取引を行った金融機関のみが責任を負うのか、それともAIを開発した第三者

注20）もっとも、どのようなテクノロジーを用いようとも、常に陳腐化、あるいは攻撃者によるさらなる技術革新のおそれには常にさらされているのであって、このような問題は必ずしもAIに特有の問題ではないようにも思われる。

が責任を負うのかとの問題意識である[注21]。これについては、各国政府間で、最終的な責任は常に規制を受ける金融機関側が負うことになるのかについて議論がなされている。多くの法域では、金融機関が外部の事業者に一定のサービス提供を委託することは認められている一方で、そのような場合であっても、当該委託者の行為であれば直ちに金融機関の責任が免除されるとの仕組みとはなっておらず、当該ルールなども参照に、責任の分配を図る方向での示唆がなされている。これに加えて、第三者への外部委託を行う上では、今後AIが金融機関の業務における主要な業務分野において利用されることになるに伴い、当該外部業者によるサードパーティーリスクにさらされることなども指摘されている[注22]。

(B)　日本法の検討

前記につき、①で問題視がされているブラックボックス化の問題は、日本法上、当該顧客に対して、そのような明確に説明できないような方法に基づき投資を行ったことが、適合性の原則や顧客への実質的説明義務、あるいは受託者責任や最良執行義務などの金融規制との関係で問題があったのではないか、という形で論点になり得ると思われる。

次に、②で記載されている、金融機関における外部業務委託を行う際の当金融機関による責任分担の内容に関する定めについては、例えば日本の銀行法上、銀行における外部委託先の管理等に関する一定のルールが定められている（その他の金融機関については後述する）。まず、銀行法12条の2第2項で、「銀行は、内閣府令で定めるところにより、……その業務を第三者に委託する場合における当該業務の的確な遂行その他の健全か

注21）なお、このような問題意識は金融分野に特有の問題というよりも、AIを用いたあらゆるサービスにおいて生じる問題であると思われる。AIの開発を行うデベロッパーと、当該AIを実装して一定のサービスを開発した事業者の責任分担の問題は、自動運転などの場面も含めて、常に微妙な問題をはらむ。

注22）この点も必ずしもAIに特有の論点ではなく、金融機関が何らかの外部事業者に対し、自社の機能の一部を業務委託する場合には、一定のサードパーティーリスクにさらされることになる。しかし、AIの文脈では、比較的少数のデベロッパーによる寡占化が進む傾向にあり、かつ金融機関におけるさまざまな意思決定をサポートする目的で使用されるようになると、他の分野における外部委託よりも、より一層大きなリスクを抱えることになる可能性はある。

つ適切な運営を確保するための措置を講じなければならない」と定めており、かつ内閣府令（銀行法施行規則13条の6の8）において、外部委託を行う際の規定が明確化されている。さらに、主要行等向けの監督指針III–3–3–4において、外部委託を行う際に銀行が講じるべき措置等について、詳細な規定が定められている。具体的な例を挙げると、①委託先の適切なモニタリング体制の整備、②適切な情報管理措置の整備、③顧客保護等のための委託先との契約の変更等の措置、④再委託先に対する監督など、委託先の適切な監督を目的とする一定の措置を講じることが求められている。

また、金融商品取引業者等についても、法令上、例えば、個人である顧客に関する情報の安全管理、従業者の監督および当該情報の取扱いを外部委託する場合に、その委託先の監督について、当該情報の漏えい、滅失または毀損の防止を図るために必要かつ適切な措置を講じることが求められ（金商40条2号、金融商品取引業等に関する内閣府令123条6号）、かつ金融商品取引業者等向けの総合的な監督指針（以下、「金商業者等監督指針」という）においても、金融商品取引業者は事務の外部委託を行う場合でも、当該委託事務に係る最終的な責任を免れるものではないことが明記され（金商業者等監督指針Ⅲ–2–7⑵）、顧客保護および経営の健全性を確保するために、①外部委託先の選定に関する方針・手続を明確に定めること、②外部委託先のリスク管理を十分に行えるような態勢の構築、③外部委託を行うことによって、検査や報告、記録の提出等監督当局に対する義務の履行等を妨げないような措置が講じられていることなどが留意される必要があることとされている。ほかにも、顧客等に関する情報の取扱いを委託する場合の外部委託先の管理（金商業者等監督指針Ⅲ–2–4⑴）が義務付けられる等、銀行同様に厳格な管理を行うことが求められている。

前記の規定により、銀行や金融商品取引業者等が外部のデベロッパーに対して開発を依頼した場合であっても、業法上、当然に責任を免れるものではないことは明らかである。また、私法上の救済の観点からしても、例えば、預金者を含む銀行ユーザーと契約関係にあるのは銀行であって、外部のデベロッパーではないため、デベロッパーに対して責任追及を行うことは困難であると考えられること、また銀行・金融商品取引業者等とAI

デベロッパーであれば、銀行・金融商品取引業者等のほうが豊富な資力を有するものと考えられることからすれば、ユーザーが責任追及を行うとした場合には、銀行・金融商品取引業者等に対する被害救済を求めることになると思われる。もっとも、特に金融システム全体に影響を及ぼすような重大な事態にまで発展した場合には、仮に銀行・金融商品取引業者等であっても、その損害を吸収しきることは困難であると考えられ、その場合、一種の公的なセーフティーネットを構築することが必要になるとも考えられる。銀行の破綻であれば、預金保険機構法により、銀行の破綻リスクに対して一定の預金者保護等は図られているといえるが、銀行全体に及ぼすシステミックリスクなど、銀行のシステム全般に影響を及ぼすような問題が生じた場合にどうするかといった問題は、今後の検討事項となるであろう。また、金融商品取引業者等についても、有価証券関連業を行う第一種金融商品取引業者（いわゆる証券会社）であれば、投資者保護基金への加入が義務付けられており、一般顧客の保有する顧客資産（証券会社に預託されている金銭や有価証券など）に係る債権の優先的な弁済が保証されているが、この場合も、証券市場全体に影響を生じさせるような問題への手当ては別途検討が必要になると思われる。

2　AIによるサービスと顧客保護等

(1)　これまでの議論の動向

FINRAレポートによれば、ロボ・アドバイザーを利用する事業者に課せられるべきガバナンスの体制（Principals and Effective Practices）として、例えば、【図表3–5–2】のような視点が挙げられている。

前記視点のうち、特に②ないし④は、AIを用いたサービスを提供する場合に、前記で述べたAIのブラックボックス化の点にも鑑みて、当該AIに基づくポートフォリオの構成を行う上で、結果ではなく、適切なプロセスが踏まれているかを重視するものであるといえる。

また、米国政府における動きとして、マサチューセッツ州当局による2016年4月付けの『Robo-Advisors and State Investment Advisor Registration』[注23]と題するレポートでは、ロボ・アドバイザーとfiduciary dutyの関係が検討課題として挙げられており、概要、①ロボ・アドバイザーはfiduciary

【図3-5-2】Principals and Effective Practicesの内容整理表

No.	記載内容
①	ロボ・アドバイザーにおけるアドバイス内容が関連法令やFINRAの内規に合致するような体制を整備すること
②	ロボ・アドバイザーが提供するポートフォリオについてのガバナンスは、顧客プロファイルに応じた各ポートフォリオの性格の決定、各ポートフォリオに組み込まれる投資証券の選定基準の策定、実際にポートフォリオに組み込まれる投資証券の決定、ポートフォリオのパフォーマンスやリスクの評価、利益相反の特定と削減を含むものであること
③	顧客のプロファイルを正確に理解するための必要な情報の特定、顧客のリスク負担能力とリスク性向を調査すること、顧客への継続的なコンタクト、顧客のプロファイリングのためのツールについて適切に管理を行う為の態勢を確立することなど
④	適合性についての判断を行うために必要な情報の収集・分析を行い、ポートフォリオが適切な投資証券や投資戦略により構成されるようにすること

dutyを果たすために、個人の状況に応じた適切なアドバイスを行うために必要となる情報の収集をできないのではないか、②多くのロボ・アドバイザーの利用規約上で、投資が顧客の利益に適うかどうかについては顧客の自己責任であるとして、事業者の広範な免責条項を定めており、fiduciary dutyの観点から問題があるのではないか、といった疑問が呈されている。

(2) 日本法への適用

前記(1)の視点は、ロボ・アドバイザーが今後広がりをみせる中で、日本においても、近時議論が活発化されているfiduciary duty[注24]への対応、適合性原則や説明義務の問題など、金融商品取引法上、金融商品取引業者等に課せられた行為規範との関係、ロボ・アドバイザー利用規約における、

注23）https://www.sec.state.ma.us/sct/sctpdf/policy-statement--robo-advisers-and-state-investment-adviser-registration.pdf

事業者の免責文言等[注25]、消費者契約法にもからむ法解釈の問題など、複数の複雑な法的問題を考える上で示唆に富むものと考えられる[注26]。

（片桐秀樹）

Ⅲ　金融機関におけるAI/MLのユースケースと法的問題

以下では、海外、より具体的には英国における公表調査結果を例にとり、金融機関におけるAIや機械学習（machine learning。以下、「ML」という）のユースケースを概観した後、日本における動向についても確認する。その後、それらのユースケースや指摘されている論点を踏まえつつ、浮かび上がった法的問題について検討を加えた。

1　海外における動向――英国におけるAI/MLのユースケース

金融機関の各種業務分野でAIの利用が進む中、海外の金融当局は、その実態把握を行うべく、監督下にある金融機関に対して調査を行いその結果をまとめたペーパーを公表している。

例えば、英国では、Bank of England（イングランド銀行）とFinancial Conduct Authority（金融行為規制機構）が共同で2019年10月に「Machine learning in UK financial services」[注27]（以下、「英国レポート」

注24）2017年3月30日付けで、金融庁から、「顧客本位の業務運営に関する原則」が発表され、国民の安定的な資産形成と顧客本位の業務運営（フィデューシャリーデューティー）について、当局において策定された、顧客本位の業務運営に関する原則を踏まえ、各金融事業者が自ら主体的に顧客保護に向けた取組みを行うというプリンシプルベースのアプローチを用いた対応が採用されることとなった。

注25）例えば、投資判断について、あるアルゴリズム・AIを利用することが合理的かどうかの判断自体が容易ではないと考えられるため、そうした状況下で投資運用業者が責任を確実に回避したい場合には、当該アルゴリズム・AIの性質について投資家に説明し、かつそれを踏まえた責任についてあらかじめ合意しておく必要があろうとの指摘がある（アルゴリズム・AIの利用を巡る法律問題研究会・前掲注17）17頁参照）。

注26）このような点を考察する資料として、森下哲朗「Fintech時代の金融法のあり方に関する序説的検討」黒沼悦郎＝藤田友敬編『江頭憲治郎先生古稀記念・企業法の進路』（有斐閣、2017）817頁～818頁がある。

という）を公表した注28)。以下では、この英国レポートを参考にしながら、金融機関における現時点でのユースケースを概観している。なお、MLはAIの一分野・一手法であるが、英国レポートの調査ではこのMLに焦点を当てている点が先進的かつ特徴的だと考えられる。

(1)　業務分野

英国レポート9～11頁によれば、ミドル・バック分野であるリスク管理・コンプライアンス（Risk Management and Compliance）でのML利用が最も進んでいる。もっとも、顧客エンゲージメント（Customer Engagement）やセールス・トレーディング（Sales and Trading）といったフロント分野でのML利用も進展中である。前者の具体例として、AML（マネー・ローンダリング対策）や不正検知が挙げられ、後者の顧客エンゲージメントの具体例としてチャットボットが挙げられている。AMLや不正検知の分野では、大量のデータとパターン検知についてMLを用いることで一定の成果が出ている模様である。

また、銀行（Banking）、保険（Insurance）、投資・資本市場（Investments and Capital Markets）といった業態によっても差異があり、例えば、投資・資本市場注29)では、アセットマネジメント（Asset Management）におけるML利用が最も進んでいる注30)。ファンド運用における大量のデータ分析に加えて、取引執行でもMLが用いられている。

注27）https://www.bankofengland.co.uk/-/media/boe/files/report/2019/machine-learning-in-uk-financial-services.pdf

注28）また香港では、Hong Kong Monetary Authority（香港金融管理局）が2019年12月に「Reshaping Banking with Artificial Intelligence」を公表している（https://www.hkma.gov.hk/media/eng/doc/key-functions/finanical-infrastructure/Whitepaper_on_AI.pdf）。

注29）Alternatives、Corporate Finance Firms、Fund Managers、Principal Trading Firms、Wealth Managers and Stockbrokers および Wholesale Brokers が対象とされている（英国レポート7頁）。

注30）日本においてこの分野の網羅的な法的分析を行ったものとして、アルゴリズム・AIの利用を巡る法律問題研究会・前掲注17)。また、公募投信の公表情報を利用しながら、法的な分析・考察を行ったものとして、有吉尚哉＝山本俊之「AIを利用した公募投信の現状」月刊金融ジャーナル2019年2月号70頁。

【図表 3-5-3】英国レポートに記載されている業務分野別のユースケース

業務分野	ユースケース	MLの手法
AML	多数の文書分析や「ブラックリスト」に対するKYC目的での詳細確認 金融犯罪リスクに係る顧客格付け 人間が精査する前の送金時における疑わしい取引に係る警告	自然言語処理 ツリーモデル ニューラルネットワーク
顧客エンゲージメント	チャットボット コールセンター・顧客サポート窓口といった人間が処理する窓口への転送サポート	自然言語処理
セールス・トレーディング	顧客対応：注文処理の速度および正確性の向上 プライシング：大量の市場時系列データから短期の公正価値を推定 執行：取引所、時期、注文サイズを評価・最適化	ランダムフォレスト等のツリーモデル
保険商品のプライシング	保険商品のプライシング 引受リスク費用や顧客傾向のモデリング	ツリーモデル
保険金請求の管理	写真等の非構造化データ利用によるコスト推定、過去データとの比較による総ロス・コストの予測。これによりクレームハンドラーの意思決定に寄与 顧客が不満を持つ可能性が高い請求についての警告・予測	ランダムフォレストや勾配ブースティングツリー等のツリーモデル 自然言語処理
アセットマネジメント	ポートフォリオに係る意思決定や取引の執行	ニューラルネットワーク 異なる手法の組合せ

＊出所：英国レポート30〜35頁より筆者作成。

(2) ガバナンス・リスク管理態勢、金融規制

英国レポート13頁によれば、MLに対するガバナンス態勢としては、過半数の57%が、3つの防衛線（第1線：ビジネス部門、第2線：リスク管理やコンプライアンス部門、第3線：内部監査部門）を含めた、既存のモデルリスク管理態勢を利用している。

もっとも、その数は多くないが、ML特有の問題に対して助言を行う特別委員会の設置やMLに係る倫理問題について対応を行うことを検討している金融機関もあるようである。また、MLモデルの説明可能性（explainability）や新規データ追加に伴うモデル出力変化に対処するリスク管理態勢を構築する必要性につき言及する、先進的な金融機関も存在している。加えて、従業員や経営陣のMLに対する理解・知識の問題や、モデル構築に当たってのデータ精査の問題も指摘されている。

さらに、ML利用時のリスク・トップ5として、①説明可能性の欠如、②データおよびアルゴリズムの偏り、③顧客に対する低パフォーマンスとそれに伴うレピュテーションの損傷、④不適切な統制・検証・ガバナンス、⑤不正確な予測により貧弱な判断がなされること、が挙げられている[注31)]。

金融分野では、とりわけ各種金融規制の遵守が重要であるが、大多数（75%）の金融機関は金融規制がML利用の不当な障害になるとは考えていないそうである[注32)]。もっともこの点について当局側は、規制が障害となっていないのが現状であるのならば、将来においてはむしろ、金融安定や消費者保護の観点からMLに関する新たな規制が必要となるかもしれない、と示唆する。他方、金融規制が障害要因と考えている金融機関は、モデルのリスク管理や、MLのブラックボックス問題に伴う説明可能性・説明責任（accountability）を挙げている。

注31）英国レポート17頁。① lack of explainability、② biases in data and algorithms、③ poor performance for clients/customers and associated reputational damage、④ inadequate controls, validation or governance、⑤ inaccurate predictions resulting in poor decisions。

注32）英国レポート19〜20頁。もちろん、監督当局による調査であることを割り引く必要があるのかもしれない。

(3)　具体的に用いられる手法・モデル

AI/MLと聞けば、世間一般で最も話題に上るのはディープラーニング（deep learning）であると思われるが、英国レポート23〜25頁によれば、現在金融機関で最も利用されているMLの手法は、ランダムフォレスト（random forest）[注33]等のツリーモデル（tree-based model）であり、自然言語処理（natural language processing）やニューラルネットワーク（neural network）[注34]がそれに続く。いずれにしても、伝統的な線形回帰モデル（linear regression model）と比較した場合における解釈の困難性が指摘されており、それがひいては前記(2)の説明可能性・説明責任に係るリスク指摘につながっているものと思われる。

また、モデル結果の検証も重要だと考えられるところ、より具体的には、モデルの実用前（テスト）段階・実用後段階といった各段階において、ベンチマークとの比較、データの質に関する検証、MLを利用しないモデルとの比較に加えて、説明可能性に係るツールの導入や異なるデータを入力することでモデルの挙動を把握する「ブラックボックス」テストが行われている。

さらに、【図表3-5-3】のユースケースにも記載の通り、人間が精査する前のスクリーニングとしてMLが利用される事例も多い（AML、顧客エンゲージメント、保険金請求の管理）。

2　日本における動向

本論文の執筆（2020年2月）時点において、筆者の知る限り、金融庁や日本銀行が、英国レポートのように、自らの監督下にある金融機関に対してAIの利用状況やユースケースに関する調査を網羅的かつ詳細に行い、かつ、その内容をまとめたレポートを公表している事例はない模様である[注35]。もっとも、後記(2)の日本銀行によるワークショップのように、ユ

注33）日本において、信用リスク評価にランダムフォレストを適用した事例として、三浦翔「入出金情報を用いた信用リスク評価」（AIを活用した金融の高度化に関するワークショップ第3回「信用評価」、2019年2月18日、https://www.boj.or.jp/announcements/release_2019/data/rel190215d1.pdf）参照。

注34）ここにディープラーニングも含まれると思われる。

ースケースにつき紹介されているものは存在する。

(1)　金融庁

金融庁では、フィンテック企業、金融機関、ITベンダーなど100先以上の企業等との個別の意見交換（「100社ヒアリング」）の実施を行い、2019年9月にAI動向のまとめを公表している（【図表3-5-4】）。さらに「データ構造化技術やAIを活用したモデル化に伴う検証可能性の論点等は、金融実務にも影響を与えていくものと考えられる。有識者との意見交換を通じ課題等も予め議論していく必要」と指摘する[注36]。

【図表3-5-4】金融庁「100社ヒアリング」にまとめられたAI動向一覧

現在の利用事例	今後の活用の可能性	課題
・与信判断 ・不正取引検知、業務効率化 ・投資判断（ロボアド）	・左記の精度向上、高度化 ・検証可能AI（ホワイトボックスAI）の活用	・ブラックボックス化［判断の検証可能性］

また、FinTech実証実験ハブにおける実証実験において、金融機関の営業員が作成した金融商品販売時の応接記録や顧客から寄せられるさまざまな声（意見・申出）の記録におけるコンプライアンス違反のチェックおよび顧客からの苦情等の抽出に係る確認業務にAIを用いてスコアリングし確認の優先順位付けを行うことで、確認業務を効率化・高度化できるか

注35）金融庁自身による取組みとして、「有価証券報告書等の審査業務等におけるAI等利用の検討」に係る実証実験結果の概要が2019年9月27日に公表された（https://www.fsa.go.jp/news/r1/openlab/20190927/20190927.html）。また、証券取引等監視委員会も「市場監視における技術的課題の検証等を行い、AIの活用を含む新たな市場監視システムの導入に向け検討を進めていく」としている（証券取引等監視委員会「証券取引等監視委員会の活動状況」〔2019年8月、https://www.fsa.go.jp/sesc/reports/n_30/n_30.htm〕）。

注36）以上について、金融庁「FinTech Innovation Hub活動報告『多様なフィンテックステークホルダーとの対話から見えた10の主要な発見（Key Findings）』」（2019年9月、https://www.fsa.go.jp/news/r1/sonota/FIH_Report.pdf）。

を検証した事例がある。

この実証実験については、「本実証実験の過程で、例えばAIによる判定基準や学習済みモデルの信頼性等に関する検証を合理的な方法・間隔で行う等、適切な運用がなされているのであれば、法令・監督指針上、金融機関による確認業務に関し、AIによる一次確認を介する運用を行うことに特段の問題はないと考えられる旨」の金融庁見解が示されている[注37)]。適切なAIの運用がなされている場合に、一次スクリーニングにAIを用いても、法令・監督指針上、特段の問題はないことが当局より示されている点は注目に値しよう。

さらに今後の検討事項とはされているが、AML分野で金融業界全体の底上げを図るべく、「AI等の先端技術を用いたシステムの活用にあたっては、データ・システム等の検証手法や指標について、その有効性のモノサシを作成し、金融機関の規模の大小にかかわらず、早期に業界全体に浸透させる必要」性が叫ばれ、より具体的には「法令対応となっている、疑わしい取引の届出の『疑わしさ』を定量化・指標化することにより、効率性・有効性を向上」させることにつき言及がなされている[注38)]。

(2)　日本銀行

日本銀行は、日本の大手行等・地方銀行・第二地方銀行・信用金庫の合計378先を対象として、2019年5月に「銀行・信用金庫におけるデジタライゼーションへの対応状況――アンケート調査結果から」[注39)]を公表している。これは、英国レポートのように、AIのユースケースに焦点を当てたものではないが、例えば、「重視・期待するIT」として、AIは、「業務効率化、コスト削減、省人化」目的ではRPAに次いで第2位、「新規顧客の開拓」目的では第4位となっている（同調査結果3～4頁）。

さらに2019年9月には、2018年9月～2019年4月開催の「AIを活用

注37）https://www.fsa.go.jp/news/30/20180801.html

注38）金融庁総合政策局による未来投資会議構造改革徹底推進会合「デジタル技術の社会実装を踏まえた規制の精緻化」会合（第1回）配布資料（http://www.kantei.go.jp/jp/singi/keizaisaisei/miraitoshikaigi/suishinkaigo2018/digital/dai1/siryou2-2.pdf）。

注39）https://www.boj.or.jp/research/brp/fsr/data/fsrb190524.pdf

した金融の高度化に関するワークショップ報告書」（以下、「AIWS報告書」という）を公表している[注40]。「デジタルマーケティング」「信用評価」「コンプライアンス」の各分野におけるいくつかの金融機関のユースケースが紹介され（【図表3-5-5】）、英国のユースケースとの類似点も多く見てとれる。

⑶　その他

民間側からは、証券会社や関連IT企業等により構成される「証券コンソーシアム」の共通事務ワーキンググループ・売買審査AI適用サブワーキングにより、2019年12月に「証券会社の売買審査におけるAI適用検討に関するホワイトペーパー」（以下、「売買審査WP」という）および「試行検証結果報告書」が公表された[注41]。

こちらは、各証券会社が行う売買審査業務の遂行に当たり、売買審査担当者の高齢化・人材不足といった課題に対応するべく、AI適用の検討が進む中、その際の拠りどころとなる方針の策定を目指したものであり、一次抽出や詳細調査の一部にAIを適用するケースを想定している。また、「AI適用後においても、売買審査担当者による確認をすべて肩代わりさせることはできず、最終判断は不可欠であり、AIはあくまで売買審査業務を補助するものである」とされている[注42]。さらに試行検証では、一次抽出後のデータに対してAIによるスコアリングを行い、スコアの高いデータのみを売買審査担当者が審査する[注43]。この点は、前記⑴記載のFinTech実証実験ハブの実証実験における、一次スクリーニング時のAI適用事例と類似している。

また、想定されているAIは、英国レポート同様にMLであるが、モデルの推論結果が期待された精度を達成しない場合に、学習データ、パラメータ、プログラムの不具合といった原因追究が困難であり、その結果として事後検証も困難であることが指摘されている[注44]。

注40）https://www.boj.or.jp/finsys/c_aft/data/aft190902c.pdf
注41）https://prtimes.jp/main/html/rd/p/000000332.000007957.html
注42）売買審査WP7頁。
注43）試行検証結果報告書2頁。
注44）売買審査WP9頁。

【図表3-5-5】日本銀行「AIを活用した金融の高度化に関するワークショップ」で紹介されたAIの活用事例

デジタルマーケティング	・BBM（Behavior Based Marketing）による見込み顧客への金融商品の提案 ・EBM（Event Based Marketing）による消費者ローンの需要見込み先のリストアップ
信用評価	・オンラインレンディングにおける与信審査 ・預金口座情報（入出金・残高）を用いたデフォルト予測 ・住宅ローン等の審査業務の簡素化・迅速化 ・信用評価の補助 　―　取引先の定性情報の分析 　―　営業エリアや業種の景況感等の分析 　―　企業間ネットワークの把握 　―　ニュース等から企業に影響を与えるリスク要因を把握・分析 　―　SNS上の情報を解析し、取引先に関するイベント情報を抽出
コンプライアンス	・不正送金の防止（なりすまし等の検知） ・AML、CFT（当局への届出が必要な資金洗浄等が疑われる不審な取引の検知とその届出） ・不適正な営業活動等の検知（応接記録簿から、金融商品の不適正な勧誘・販売、苦情事案等を検出）
顧客対応、業務支援その他	・ヘルプデスクやコールセンター業務等の支援、自動応答（チャットボット） ・外貨自動積立（外貨預け入れのタイミングを判断） ・動画・音声解析による営業担当者のパフォーマンス評価・改善支援 ・営業支援（情報収集のサポート、ネクストアクションの推奨） ・ビジネスマッチング ・人事評価、社内の論文試験の採点

さらに、AI検証に当たり、透明性の観点から、証跡管理についても言及し、各種の学習・検証・利用・出力データに加えて、モデルの修正や検証に係る履歴・結果について保存の検討が必要であり、証券会社は売買審査態勢について監督当局に対して説明責任を負っているという整理の下[注45]、「経緯や方法、方法の適切性も含め合理的に説明できる状態にしておく必要があ」り、より具体的には、「AI利用時の審査基準、AIの分析結果に対しても、どのようなデータを利用し、AIが何をもってこのような分析結果を出したのか根拠を保存しておき、説明できる必要」や「利用しているデータの取得方法、AIの動作結果の適切性を担保する仕組み、AIのロジックや利用技術についても説明できるよう準備をしておく必要がある」ことから、「ベンダからロジックや利用技術、出力結果の解釈の仕方などについて十分に説明を受け、理解をしておく必要がある」とする[注46]。

3　法的問題[注47]

⑴　AI/ML利用時のリスクと善管注意義務（私法上の視点）

(A)　金融機関における取締役の善管注意義務と経営判断原則

金融機関におけるAI/MLのユースケースにおいて、英国レポートによれば、ML利用時のリスク・トップ5として、①説明可能性の欠如、②データおよびアルゴリズムの偏り、③顧客に対する低パフォーマンスとそれに伴うレピュテーションの損傷、④不適切な統制・検証・ガバナンス、⑤不正確な予測により貧弱な判断がなされること、が挙げられている。

また、日本銀行のAIWS報告書でも、「金融業務にAIを活用する場合

注45）金融商品取引法56条の2が参照されている。

注46）売買審査WP16～17頁。

注47）筆者による「AI as fuel for advanced RegTech: Will (and should) RegTech and artificial intelligence be utilized as screening tools for "real" intelligence?」（西村あさひ法律事務所Finance Law Newsletter、2019年5月、https://www.jurists.co.jp/sites/default/files/newsletter_pdf/en/en_newsletter_201905_2_finance.pdf）をベースにしながら、英国レポートにおけるユースケースやそこで指摘されている論点も踏まえつつ、考察を行った。

には、その判断に至った理由など、内部向けにも、顧客などの関係者向けにも、説明責任を果たすことができないのでは、適合性の原則を含む顧客保護、ひいては訴訟リスク等の面で懸念がある」との意見、「利用するデータに関しても、データ入力の際に、故意や過失により誤ったデータが入力されたり、意図的に特定のデータが排除される可能性がある。このようなデータの過誤や偏りの問題を顧客にどのように説明するかという点も潜在的な論点である」との指摘が紹介されている[注48]。

これらのリスクは、経営目線で見た場合、経営者たる取締役の意思決定について誤りが生じる要因と整理することが可能である。すなわち、そもそも説明可能性が欠如（し得る）ものに依拠して会社の事業についての意思決定をしてもよいのだろうか。あるいは、偏りがあ（り得）るものに基づき構築されたモデルの結果に依拠して同じく会社の事業についての意思決定をしてもよいのだろうか。これらは法的には、金融機関における取締役の善管注意義務の問題と整理することができよう。

一般に、具体的な法令違反による責任がない限り、取締役にはいわゆる経営判断原則が認められる。判例も、「その決定の過程、内容に著しく不合理な点がない限り、取締役としての善管注意義務に違反するものではない」とする[注49]。より具体的には、①経営判断の前提となる事実認識の過程（情報収集とその分析・検討）において不注意な誤りに起因する不合理さがあったかどうか、②事実認識に基づく意思決定の推論過程および内容に著しい不合理さがあったかどうかの2点が審査される[注50)・注51]。

さらに、金融機関といってもひとくくりではなく、その業務内容によって具体的に検討されるべきかもしれない。この点、融資業務との関係で、

注48）AIWS報告書22～23頁。「他方、こうした説明責任の問題は重要であるが、そればかりを意識していると、顧客の取り込みなどで後れをとってしまうとの危機感」が示され、「フロード（詐欺などの不正取引）リスクの観点からは、逆にモデルのロジック流出を如何に防ぐかが大事であり、ブラックボックスであることはその点で安全と言える」との指摘、「ブラックボックス化それ自体はやむを得ないとして、それをどのように顧客に説明していくか、あるいは、AIを利用していることを顧客にどう伝えていくかといった視点から考えることも重要なのではないか」との意見があったそうである。

注49）最判平成22・7・15判時2091号90頁。

「融資業務に際して要求される銀行の取締役の注意義務の程度は一般の株式会社取締役の場合に比べ高い水準のものであると解され、所論がいう経営判断の原則が適用される余地はそれだけ限定的なものにとどまるといわざるを得ない」とした判例がある[注52]。

(B)　AI/MLの導入・利用に係る具体的な検討・判断

前記のような判例の考え方も踏まえつつ、AI/MLには不正確な予測による貧弱な判断が生じ得るリスクが指摘されている点も考慮に入れると、AI/MLの導入に当たっては、その決定における過程面および内容面の合理性を担保していくことがより一層重要だと考えられる。

例えば、モデルの説明可能性が低いMLを用いてフロント業務を行った場合を想定し、さらに、そのMLモデルが用いられた後、その出力結果に致命的な誤りがあったことが判明した場合を想定してみる。このとき、自社の財務や顧客に与える経済的インパクトは計り知れないものとなる可能性がある。その際に経営者の法的責任が例えば裁判で問題となった場合には、モデル導入に係る決定過程において情報収集をしていたかどうか、その分析・検討に不注意な誤りがなかったのかどうか、さらにはその決定内容自体が合理的であったのかどうかといった点につき、審査されることとなる。

この点、英国レポートでは、モデル結果の検証について、実用前（テスト）段階・実用後段階といった各段階において、ベンチマークとの比較、データの質に関する検証、MLを利用しないモデルとの比較に加えて、説明可能性に係るツールの導入や異なるデータを入力することでモデルの挙

注50）東京地方裁判所商事研究会編著『類型別会社訴訟Ⅰ〔第3版〕』（判例タイムズ社、2011）239頁。なおここでは、①については「不合理」かどうか、②については「著しく不合理」かどうかと、最判平成22・7・15とは異なり、「著しい」かどうかの点について、過程面と内容面で差異が設けられているように思われる。もっともこのような従来型の見解も引き続き実務上並存して用いられることがあるとの理解である。

注51）そのほか、内部統制システム構築義務違反や監視義務違反が問題となる場合もあるであろう。

注52）最決平成21・11・9刑集63巻9号1117頁。

動を把握する「ブラックボックス」テストが行われるなどしており、モデル導入過程において詳細な分析・検討が行われていることが見てとれる。また、前記２⑶売買審査WPで言及されている、透明性の観点からの証跡管理も重要な要素となるだろう。

さらにAI/MLといった新しいテクノロジーについては、現時点で不明であったり、認識されていない問題点・リスクが相応に内在されているかもしれず、それらを少しでも軽減するため、特に過程面での分析・検討は、法的な観点からも重要になると考えられる[注53)]。

最後に、AMLや不正取引検知といったコンプライアンス分野において主に問題となるかもしれないが、これまで人間では見つけられなかった、あるいは、見過ごしていた事案が多数発見された場合において、かつ、金融機関側にも損害が発生するような場合には、監督当局への報告や世間に対する公表方法、さらにはレピュテーションのコントロールも含め、悩ましい事態に直面する可能性があるだろう[注54)]。

⑵　金融規制（レギュレーション）上の視点

英国レポートによれば、大多数（75%）の金融機関は金融規制がML利用の不当な障害になるとは考えていないそうであるが、残りの金融機関は、モデルのリスク管理や、MLのブラックボックス問題に伴う説明可能性・説明責任（accountability）を金融規制に係る障害要因として挙げている。また、前記２⑶記載の日本における事例として証券会社が行う売買審査業務があるが、売買審査WPでは、当局による報告の徴取および検査に係る金融商品取引法の条文を引用しつつ、AIの透明性の観点から説明責任が求められると整理されている。

いずれにしても、金融機関はその公益性から監督当局により規制されて

注53）同様に過程面に着目しているものとして、上田裕康＝森下国彦「金融機関におけるAIの活用と法的留意点」月刊金融ジャーナル2019年2月号26頁。

注54）内部統制システムにAIを用いるケースを論じる文献では、AIの利用によってこれまで人の目では気付かなかった点にまで気付くようになる結果、内部統制システムを運用する役割を担っている代表取締役や担当取締役の義務が重くなる可能性が示唆されている（中村直人編著『コンプライアンス・内部統制ハンドブックⅡ』〔商事法務、2019〕222～223頁）。

おり、AI/ML利用についても、監督当局に対して一定の説明責任を果たさなければならないものと思われる。

もっとも近い将来において、例えば、金融庁の監督指針に明示的にAIへの言及がなされる可能性は低いように思われるし、諸外国でも状況は類似しているようである[注55)]。したがって民間金融機関側が、自らの創意工夫をもって研究者や専門家も起用しつつ、内部管理体勢の整備や当局との対話も行いながら、例えば、AI/MLの説明可能性に係る対処方法を検討していく必要があると考えられる。

この点、英国レポートの先進事例では、ML特有の問題に対して助言を行う特別委員会の設置やMLに係る倫理問題について対応を行うことを検討している金融機関もあるようであった。また、AIWS報告書では「AIの利用にかかるリスク管理が必要との問題意識から、透明性の確保、データの公平性、AI利用の公表、フェイルセーフの原則、サイバーセキュリティへの対応、プライバシーの確保、知的財産権への配慮等をまとめた柔らかな方針を策定したこと、そのうえで、AIに固有のリスクをリスク管理のフレームワークに組み込むことを目指し、リスク所管部署も交えて議論が行われていること」が紹介されている[注56)]。

注55）AIの利用が比較的進んでいるとされるAML分野であっても、金融庁「マネー・ローンダリング及びテロ資金供与対策に関するガイドライン」（2019年4月10日）では、AI等の「新技術を活用する余地がないか、前向きに検討を行うこと」（同ガイドライン22〜23頁）といった期待が示されているに留まっている。

Dan DeFrancesco「Machine learning hits explainability barrier」Asia Risk 2018年11月号22頁では、海外の監督当局においても、AI特有のガイダンスを出すことができていないことが指摘されている。もっとも、AI利用に当たっての原則を示す事例は以下の通り存在する。① Monetary Authority of Singapore（シンガポール金融管理局）「Principles to Promote Fairness, Ethics, Accountability and Transparency (FEAT) in the Use of Artificial Intelligence and Data Analytics in Singapore’s Financial Sector」（2018年11月公表、2019年2月一部改訂）、② De Nederlandsche Bank（オランダ銀行）「General principles for the use of Artificial Intelligence in the financial sector」（2019年7月25日）、③ Hong Kong Monetary Authority（香港金融管理局）「High-level Principles on Artificial Intelligence」（2019年11月1日）。

注56）AIWS報告書24頁。

さらに、前記2⑴のFinTech実証実験ハブ事例からもわかるように、人間が最終的には一定程度関与することを前提に、効率性の観点からAIを一次スクリーニングの手法として用いること自体については、モデルの適切な運用がなされているという前提付きではあるものの、法令・監督指針に照らしても、金融庁に抵抗感がない模様である。この点も踏まえ、対当局に対する説明責任という観点から、戦略的に、どこまでにAIを用い、残された領域は人間がカバーする、といったAIと人間の可動領域をそれぞれ定めることも重要であろう。

⑶　モデルリスクに対する対処

現在のAI/MLについては、それが「モデル」である以上、「適切でない推定・予測」が出てしまうこと自体はどうしても避けられないように思われる。この点については、前記⑵で論じたようにAIと人間の境界・領域を適切に定めデザインすることに加えて、英国レポートであるようにモデルに対するガバナンス態勢の確保、さらには継続的なモニタリング・検証を続けるしかないように思われる。そこには当局との対話も含まれてくることになるのであろう。

これらの点に適切に対処することは、前記⑴の善管注意義務との関係でも重要である。

⑷　AI/MLの説明可能性

英国レポートでも、また金融庁「100社ヒアリング」においても、AI/MLの説明可能性が一番のホットイシューであるとされている。

この分野については、もっぱらテクノロジーの観点から、「説明可能なAI」（explainable AI）の開発が進んでいると認識しているが、果たしてそのような画期的なAIの開発を待つだけで足りるのかという問題意識が法的な観点からはあり得る。これは、現にAIを利用する以上、法的な検討も必要だと考えられるためである。

また、仮に画期的な「説明可能なAI」が出現したとしても、当該AIモデルの入力と出力間の因果関係についての説明力が向上する一方で、なぜそのAIなりML手法を選択したのか、といった点については引き続き人間の関与が必要なようにも思える。その点では人間を直ちに代替するものでもない。

いずれにしてもこのAI/MLの説明可能性については、法的観点からも、今後の議論の進展が期待される。

（山本俊之）

コラム　AIと人間の脳の結合

読者の皆さんは、1982年に製作されたクリント・イーストウッド主演の「ファイヤーフォックス」という映画をご存じだろうか。ファイヤーフォックスは、冷戦下のソビエト連邦において、パイロットが思考するだけでミサイル等の火器管制が行える「Mig-31 ファイヤーフォックス」という戦闘機が開発されたとの情報がNATOにもたらされ、危機感を抱いたNATOが、クリント・イーストウッド演じるガントに単身ソビエト連邦に潜入し、機体の奪取を命じるというものである。

この映画を見て胸を躍らせた少年時代の筆者は、単純にも、理系の道、とりわけ航空宇宙関連のエンジニアを志すことを固く心に誓ったものであるが、他方で、思考するだけで火器管制が行えるなどというのは、あくまで映画の中の話と少し醒めた目で見ていた記憶がある。

ところが、ファイヤーフォックスの製作から35年が経過した2017年、テスラやスペースXの創業者として知られるイーロン・マスク氏が、新会社「Neuralink（ニューラリンク）」を立ち上げ、人間の脳とAIを接続し、人間の思考を直接コンピュータに送信する「ブレイン・マシン・インターフェイス」（以下、「BMI」という）を開発することを発表した。

このような人間の脳とコンピュータを接続する技術は、従来から開発が行われており、主に非侵襲型の機器を用いて脳波を測定することにより、筋萎縮性側索硬化症等の難病患者支援の目的で開発が進められてきた。

これに対し、Neuralinkは、さらに踏み込んで、4年以内に侵襲型、すなわち脳埋め込み型の機器を開発し、将来的にはAIを脳の中に埋め込んで人の能力そのものを向上させるという構想を描いているといわれている。

このような構想は、テスラの自動運転や、スペースXのロケット開発と比較してはるかに技術的なハードルが高く、一部にはサイエンスフィクションに近いと疑問を呈する声も存在するが、フェイスブック等も同様の開発を進めているといわれており、近年の技術革新のスピードを踏まえると、Neuralinkの構想が（4年以内かどうかはともかく）実現する日も、さほど遠くはないのかもしれない。

なお、前記のファイヤーフォックスは火器管制のためには「ロシア語で考える」必要があったが、脳のニューロンの活動を解析するBMIにおいては、本来は、言語は関係ないのではないだろうか。また、テレビ放映された吹替版のファイヤーフォックスにおいては、ガントが「後部ミサイル発射」と思考した際に発射されたものは、ミサイルそのものではなく、ミサイルの赤外線センサを欺瞞するためのフレアであったように思われる。当時の筆者は、ファイヤーフォックスに、追尾してくる戦闘機を攻撃する能力のある「後部ミサイル」が実装されているのであれば、もっと早く使用すべきではないかと思ったものである。

ファイヤーフォックスの評価はさておき、現在構想されているBMIは、言語の壁を超えることを究極の目標としているともいわれており、ファイヤーフォックスの描いた技術をはるかに超えるものであることは間違いがないだろう（少なくとも、「後部ミサイル発射」の思考に対し、フレアを放出するようなものではないだろう）。

第6章
AIと保険

I　概要

Fintech（フィンテック）注1)が注目される昨今において、金融機関の中でも銀行関連の業務、特に資金決済周りの業務については最新のテクノロジーを駆使した多様なサービスが生まれている。保険関連の業務についても、近時AIを含むテクノロジーを用いた新たな保険が販売されている。Fintechの中でも、保険関連のFintechについてはInsurTech（インシュアテック）あるいはInsTech（インステック）と呼ばれており注2)、今後さらに発展していくことが期待されている。特に、損害保険分野では自動運転車の登場が現実味を帯びてきたことや、生命・医療保険分野では生体情報のモニタリングが容易になってきたことなどから、新たな技術を踏まえて、関連法令に照らしてさまざまな検討が必要となってくる。

大数の法則に基づく統計的確率をもとにした保険において、ビッグデータの分析は欠かせないものであり、AIが活躍できる場面も多い。本稿では、まず現状のAIを用いたInsurTechの状況を概観してから、今後の保険のあり方について考察する。

II　InsurTech

InsurTechの代表的なものとしては、データドリブン保険が挙げられ

注1）FinanceとTechnologyの造語である。FinTechと表記することもあるが、造語が広まり一般化して近時はFintechと記載されることも多いため、本稿ではFintechと表記する。

注2）いずれもInsuranceとTechnologyを組み合わせた造語で、どちらも先端技術を用いた保険という意味で同じであり、本稿における表記はInsurTechで統一する。

る。データドリブン保険は、IoT機器等のデバイスから収集したデータを分析し、保険料を算定したり、キャッシュバックをしたりする保険の総称であり、運転データを用いたテレマティクス自動車保険やヘルスケアデータを用いた健康増進保険等がある。また、保険商品だけでなく、保険引受業務や保険金支払審査にもAIが用いられている。

1　テレマティクス保険

テレマティクスとは、TelecommunicationとInformaticsを組み合わせた造語であり、自動車などの移動体に通信システムを組み合わせて、リアルタイムに情報サービスを提供することをいう。これを自動車保険に活用し、自動車に設置したIoTデバイスから走行距離や運転速度・ブレーキ操作等の運転情報を保険会社が取得して、当該保険会社が運転者ごとの事故リスクの分析結果から保険料率を算定する保険が、一般にテレマティクス保険と呼ばれている[注3)]。

テレマティクス保険は大きく分けて、走行距離に応じて保険料率が変動するPAYD（Pay As You Drive）型と、運転速度やアクセル・ブレーキの操作等の運転情報に応じて保険料率が変動するPHYD（Pay How You Drive）型の2種類がある。後者のPHYD型では、具体的な手法は各社異なるものの、一般には、自動車に設置されたIoT機器から取得した運転情報（運転日時、運転距離、速度、急加速・減速等）を解析して保険会社ごとの算定基準によりスコアリングし、そのスコアに応じて保険料の割引率やキャッシュバック額が決められている。

(1)　保険業法における位置付け

保険の新商品の開発や料率の変更は事業方法書等の基礎書類（保険業法4条2項2号ないし4号）の変更が必要となり、原則として保険業法上の認可が必要となるところ（同法123条）、保険料については、その算出方法が保険法理に基づき合理的かつ妥当なものであることおよび特定の者に

注3）国土交通省・第9回自動車関連情報の利活用に関する将来ビジョン検討会資料2–1「テレマティクス等を活用した安全運転促進保険等による道路交通の安全」2頁。

対して不当な差別的取扱いをするものでないことが要求される（同法5条1項4号イおよびロ）。

また、自動車保険の純保険料率注4)の算出につき危険要因を用いる場合には、①年齢、②性別、③運転歴、④営業用、自家用その他自動車の使用目的、⑤年間走行距離その他自動車の使用状況、⑥地域、⑦自動車の種別、⑧自動車の安全装置の有無、⑨自動車の所有台数のいずれかの要因またはこれらの併用によるものでなければならないと定められている（保険業法5条1項4号ハ、同施行規則12条3号イ）注5)。このうち、テレマティクス保険のように運転情報により保険料率が変動するものは、前記⑤に基づいて、前記のような運転情報を考慮して保険料率が決定される。

(2)　今後の課題

(A)　ノンフリート等級別料率制度との関係

一般的な自動車保険は、運転歴（事故歴）に基づいて1等級から20等級に区分されたノンフリート等級別料率制度が設けられており、すでに最大63%の割引率となる割引制度が確立しているところである注6)。このノンフリート等級別料率制度があることによって、欧米と比べて、日本においてはテレマティクス保険の恩恵が少ないのではないかともいわれている。しかし、具体的な運転行動に基づく割引制度を用いることによって、より安全志向が高まり、事故の減少とそれによる保険料の低下が見込まれるという観点からは、精緻化された情報に基づいてリスク負担がなされることが期待されるところである注7)。

注4）損害保険の保険料率は、事故が発生した場合に保険会社が支払う保険金に充てられる純保険料率と、保険会社が保険事業を営むために必要な経費等に充てられる付加保険料率から決定される。

注5）この危険要因の中でも、純保険料率の許容される格差等が定められているものもある（有吉尚哉ほか『FinTechビジネスと法25講——黎明期の今とこれから』〔商事法務、2016〕144頁以下［松下由英］参照）。

注6）10台以上の車を保有する事業者などについては、契約者単位での契約で、保険会社が実際に支払った保険金との比率で保険料が計算されるフリート契約を締結することができ、より割引率も高くなる。

注7）実際に保険料の算定を行うに当たって、危険要因の選択が実際のリスクを反映しているかも問題となる（有吉ほか・前掲注5）148頁）。

他方で、ノンフリート等級別料率制度は各社共通のため、保険会社を変えても等級の引継ぎが可能であるが、テレマティクス保険によるスコアリング方法や割引率は統一化されていないため、今後は保険の乗換えの際の新たな統一基準を設ける、あるいは乗換前の他社の割引率も考慮するなどの対応も必要となってくるであろう。

また、保険料に差がつきすぎると未加入者が増加することが懸念されるため、未加入者対策のためリスク差の上限を設けることが望ましいとの指摘や、保険料引下げを中心とするビジネスモデルについて、保険商品や機器の開発、データ分析・管理のコストを考えるとビジネスとして成立しなくなるおそれもあるとの指摘もある[注8]。保険会社としては、以下に述べるような新たなサービスも視野に入れながら、今後のビジネスモデルを検討する必要がある時期にきているといえよう。

(B)　新たなサービスの提供

近時、テレマティクスによる保険料の割引だけでなく、IoTデバイスにより取得した情報を用いた運転アドバイス等の安全運転支援サービスも提供されており、今後も新たなサービス（例えば、認知症のおそれのあるドライバーの早期発見、遠隔地にいる高齢者の運転行動に係る親族への情報提供、運転状況を反映した中古車売買、メンテナンス情報の提供等）の登場が期待される[注9]。

(i)　保険業法上の規制

保険業法上、保険会社等は保険契約の締結または保険募集に関して、保険契約者または被保険者に対して、保険料の割引、割戻しその他特別の利益の提供を約しまたは提供する行為を行ってはならないとされており（保険業法300条1項5号）、提供しようとするサービスや物品が、かかる規制に抵触しないように注意する必要がある。なお、かかる禁止事項は、何らの名義をもってするかを問わない（同項9号・同施行規則234条1項1号）。また、

注8）国土交通省・自動車関連情報の利活用に関する将来ビジョン検討会「自動車関連情報の利活用に関する将来ビジョン」（2015年1月）（以下、「将来ビジョン」という）20頁～21頁。

注9）将来ビジョン20頁。

すでに契約が成立した保険契約者のみならず、見込客等も含まれる[注10]。

この「特別の利益の提供」に該当するか否かは、①当該サービス等の経済的価値および内容が、社会相当性を超えるものとなっていないか、②当該サービス等が、換金性の程度と使途の範囲等に照らして、実質的に保険料の割引・割戻しに該当するものとなっていないか、③当該サービス等の提供が、保険契約者間の公平性を著しく阻害するものとなっていないか、という点に留意する必要がある[注11]。「特別の利益の提供」に該当する場合には、事業方法書に記載して認可を受ける必要がある（保険業法300条2項）。なお、保険会社または保険募集人が、保険契約者または被保険者に対し、保険契約の締結によりポイントを付与し、当該ポイントに応じた生活関連の割引サービス等を提供している例があるが、その際、ポイントに応じてキャッシュバックを行うことは、保険料の割引・割戻しに該当し、保険業法4条2項の基礎書類に基づいて行う場合を除き、禁止されている[注12]。

また、保険契約に関連して実行されるコンサルティングサービス等については、それが保険会社の業務範囲規制（保険業法97条ないし100条）に抵触しない限り、特別利益の提供の禁止には提供しないものとして許されると解されていることから[注13]、保険会社が行うことのできる付随業務（同法98条1項）に該当するか否かも検討する必要がある。

保険業法98条1項柱書は、保険会社は、97条の固有業務（保険の引受け・資産の運用）のほか、98条1項に列挙する業務（例示付随業務）その他の業務（その他付随業務）を行うことができると定めている。この付随業務は、固有業務には属しないが、量質的に固有業務に関連性をもち、量的に固有業務に従たる程度にとどまる業務であることから保険会社が行う

注10）関西保険業法研究会「保険業法逐条解説（XXXVII）」生命保険論集185号（2013）301頁［村田敏一］。

注11）金融庁「保険会社向けの総合的な監督指針」（2020年3月）（以下、「監督指針」という）Ⅱ-4-2-2(8)①。

注12）監督指針Ⅱ-4-2-2(8)①の注。

注13）関西保険業法研究会・前掲注10）308頁、吉田和央『詳解 保険業法』（金融財政事情研究会、2016）666頁。

ことが認められているものである[注14)]。監督指針では、保険会社が従来から固有業務と一体となって実施することを認められてきたコンサルティング業務、ビジネスマッチング業務、事務受託業務については、取引先企業に対するサービスの充実および固有業務における専門的知識等の有効活用の観点から、一定の態勢整備等を行うことを前提に、固有業務と切り離してこれらの業務を行う場合もその他付随業務に該当するとされる[注15)]。また、これらの業務以外の業務がその他付随業務に該当するか否かについては、保険業法において他業が禁止されていることに十分留意し、以下のような観点を総合的に考慮した取扱いとなっているか否かについて検討する必要がある。

① 当該業務が、97条および98条1項各号に掲げる業務に準ずるか。

② 当該業務の規模が、その業務が付随する固有業務の規模に対して過大なものとなっていないか。

③ 当該業務について、保険業との機能的な親近性やリスクの同質性が認められるか。

④ 保険会社が固有業務を遂行する中で正当に生じた余剰能力の活用に資するか。

なお、2019年5月に成立した「情報通信技術の進展に伴う金融取引の多様化に対応するための資金決済に関する法律等の一部を改正する法律」により、保険業法上の業務範囲規制も改正され、データ利活用の観点から、顧客に関する情報をその同意を得て第三者に提供する業務その他保有する情報を第三者に提供する業務であって、本業の高度化または利用者の利便の向上に資するものを、保険会社の付随業務に追加することとされた（保険業法98条1項14号)。

前記の業務範囲規制に加えて、保険会社等には保険契約の締結、募集等の際に情報提供義務が定められており（保険業法294条)、例えば、自動車

注14）関西保険業法研究会「保険業法逐条解説（XIV)」生命保険論集138号（2002）159頁［前田雅弘］。

注15）監督指針Ⅲ–2–12–1⑴。

注16）山本哲生「顧客への情報提供義務」ジュリスト1490号（2016）15頁。

保険の付帯サービスとしてのロードサービス等の保険契約と関連性が大きい付帯サービスは、保険契約の締結または保険募集において説明義務の対象とされている点にも留意が必要である[注16)]。

(ii)　**景品表示法上の規制**

また、景品表示法上の総付景品の規制にも留意する必要がある。すなわち、商品・サービスの利用者や来店者に対してもれなく提供する金品等は景品表示法の「総付景品」と呼ばれており、その価格は、景品類の提供に係る取引の価額の20％（当該金額が1000円未満の場合にあっては200円）の範囲内であって、正常な商慣習に照らして適当と認められる限度を超えてはならないとされている（景表3条。一般消費者に対する景品類の提供に関する事項の制限〔昭和52年3月1日公正取引委員会告示第5号〕1項）。契約を締結した保険契約者全員に対して、ある利益を提供すると約束する場合、当該利益が景品表示法で規定される総付景品規制の範囲を超えるようであれば、前記①の社会相当性を超えているとして「特別の利益」と評価されると考えられる[注17)]。

(C)　**位置情報の利用**

なお、テレマティクス保険のIoTデバイスにより位置情報も取得する場合には、個人情報保護法との関係でも問題が生じ得る。位置情報だけでは個人情報保護法上の「個人情報」には該当しないものの、プライバシーの問題も留意する必要がある。また、他の情報と照合することによって容易に個人が特定できる場合には個人情報に該当するため（第3編第2章Ⅱ5参照）、そのような場合には個人情報保護法上の各種義務等を遵守する必要がある点には注意が必要である[注18)]。

2　健康増進型保険

生命保険、医療保険の分野では、ウェアラブルデバイス等から取得した

注17）中原健夫ほか『保険業務のコンプライアンス』（金融財政事情研究会、2016）167頁。

注18）将来ビジョン21頁、渥美坂井法律事務所・外国法共同事業Fintechチーム『Fintechのビジネス戦略と法務』（金融財政事情研究会、2017）144頁以下。

契約者の歩数や体重、血圧、心拍等の生体データ、行動記録等のヘルスケアデータを用いて保険料の割引やキャッシュバック等をする保険や、膨大な健康診断データや診療報酬明細書（レセプト）等の医療ビッグデータをもとに、契約者の健康診断データを分析し算出した健康年齢を保険料の基準とする保険等の健康増進型保険が販売されており、さらに、AIによる疾病予測や予後状況の予測モデルを用いた保険の開発も進んでいる。

(1)　保険業法との関係

健康増進型保険の場合でも、保険の新商品の開発や料率の変更は事業方法書等の基礎書類（保険業法4条2項2号ないし4号）の変更が必要となり、原則として保険業法上の認可が必要となる点はテレマティクス保険と同様である。

また、保険会社は、その取り扱う個人である顧客に関する情報の安全管理、従業者の監督および当該情報の取扱いを委託する場合にはその委託先の監督について、当該情報の漏えい、滅失または毀損の防止を図るために必要かつ適切な措置を講じなければならないとして、個人顧客情報の安全管理措置が定められている（保険業法施行規則53条の8・227条の9）。また、保険会社は、顧客に関する人種、信条、門地、本籍地、保健医療または犯罪経歴についての情報その他の特別の非公開情報（その業務上知り得た公表されていない情報をいう）を、当該業務の適切な運営の確保その他必要と認められる目的以外の目的のために利用しないことを確保するための措置を講じなければならない（同則53条の10・227条の10）。これらの義務は健康増進型保険を販売する保険会社に限ったものではないが、ウェアラブルデバイスから取得する情報等は契約者のセンシティブ情報であり、かかる義務の重要性はより増してくる。

さらに、ウェアラブル端末を使用している者が契約者本人であるかどうかという本人確認方法も課題となり得るであろう。

(2)　個人情報保護法との関係

健康増進型保険において取得する情報が個人情報保護法上の「個人情報」（個人情報2条1項）や「要配慮個人情報」（同条3項）に該当するものもあることから、同法に定める義務の観点からも留意すべきである。すなわち、同法に定める「要配慮個人情報」には病歴が列挙され、また、医師等により行われた健康診断等の検査の結果も含まれるとされており（個人情報令2条2号）、これらの情報は本人の同意がなければ取得することができない。なお、身長、体重、血圧、脈拍、体温等の個人の健康に関する情報を、健康診断、診療との事業およびそれに関する業務とは関係ない方法により知り得た場合は、「要配慮個人情報」には該当しない[注19)]。なお、個人のライフログを収集する場合には、プロファイリングやプライバシー権との関係でも問題が生じ得ることに留意が必要である[注20)]。

⑶　薬機法等との関係

健康増進型保険において用いるデバイスがデジタルヘルス機器である場合には、医薬品、医療機器等の品質、有効性及び安全性の確保等に関する法律（以下、「薬機法」という）における「医療機器」（薬機法2条4項）への該当性が問題となり、また、検査や測定を意思でない事業者が行う場合には、医師法上の問題も生じ得る点に留意が必要である[注21)]。

⑷　遺伝子情報の利用

近時、遺伝子検査も比較的安価に利用できるようになってきて、遺伝子情報を保険に用いることができないかという議論もなされることがある。この議論は多分に倫理的な問題を含み、直ちには結論は出ないと思われるが、最も懸念されるのは危険選択（クリームスキミング）の問題である。つまり、保険契約を締結するに当たり、保険者はその申込みに関する危険度の大きさを測定・評価し、契約承諾の可否および条件を決定することを危険選択といい、保険者が保有する危険選択情報を利用して、低リスクの

注19）個人情報保護委員会「個人情報の保護に関する法律についてのガイドライン（通則編）」（2017年3月一部改正）2–3⑻。

注20）渥美坂井法律事務所・前掲注18）141頁。

注21）渥美坂井法律事務所・前掲注18）142頁以下。

注22）有吉ほか・前掲注5）148頁、宮地朋果「保険における危険選択と公平性」保険学雑誌614号（2011）41頁以下。

注23）宮地朋果「遺伝子検査の普及がもたらすアンダーライティングの新たな課題」保険学雑誌630号（2015）189頁以下。ただし、遺伝的な原因だけで病気になることは必ずしも多くはなく、現時点では保険商品への応用はハードルが高いという調査結果もある（日経FinTech『FinTech世界年鑑2017–2018』〔日経BP社、2017〕134頁）。

場合のみ保険加入を認めることになれば（クリームスキミング）、実際には最も保険が必要なリスクの高い者が保険料の高騰に対応できない等の要因で保険に加入できなくなることにより、社会的費用が発生する可能性が生じる[注22]。遺伝子情報を利用して、将来どのような病気になるのか、一部の疾患については相当程度の確度で判明するものもある[注23]。もっとも、これは遺伝子情報を利用する場合だけでなく、健康増進型保険においてリスクの細分化を進めることによって発生する問題である。遺伝子検査を用いずとも、一定の疾患については健康診断の結果等を分析することによって疾患リスクの高い患者を予測することも可能であろう。そのように将来病気になることがわかっている人に対して、保険会社はどのような商品を提供するべきか、あるいはもっと大きな観点から、保険会社はどのような役割を担うべきなのか。個人ごとのデータに基づいた完全なカスタマイズ商品が開発されるか、あるいは、保険という側面よりも、資産運用、ファイナンシャルプランナー的な役割等が重要になってくるかもしれない。もちろんそのプランが計画通り行くように、遺伝子検査等で判明した疾患以外の不測の事故や病気に対する保険は必要であろう。また、予防医療への関与や食育計画、健康食品の開発・マーケティングなどにも関与していくことも考えられる。

3　保険募集・引受審査におけるAIの活用

これまで述べてきたように保険商品の仕組みそのものにAIを用いる場合だけでなく、保険募集や引受審査にもAIが用いられている。例えば、健康診断結果をAIが読込分析することによって引受審査を行ったり、収入に比べて不当に高い保険金額等の保険の申込みをAIにより検出したりするなどして、保険金詐欺の防止にも役立っている。

また、コールセンターの効率化や、チャットボットによる契約受付にも利用される。投資信託のロボ・アドバイザーならぬ、保険商品の特徴を学習したAIが、顧客の条件に適した保険商品を案内する保険版ロボ・アド

注24）水越秀一「海外の保険会社等におけるフィンテック活用の取組みについて」損保総研レポート116号（2016）44頁～45頁。

バイザーもあり得るだろう[注24)]。

このようなAIの導入はコスト（事業費）を削減し、究極的には保険契約者の利益となるものである。もっとも、保険会社等には、保険業法上、保険契約の締結・募集の際の説明義務（保険業法294条）や顧客の意向把握義務（同法294条の2）が定められており、AIを用いて保険募集を行う場合には、これらの義務を果たすことができるようにする必要がある。

また、チャットボットが間違った回答をしてしまった場合に、どのような責任が生じるかという点について問題になる。特に、トラブルとなりやすい態様として人間が回答しているものと思っていたというものがあり、そのようなリスクを少なくするために、チャットボットであることを明示することも考えられよう。

4　保険金支払審査におけるAIの活用

保険の募集・引受時だけでなく、保険金支払審査においてもAIは活躍する。例えば、契約者の診断書をAIが読み込んで分析し、支払対象の病気かどうかを即座に判定したり、あるいは、不正請求の疑いが強い請求をAIにより検出して、不正請求を防止することが期待されている。

また、事故車両のスマホ画像を送るだけで支払額（修理費）を自動査定したり、人が近づけない危険な場所等でドローンによる事故現場の画像分析なども行われている。

Ⅲ　今後の保険のあり方

テレマティクス保険や健康増進型保険のように、個別の契約者の情報に基づいて保険をカスタマイズすればするほど、同じリスクを負っている者が少なくなり大数の法則が成り立たなくなるというジレンマに陥るおそれもある。

また、これまで顧客との接点は更新時期だけという場合も多かったと思われるが、IoTデバイスにより顧客情報との接点は増える。自動運転等によりリスクの所在も変化するため、顧客ニーズ・保険会社の収益構造も大きく変化することが想定される。リスクの未然防止のためのサービスも重要になってくるであろう。保険契約が細分化されてわかりづらくなることも考えられ、その場合には個人賠償責任保険のような一括した保険のニーズが増えることも考えられる。

さらに、保険契約者の寿命が延びる傾向にあり、貯蓄型の年金保険等の運用益重視の資産形成の役割も重要になってくることも考えられ、銀行・証券との境がなくなってくるということも起こり得る。このように、現行の保険の意義が少なくなる分野もあれば、広がる分野もある。

以下では、今後大きな変革が起こることが想定される自動運転車に関連して、自動車保険のあり方について概観した上で、シェアリングエコノミー保険や保険プラットフォーム、その他保険バリューチェーンのアンバンドル化について考察することとする。

1　自動運転車に関する保険

(1)　自動運転車に関する取組みの状況

自動運転車は、AIが自動運転システムを制御する。具体的には、【図表3-6-1】のように、AIがカメラやミリ波レーダー、RiDARといったセンサーなどから外界の状況を認知し、リスクを予測して行動計画を決めて判断し、自動車を操作して制御することになる。現在、自動運転車の頭脳であるAIの開発だけでなく、これらのセンサーの開発においても熾烈な競争が繰り広げられている。また、自動運転車が自分の位置を確認し、安全に走行するために、ダイナミックマップやプローブデータも非常に重要な役割を果たす。

また、自動運転車は、その機能によってレベル１からレベル５までの５段階に分類されている（第２編第４章参照）。レベル１からレベル２までは運転者が主体となって自動車を操縦する。レベル３は一定の場合には運転者がオーバーライドする必要があるが、基本的には自動運転システムが自動車を操縦する。レベル４およびレベル５になると、運転者が自動車を操縦することは想定されない。

この自動運転に関しては、政府目標として、2020年に、①高速道路での自動運転可能な自動車（レベル２、レベル３）の市場化、②限定地域（過疎地等）でのレベル４の無人自動運転移動サービスの提供を実現するとと

【図表3-6-1】将来の自動運転システムにおける人工知能（AI）の位置付け

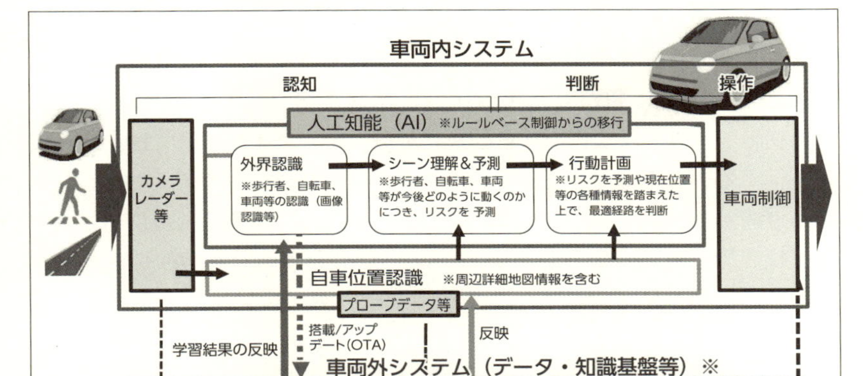

＊「官民ITS構想・ロードマップ2017」14頁。

【図表3-6-2】2025年完全自動運転を見据えた市場化・サービス実現のシナリオ

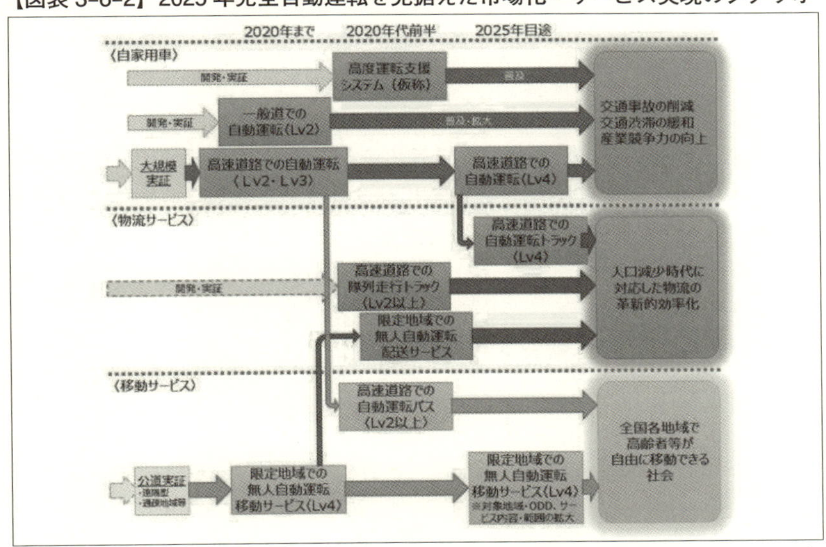

＊「官民ITS構想・ロードマップ2019」22頁。

もに、その後、2025年目途に高速道路での完全自動運転システムの市場化、物流での自動運転システムの導入普及、限定地域での無人自動運転移動サービスの全国普及等を目指すこととされている（【図表3-6-2】参照）。

2019年5月に、道路運送車両法および道路交通法の改正法が成立し、自動運転システムは法律上「自動運行装置」として定義され、国土交通大臣が付する一定の走行環境条件下において、自動運転システムを用いた走行が可能とされた。また、事故時等の検証のため、自動運行装置の作動状態記録装置を備えることが必要となる。2020年4月1日の改正法の施行により、法律上はすでにレベル3の自動運転車の公道走行が可能になっている[注25)]。

(2)　自動運転車の責任等に関する議論

自動車事故に関する現行法上の責任としては、【図表3–6–3】の通り、自動車損害賠償補償法（以下、「自賠法」という）上の運行供用者責任、民法上の不法行為責任・契約責任、製造物責任法上の責任、国家賠償法上の営造物責任などの民事責任、道路交通法に基づく行政責任、刑法等に基づく刑事責任などが定められている。刑事責任については第2編第4章において詳述することとし、本稿では保険というテーマから主に民事責任について検討した上で、どのような保険が必要かについて考察する。

自動車事故に関する責任のうち、特に自動運転車と自賠法との関係についてはさまざまな議論がなされている。

自賠法3条は、「自己のために自動車を運行の用に供する者は、その運行によって他人の生命又は身体を害したときは、これによって生じた損害を賠償する責に任ずる。ただし、自己及び運転者が自動車の運行に関し注意を怠らなかったこと、被害者又は運転者以外の第三者に故意又は過失があったこと並びに自動車に構造上の欠陥又は機能の障害がなかったことを証明したときは、この限りでない」と運行供用者の責任を定めており、5

注25）改正法の概要は、拙稿「自動運転の実現に向けたルール整備について」西村あさひ法律事務所ロボット/AIニューズレター2019年5月21号（https://www.jurists.co.jp/sites/default/files/newsletter_pdf/ja/ja_newsletter_1905_robotics-artificial-intelligence.pdf）を参照されたい。

【図表 3-6-3】自動車事故における責任

■交通事故時の法的責任およびその根拠法（事故ケース別）

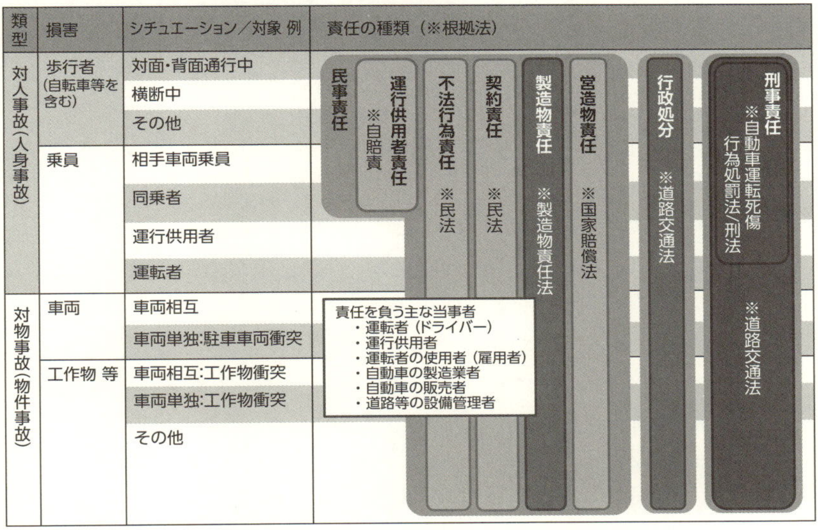

類型	損害	シチュエーション／対象 例	責任の種類（※根拠法）
対人事故（人身事故）	歩行者（自転車等を含む）	対面・背面通行中	
		横断中	
		その他	
	乗員	相手車両乗員	
		同乗者	
		運行供用者	
		運転者	
対物事故（物件事故）	車両	車両相互	
		車両単独:駐車車両衝突	
	工作物 等	車両相互:工作物衝突	
		車両単独:工作物衝突	
		その他	

民事責任
運行供用者責任 ※自賠責
不法行為責任 ※民法
契約責任 ※民法
製造物責任 ※製造物責任法
営造物責任 ※国家賠償法
行政処分 ※道路交通法
刑事責任 ※自動車運転死傷行為処罰法／刑法
※道路交通法

責任を負う主な当事者
・運転者（ドライバー）
・運行供用者
・運転者の使用者（雇用者）
・自動車の製造業者
・自動車の販売者
・道路等の設備管理者

＊経済産業省・国土交通省「自動走行の民事上の責任及び社会受容性に関する研究」第4回道路交通ワーキングチーム資料 2-1-1・6頁。

条で「自動車は、これについてこの法律で定める自動車損害賠償責任保険又は自動車損害賠償責任共済の契約が締結されているものでなければ、運行の用に供してはならない」として自賠責保険の強制加入を定めている。さらに11条において「第3条の規定による保有者の損害賠償の責任が発生した場合において、これによる保有者の損害及び運転者もその被害者に対して損害賠償の責任を負うべきときのこれによる運転者の損害を保険会社がてん補する」ものとして、3条の責任をカバーすることとしている。このように、自賠法は、迅速な被害者救済という観点から、運転車の過失の立証を不要とし、かつ、実際には自動車を運転していない保有者にも責任を認めている。

もっとも、前記の責任および保険の範囲は、人身事故についての損害のみであり、保険金限度額も死亡の場合に最高3000万円、後遺障害の場合に最高4000万円とされている。そのため、現状の自動車保険は、【図表

3–6–4】のように、自賠責保険と自賠責保険ではカバーされない物損事故や前記限度額を超える損害を補償するための任意保険という2本立てになっている。

自動運転車が実用化した場合の自賠法・自賠責保険の問題点としては、以下のような論点が提起されている[注26]。

① 自賠法の責任主体である「運行供用者」について、どのように考えるか。

② 所有者等が運転しない自動運転は、「運行」と認められるか。

③ 自動走行による目的地への移動が、「自己のために自動車を運行の用に供する」と認められるか。

④ 自賠法の保護対象である「他人」について、どのように考えるか（現行法のもとでは、自動走行車の単独事故で乗員として所有者等の生命または身体が害された場合、自賠法による救済の対象外となる）。

⑤ 「自動車の運行に関し注意を怠らなかったこと」について、どのように考えるか（レベル3のシステム監視がそれに当たるか。レベル4、5では、システムの正常機能の確認等、車両機能の管理がそれに当たるか）。

⑥ 「自動車に構造上の欠陥又は機能の障害がなかったこと」について、どのように考えるか。

（迅速な被害は救済の観点から、レベル5までの自賠法の適用は有用であるという意見あり。完全自動運転車でも運行供用者の運行支配・利益に基づく責任は消滅せず継続して存在すると解釈。また、現行法で対象外である物的損害については、特に自動走行車両ではセンサー類の搭載により車両金額および整備費用の高額化が予想されるところ、同法の枠組みでの救済可能性の検討について提案があった）

一般的に、自動運転車のシステムエラーの場合には、運転者や所有者の過失が観念できないことから、自動車メーカーや機器メーカーの製造物責任が問われることが多くなり、製造物責任保険（PL保険）のニーズが高まるのではないかということが指摘されている。

もっとも、自賠法上の「自動車に構造上の欠陥又は機能の障害がなかっ

注26）経済産業省・国土交通省「自動走行に係る法律別の論点整理」IT総合戦略本部第4回道路交通ワーキングチーム資料2-1-3・3頁。

【図表3-6-4】自賠責保険と任意保険の関係

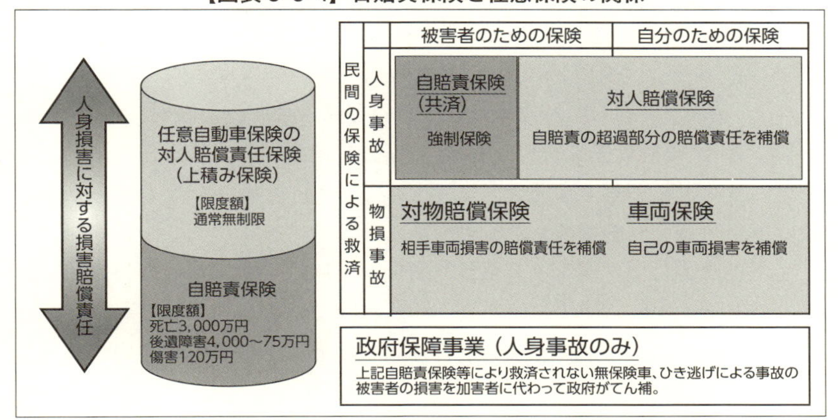

＊国土交通省自動車局「自動車損害賠償保障制度について」第2回医療の質の向上に資する無過失補償制度等のあり方に関する検討会資料3・3頁。

たこと」を運転者や保有者が立証することはまず不可能であり、事実上の無過失責任となっている。他方で、製造物責任法では、製造者の過失の立証までは不要ではあるものの、「製造物」の「欠陥」を立証する必要がある。現行法上「製造物」には有体物ではないソフトウェアは含まれないし、製造物に内蔵されたソフトウェアに不具合があった場合には当該製造物の製造者は責任を負うことになるものの、ソフトウェア業者は製造物責任を負わない。さらに、自賠法上の責任を果たした運転者等や保険金を支払った保険会社が「欠陥」を立証して求償権の行使を行うことは事実上不可能である（現在でも保険会社からの求償はほとんど行われていない）。したがって、自動車の欠陥等についても、運転者側が事実上責任を負担している状況にある。

このような点を踏まえて、国土交通省の自動運転における損害賠償責任に関する研究会において、自賠法上の運行供用者責任に関するシステムの欠陥による事故の損害について、以下のような3つの案が提示されていた[注27]。

【案1】　従来の運行供用者責任を維持しつつ、保険会社等から自動車メーカーに対する求償権行使の実効性確保のための仕組みを検討。

【案2】　従来の運行供用者責任を維持しつつ、新たに自動車メーカーにあらかじめ一定の負担を求める仕組みを検討。

【案3】　システムの欠陥による事故の損害については新たに自動車メーカーに事実上の無過失責任を負担させる仕組みを検討。

【案1】は報償責任に基づくもの、【案2】は個別の求償責任を追及することのコストを回避しようとするもの、【案3】は事故を最も抑止できる者は誰かという点を重視したものである[注28]。

この点に関して、国土交通省が2018年3月に公表した「自動運転における損害賠償責任に関する研究会　報告書」では、迅速な被害者救済を実現するとともに、自賠責保険制度の安定した運用を実現する必要があること等から、レベル3およびレベル4の自動運転システム利用中の事故により生じた損害については【案1】が適当とされ、2018年4月にIT総合戦略本部から公表された「自動運転に係る制度整備大綱」においても、同様の方針とされた。

もっとも、前述の通り、自賠責保険でカバーされる範囲には限界があることから、任意保険は引き続き必要となる。迅速な被害救済や事故の円満解決を図るため、すでに自動車保険に被害者救済費用特約が付されているものも販売されており、運転者に損害賠償責任がない場合でも被害者に生じた損害について保険金が支払われる仕組みとなっている。

⑶　自動運転車への移行期間に生じる問題

自動運転への移行期間における事故では問題がより複雑になることも想定される。自動運転が普及するまで、AIによる自動運転車とドライバーの運転する自動車の混在期には人為的エラーによるもらい事故があるし（完全自動運転車が普及した後も趣味で自動車を運転する人はいなくならないであろう）、歩行者や自転車との事故も起こる。急な飛び出しで自動運転車が対応しきれないようなものは開発危険の抗弁を主張する余地もあるかもしれないが、保険も活用しながら適切なリスク分配がなされるべきではな

注27）国土交通省自動車局「自動運転における損害賠償責任に関する研究会　論点整理」第3回自動運転における損害賠償責任に関する研究会参考資料1・4頁。

注28）佐藤典仁「自動運転における損害賠償責任に関する研究会の論点整理」NBL1102号（2017）52頁以下。

【図表 3-6-5】模擬裁判の事例

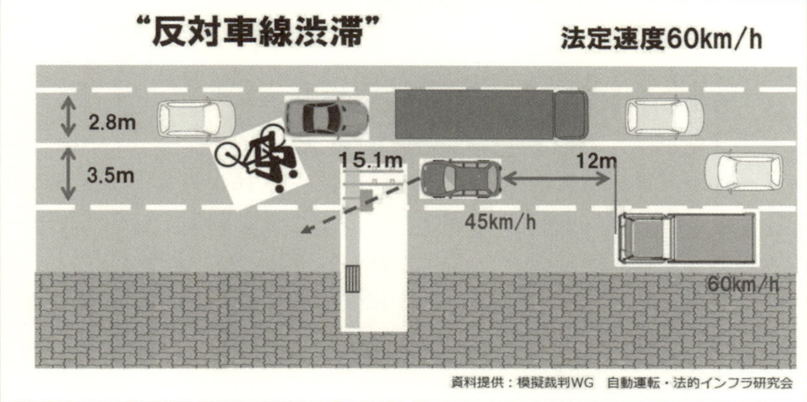

＊中山幸二「模擬裁判を用いた自動走行車の事故の民事的責任の課題の考察」17頁。

かろうか。

この点に関しては、非常に悩ましい問題を扱った模擬裁判があるので、参考になる。【図表 3-6-5】のように、片側2車線の道路を走行していた自動運転車の前に自転車が飛び出してきて、自動運転車の運転システムが、隣の車線の後方を走っていたトラックは車線変更をしても衝突しないと考えて、隣の車線に車線変更したところ、トラックの反応が遅れて自動運転車との衝突を回避するため急ハンドルを切り、電柱に衝突してトラック運転手が死亡したというものである。なお、この事案では、自動運転車が法定速度を超えて速度を上げて走行すれば、トラックは自動運転車と衝突する状況にはならなかった（したがって急ハンドルを切る必要もなく、トラック運転者は死亡しなかったであろう）という状況であり、法令違反を犯してでも衝突を回避するようなシステム設定にすべきかどうか、という問題も含んでいる[注29]。

この模擬裁判では、アルゴリズムの組み方によっては結果回避の可能性がなかったとはいえないのではないかという点を考慮し、現状の交通規制と自動運転車の開発に対する問題提起と柔軟な解決の途もあるという意味

注29）中山幸二「模擬裁判を用いた自動走行車の事故の民事的責任の課題の考察」NBL1099号（2017）42頁。

も込めて、和解案（請求額660万円に対して、被告の製造業者側が150万円を支払う）の提示をしており、その考え方は今後の検討の参考になるであろう。

⑷　自動車業界の変革

自動運転車が実用化されると、自動車メーカーだけでなく、AI・半導体メーカー、電池・モーターメーカーなどの存在感が高まり、【図表3-6-6】のように従来の自動車業界のピラミッド構造が崩れてくることから、保険のあり方も変わる必要がある。したがって前記のような責任論とともに、何を保険でカバーすべきか、誰が保険に加入すべきか等、さまざまな検討を行う必要がある。

自動運転・コネクテッドカーになると、車同士がリアルタイムで通信を行うため、車同士の衝突はほぼ起こらない。そのため、事故率も低くなって保険料が安くなり、保険会社の収入も減ることになる（一方で、機器が高額になるため損傷時の被害額は大きくなるとの指摘もある）ことから、保険会社としては早急に新たなビジネスモデルを検討・構築する必要があるともいわれている。

実際、自動車業界では、自動車の窓ガラスをディスプレイにする、自動車にAIスピーカーを搭載する、自動車に乗ったまま駐車場等の決済が行えるなど、自動運転車やコネクテッドカーを見据えて、もはや人が移動する手段としての自動車という枠を超え、その空間をいかにエンターテインするか、新たなモビリティサービスとして自動車をどのように活用するかについて、各自動車メーカーがしのぎを削っており、2020年1月に米ラスベガスで開催されたCES（Consumer Electronics Show）ではその様子が顕著となった。

以上のほか、外部からのシステムへの侵入により自動運転車が誤作動を起こした場合のサイバー保険も重要となってくる。また、高度道路交通システム（ITS）の故障等の場合に国や地方公共団体が営造物責任を負うか（ITSが提供する情報等の有体物でないものに誤りがあった場合でも、「営造物の設置又は管理に瑕疵」があったといえるか等）という点についても議論が必要であるし、責任を負う場合には、それをカバーするための保険も必要となる。

【図表3-6-6】自動車業界の構造

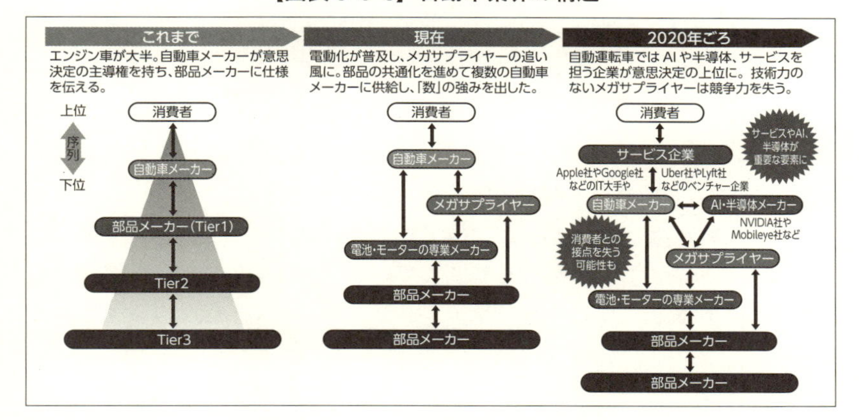

＊2017年10月24日付け日本経済新聞電子版。

そして、このようなAI機器等による責任論は、何も自動運転車の事故に限ったことではない。例えば、AIスピーカーによる商品の誤発注などが起こった場合にどうするか、ペットの犬型AIロボが誤作動により他人に危害を加えた場合にどうするかなど、さまざまな場面で問題が生じる可能性もある。それゆえ、自動運転車に限らず、AIの誤作動等により損害を被った場合には、現在の個人賠償責任保険のような、AIを包括する責任保険のようなものも必要になってくる可能性もある。

2　シェアリングエコノミーに関する保険

実用化された自動運転車が広まれば、現在のタクシー事業者やレンタカー事業者（あるいは自動車メーカー自身やパーキング事業者であるかもしれない）が自動運転車のカーシェア／ライドシェア（自動運転タクシー）事業に乗り出して、配車アプリによって必要なときに必要なだけ自動車で移動できるようになることが想定される。そうなると、もはや個人が自動車を所有する必要はなくなり、個人の自動車保険[注30)]よりシェアリングエコノミーに関する保険の需要が増してくるであろう。カーシェアリング事業者

注30）趣味でマニュアル運転の自動車に乗る人はいなくならないであろうが、この場合の自動車保険は相当高額になるのではなかろうか。

などのシェアリングエコノミーのプラットフォーム事業者が負う責任について道路運送法を整理する必要があるが[注31)]、それをカバーする適切な保険に入るようにルールを整備する必要もあるであろう[注32)]。

このシェアリングエコノミーに関しては、政府のIT総合戦略室が開催するシェアリングエコノミー検討会議の報告書により提言されたシェアリングエコノミーの自主的ルール策定（モデルガイドライン）[注33)]に沿って、シェアリングエコノミー協会がシェアリングエコノミー認証制度を制定し、自主ルールを満たした事業者を認証している。さらに、この認証登録を受けた事業者が割引を受けられるシェアリングエコノミー保険も販売されている。

また、シェアリングエコノミーの一形態である民泊でも、部屋を貸し出している間の家具等のマイクロ保険（オンデマンド保険）の需要が増加してくるかもしれない。米国では、InsurTechスタートアップによりAIチャットボットが契約締結まですべて対応する家財保険の需要が伸びている。日本でも、比較的少額の保険料で済むため少額短期保険業者が参入しやすい分野であると思われ、保険業法上の実現可能なモデルを検討する必要があるであろう[注34)]。

注31）戸嶋浩二＝佐藤典仁「ライドシェア・カーシェア規制の論点整理」NBL1097号（2017）29頁以下参照。

注32）なお、米国では、ライドシェアリングのプラットフォーム事業者が保険契約者となり、ドライバーが被保険者となる契約が普及しており、配車リクエスト待ちのときはドライバー自身の保険が、迎車中および乗車中にはプラットフォーム企業の商業用自動車保険で補償されることになっている（古橋喜三郎「米国のライドシェアリングの発展と損害保険――シェアリングエコノミーの広がりを踏まえて」損保総研レポート117号〔2016〕27頁以下）。

注33）IT総合戦略室「シェアリングエコノミー検討会議・中間報告書――シェアリングエコノミー推進プログラム」（2016年11月）30頁以下。なお、IT総合戦略会議「シェアリングエコノミー検討会議第2次報告書――共助と共創を基調としたイノベーションサイクルの構築に向けて」（2019年5月）により、シェアリングエコノミー・モデルガイドラインの改訂版が公表されている。

注34）増島雅和ほか『FinTechの法律2017-2018』（日経BP社、2017）353頁。

3　保険プラットフォーム

オンラインアグリゲーター／保険販売プラットフォーム事業者が、AI分析で最適な保険の提案をしたり、保険販売のロボットアドバイザーが登場することも考えられる[注35]。この場合、サービスによっては保険募集／募集関連行為に該当する可能性があり、具体的にどのような態様で業務を行うかによって、保険募集人（保険業法275条1項1号ないし3号）や保険仲立人（同項4号）に関する規制に服することになる可能性がある点には留意が必要である。また、前述したように、顧客の意向把握義務や説明義務についても注意する必要がある。

4　バリューチェーンのアンバンドリング・リバンドリング

保険ビジネスのバリューチェーンは、【図表3-6-7】のように研究開発／商品設計、販売、引受け、保険金請求、リスク資産・投資マネジメントによって構成されるが、各バリューチェーンの構成要素に対して、代替モデルによる影響が確認されており、今後はこのバリューチェーンのアンバンドル化が予想される[注36]。

すなわち、以下のような変革が考えられる。

①リスクのコモディティ化によりリスク・プロファイルの標準化が業界全体で進む

② IoTにより収集した個人の詳細なデータの活用により、保険会社は単一の保険契約で自動車、住宅、健康、傷害などの複数のリスクをカバーする個人向けの保険商品の販売が主流になる

③個人データの収集を基礎とした保険リスクの引受けにより、保険市場が分断し、ニッチかつ収益性の高い市場にシフトする[注37]。

また、保険におけるコネクティビティの増加によって、

注35）水越秀一「海外の保険会社等におけるフィンテック活用の取組みについて」損保総研レポート116号（2016）45頁。

注36）町井克至＝内野逸勢「FinTechから金融イノベーションへ――金融業のエコシステムに影響を与えるイノベーションとは」大和総研調査季報23号（2016）16頁以下。

【図表3-6-7】保険バリューチェーンへの主な圧力

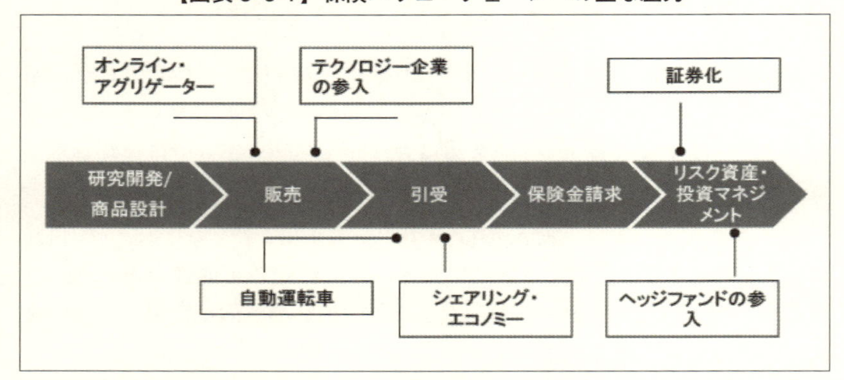

＊ World Economic Forum「The Future of Financial Services」（2015年6月）60頁から筆者訳。

④保険会社が個人のリスク・プロファイルを追跡して継続的に再定義することが可能となる

⑤顧客に装着したセンサーを通じて、より頻繁に顧客と相互にコンタクトが可能になり、事前にリスクマネジメントに参加できる

⑥販売業者や外部業者とデータを連係させることで、より有益な情報を顧客に提供することができる

と考えられている[注38)]。

自動運転車、シェアリングエコノミー、オンライン・アグリゲーターについては前述したが、テクノロジー企業の参入に伴い、保険会社としては競争力のある提携相手とエコシステムを構築できるかが勝負であり、例えば、デバイスメーカーとの協業やデータ収集・取得のための提携によって、より精緻な情報を入手し、それによって顧客に最適な保険を提案する等して、新たなビジネスモデルを構築していく必要があろう。その際には、

注37）内野逸勢「20年後の生命保険業界の行方——既存の生命保険会社は経済・社会構造の変化の波に耐えられるか」2017年10月13日、大和総研グループ金融資本市場レポート17頁。

注38）内野・前掲注37）17頁。

IoTデバイスを通じたより精緻化された情報の取得や、AIによるビッグデータの分析を、保険会社自らが行うだけでなく、システム会社やITスタートアップに委託することも考えられる[注39)]。

また、2019年5月に成立した「情報通信技術の進展に伴う金融取引の多様化に対応するための資金決済に関する法律等の一部を改正する法律」に基づく保険業法の改正により、「情報通信技術その他の技術を活用した当該保険会社の行う保険業の高度化若しくは当該保険会社の利用者の利便の向上に資する業務又はこれに資すると見込まれる業務を営む会社」が、保険会社が子会社とすることができる会社に加えられたことにより（保険業法106条1項13号の2・7項・107条）、資本提携を含めてInsurTech企業との提携を進めやすくなった。

さらに、現行法上、銀行法における銀行代理業者、金融商品取引法における金融商品仲介業者、保険業法における保険募集人および保険仲立人のように、複数業種（銀行・証券・保険）にまたがって金融サービスを仲介しようとした場合、①各業種ごとの規制が存在し、複数の登録等が求められることに加えて、②特定の金融機関に所属することが求められており（いわゆる「所属制」）、所属金融機関ぞれぞれから行われる指導に対応する必要がある。この点に関して、2019年12月に金融庁・金融審議会が公表した「決済法制及び金融サービス仲介法制に関するワーキング・グループ報告」においてなされた金融サービス仲介法制についての議論を踏まえて、①業種ごとの複数の登録等を受けずとも、新たな仲介業への参入により、複数業種をまたいだ商品・サービスの仲介を行うことを可能とすること、②新たな仲介業者には所属制を採用せず、取扱可能な商品・サービスの限定、利用者資金の受入れの制限、財務面の規制等の適用により利用者保護を図ることを前提に、銀行・証券・保険にまたがる横断的な新たな金融サービス仲介業の制度を導入することとし、2020年6月に「金融商品

注39）吉田和央「InsurTech（インシュアテック）の本質と法的諸問題についての試論――保険版FinTechの可能性」金法2061号（2017）27頁。

注40）渥美坂井法律事務所・前掲注18）213頁以下、川西拓人ほか「実務解説非金融企業のためのFinTech法規制入門」Business Law Journal 2016年12月号58頁以下参照。

の販売に関する法律」の改正法が成立し、その名称も「金融サービスの提供に関する法律」に改められることとなった。

（松村英寿）

コラム　ODR

ODRという言葉を聞いた方はいるだろうか。ODRとは、Online Dispute Resolution（オンラインでの紛争解決）の略である。

つまり、裁判手続を、オンライン（ネット）上でやってしまおう、というのがODRである。ODRにもいろいろな定義があり、UNCITRAL（国連商取引委員会）では2010年からすでに議論されているが、本コラムで想定しているのは、オンラインでAIによって判決が下されるODRである。例えば、AさんとBさんが揉めて、争いごとになり、「裁判で決着つけよう」となったとする。その場合、今は、裁判所に訴えることになるが、ODRでは、AさんとBさんが、ウェブサイトにアクセスして、必要な情報と証拠をアップロードすれば、AIが、どちらの言い分が正しいかを判断して、「Aさんが正しい」といった判決を出してくれる。

「AIがした裁判の結果なんて受け入れられない」と思う人もいるかもしれないが、交通事故のような技術的側面の強い裁判だと、AIのほうがより正確にスピーディに判決を出せる可能性がある。離婚や相続など、ドロドロしたものになりがちな事件については、人間がじっくり話を聞いて判断したほうがよいという考えもあるが、意外とAIが判断したほうが、当事者も納得するかもしれないのではないだろうか。

もし、このようなODRが実用化されると、裁判、ひいては法律家の仕事はどうなってしまうのだろうか？

弁護士には、ODRで相手に勝てるように、どのような情報と証拠をAIにインプットしたらよいか、ということを判断する仕事が重要になるかもしれない。もっとも、AIも小手先のことでは簡単には騙されないシステムを備えるであろう。そうすると、弁護士対AIのバトルが繰り広げられることになるだろう。

もちろん、ODRを実用化するには、数多くのハードルを乗り越えなければならないことは間違いない。ただ、そのような時代がいつかくるかもしれない。そのような時代に備えて、法律家が果たすべき役割とは何かについて、今から考えておくことも意味があるのではないだろうか。

第７章
AIとサイバーセキュリティ

Ⅰ　AIとサイバーセキュリティ

1　サイバーセキュリティとは

サイバーセキュリティとは、一般的に２つの視点がある。１つは、情報セキュリティとの区別をするための視点である。情報セキュリティは、さまざまな脅威から情報の機密性・完全性・可用性の３要素を確保・維持するために管理体制、監視体制等による情報管理に重点を置いたものであり、サイバーセキュリティは、サイバー空間を用いた攻撃を想定した防御体制、攻撃発生時の復旧等を含めた即応体制に重点を置いたものとする考えである。もう１つは、情報セキュリティにおいて、サイバー空間を意識して特化したものをサイバーセキュリティとする考えである。前者は、情報セキュリティとサイバーセキュリティを区別する考えであり、後者は、サイバーセキュリティは情報セキュリティに包含されるという考えである[注1)]。このようにサイバーセキュリティといっても、一意に定まる概念ではないといえる。

法律では、サイバーセキュリティ基本法２条で定義されており、「電子的方式、磁気的方式その他人の知覚によっては認識することができない方式（以下この条において「電磁的方式」という。）により記録され、又は発信され、伝送され、若しくは受信される情報の漏えい、滅失又は毀損の防止その他の当該情報の安全管理のために必要な措置並びに情報システ

注１）情報セキュリティは情報に着目した考えであり、サイバーセキュリティは情報に加え、情報システムや情報ネットワークのような情報インフラにも着目した考えとすれば、情報セキュリティよりもサイバーセキュリティの概念が広いとする考えもある。

ム及び情報通信ネットワークの安全性及び信頼性の確保のために必要な措置（情報通信ネットワーク又は電磁的方式で作られた記録に係る記録媒体（以下「電磁的記録媒体」という。）を通じた電子計算機に対する不正な活動による被害の防止のために必要な措置を含む。）が講じられ、その状態が適切に維持管理されていることをいう」とされている。要約すれば、同法2条におけるサイバーセキュリティとは、情報の安全管理のために必要な措置と情報システムおよび情報通信ネットワークの安全性および信頼性の確保のために必要な措置が講じられ、その状態が適切に維持管理されていることである。

このように、サイバーセキュリティは多義的な概念であるが、いずれも情報やシステムを保護・防御することを念頭に置かれている。サイバーセキュリティを確保するために、AIを活用し、効率化を図り、より安全性を高めることが試みられているが、サイバー攻撃を実施する攻撃側もAIを用いて攻撃することが可能であるため、以下では攻撃側と防御側に分けて説明する。

2　攻撃側がAIを活用する

いかなる犯罪でも同じであるが、犯罪者の心理、行動、技術能力等を把握しなければ、適切な対応や防御はおよそできないため、防御側が攻撃側の技術能力等を知ることは非常に重要なことだと考えられる。特に昨今のサイバー攻撃において、防御側の1点でも突破できればシステムへの侵入が可能な場合があるため、攻撃側が有利であるともいわれている。

(1)　マルウェアの開発

攻撃側がAIを用いることによって、マルウェア（コンピュータウイルスのことを指す）を進化させる手法が考えられる。実際、あるカンファレンスでも、作成したマルウェアがウイルス対策ソフトに検知されることを回避するため、AIを用いてマルウェアを改造・開発したと発表された[注2)]。

注2）https://media.defcon.org/DEF%20CON%2025/DEF%20CON%2025%20presentations/DEF%20CON%2025%20-%20Hyrum-Anderson-Evading-Next-Gen-AV-Using-AI-UPDATED.pdf

この手法は、従来のマルウェアに対して、AIを用いてバイナリコードレベルの改造を行い、改造されたマルウェアがウイルス対策ソフトに検知されるかを確認する。ウイルス対策ソフトに検知されれば再度AIを用いてマルウェアを改造し、最終的に検知されないマルウェアを開発する手法である。このAIを使用して、15時間、10万回の反復学習を行った後、改造されたマルウェアがウイルス対策ソフトの検知から回避できるかの実験を行ったところ、16%のマルウェアがウイルス対策ソフトでは検知できなかったという結果であった。公開された資料だけでは、どのようなマルウェアがウイルス対策ソフトの検知を回避できたのかは不明であるため、この16%を高いと見るか低いと見るかは一概にいえないが、学習によりマルウェアの検知率を下げられたということは、ウイルス対策ソフトの検知部分を解明することにもつながる可能性があると考えられる。ウイルス対策ソフトの検知部分を解明することができれば、当該検知部分を回避するマルウェアを作成することが容易になるだろう。

また、トリガーがなければ攻撃の挙動を行わず、攻撃の対象者が何らかの操作をトリガーとして攻撃が開始されるマルウェアも登場している。例えば、改造されたWeb会議アプリケーションをインストールさせ、AI技術を用いた顔画像認識技術を悪用して対象者が画面に現れると、アプリケーションの挙動が変わる、音声が変わる、攻撃者と通信が始まるなどの攻撃を開始するマルウェアがある。また、マルウェアの攻撃部分の解析を困難にする難読化が施されていれば、当該アプリケーションを解析することさえできず、被害に気づくことも困難である。

このような、ウイルス対策ソフトでは検知できないマルウェアを改造・開発した攻撃者に対する犯罪を検討する。そもそもマルウェアを作成することは、不正指令電磁的記録作成等罪（刑168条の２以下）を検討することになるが、同罪は、正当な理由なく、使用者の意図とは無関係に勝手に実行されるようにする目的で、人がコンピュータを使用するに際してその意図に沿うべき動作をさせず、またはその意図に反する動作をさせるべき不正な指令を与える電磁的記録（すなわちマルウェア）を作成等することをいう（同条１項）。不正指令電磁的記録に該当する従来のマルウェアを用いて改造したものも同じ動作をするのであれば同罪の客体に該当し、これを正当な理由なく、他人のコンピュータで実行させる目的をもって作成したのであれば、不正指令電磁的記録作成罪が成立する。なぜなら、用いられたAIは従来のマルウェアを改造・開発するための補助ツールとしての役割を果たしたのであり、AIがゼロからマルウェアを作り出したのではないからである。また、通常のプログラム（例えば、メモ帳のプログラムであるnotepad.exe等）をこの学習したAIを用いてマルウェアに改造・開発した場合であっても、結果的に作成されるのはマルウェアであるため、正当な理由なく、他人のコンピュータで実行させる目的で作成したのであれば、notepad.exeをマルウェアにするためにAIを使用した者に同罪が成立するのは当然である。

それでは、一歩進んで、仮にAI自身が自動でゼロからマルウェアを作成した場合はどうであろうか。この点についても、AI自身が勝手にマルウェアに該当するアルゴリズムや命令コード列のみを学習して生成し、マルウェアを作成することは考えられず、開発者が、自動でマルウェアが作成されるようにAIを学習させ、マルウェアを作成させるように仕向けなければ不可能だと考えられる。もちろん、このような場合であっても、開発者がウイルス対策ソフトの検知率を向上させる目的のために新たなマルウェアを作成する意図で学習させ、AIを使用して作成させたのであれば、他人のコンピュータで実行させる目的がないため、開発者には同罪が成立しない。しかし、このような目的ではなく、他人のコンピュータで実行させる目的でAIを使用してマルウェアを作成したのであれば、開発者には不正指令電磁的記録作成罪、または作成したマルウェアを使用者の意図とは無関係に勝手に実行される状態にしようとした場合には同供用罪が成立し得る。

このように考えると、AIが自律的にマルウェアに関する学習を行ってマルウェアを作成し、これを勝手に人のコンピュータで実行させる状態にしようとするには、いずれかの過程で開発者や攻撃者の意図が含まれなければならないので、その過程における開発者や攻撃者に、不正指令電磁的記録作成罪や同供用罪の成立が考えられる。

(2)　攻撃手法の最適化

次に、AIを用いることによって攻撃対象ごとにサイバー攻撃手法を変更することが考えられる。

ネットワーク回線を介したサイバー攻撃を実施するには、攻撃対象の端末の環境によって攻撃手法を変更しなければならない。例えば、Windows 8やWindows 10、Windows Server 2012、Windows Server 2016[注3]といったWindows OSに対する攻撃と、Ubuntu[注4]やRed Hat Enterprise Linux[注5]といったLinux系OSに対する攻撃とでは、実行形式（Windows OSではEXE形式であり、Linux系OSではELF形式が一般的である）が異なる場合があるため、攻撃手法を攻撃対象の端末ごとに変更する必要がある。

攻撃対象に対してサイバー攻撃を仕掛ける場合は、当該サーバで何のサービスのどのバージョンが動作しているかを確認し、これらを把握した後、該当する脆弱性を調査して攻撃を実施するのが一般的である。AIを用いた場合には、これらの情報から攻撃が成功する確率の高い攻撃手法を選定したり、対象サーバに痕跡が残りにくい攻撃手法を選定したりすることを自動で判断して攻撃を実施することが考えられる。

また、対象サーバで動作しているWebアプリケーションに対して、SQL[注6]インジェクション[注7]やXSS（Cross-Site Scripting：クロスサイトスクリプティング[注8]）、CSRF（Cross Site Request Forgeries：クロスサイトリクエストフォージェリ[注9]）、OSコマンドインジェクション[注10]などの攻撃

注3）WindowsおよびWindows Serverは、米国Microsoft Corporationの、米国およびその他の国における商標または登録商標である。

注4）Ubuntuは、Canonical Ltd.の商標または登録商標である。

注5）米国およびその他の国において登録されたRed Hat, Inc.の商標または登録商標である。

注6）データベースへの問合せ（Query）命令文を組み立て、実行するためのコンピュータ言語のことをいう。

注7）データベースと連携したWebアプリケーションに問題がある場合、攻撃者から悪意をもって細工されたSQL文を埋め込まれた（Injection）命令文が送信されると、データベースを不正に操作されてしまう攻撃のことをいう。

注8）Webアプリケーションに問題がある場合、悪意を持った命令（Script）を表示させられることによって、偽のWebページを表示させられてしまう攻撃のことをいう。

が可能か、脆弱性が存在するかを確認して攻撃を実施するために、ソースコードやリクエストに対する応答結果等に対してAIを用いて学習し、攻撃が成功するかを自動で検査し、攻撃を実施することも考えられる。

さらには、攻撃者が侵入した後、侵入先の端末上で秘密裏に一般ユーザの行動を監視し、AIに一般ユーザの行動パターンを学習させ、侵入後の挙動を一般ユーザと同じ挙動にした場合には、一般ユーザの挙動を監視して侵入者の挙動とを区別して判断するセキュリティ対策ソフトウェアなどでは、一般ユーザの挙動かAIによる挙動かを区別することができず、侵入後のサイバー攻撃の挙動を見逃してしまう可能性も考えられる。

このような攻撃に対して犯罪を検討する。Webサーバの管理者の承諾なくこのような攻撃が成功した場合は、不正アクセス罪（不正アクセス行為の禁止等に関する法律3条・2条4項2号・3号）の成立が考えられる。AI自身が勝手にこのようなネットワーク回線を介して不正アクセスを実施することは考えられないため、攻撃者自身の意図が介在しているのであるから、攻撃者に同罪が適用されることになる。また、サイバー攻撃によってシステムを破壊した場合には、電子計算機損壊等業務妨害罪（刑法234条の2）の成立も考えられる。

(3)　プログラムのリバース・エンジニアリングの自動化および脆弱性検査

AIによってプログラムのリバース・エンジニアリングを自動化する方法が考えられる。

昨今のプログラムは容易にリバース・エンジニアリングされないように実行コード全体を難読化したり、ライブラリ部分を暗号化したりするなどの手法による耐解析技術（耐タンパー）が施されており、リバース・エン

注9）Webサイトにログイン中のユーザが、別のWebサイトやメール中に記載されている悪意をもって細工されたリンクをクリックした場合、細工されたリンク中のリクエストが、ログイン中のユーザのリクエストであるかのように偽って(Forgery)、ログイン中のWebサイトに送信されて、ユーザの意思とは無関係に操作をさせられる攻撃のことをいう。

注10）Webアプリケーションに問題がある場合、攻撃者から悪意をもって細工されたOSコマンドを不正に埋め込まれた（Injection）リクエストが送信されると、OSを不正に操作されてしまう攻撃のことをいう。

ジニアリング自体を困難にして保護している。これはプログラムの著作権等を保護するためにも重要な意味をもつが、AIを用いることによって、耐解析技術を回避することが可能になると考えられる。

耐解析技術が施されていてもプログラムを実行する際、コンピュータのCPUに命令を読込ませる必要があるため、実行途中のメモリ上では解析できる状態になるタイミングが存在する。この状態を学習することで、耐解析技術が施されていたとしても、解析可能な状態を抽出することができ、リバース・エンジニアリングが可能になると考えられる。

このようなAIを用いることでリバース・エンジニアリングに成功した場合には、著作権法違反が考えられるが、2019年に施行された改正著作権法30条の4からは、このようなリバース・エンジニアリングは、プログラムの実行等によってその機能を享受することに向けられた利用行為ではないと評価できることから、「著作物に表現された思想又は感情」の「享受」を目的としない利用に該当するものと考えられるため、著作権法上、違法にならないと考えられる[注11]。

また、リバース・エンジニアリングをしながら、AIを用いて対象プログラムの脆弱性を検査する攻撃手法も考えられる。昨今のプログラムはさまざまなライブラリを使用して実行されており、プログラム開発の段階で単体テスト、結合テスト、機能テスト、総合テストなどを実施しているが、複雑に絡み合ったプログラムのすべてを網羅的に検査することは非常に困難である。そのため、AIを用いて対象プログラムを検査し、脆弱性が発見された場合には、この脆弱性を悪用した攻撃を行うことが可能になる。

マルウェアやツールを作成・使用してこの脆弱性を悪用して攻撃をする場合には、AIが勝手にこのようなマルウェアやツールを作成して、他人のコンピュータで実行させるようにすることは考えられないため、攻撃者や開発者が他人のコンピュータで実行させる目的があれば不正指令電磁的記録作成罪および供用罪の成立が考えられる。また、ネットワーク回線を

注11）文化庁「デジタル化・ネットワーク化の進展に対応した柔軟な権利制限規定に関する基本的な考え方について」（2019年10月）（https://www.bunka.go.jp/seisaku/chosakuken/1422075.html）。

介してWebサーバ等に対してこの脆弱性を悪用して攻撃をする場合には、不正アクセス罪の成立も考えられる。

(4)　AIに対する攻撃

最後に、AIに対する攻撃手法を解説する。

1つ目はポイズニング・アタック（トレーニングセット・アタック）と呼ばれる攻撃であり、これは、データ・ポイズニングとしても知られている。AIは、教師あり学習、教師なし学習、強化学習に大別することができるが、特に画像認識分野において著しい成果を上げているのは、教師あり学習である。教師あり学習は、ラベル付きのデータを使った学習を行うことであり、例えば、犬の画像を選別するAIの開発のために、犬が写った画像には「犬」の正解ラベルが付与され、学習プロセスを通じて、正解率を高めることができる。しかし、この学習のためには、正解ラベルが正しく付与されていることが前提になる。そのため、この学習データの中に虚偽のラベルが付与されたデータが紛れ込むと、この虚偽のラベルに基づいて学習するため、学習された使えないAIができあがる。データ・ポイズニング攻撃に対して、株式会社KDDI総合研究所は、データ・ポイズニング攻撃を受けた場合であっても不正なデータを除去し、正しく学習するAIの開発に成功している[注12)]。しかし、最近では、モデル・ポイズニングと呼ばれる、AIが出力する結果を意図的なモデルあるいはクラスに誘導されるようデータを汚染させる手法も登場してきている。

2つ目はエバージョン・アタック（回避攻撃）と呼ばれる攻撃であり、本来検知すべき事象を検知できないようにする攻撃である。特殊なデータを入力値として与えることにより、人間とAIとで異なる認識を発生させることができる。例えば、人間が気付けないようなマークが付されている道路標識の場合、一時停止の標識が時速45kmの速度制限標識と認識させることが可能になる。

注12）株式会社KDDI総合研究所「ECサイト内でのユーザの嗜好を安全に学習するAIの開発〜データポイズニング攻撃に耐性のある推薦システムの実現に向けて〜」（2019年10月8日〔https://www.kddi-research.jp/newsrelease/2019/100801.html〕）。

3つ目は、インバージョン・アタック（移転攻撃）と呼ばれる攻撃である。これは、学習データとして個人の識別情報や顔画像等を使用し、AIに学習させる。そして、学習されたAIに対して、ある顔画像を入力することで、対応する個人の認識情報と確信度を出力値として得ることになるため、複数の入出力から特定の個人の顔画像を推定することが可能になる。

他にも、特定のデータが学習データの一部かどうかを推定する攻撃や、学習データの特性に関する情報を推定する攻撃、AIのアルゴリズムのパラメータを推定する攻撃なども存在し、AIの検知能力の向上とともに、AI自体への攻撃が活発化している。

3　防御側がAIを活用する

(1)　マルウェアの検知

最もAIとサイバーセキュリティにおける防御側の開発との相性がよいと考えられるのがマルウェア検知技術である。マルウェアは日々大量に発生し、マルウェアと判定する指標もおよそ確立しており、大量のデータと正解結果が存在するため、AIに学習させる条件が揃っているからである。

現在主流のマルウェア検知技術には、大別すれば2種類が存在する。1つ目は、マルウェアのコードに対する特徴的なパターンを抽出し、このパターンにマッチすればマルウェアと判断し、マッチしなければマルウェアではないと判断するパターンマッチング型、2つ目は、マルウェアの振る舞いを複数用意しておき、マルウェアの振る舞いと合致すればマルウェアと判断するビヘイビア型である。

しかし、これでは日々進化するマルウェアに対応するために、パターンマッチング型はシグネチャと呼ばれるパターンファイルを日々更新する必要があり、また、ビヘイビア型では未知の振る舞いであれば検知できないという弱点がある。

そこで、教師あり機械学習や深層学習（Deep Learning）を用いたマルウェア検知技術が注目されている。機械学習を用いた検知技術を開発するためには、データの分析プロセスとして、データ把握、データ前処理、モデリング、適切な評価を繰り返し実施した後、適用が可能になる。マルウェアを検知するためには、誤検知を防ぎつつ、検知漏れを防止することが重要であり、テストデータとしてのマルウェアを学習させ判定させる教師あり学習および強化学習によってマルウェアを判定する方法が、最も検知率が高くなると考えられる。そのため、サンプルとなるマルウェアおよび正解結果を大量に用意し、マルウェアの実際の解析結果に基づいたデータセットを作成した後、特徴量を分類する。次に、モデリングのための前処理として、高次元の特徴量から次元削減等を実施する。特徴量が高次元であれば、処理に時間がかかる上に不要な特徴量を学習させても精度はそれほど変わらないからである。その後、アルゴリズムを決定し、モデリングを実施する。構築したモデルの性能を評価し、検知精度を向上させるためにパラメータ等を調整する。検知精度の向上には、誤った結果が発生した場合に、正解結果になるようにパラメータ等を修正したり、モデリングに使用するアルゴリズムを変更したりすることが考えられる。

マルウェアは日々新たなものが登場し、進化し続けるため、検知プログラムも継続して学習する必要があり、また、このようなマルウェア検知に学習させるために、多くの計算リソースが必要になる。

このように学習させた検知プログラムを作り出すために、インストールされた端末ごとにマルウェアを学習していたのでは、検知率に差異が生じ、また、多くの計算リソースを個別に用意する必要があり非効率である。そこで、機械学習によってチューニングされた学習済みパラメータを有するマルウェア検知プログラムを保護しつつ、配布し、更新する必要がある。

⑵　攻撃通信の検知

攻撃の検知手法には、さまざまなものが存在するが、ネットワークを観測して、攻撃通信にマッチすれば遮断するパターンマッチング型が主流である。しかし、パターンマッチング型は、マルウェア検知技術と同じく、パターンファイルを日々更新する必要があり、未知の攻撃通信には対応できないという弱点がある。

そこで、大量のアクセス情報や過去のサイバー攻撃手法に基づいて規則性を抽出し、マルウェアに感染した端末が外部と行う不審な通信を検知し、機密情報が漏えいする前に遮断する技術が開発されている。例えば、DGA[注13]は、マルウェアに感染した端末が外部サーバと通信を行うために一定間隔で新たなドメイン名を生成する技術であり、DGA で生成されたドメイン名からIPアドレスに変換するために用いられる。DGAを用いるのは、フィルタリング技術（ブラックリスト型フィルタリング）を回避するためである。ブラックリスト型フィルタリング技術は、パターンマッチング型の1つであり、マルウェアに感染した端末が外部と通信をする特定のドメイン名をあらかじめ登録しておき、このドメイン名に合致した通信を遮断する技術であるが、登録されているドメイン名しか遮断することができないというデメリットがある。そのため、DGAを解析し、生成されるすべてのドメインをフィルタリングリストに登録して遮断することは現実的ではないが、機械学習等により規則性を抽出することで、DGAによる不審な通信を自動で遮断することが可能になる。

また、膨大なアクセスが特定のIPアドレスから送信されている場合は、これを攻撃として検知することは簡単である。しかし、複数のIPアドレスから同時に大量のアクセスが送信された場合はどうであろうか。正常なアクセスなのか攻撃のアクセスなのかの判別が非常に困難になり、攻撃を正確に検知することができない。しかし、複数のIPアドレスからのアクセスであっても、自然なランダムさは存在せず、一定の規則性を有していることが多いため、機械学習等によって、正常なアクセスを学習しておけば、このような攻撃のアクセスを判別することができ、複数のIPアドレスからのアクセスのうち特定のIPアドレスからは攻撃の通信であると判断して遮断することが可能になる。

このような攻撃通信の検知技術については、機械学習等によってチューニングされた学習済みパラメータ等を保護しつつ、配布する必要がある。

(3)　ログ分析

システムやネットワーク機器から出力されるログは、膨大な種類と量になる。ログには、ファイルを作成、変更、削除した際に出力されるアクセスログやログインした際に出力される認証ログ、Webアプリケーションを使ってユーザ登録が行われた場合に出力される登録（監査）ログ、通信量やメモリの使用率を逐次取得する稼働状況ログなどが存在する。これらのログには多くの情報が含まれており、サイバー攻撃の予兆検知や被害

注13）Domain Generating Algorithmの略である。

発生時の状況・原因の調査、被害範囲の確認などに活用することが可能である。例えば、ファイアウォールやプロキシのログからは、組織の内部から外部に対して通信をしている端末が存在していることを把握したり、ファイルへのアクセスログから持出禁止のファイルにアクセスしていることが判明したりすることが可能になる。これらのログを有効に活用するためには、システム等から出力されるすべてのログを一元的に集約して管理し、さまざまな視点で分析する必要がある。

そこで、一元的に集約されたログに対して、多様なログパターンを抽出し、モデル化して学習することで、不審な挙動やサイバー攻撃を検知することが可能になる。例えば、Webサーバのアクセスログから攻撃の予兆を検知したり、操作ログからユーザの不審な行動やポリシー違反の行動を自動で検知したりすることが可能になる。また、稼働状況ログから障害を予測することも可能になる。

このようなログの取得自体は、企業内であれば従業員へのモニタリングに該当する場合もあるため、労働関係の問題が生じる。ログの分析技術については、機械学習によってチューニングされた学習済みパラメータ等を保護しつつ、配布する必要がある。

(4)　不正利用検知

インターネットを介したネットショッピングでは、他人のアカウントに不正にログインし、勝手に商品を購入する不正利用や詐欺まがいの手口で商品を騙し取ろうとするユーザも存在する。例えば、健康食品や新規にオープンしたネットショッピングサイトなどの場合、初回購入を格安に設定したり、販売促進のために無料で商品を提供したりする。1人1回の限定商品を、別名で新規登録したり、住所を少し変更したりすることで、同一人物と判断されないように登録し、何度も格安価格で購入するユーザなどのことである。他人のクレジットカード情報を不正に取得して商品を購入することも含まれる。

そのため、このような不正利用をAIを用いて自動検知できるようにする技術が実用化され始めている。ネットショッピングサイトにおいて、メールアドレスや電話番号、氏名、住所などから、同一人物を判定することが可能になる。また、過去の受注データを入力値として解析し、換金性の高い商品を連続して購入する場合などは不正利用の可能性が高まる。

もっとも、リスクが高い取引であっても、実際にそのような購買行動はあり得る。このような取引を常に検知し、購入させないようにすることは、不正利用ではない実際の購買行動をしようとしているユーザにとっては不便となり、顧客離れが生じる。そのため、取引リスクとして、AIを用いる場合であっても、信用リスクと不正リスクは分けて考える必要があると考えられる。信用リスクは、返済能力の有無から支払不能になるリスクをいい、不正リスクは、虚偽・不正な購買や利用による損失リスクをいう。前者は返済能力を評価して与信額等を判断する場合に用いるが、後者は取引履歴から逸脱した架空取引やなりすましの可能性を数値化して不正利用を判断する。

このような不正リスク対策には、リスクベース判定・認証が活用されている。これは、不正な新規登録や不正取引のリスクを数値化し、数値化されたスコアリングに応じて追加の認証等の措置を実施し、不正取引を回避する方法である。このようにすることで、追加的に情報を取得して過去に登録されたユーザと同一人物かを確認したり、通常とは異なる端末からログインしたこと、登録された住所地以外に配達を希望しているなどの場合に、追加で秘密の質問や登録メールアドレスにワンタイムパスワードを送信して本来のユーザであることを確認することが可能になる。

⑸　プログラムコードの脆弱性検査

プログラムコードの脆弱性をAIが発見するシステムが考えられる。

実際に、米国Microsoft Corporationは、AIを用いたプログラムコードのバグ発見ツールであるMicrosoft Security Risk Detection（MSRD）を開発している。これはAzureサービスとして利用可能であり、AIを用いてセキュリティ上の問題点やプログラムコード内のバグを確認し、プログラムが停止する原因をなくすことを目的にしている。このサービスはFuzzing Test技術が使われており、検査対象のプログラムに問題を引き起こす可能性のあるデータを大量に入力し、応答や挙動を監視してバグ等を発見することが可能になる。これまでFuzzing Testはセキュリティ技術者がテストデータを作成し、実際に入力を行って応答や挙動を監視する工程を経ていたが、MSRDを用いれば、このような工程作業を自動化し、クラウド上で大量に実行することが可能になる。

MSRDを利用するには、利用者がクラウド上へ検査対象となるプログラムをアップロードし、サンプルデータもアップロードすることで、Fuzzing Testが実行され、結果が報告される。このようにプログラム開発者は、自身の作成したプログラムの検査が容易に行われるようになり、バグを減らし、セキュリティホールなくすことが可能になってきている。

米国Microsoft Corporationの優れたこの手法は、クラウド上で管理することで、利用者にプログラムを配布することがなく、機械学習等によってチューニングされた学習済みパラメータ等を保護しながら、常に最新の状態で利用者に提供することができる点である。

⑹　ネットワークを介した脆弱性検査・ペネトレーションテスト

ネットワークを介した脆弱性検査は、開発段階における脆弱性検査と運用段階における脆弱性検査がある。

開発段階における脆弱性検査は、開発の一定の段階において、ソースコードに潜む脆弱性等を検査したり、完成した部品等に対して検査をしたりして、脆弱性検査を実施する手法である。

他方、運用段階における脆弱性検査は、運用しているサーバやネットワークに対して、脆弱性が存在するかを検査する手法である。また、脆弱性を利用して対象組織のサーバやネットワークシステムに対して攻撃者が実際に侵入できるかどうかを検査する手法をペネトレーションテストという。ペネトレーションテストは運用上のシステムに残存している既知の脆弱性を狙ったり、設計段階での不備を攻撃したりしてテストを実施し、サイバー攻撃を受ける状態かどうかを確認する。

このような脆弱性検査には、サーバやシステムに対する脆弱性検査とWebアプリケーションに対する脆弱性検査があり、前者はプラットフォーム診断と呼ばれる。プラットフォーム診断は、ルータやファイアウォール等のネットワーク機器、メールサーバやファイルサーバ、認証サーバ等の各種サーバに対して脆弱性が存在しないかを確認して検査する手法である。Webアプリケーションの脆弱性検査は、Webサーバ上に構築されたショッピングサイトやWebメールのようなアプリケーションの脆弱性を検査する手法である。

ネットワークを介した脆弱性検査についてもAIを用いて検査をすることが考えられる。最初に一定の固定項目の脆弱性検査を実施し、続けてシステムやWebアプリケーションごとの検査を実施する。このとき、さまざまな検査方法を学習することで、人の勘や経験に頼らずとも同様の検査を実施することが可能になると考えられる。

これにより、網羅的に実施することができ、見逃しや間違いを減らすことにもつながり、また迅速な検査や同時に大量の検査を実施することが可能になる。

(7)　情報収集

サイバーセキュリティの分野にも情報収集の重要性が注目されている。

攻撃側からすれば、攻撃対象の情報をソーシャルエンジニアリング等によって収集し、サイバー攻撃を実施することが可能になる。例えば、製品の修理を依頼するために、公開されている問合せ窓口に電話を行い、直接担当者にデータを送付したいと申し出て、担当者のメールアドレスを聞き出す。そして、担当者に修理依頼書を装ってマルウェアが添付されたメールを送信することでこの企業への侵入が可能になる。この場合、企業の規模、問合せ窓口の情報、修理を受け付けていることなどをあらかじめ把握しておく必要がある。他にも採用窓口の人事担当者や役員に取り次ぐための秘書等の氏名からSNS等によって家族構成や家族の氏名を収集し、家族を装って担当者に対してサイバー攻撃を仕掛け、その人物を踏み台に役員にサイバー攻撃を仕掛けることなども考えられる。

防御側からすれば、攻撃者の属性情報や攻撃者が取得したい情報、情報の転売状況等を把握することで、攻撃者や攻撃組織を把握したり、保護すべき情報を識別し、セキュリティレベルを上げたりすることが可能になる。

このような情報収集にもAIを活用することが考えられる。実際に、AIがさまざまな情報を収集し、ニュースを配信するサービスも登場してきている[注14]。これを一歩進めて、攻撃者に関する情報をさまざまなサービス等から収集し、攻撃者の属性等を分析することが考えられる。

注14）ストックマーク株式会社が運営しているAnews（https://www.anews.cloud/）などがある。

Webクローリング[注15]を用いて、公開情報から情報を収集して分析するOSINT（Open Source Intelligence）にAIを用いることで、攻撃者に関する重要な情報やそうではない情報を区別することが可能になり、より正確な情報の分析を行うことが可能になる。

非公開情報から情報を収集して分析するには、攻撃者コミュニティに参加して攻撃者らとコミュニケーションを自動で行う方法が考えられる。チャットボットと呼ばれるテキストや音声を通じて、会話を自動的に行うAIを用いたプログラムがあり、チャットボットを活用して、攻撃者らとコミュニケーションを行うことで、攻撃者に関する情報を引き出すことが可能になる。

このようなAIを用いて攻撃者を欺き、情報を引き出すことに対して刑罰を科せられることにはならないが、AIであることを秘匿して個人情報を収集する場合は、「不正の手段」による個人情報の取得（個人情報17条1項）に該当する可能性があり、個人情報取扱事業者としての義務に違反することになる。

なお、情報収集に関連して、ダークウェブと呼ばれる特殊なツールを用いらなければアクセスできないウェブサイトについて付言する。ダークウェブでは、さまざまな情報がやりとり（公開や売買）されている。中には認証情報やクレジットカード情報なども交換されており、特に認証情報は、リスト型アカウントハッキング[注16]に悪用されている。そのため、このような情報を入手し、自社に登録されているユーザ情報が売買されている場合には当該ユーザアカウントを停止にしたり、ショッピングサイトにおいて入力されたクレジットカード情報が、流通している他人のクレジットカード情報であれば、当該クレジットカードは使用できないと表示したりするサービスも登場してきている。

注15）プログラムがインターネット上のリンクを辿ってWebサイトを網羅的に巡回し、Webページ上の情報を収集すること。

注16）リスト型アカウントハッキング（リスト型攻撃）とは、何らかの手段により他者のID・パスワードを入手した第三者が、これらのID・パスワードをリストのように用いてさまざまなサイトにログインを試みることで、個人情報の閲覧等を行うサイバー攻撃をいう。

4　その他

(1)　人の介在

サイバー攻撃をAI自身が自らの判断で勝手に実施することは考えられないため、攻撃するには人の意思が介在していると考えられる。人の意思が介在している場合は、当該意思をAIに組み込んだ人物がサイバー攻撃の主体となり、AIは道具にすぎないことになる。そのため、AIを用いたサイバー攻撃が成功すれば、サイバー攻撃の意思を組み込んだ人物が既遂犯になり、開発等を行った人物は幇助犯に、失敗すれば、刑事上の未遂処罰が規定されていれば未遂犯に問われる可能性がある。

民事上の責任においても同様であり、サイバー攻撃の意思をAIに組み込んだ人物が主体となる。また、他人からサイバー攻撃を請負った者にとっては、失敗した場合に、形式的には民事責任を負う。もっとも、サイバー攻撃を依頼し、失敗したからといって依頼者が民事責任を追及することは考えにくいため、実質的には責任問題は生じないであろう。

脆弱性検査など、サーバ等の安全性を確保するために擬似的にサイバー攻撃を実施するセキュリティ企業においては、AIによるサイバー攻撃が失敗した場合、それがパラメータ等の調整ミスによる見逃しであったり、古いアルゴリズムを用いたことによって発見できなかったりした場合には、当然責任問題が生じる。

(2)　攻撃側、防御側が相互に学習

攻撃側が防御側を、防御側が攻撃側を相互に学習することが考えられる。実際、2016年8月4日にアメリカのラスベガスでDARPA（国防高等研究計画局）主催による世界最大のハッカーカンファレンスDEFCON24とともにCGC（Cyber Grand Challenge）が併催された。CGCは、与えられたプログラムの脆弱性を探し出し、修正プログラムを作成して適用しつつ、敵チームのサーバを攻撃するためのプログラムを作成し、攻撃を実施する。これらのことをすべて自動化されたプログラムによって行われる競技大会であった。競技が開始されると各チームはメインプログラムを実行し、あとは競技が終了するまで監視しているだけであった[注17)]。

このような競技とは異なり、マルウェアの開発と検知のように、相互に

学習しつつ発展させる場合、互いに手の内を知りながら発展していくため、どちらが優勢になるのかはわからない。サイバー攻撃における攻撃は、１点突破であるため、多数あるポイントのうち、１つでも脆弱な部分を発見できれば、攻撃が成功する可能性が高い。しかし、防御側としても攻撃できるポイントを絞り込み、そのポイントを完全に防ぐことができれば、攻撃が成功することはないであろう。よっていずれが有利になるかはさまざまな条件によることになる。

また、迷惑メールや標的型攻撃に使用されるメールの本文を、AIを用いて作成した場合も同様である。迷惑メールとして分類する側は、学習をすることによって、受領した迷惑メールを判別することができるが、学習結果から外れたメールを迷惑メールと判断することは非常に困難である。迷惑メールを送付する側は、AIによっても分類が困難な迷惑メールを多数集めて学習させ、自動で本文やメールヘッダ、添付ファイル名、添付ファイル等を変更して送付することで、迷惑メールフィルタをすり抜けられるようになる。さらに、迷惑メールとして分類する側は、すり抜けた迷惑メールを学習させ、すり抜けられないようにパラメータを調整していく、といったように相互に学習することになる

このように、攻撃側、防御側は、相互に把握することができ、相互に機能を高め合うことができるが、これらの作業に終わりはないため、ゴールはないであろう。

⑶　AIを用いたサイバー攻撃が可能となるシステム等の開発者の責任

AIを用いてシステム等を開発する場合、明らかに不自然、不当、不合理な結果が生じた場合には、これを間違いと判断して学習をやり直す仕組みを組み込んでおくべきである。AIが出力する結果は、学習用データや適用されるモデルに依存するため、出力結果がすべて正しいとは限らず、このような結果をすべて正しいものとして受け入れる必要もないからである。

このような不合理な結果が出力された場合にも、何ら対策もせず、サイバー攻撃の結果に結びついた場合には、AIを用いたシステム開発者に少

注17）https://www.defcon.org/html/defcon-24/dc-24-cgc.html

なくとも過失が認められ、責任追及されることは免れないと考えられる。

また、サイバー攻撃に特化したシステムを開発する場合には、暴走した場合の危険性を考慮して、いつでも停止可能な構成や、何重にも実行の確認を要求する仕組み、これを利用する主体の厳格な制限、人の介在なくして実施できないなど、できる限りの対策を講じておく必要があろう。

5　学習用データが少ないという問題

マルウェアについては、日々マルウェアが生成され、進化もしており、その数量も膨大に存在するため、解析結果をデータセットとして活用するための方法が確立しているのであれば学習するためのデータ量は問題とならない。

しかし、それ以外の情報収集や脆弱性検査等については、学習するためのデータ量が少なく、AIを用いる前提条件としてのデータの前処理やモデリングの選定、パラメータの修正等を行うことができないと考えられる。AIを用いた手法は、大量かつ質のよいデータを収集できるかが重要になるため、解析者同士でデータを共有するなど、データの集約が課題になると考えられる。

（北條孝佳）

コラム　ターミネーターの世界は実現するのか

ターミネーターは、1984年に公開されて以来、第5作まで続いている世界でも人気の高い映画である。アメリカの企業であるサイバーダイン社が開発したAI「スカイネット」が自我に目覚めたため、暴走を恐れた人間が機能停止を試みた。しかし、スカイネットはこの停止措置を自身への攻撃と捉え、自身を脅かす存在である人類を絶滅すべく、ロシアに向けて核ミサイルを発射し、全世界規模の核戦争を勃発させて、人類の半数を死滅させた。生き残った人類らを絶滅させるために殺人兵器で構成された機械軍が残存者を殺害し始めたが、主人公である「ジョン・コナー」が抵抗軍を形成し、ジョン・コナーの指揮により殺人兵器を破壊し、情勢が変わり始めた。脅威を感じたスカイネットは、過去に戻り、ジョン・コナーの母親である「サラ・コナー」が、ジョン・コナーを妊娠する前に殺害することで、ジョン・コナーを歴史上から抹殺することができると考え、サラ・コナーを殺害する目的で進化させた人型殺人兵器であるターミネーターを過去に送り込んだというストーリーである。

さまざまな技術的問題と解明されていない物理的な問題も存在するが、ここでは、AIであるスカイネットについて検討する。

スカイネットによる脅威は、自我に目覚め、人類を絶滅させるために、核ミサイルを発射させたことであり、このような結論を導き出したということだろう。AIに人類滅亡を結論づけることは、理論的にはそれほど難しいことではないと考えられる。自身の存続を保持するためにはいかなる手段も選択可能であり、人類滅亡のためには核ミサイルの発射が、容易に迅速に実現可能な手段であったからと推察する。

しかし、人類を絶滅させると判断したことは、スカイネット自身を保守する人間が不要であり、スカイネット自身の動力を発電する人間も不要であり、スカイネット自身を発展させる人間も不要と結論づけたことになるだろう。そして、そのような結論になった際に、核ミサイルを発射させる権限をもスカイネットに与えていたということになるが、このこと自体がそもそも難しいと考えられる。すなわち、スカイネット自身が人類を不要と判断し、絶滅させようと結論づけたということは、自身の保守、動力の確保等、アメリカにおける社会インフラのすべてをスカイネットが把握し、維持し、動作させることが可能であるということになる。このような単一のAIのシステム、しかも、アメリカの一企業が開発したAIのシステムに、社会インフラの全権を委ね、核ミサイルを発射する権限をも保有させるということを、果たしてアメリカ国民が選択するだろうか。まず、政治的な理由から、この権限をスカイネットに付与していたとすることは無理があるだろう。

仮に、政治的な理由を抜きにして、アメリカの社会インフラの全権をスカイネットに委ねていたとする。その場合に、人類を絶滅させる結論を選択するためには、その選択肢を可能にしていたことが必要になる。そもそも、人類を絶滅させるような結論の採用を許可する必要があったのかということである。社会インフラの全権をスカイネットに委ねた場合、不自然、不合理、解明不能な結論を採る可能性は容易に想定されるため、人類を絶滅させるような結論を採用した場合には誤判定として、それ以外の結論を採るようアルゴリズムを変えておけば回避できたといえる。このようなアルゴリズムの仕組みにせず、スカイネットが導き出した結論をそのまま受け入れるという状況設定にそもそも無理があると考えられる。スカイネットが導き出した結論をそのまま受け入れることを前提として社会インフラの全権をスカイネットに委ねて導入したのであれば、スカイネットが自我に目覚めたことによって、これを恐れた人間が停止措置をとろうとしていることが矛盾している。

AIを開発する技術者や倫理学者、哲学者、政治家等が、人類滅亡のような結論になることを想定しないはずがなく、人類滅亡どころか、人や物に対して危害を加えないという前提で導入することは、当然のことであろう。想定できることを想定せずに、社会インフラの全権を委ねることも考えられない。社会インフラの全権をスカイネットに委ねるまでの間、多数回の実験や試験的導入、危険な結論の検討、想定外が発生した際の対応を検討していたものと思われ、その過程において、人類を滅亡させるという結論も容易に想定できたはずである。これらのことを検討せずに、社会インフラの全権を委ねたスカイネットを導入することはあり得ない。

これらのことから、スカイネットが運用され、ターミネーターの世界が実現するようになるためには、政治的決定、誤判定結果の設定、危機管理対応など、多くの課題を解決する必要がある。にもかかわらず、自我に目覚め、人間が機能停止を試みたというだけで、人類滅亡の結論に達することや、仮にこの結論に達したとしても、その手段として核ミサイルを発射させることができるシステムにすることはあり得ず、スカイネットは実現しないと考えられる。

現実世界に目を向けて見ると、アメリカと北朝鮮の緊張関係が続いている。北朝鮮が「核のボタンが机の上にいつも置かれている」と表明すれば、アメリカも「こちらも核のボタンをもっていて、北朝鮮のものよりもはるかに大きく、より協力で、実際に機能する」と挑発する。どちらかが暴走すれば、核ミサイルの発射ボタンが押されかねない現実があり、スカイネットの実現を憂うよりも、まずは、両国の代表から発射ボタンを取り上げたほうがよいのではないだろうか。

第4編

AIと倫理

第 1 章
はじめに——なぜ、AI と倫理なのか

AI による技術革新は、「第 4 次産業革命」とも位置付けられるほど、社会に大きなインパクトを与えるものと考えられている注1)。AI による技術革新は、産業構造の変化をもたらすだけにとどまらず、第 1 次ないし第 3 次産業革命と同じく、あるいはそれ以上に、既存社会の価値観を大きく揺さぶることが予想される。AI が社会を変えれば倫理も変わる、そして倫理が変われば法律も変わる。そうだとすれば、AI と法律というテーマを考えるに当たって、AI と倫理というテーマについても避けては通れない。

AI による技術革新によって、われわれは、好むと好まざるとにかかわらず、数多くの根源的な問いを突き付けられることになりそうである。そこには、AI の特徴が大きく関係している、すなわち AI は、人間と比べて、はるかに効率的かつ直線的に、与えられた目的を達成できる可能性を秘めている。だからこそ、AI に、どのような目的を与えるべきかという根源的な問いについて、議論せざるを得なくなる。

例えば、AI による技術革新によって、われわれは、「人類の存在意義とは何か」という根源的な問いに直面するであろう。

この問いに対しては、人類と AI が共生可能な社会を目指し、人類は、芸術やスポーツといった AI にとって代わられない（であろう）分野に従事すべきというのが、1 つの回答かもしれない。もっとも、さらなる AI の技術革新が進み、「シンギュラリティ（技術的特異点）」を迎え、AI が自らの能力を超える AI を自ら作り出すことができるようになった時代において、AI が、「人類と AI が共生可能な社会」というモデルを、当然のように受け入れてくれるとも限らない。AI が人類のことを、共生可能なパ

注 1）内閣府政策統括官（経済財政分析担当）『日本経済 2016 − 2017 ——好循環の拡大に向けた展望』（2017 年 1 月）73 頁。

ートナーではなく、害ある存在として、切って捨てる可能性も否定できないのである。

多くの人々は、人類が「主」でAIが「従」という関係を維持するべく、人類がAIを適切に制御できるような方策の必要性を主張するかもしれない。しかしながら、人類とAIの関係をめぐる現在の議論においては、人類が「主」で、AIが「従」であるという考えですら、もはや所与のものではない。オーストラリアの人工知能学者であるHugo de Garis氏は、「人類の存在意義はAIを作り出す点にあり、その役目を終えた人類がAIの進化を妨げるべきではない」と考える「宇宙派（Cosmists）」と、「あくまでも人類の存続こそが重要である」と考える「地球派（Terrans）」との間に対立が生じ、21世紀後半には大きな戦争（Artiled War）を引き起こすとまで予言している[注2)]。

このような先進的な議論を前にして、ポスト・シンギュラリティにおける人類の存在意義とは何かという問いに、われわれは真剣に向き合わざるを得なくなる。

また、AIによる技術革新によって、われわれは、「人間とは何か」、「知性とは何か」という根源的な問いにも直面するであろう。

近時のAIによる技術革新をもたらした「ディープラーニング」が、人間の脳の神経伝達メカニズムをモデルとしたニューラルネットワークを用いた機械学習の一種であることからもわかるように、AIの研究・開発は、脳科学における研究成果を取り入れることによって大きく進歩した。その一方で、AIの研究・開発は、AIと人間の脳の違いを改めて際立たせ、結果として、人間の脳の研究成果にもつながっているようである。

人工知能と人間の脳との対照によって、「心」の存在こそが、AIと人間とを区別するという考え（願望？）に基づいて、「人間には『心』がある。将来、AIは『心』をもつのか」という問いが生まれてくるのは自然な流れであろう。しかしながら、そもそも「心」とは、その有無によって、人

注2）de Garis, H.: The Artilect War : Cosmists vs. Terrans : A Bitter Controversy Concerning Whether Humanity Should Build Godlike Massively Intelligent Machines, Etc Pub.（2005）

工知能と人間とを明確に分けられるほど、確固たる概念なのだろうか。われわれが普段「心」と呼んでいるものは、外部からの刺激に対する脳内の電気的信号による応答の集積にすぎないとすれば、AIに「心」を搭載することは比較的容易なのかもしれない。一方で、こうした脳内の電気的信号による応答を超えた何か、外部からの刺激から切り離された志向性を「心」と定義するのであれば、AIに「心」を搭載することは、一気に難しくなるようにも思われる。

このように、AIという、いわば人間の“映し鏡”を通じて、「人間とは何か」、「知性とは何か」という問いに、われわれは真剣に向き合わざるを得なくなる。

さらには、AIがわれわれの行動・意思決定に深く関わるようになると、われわれは、「正しさとは何か」、「善とは何か」という根源的な問いにも直面するであろう。

この問いは、AIが存在しない時代から、あらゆる人によって何度となく繰り返されてきた問いではあるが、それに対する答えは、時代によっても、地域によってもさまざまである。誰しも、その人なりの「正しさ」や「善」の基準を持ち合わせているであろうが、哲学者などでもない限り、こうした「正しさ」や「善」の基準に対して、常に自覚的である人はそれほど多くはない。ところが、AIがわれわれの行動・意思決定に深く関わるようになると、われわれは、「正しさ」や「善」の基準に対する態度を、あらかじめ表明することを求められる。すなわち、これまでであれば、「今から行おうとすることは、自らの『正しさ』の基準に照らして、是か非か」などと突き詰めて考えた上で、何らかの行動・意思決定に及ぶということはあまりなかった。そこには、ある意味での「判断の緩さ」が残されていた。しかしながら、われわれが、（部分的にせよ、全面的にせよ）自らの行動・意思決定をAIに包括的に委ねるようになると、あらかじめAIに対して、自らの価値判断基準をインプットしなければならない場面が出てくるであろう。その際に、AIは、これまで通りの「判断の緩さ」を許容するとは考えにくい（本編第３章Ｉ「トロッコ問題」）。

こうした場面においては、これまで明示的に考えずに済んでいた「正しさ」や「善」をめぐる価値判断について、われわれは真剣に向き合わざるを得なくなる。

以上のように、AIによる技術革新によって、われわれは、数多くの倫理的課題に直面することが予想されるところ、本編では、第2章において、AIと倫理に関する国内・海外の取組みや議論状況について紹介した上で、第3章において、AIに関する倫理的課題について挙げ、若干の考察を試みている。そして第4章においては、「正解がない」AIに関する倫理的課題を乗り越えて、AIを社会に実装していくための指針について簡潔に述べる。

第2章
AIと倫理の問題に対する取組み

第3次人工知能ブームと呼ばれる流れの中、AIが組み込まれたさまざまなサービスや製品が世にあふれ、AIの社会への実装が進むにつれて、多くの人々にとって、AIのある世界は、「いつかくる未来」ではなく、「そこにある現実」として受け止められるようになってきた。AIによってわれわれの生活が豊かになるであろうという期待感が高まる一方で、多くの人々がAIによって仕事を奪われるのではないか、いつか人間はAIに支配されてしまうのではないかといった不安の声も聞こえてくる。宇宙物理学者であるStephen Hawking氏をはじめ、世界中の著名な科学者らまでもがAIに対する懸念を表明する流れの中、国内・国外問わず、官・民問わず、有識者らがAIと倫理の問題について検討する取組みが行われ始めている。本章では、こうした取組みの中から、主だったものを取り上げながら、AIと倫理の問題に関する現在の議論状況について概観する[注3)]。

近時のAIと倫理の問題に対する取組みは、国内・国外双方ともに、原理・原則の定立から、実際に、その原理・原則を踏まえて、開発や利活用の場面においてどのように運用していくべきかというフェーズに移行しつつある点が特徴的である。

Ⅰ　国内の動向

1　人工知能学会倫理指針

人工知能学会の設立は、1986年7月にまで遡るが、その人工知能学会

注3）なお、国内外におけるAIガイドラインを詳細に比較したものとして、AIネットワーク社会推進会議作成の「報告書2019」の別紙2「AIガイドライン比較表」が非常に参考となる（https://www.soumu.go.jp/main_content/000637099.pdf）。

において、倫理委員会が発足したのは比較的最近のことで、第1回の倫理委員会が開催されたのは、2014年12月のことであった[注4]。2020年6月現在、国立情報学研究所の武田英明氏が人工知能学会倫理委員会の委員長を務めており、国内の著名な人工知能の研究者のほか、SF小説家の藤井大洋氏らも委員に名前を連ねている。

人工知能学会倫理委員会は、2016年6月に、「人工知能研究者の倫理綱領（案）」を公開した。同綱領（案）は、その後2017年2月に、人工知能学会理事会での承認を経て、「人工知能学会　倫理指針」（以下、「倫理指針」という）として正式に公表された。この倫理指針は、【図表4–2–1】の通り、9つの指針からなる。

【図表4–2–1】人工知能学会倫理指針

1	人類への貢献	人工知能学会会員は、人類の平和、安全、福祉、公共の利益に貢献し、基本的人権と尊厳を守り、文化の多様性を尊重する。人工知能学会会員は人工知能を設計、開発、運用する際には専門家として人類の安全への脅威を排除するように努める。
2	法規制の遵守	人工知能学会会員は専門家として、研究開発に関わる法規制、知的財産、他者との契約や合意を尊重しなければならない。人工知能学会会員は他者の情報や財産の侵害や損失といった危害を加えてはならず、直接的のみならず間接的にも他者に危害を加えるような意図をもって人工知能を利用しない。
3	他者のプライバシーの尊重	人工知能学会会員は、人工知能の利用および開発において、他者のプライバシーを尊重し、関連する法規に則って個人情報の適正な取扱いを行う義務を負う。

注4）「人工知能学会倫理委員会の取組み」人工知能学会誌30巻3号（2015年5月）。

4	公正性	人工知能学会会員は、人工知能の開発と利用において常に公正さを持ち、人工知能が人間社会において不公平や格差をもたらす可能性があることを認識し、開発にあたって差別を行わないよう留意する。人工知能学会会員は人類が公平、平等に人工知能を利用できるように努める。
5	安全性	人工知能学会会員は専門家として、人工知能の安全性及びその制御における責任を認識し、人工知能の開発と利用において常に安全性と制御可能性、必要とされる機密性について留意し、同時に人工知能を利用する者に対し適切な情報提供と注意喚起を行うように努める。
6	誠実な振る舞い	人工知能学会会員は、人工知能が社会へ与える影響が大きいことを認識し、社会に対して誠実に信頼されるように振る舞う。人工知能学会会員は専門家として虚偽や不明瞭な主張を行わず、研究開発を行った人工知能の技術的限界や問題点について科学的に真摯に説明を行う。
7	社会に対する責任	人工知能学会会員は、研究開発を行った人工知能がもたらす結果について検証し、潜在的な危険性については社会に対して警鐘を鳴らさなければならない。人工知能学会会員は意図に反して研究開発が他者に危害を加える用途に利用される可能性があることを認識し、悪用されることを防止する措置を講じるように努める。また、同時に人工知能が悪用されることを発見した者や告発した者が不利益を被るようなことがないように努める。
8	社会との対話と自己研鑽	人工知能学会会員は、人工知能に関する社会的な理解が深まるよう努める。人工知能学会会員は、社会には様々な声があることを理解し、社会から真摯に学び、理解を深め、社会との不断の対話を通じて専門家として人間社会の平和と幸福に貢献することとする。人工知能学会会員は高度な専門家として絶え間ない自己研鑽に努め自己の能力の向上を行うと同時にそれを望む者を支援することとする。

9	人工知能への倫理遵守の要請	人工知能が社会の構成員またはそれに準じるものとなるためには、上に定めた人工知能学会員と同等に倫理指針を遵守できなければならない。

指針作成当時、倫理委員会の委員長を務めていた松尾豊教授は、同指針の意図について、「本倫理指針の意図は、今後の人工知能学会と社会との対話に向けた大まかな方針になるものをまず掲げることにあります。人工知能学会は社会のために研究活動を行っている、といういわば当たり前のことを当たり前に書くことによって、それを社会からきちんと認識してもらい、対話の基盤としていければと考えています。そういった意図から、本倫理指針のほとんどの部分は、研究者としての職業倫理の側面が強く、当たり前のことが書かれていますが、その当たり前のことをきちんと表明することこそが重要と考えております」と述べ[注5]、指針に書かれている内容が「当たり前」の内容であることを強調している。もっとも、各指針の内容を実際にみてみると、そこに書かれている内容は、必ずしも「当たり前」の内容というわけではなく、先進的な内容も含まれているように思われる。

例えば、指針2「法規制の遵守」においては、「直接的のみならず間接的にも他者に危害を加えるような意図をもって人工知能を利用しない」とされている。この点、アメリカやロシアをはじめとする国々では、人工知能を搭載した兵器の開発が進められているとされるが、2017年11月13日から17日には、こうした「AI兵器」に対する規制の是非をめぐって、初の国連公式専門家会合が開催された。「AI兵器」の開発を厳しく禁じるべきだと訴える国もあれば、現時点で、技術的な進歩を制約するような規制を急いで作る必要はないとする国もあり、結局、各国の立場は埋まらず、話合いを継続することを合意するのみに終わった[注6]。このように、国際的には、「AI兵器」開発の是非をめぐって、活発な議論がされている中で、

注5）松尾豊「『人工知能学会　倫理指針』について」(http://ai-elsi.org/archives/471)。
注6）http://www.nhk.or.jp/kaisetsu-blog/100/284639.html

「直接的のみならず間接的にも他者に危害を加えるような意図をもって人工知能を利用しない」という倫理指針のスタンスは、一歩踏み込んだ内容と評価できる。

また、人工知能の革新性に照らすと、IT革命によって生じたデジタル・ディバイド（情報通信技術の恩恵を受けることのできる人とできない人の間に生じる格差）以上に、人工知能の利用機会の不平等が社会にもたらす格差は大きく、不可逆的なものになることが予想される。こうした懸念に対しては、指針４「公正性」において、「人工知能学会会員は……人類が公平、平等に人工知能を利用できるように努める」と定められており、人工知能の利用機会の平等に対する目配りがされている。ほかにも、指針７「社会に対する責任」においては、「人工知能が悪用されることを発見した者や告発した者が不利益を被るようなことがないように努める」など、人工知能の適切な利用を促す実効的な仕組みの重要性にもふれている。これらの指針内容は、意欲的な内容を含む倫理指針であるように思われる。

指針１ないし８は、いずれも「人工知能学会会員は……」との規定ぶりとなっており、あくまでも人工知能学会に属する人工知能研究者が指針の対象となっている。その意味では、人工知能の利用者が、人工知能を利用する際の指針については、特に示されていない。一方で、指針９は、「人工知能が社会の構成員またはそれに準じるものとなるためには、上に定めた人工知能学会員と同等に倫理指針を遵守できなければならない」として、人工知能自体に倫理指針の遵守を求めているところが極めてユニークである。人工知能が「社会の構成員またはそれに準じるもの」となる将来を見据えているという点が、まずもって特徴的であるところ、人工知能を単なる道具ではなく、社会の構成員と位置付ける感覚は、「鉄腕アトムやドラえもんが人工知能研究に大きな夢を与えた日本」[注7)]らしい感覚といえるかもしれない。また、いくら人工知能研究者が倫理的に取り組んだところで、人工知能研究者によって生み出される人工知能自体が倫理的でなければ、社会の人工知能に対する懸念は拭えないという意味においても、人工知能自体に倫理指針の遵守を求めることの意義は大きいように思われ

注７）松尾・前掲注５)。

る。

なお、法曹の立場からすると、これら指針1ないし指針9の中でも、最も意義深いと感じられるのは、指針8「社会との対話と自己研鑽」において、「人工知能学会会員は、社会には様々な声があることを理解し、社会から真摯に学び、理解を深め、社会との不断の対話を通じて専門家として人間社会の平和と幸福に貢献することとする」として、「社会との対話」の重要性を掲げている点である。万人にとっての絶対的な正解が存在しない問題に関しては、導き出された結論の中身もさることながら、そこに至ったプロセスの適切さが求められるところ、こうしたプロセスにおける「社会との対話」の重要性の称揚は、特筆すべきであろう。

こうした倫理指針の対話重視の姿勢については、倫理委員会が、AI倫理や社会とAIの関係性に関わる活動全般の中から、特にAIに関して優れた倫理的視点を与えてくれたもの、あるいはAIと社会の関わり合いに関して深い洞察や影響力のある実践を行ったものについて、「AI ELSI賞」を表彰する活動にもみてとれる。なお、2019年に同賞を受賞したのは、神嶌敏弘氏（国立研究開発法人産業技術総合研究所）による「AIの公平性に関する一連の研究」と、漫画家の山田胡瓜氏の作品である「AIの遺電子」であった。

2　「人工知能と社会に関する懇談会」報告書

内閣府は、2016年5月30日に、内閣府特命担当大臣（科学技術政策）の下に、「人工知能と人間社会に関する懇談会」を設置した。同懇談会は、「第5期科学技術基本計画で掲げたSociety 5.0の実現の鍵である人工知能の研究開発及び利活用を健全に進展させるべく、人工知能と人間社会の関わりについて検討を行う」ことを目的とし、検討項目の第1として、「倫理的論点：人間の尊厳を尊重した人工知能について」を掲げていた[注8)]。

同懇談会は、6回の懇談会を経て、2017年3月24日に、検討結果を「『人工知能と人間社会に関する懇談会』報告書」[注9)]として公表した。同

注8)「人工知能と人間社会に関する懇談会の開催について」（https://www8.cao.go.jp/cstp/tyousakai/ai/1kai/siryo1.pdf）。

【図表 4-2-2】「人工知能と社会に関する懇談会」報告書における倫理的論点

	整理された倫理的論点	報告書における指摘箇所
1	人工知能技術の進展に伴って生じる、人と人工知能技術・機械の関係性の変化と倫理観の変化	「人工知能技術がさらに進展していくと、人工知能技術・機械と人間との関係性に徐々に変化がみられる可能性がある。将来的にはその新たな関係性に基づいて、新たな倫理観が形成されることも予想される。」
2	人工知能技術によって知らぬ間に感情や信条、行動が操作されたり、順位づけ・選別されたりする可能性への懸念	「人工知能技術を応用したサービス等によって人の心や行動が操作・誘導されたり、評価・順位づけされたり、感情、愛情、信条に働きかけられることがあるとすれば、そこには不安や懸念が生じる可能性がある。特に、本人が気づかないところでそれらが行われる場合には、倫理的検討が必要であろう。」
3	能力や感情を含む人間観の捉え直し	「人工知能技術は、人のこれまでの時空間感覚や身体感覚を拡張する。それに伴い、人の能力についての概念や感情の捉え方についても変化が生じる。これらの相互作用もあり、その受容のために人間観の捉え直しが行われていく可能性もある。」
4	人工知能技術が関与する行為・創造に対する価値・評価の需要性。価値観や捉え方の多様性	「人が主として行った行為・創造、人工知能技術が主として行った行為・創造、そして人と人工知能技術が協働して行った行為・創造の価値（有用性、オリジナリティ、芸術性など）がそれぞれどのように評価されるのか、社会的に受容されていくのかについて、注意して見ていく必要がある。」

懇談会による検討は、「『現存する人工知能技術、あるいは近未来に実現することが確実な人工知能技術』を対象とし、それらが社会にもたらす影響を検討するため、『事例に基づくアプローチ』を採用した」点が特徴的である。その上で、同報告書は、①倫理的論点、②法的論点、③経済的論点、

注9）https://www8.cao.go.jp/cstp/tyousakai/ai/summary/aisociety_jp.pdf。

④教育的論点、⑤社会的論点、⑥研究開発的論点の6つの観点から、論点の整理を試みているところ、このうち①倫理的論点として掲げられた内容は、【図表4–2–2】の通りである。

同報告書は、主に人工知能研究者に向けられた倫理指針と異なり、人工知能研究者のみに向けられたものではなく、「人工知能技術を利用する人も研究開発者も、政府機関や民間企業、教育関係者も、全ての人がこの懇談会で得られた論点や提言について自らのこととして受け止め、私たちの未来社会をより良いものとするために具体的な議論を続け、適切な行動を取ることを期待する」（報告書19頁）とされている。

3　国際的な議論のためのAI開発ガイドライン案

総務省情報通信政策研究所は、2016年10月、社会全体におけるAIネットワーク化の推進に向けた社会的・経済的・倫理的・法的課題を総合的に検討することを目的として、「AIネットワーク社会推進会議」の開催を決定した[注10)]。同推進会議は、「開発原則分科会」および「影響評価分科会」を組織し、これら分科会での議論や意見募集に寄せられた意見等を踏まえて、2017年7月に、「報告書2017――AIネットワーク化に関する国際的な議論の推進に向けて」をとりまとめて公表した[注11)]。同推進会議は、同報告書の中で、「国際的な議論のためのAI開発ガイドライン案」[注12)]を掲げている。AI開発ガイドライン案は、①目的、②基本理念、③用語の定義および対象範囲、④開発原則、⑤開発原則の解説からなるが、その概要は、【図表4–2–3】の通りである。

注10）https://www.soumu.go.jp/menu_news/s-news/01iicp01_02000052.html
注11）https://www.soumu.go.jp/main_content/000499624.pdf
注12）https://www.soumu.go.jp/main_content/000499625.pdf

【図表4-2-3】国際的な議論のためのAI開発ガイドライン案

目的		AIネットワーク化の健全な進展を通じてAIシステムの便益の増進とリスクの抑制を図ることにより、利用者の利益を保護するとともにリスクの波及を抑止し、人間中心の智連社会を実現すること
基本理念	1	人間中心の社会の実現
	2	指針とそのベストプラクティスのステークホルダ間での国際的な共有
	3	便益とリスクの適正なバランスの確保
	4	技術的中立性の確保と開発者の負担の軽減
	5	本ガイドライン案の不断の見直しと柔軟な改定
AI開発原則	①	連携の原則 開発者は、AIシステムの相互接続性と相互運用性に留意する。
	②	透明性の原則 開発者は、AIシステムの入出力の検証可能性及び判断結果の説明可能性に留意する。
	③	制御可能性の原則 開発者は、AIシステムの制御可能性に留意する。
	④	安全の原則 開発者は、AIシステムがアクチュエータ等を通じて利用者及び第三者の生命・身体・財産に危害を及ぼすことがないよう配慮する。
	⑤	セキュリティの原則 開発者は、AIシステムのセキュリティに留意する。
	⑥	プライバシーの原則 開発者は、AIシステムにより利用者及び第三者のプライバシーが侵害されないよう配慮する。

	⑦	倫理の原則 開発者は、AIシステムの開発において、人間の尊厳と個人の自律を尊重する。
	⑧	利用者支援の原則 開発者は、AIシステムが利用者を支援し、利用者に選択の機会を適切に提供することが可能となるよう配慮する。
	⑨	アカウンタビリティの原則 開発者は、利用者を含むステークホルダに対しアカウンタビリティを果たすよう努める。

同ガイドライン案においては、【図表4–2–3】の通り、「倫理の原則」についても取り上げられている。同ガイドライン案は、倫理の原則について、「開発者は、人間の尊厳と個人の自律を尊重するに当たり、人間の脳や身体と連携するAIシステムを開発する場合は、生命倫理に関する議論などを参照しつつ、特に慎重に配慮することが望ましい。開発者は、採用する技術の特性に照らし可能な範囲で、AIシステムの学習データに含まれる偏見などに起因して不当な差別が生じないよう所要の措置を講ずるよう努めることが望ましい。開発者は、国際人権法や国際人道法を踏まえ、AIシステムが人間性の価値を不当に毀損することがないよう留意することが望ましい」との解説を加えている。

なお、同ガイドライン案は、その序文において、「AIの便益の増進及びリスクの抑制のため研究開発において留意することが期待される事項に関するG7やOECDにおける国際的な議論のための基礎となる文書として作成されたもの」と位置付けられており、AIに関する技術がその発展の途上にあることに鑑みて、「AI開発原則」および「AI開発ガイドライン」のいずれも、規制の導入を目指すものではなく、「非規制的で非拘束的なソフトローとして国際的に共有される指針の案として作成されたもの」とされている。

4　「AI利活用ガイドライン～AI利活用のためのプラクティカルリファレンス～」

AIネットワーク社会推進会議は、上記AI開発ガイドライン案において、AI利活用ガイドラインの策定の必要性にも言及していたところ、その後、2018年7月に、同推進会議自身によって、「AI利活用に関する原則案」が公表された。さらに、同推進会議は、2019年8月に、「AI利活用に関する原則案」をベースとして、AIの利用者がAIを利活用するにあたり留意すべき事項を「AI利活用原則」としてとりまとめ、その実現のために講ずることが期待される具体的な措置についての解説を、「AI利活用ガイドライン～AI利活用のためのプラクティカルリファレンス～」という形で整理した。なお、開発と利活用とは、必ずしも明確に区分できない場合も想定されることから、AI利活用ガイドラインは、AI開発ガイドライン案とセットとして参照されることが想定されている。

【図表4-2-4】AI利活用原則

目的	AIネットワーク化の健全な進展を通じて、AIの便益の増進とリスクの抑制を図り、AIに対する信頼を醸成することにより、AIの利活用や社会実装が促進すること	
基本理念	1	人間がAIネットワークと共生することにより、その恵沢がすべての人によってあまねく享受され、人間の尊厳と個人の自律が尊重される人間中心の社会を実現すること
	2	AIの利活用において利用者の多様性を尊重し、多様な背景と価値観、考え方をもつ人々を包摂すること
	3	AIネットワーク化により個人、地域社会、各国、国際社会が抱える様々な課題の解決を図り、持続可能な社会を実現すること

	4	AIネットワーク化による便益を増進するとともに、民主主義社会の価値を最大限尊重しつつ、権利利益が侵害されるリスクを抑制するため、便益とリスクの適正なバランスを確保すること
	5	AIに関して有していると期待される能力や知識等に応じ、ステークホルダ間における適切な役割分担を実現すること
	6	AIの利活用の在り方について、非拘束的なソフトローたる指針やベストプラクティスを国際的に共有すること
	7	AIネットワーク化の進展等を踏まえ、国際的な議論を通じて、本ガイドラインを不断に見直し、必要に応じて柔軟に改定すること
AI利活用原則	①	適正利用の原則 利用者は、人間とAIシステムとの間および利用者間における適切な役割分担のもと、適正な範囲および方法でAIシステムまたはAIサービスを利用するよう努める。
	②	適正学習の原則 利用者およびデータ提供者は、AIシステムの学習等に用いるデータの質に留意する。
	③	連携の原則 AIサービスプロバイダ、ビジネス利用者およびデータ提供者は、AIシステムまたはAIサービス相互間の連携に留意する。また、利用者は、AIシステムがネットワーク化することによってリスクが惹起・増幅される可能性があることに留意する。
	④	安全の原則 利用者は、AIシステムまたはAIサービスの利活用により、アクチュエータ等を通じて利用者および第三者の生命・身体・財産に危害を及ぼすことがないよう配慮する。
	⑤	セキュリティの原則 利用者およびデータ提供者は、AIシステムまたはAIサービスのセキュリティに留意する。

	⑥	プライバシーの原則 利用者およびデータ提供者は、AIシステムまたはAIサービスの利活用において、他者または自己のプライバシーが侵害されないよう配慮する。
	⑦	尊厳・自律の原則 利用者は、AIシステム又はAIサービスの利活用において、人間の尊厳と個人の自律を尊重する。
	⑧	公平性の原則 AIサービスプロバイダ、ビジネス利用者およびデータ提供者は、AIシステムまたはAIサービスの判断にバイアスが含まれる可能性があることに留意し、また、AIシステムまたはAIサービスの判断によって個人および集団が不当に差別されないよう配慮する。
	⑨	透明性の原則 AIサービスプロバイダおよびビジネス利用者は、AIシステムまたはAIサービスの入出力等の検証可能性および判断結果の説明可能性に留意する。
	⑩	アカウンタビリティの原則 利用者は、ステークホルダに対しアカウンタビリティを果たすよう努める。

この点、本ガイドラインは、適正利用の原則の解説において、「人間の判断の介在」が留意点として掲げられた上で、「AIサービスプロバイダ及びビジネス利用者は、AIによりなされた判断について、必要かつ可能な場合には、その判断を用いるか否か、あるいは、どのように用いるか等に関し、人間の判断を介在させることが期待される。その場合、人間の判断の介在の要否について、基準例を踏まえ、利用する分野やその用途等に応じて検討することが期待される」とした上で、人間の判断の介在の要否について基準として考えられる観点（例）として、①AIの判断に影響を受ける最終利用者等の権利・利益の性質および最終利用者等の意向、②AIの判断の信頼性の程度（人間による判断の信頼性との優劣）、③人間の判断に必要な時間的猶予、④判断を行う利用者に期待される能力、⑤判断対象

の要保護性（例えば、人間による個別申請への対応か、AIによる大量申請への対応か等）を附属資料「AI利活用原則の各論点に対する詳説」に挙げている。このように、本ガイドラインは、実際にAIの利活用において参照可能な具体的な措置が詳細に記載されている点が大きな特徴である。

5　人間中心のAI社会原則

日本政府は、AIをよりよい形で社会実装し共有するための基本原則となる政府統一のAI社会原則を策定し、同原則をG7、OECD等の国際的な議論に供するため、AIに関する倫理や中長期的な研究開発・利活用などについて、産学民官による幅広い視野からの調査・検討を行うことを目的として、人工知能技術戦略会議の下に、「人間中心のAI社会原則検討会議」を設置し、2018年5月に第1回会合が開催された。その後、AI戦略実行会議の下に新たに設置された「人間中心のAI社会原則会議」において、「人間中心のAI社会原則（案）」を取りまとめ、2019年3月の統合イノベーション戦略推進会議にて、「人間中心のAI社会原則」が決定された。

【図表4-2-5】人間中心のAI社会原則

基本理念	1	人間の尊厳が尊重される社会（Dignity）
	2	多様な背景をもつ人々が多様な幸せを追求できる社会（Diversity & Inclusion）
	3	持続性ある社会（Sustainability）
Society 5.0実現に必要な社会変革「AI-Readyな社会」	1	人
	2	社会システム
	3	産業構造
	4	イノベーションシステム（イノベーションを支援する環境）
	5	ガバナンス

AI社会原則	①	人間中心の原則 AIは、人間の労働の一部を代替するのみならず、高度な道具として人間を補助することにより、人間の能力や創造性を拡大することができる等
	②	教育・リテラシーの原則 人々の格差やAI弱者を生み出さないために、幼児教育や初等中等教育において幅広く機会が提供されるほか、社会人や高齢者の学び直しの機会の提供が求められる等
	③	プライバシー確保の原則 パーソナルデータを利用したAI、およびそのAIを活用したサービス・ソリューションは、政府における利用を含め、個人の自由、尊厳、平等が侵害されないようにすべきである等
	④	セキュリティ確保の原則 社会は、AIの利用におけるリスクの正しい評価や、リスクを低減するための研究等、AIに関わる層の厚い研究開発を推進し、サイバーセキュリティの確保を含むリスク管理のための取組みを進めなければならない等
	⑤	公正競争確保の原則 特定の国にAIに関する資源が集中することにより、その支配的な地位を利用した不当なデータの収集や主権の侵害が行われる社会であってはならない等
	⑥	公平性、説明責任および透明性の原則 AIの設計思想の下において、人々がその人種、性別、国籍、年齢、政治的信念、宗教等の多様なバックグラウンドを理由に不当な差別をされることなく、全ての人々が公平に扱われなければならない等
	⑦	イノベーションの原則 Society 5.0を実現し、AIの発展によって、人も併せて進化していくような継続的なイノベーションを目指すため、国境や産学官民、人種、性別、国籍、年齢、政治的信念、宗教等の垣根を越えて、幅広い知識、視点、発想等に基づき、人材・研究の両面から、徹底的な国際化・多様化と産学官民連携を推進するべきである等

＊総務省「国内外の議論及び国際的な議論の動向」（2019年5月）から抜粋。

「人間中心のAI社会原則」において示された「AI-Readyな社会」という考え方は、AIを有効に活用して社会に便益もたらしつつ、ネガティブな側面を事前に回避又は低減するために、AIに関わる技術自体の研究開発を進めるとともに、人、社会システム、産業構造、イノベーションシステム、ガバナンス等、あらゆる面で社会をリデザインし、AIを有効かつ安全に利用できる社会を指す。この「AI-Readyな社会」という考え方は、一般社団法人日本経済団体連合会が設置した「AI活用原則タスクフォース」による「AI活用戦略～AI-Readyな社会の実現に向けて～」(2019年2月公表）にも現れている。

6　民間企業による取組み

日本においても、AIの倫理に関するルールを独自に設ける企業が増えつつある。代表的なところでは、SONYの「ソニーグループのAIへの取り組み[注13)]」(2018年9月/2019年3月改訂)、富士通株式会社の「富士通グループAIコミットメント[注14)]」(2019年3月)、日本電気株式会社の「NECグループAIと人権に関するポリシー[注15)]」(2019年4月)、株式会社エヌ・ティ・ティ・データの「NTTデータグループAI指針[注16)]」(2019年5月)、株式会社野村総合研究所の「NRIグループAI倫理ガイドライン[注17)]」(2019年10月）などがある。

これらのガイドライン等で掲げられている事項は、概ね共通しており、人間中心であること、公平性、透明性、説明可能性といった、これまでのわが国の公的機関・政府等が策定したガイドライン等の内容が幅広く盛り込まれたものとなっている。このうち、富士通グループAIコミットメントは、「このコミットメントについては、外部の識者等で構成される委員会を設置し、その客観的な評価を取締役会と共有することで、AI倫理に

注13）https://www.sony.co.jp/SonyInfo/csr_report/humanrights/hkrfmg0000006t0b-att/AI_Engagement_within_Sony_Group_Ja.pdf
注14）https://pr.fujitsu.com/jp/news/2019/03/13-1a.pdf
注15）https://jpn.nec.com/press/201904/images/0201-01-01.pdf
注16）https://www.nttdata.com/jp/ja/-/media/nttdatajapan/files/news/release/2019/nttdata_ai_guidelines.pdf
注17）https://www.nri.com/jp/sustainability/social/policies

関するコーポレート・ガバナンスの充実を図ります」としている点が特徴的である。

Ⅱ　海外の動向

日本国内に限らず、AIと倫理の問題を議論する取組みは、世界的な広がりをみせている。AIを次世代の国家的プロジェクトと位置付けた政府・官における取組みが盛んな一方で、民間における取組みが極めて盛んであることも特徴的である。以下では、それぞれ代表的な取組みについて取り上げる。

1　政府・官における取組み

(1)　米国政府による取組み

2016年5月、オバマ大統領時代の米国・ホワイトハウスは、AIがもたらす利益とリスクを考察するためのワークショップを開催することを表明した[注18]。その成果は、同年10月に“PREPARING FOR THE FUTURE. OF ARTIFICIAL INTELLIGENCE”と題するレポートとして公表された[注19]。同レポートにおいては、来たるべき人工知能の未来に備えて、23の提言がなされている。

トランプ大統領の下で、米国政府は、より一層、人工知能に関する取組み・戦略の策定を推し進めている。トランプ大統領は、2019年2月、「人工知能における米国のリーダーシップ維持のための大統領令（Executive Order on Maintaining American Leadership in Artificial Intelligence）[注20]」、いわゆる「AIイニシアチブ」に署名した。主要な項目としては、①連邦政府機関は人工知能を優先投資対象とするように資金を振り向ける、②

注18）https://obamawhitehouse.archives.gov/blog/2016/05/03/preparing-future-artificial-intelligence

注19）https://obamawhitehouse.archives.gov/blog/2016/05/03/preparing-future-artificial-intelligence

注20）https://www.whitehouse.gov/presidential-actions/executive-order-maintaining-american-leadership-artificial-intelligence/

AI研究者が連邦政府のデータ、コンピュータモデル、コンピューティングリソースによりアクセスしやすいようにする、③相互運用可能かつ移植可能な、より強固かつ安全なAIシステムの開発を促進する新しい標準を確立するように米国標準技術局（NIST）に指示する、④連邦政府機関に、AI技術の利用に向けた就労者に対する再教育と準備をより優先させるよう要請する、⑤国際市場における人工知能開発の中心にアメリカの利益と価値が据えられるような戦略を構築することなどが定められている。また、ホワイトハウスが設置した人工知能特別委員会による「国家人工知能研究開発戦略計画」（2016年）も、近時のAI技術の飛躍的な進化を踏まえて、2019年6月に改訂版が公表された[注21]。

⑵　欧州議会における取組み

近時、欧州においては、AIの開発に関する規則整備に向けた合意形成の動きが活発である。欧州議会・法務委員会（JURI Committee）は、2015年1月に、EUにおけるロボティクスとAIの進展にかかる法的な問題に関する検討を行うためのワーキング・グループを設置した。同委員会は、2017年1月に、「報告書：ロボティクスにかかる民事法的規則に関する欧州委員会への提言[注22]」を公表した。

同提言の内容は多岐にわたり、ロボティクスに関しては、EU全域にわたるルールの整備が必要である旨の指摘や、ロボティクスや倫理規定を所管する新たな欧州機関設置の必要性も説いている。また、長期的には、自律型ロボットに対して、電子的人格を付与する可能性についてまで踏み込んでいる。

倫理という観点からは、5項目の倫理原則を提示している点が注目される。具体的には、ロボティクスの活用による影響については、自由、プライバシー、人間の尊厳、自己決定等の観点からの評価が求められるとされ（項目10）、また「AIの助力を得てなされた決定が、人の生活に実質的な影響を及ぼす可能性を持つ場合には、その決定を支える論理的根拠の提示が常に可能であるべき」、「AIシステムによる演算は、人間の理解可能な

注21）https://www.nitrd.gov/news/National-AI-RD-Strategy-2019.aspx

注22）http://www.europarl.europa.eu/sides/getDoc.do?pubRef = -//EP//NONSGML+REPORT+A8-2017-0005+0+DOC+PDF+V0//EN

形に還元されなければならない」、「高度なロボットは、決定に至ったロジックを含め、全ての処理を記録した”ブラック・ボックス”を備え付けなければならない」などと、「透明性の原則」が強調されているのも特徴的である（項目12）。

また、同提言は、「Annex（付属文書）」として、「ロボット工学者のための倫理行為コード（CODE OF ETHICAL CONDUCT FOR ROBOTICS ENGINEERS）」も提示している。同コードは、任意的なもので、一般的な原則、ガイドラインを提示するものとして位置付けられている。その中では、ロボット工学の研究者に求められる倫理的な行動指針として、

善行（Beneficence）：
　ロボットは人間の最善の利益のために行動しなければならない
非有害（Non-maleficence）：
　何よりもまず、ロボットは人間に害を与えてはならない
自律性（Autonomy）：
　ロボットとの相互作用に関して、情報提供があり、強要されずに意思決定を行う能力
正義（Justice）：
　特に、在宅医療やヘルスケア・ロボットについて、利益の公正な分配

等の要素を挙げている。

2018年には、欧州委員会により、AIハイレベル専門家会合（AI HLEG）が設置され、翌年4月に、「信頼できるAIのための倫理ガイドライン（Ethics Guideline for Trustworthy AI）」を公表した[注23]。そこでは、信頼できるAIを満足する3要素として、合法的であること、倫理的であることおよび頑健であることを掲げるとともに、基本的人権に基づき尊重すべき4つの倫理原則として、①人間の自律性の尊重、②危害の防止、③公平性、④説明可能性を掲げた。さらに、これらを実現するための7つの要件として、ⓘ人間による介入と監視、ⓘⓘ技術的な堅牢性と安全性、ⓘⓘⓘプライバシーとデータガバナンス、ⓘⓥ透明性、ⓥ多様性、非差別および

注23）https://ec.europa.eu/futurium/en/ai-alliance-consultation/guidelines

公正性、ⅵ環境および社会の幸福、⑦アカウンタビリティが掲げられた。

(3) 中国における取組み

中国は、AIの研究開発において著しい発展を遂げているだけではなく、AIの倫理とガバナンスの分野においても、多くの会合やフォーラムの開催を通じて、その存在感を高めつつある。

中国科学技術部と北京市政府が支援する「北京智源人工智能研究院（BAAI：Beijing Academy of Artificial Intelligence）」は、2019年5月、「北京AI原則（Beijing AI Principles）」を発表した注24)。同原則では、研究開発の指針として、「do good」、「for humanity」、「be responsible」、「control risks」、「be ethical」、「be diverse and inclusive」、「open and share」を掲げ、利活用の指針として、「use wisely and properly」、「informed-consent」、「education and training」を掲げている。

また、中国次世代AI発展計画推進弁公室によって、AIに関する法律、倫理、社会問題の研究を強化し、AIの世界的なガバナンスを積極的に推進するために設立された中国国家次世代AIガバナンス専門委員会も、2019年6月、「次世代AIガバナンス原則——責任を有するAIの発展」を発表した注25)。そこでは、①調和・友好、②公平・公正、③包摂・共有、④プライバシーの尊重、⑤セキュリティ・制御可能性、⑥責任の分担、⑦開放・協力、⑧アジャイルガバナンスの原則が掲げられた。日本や欧米諸国のAI倫理原則が共通して掲げる公平性、プライバシーの尊重、透明性といった概念も包摂する内容となっている。

2　民間における取組み

(1) IEEE（The Institute of Electrical and Electronics Engineers）

IEEEは、米国に本拠を置く電気工学・電子工学技術の学会であり、世界最大の技術者団体である。IEEEは、2016月4月に、「自動システム設計における倫理的配慮のためのグローバル・イニシアティブ（The Global Initiative for Ethical Considerations in the Design of Autonomous Systems）」

注24）https://www.baai.ac.cn/blog/beijing-ai-principles
注25）https://www.most.gov.cn/kjbgz/201906/t20190617_147107.htm

というプログラムを設置し、倫理的、法的および社会的目標に合致するAIシステムを設計する方法についての研究が必要であるとして、2016年12月には、AIが人間の倫理的価値に沿ったものとするための指針（Ethically Aligned Design – A Vision for Prioritizing Human Wellbeing with Artificial Intelligence and Autonomous Systems, Version 1 for Public Discussion）の第1版を公開し[注26)]、2018年2月には第2版を公開した[注27)]。IEEEは米国に本拠を置く学会であるが、第2版は、米国に限らず、欧州、アジア、中南米を含む世界中から、官民問わず、250人以上のAI、倫理、法律等の有識者の意見に基づいて作成された。

また、自律的および知的システムの倫理（Ethics of Autonomous and Intelligent Systems〔A/IS〕）に関するグローバル・イニシアチブというプログラムは、2019年3月に、「倫理的に調整された設計（Ethically Aligned Design〔EAD〕）第1エディション」を公表した。同エディションにおいては、「原則から実装へ（From Principles to Practice）」が掲げられており、より社会への実装を意識したものとなっている。

(2)　AI100（One Hundred Year Study on Artificial Intelligence）

AI100（One Hundred Year Study on Artificial Intelligence）は、スタンフォード大学卒業生のエリック・ホロヴィッツ氏の提唱で、2014年に発足した組織である。AI100は、今後100年という長期的スパンに立って、AIがどのように発展し、社会にどのような影響を与えるか、5年ごとに継続的に観測・分析するというプロジェクトである。同プロジェクトの成果として、2016年9月に公表されたレポートが“Artificial Intelligence and Life in 2030”である[注28)]。

同レポートでは、①交通、②ホーム／サービスロボット、③ヘルスケア、④教育、⑤低リソースのコミュニティの実現、⑥公共安全とセキュリティ、⑦雇用と職場、⑧エンターテイメントという8分野に関して、長期的な

注26）人工知能および自律システムにおける倫理的考察のためのIEEEグローバル・イニシアティブ、倫理的設計：人工知能と自律システムによる幸福を優先するためのビジョン〔第1版〕（2016）（http://standards.ieee.org/develop/indconn/ec/autonomous_systems.html）。

注27）第2版は、https://ethicsinaction.ieee.org/からダウンロードが可能である。

展望を分析している。同レポートは、AIのプラスの面について紹介した上で、懸念事項について指摘するという構成となっており、同種のレポートと比べても、AIのプラスの側面に光を当てているような印象を受ける。また直近の未来ということで、①の交通分野におけるAIの展望について、比較的多くの分量を割いており、自動運転、ドローンによる自動配達が実装された生活を描いている。

法的・政策的な論点として、ⓘプライバシー、ⓘⓘイノベーション政策、ⓘⓘⓘ民事責任、ⓘⓥ刑事責任、ⓥ代理性、ⓥⓘ資格、ⓥⓘⓘ労働、ⓥⓘⓘⓘ税、ⓘⓧ政治に関する問題についても検討している。

⑶　Partnership on AI

Partnership on AI（正式名称：Partnership on Artificial Intelligence to Benefit People and Society）は、2016年９月に、Amazon、Google、DeepMind[注29]（Google）、Facebook、IBM、Microsoftというメンバーで設立された。2017年１月には、AppleやOpen AI等が新たに加入し、日本からもSonyが加入したことで話題となった。今後のAIの発展に大きな役割を担うであろう世界的企業の連合ということで、その動向への注目度は高い。

同団体は、取り組むべき柱（Thematic Pillars）として、以下のものを掲げている[注30]。

①　安全性を重視したAI（Safety-Critical AI）

②　公平、透明かつ説明可能なAI（Fair, Transparent, and Accountable AI）

③　人々とAIシステムとの協調（Collaborations Between People and AI Systems）

④　AI、労働、経済（AI, Labor, and the Economy）

⑤　AIの社会に与える影響（Social and Societal Influences of AI）

注28）https://ai100.stanford.edu/sites/default/files/ai100report10032016fnl_singles.pdf

注29）なお、DeepMindは、AI技術が抱えるさまざまな倫理的問題を解決するための研究部門DeepMind Ethics & Society（DMES）を設立している。

注30）https://www.partnershiponai.org/about/

⑥　AIとソーシャル・グッド[注31]（AI and Social Good）

⑦　特別な取組み（Special Initiatives）

この点、「公平、透明かつ説明可能なAI」では、データに隠れた前提や偏りが潜んでいる可能性、それゆえにこうしたデータから構築されたシステムにも、隠れた前提や偏りが潜んでいる可能性に敏感となる必要があり、こうした誤りや偏りを検出して訂正する方法の開発に努めなければならず、また、推論の根拠を説明できるシステムを開発する必要があるとされている。AIの分野ではよく問題とされる論点ではあるが、こうした論点の重要性が、大量のユーザーデータの保有による競争優位性を活かし、今後のAIの発展に大きな役割を担うであろう世界的企業の側から示されることに、大きな意味があるように思われる。また、同団体は、AIの研究・技術に関する堅牢性・信頼性の確保、国際慣習や人権の尊重、説明可能性の重要性などからなる8つの信条（Tenets）を掲げている[注32]。

⑷　Future of Life Institute（FLI）

Future of Life Institute（FLI）は、2014年3月、Skypeの共同創始者であるJaan Tallinn氏ら5名によって設立された団体である。同団体の科学アドバイザリーボードには、SpaceX社のElon Musk氏、宇宙物理学者のStephen Hawking氏、俳優のMorgan Freeman氏ら14名が名を連ねている。

同団体は、2017年1月、カリフォルニア州アシロマにおいて、「人類にとって有益なAIとは何か」をテーマに、BENEFICIAL AI 2017と題する会議を5日間にわたって開催した。その成果は、同年2月、「アシロマAI原則（Asilomar AI Principles）」という形で公表された[注33]。

同原則は23の原則からなり[注34]、これらの原則は、①研究に関する課題、②倫理と価値観に関する課題、③長期的な課題の3つに分類されているところ、②倫理と価値観に関する課題としては、【図表4–2–6】の通り13の原則が掲げられている。

注31）一般に、社会貢献活動を促進するソーシャルサービスまたはこうした社会貢献活動を促進する取組それ自体のことを指す。

注32）https://www.partnershiponai.org/tenets/

注33）https://futureoflife.org/ai-principles/

【図表 4-2-6】アシロマ AI 原則における「倫理と価値観に関する課題」

6	安全性（Safety）	人工知能システムは、運用寿命を通じて安全かつロバストであるべきで、適用可能かつ現実的な範囲で検証されるべきである。
7	障害の透明性（Failure Transparency）	人工知能システムが何らかの被害を生じさせた場合に、その理由を確認できるべきである。
8	司法の透明性（Judicial Transparency）	司法の場においては、意思決定における自律システムのいかなる関与についても、権限を持つ人間によって監査を可能としうる十分な説明を提供すべきである。
9	責任（Responsibility）	高度な人工知能システムの設計者および構築者は、その利用、悪用、結果がもたらす道徳的影響に責任を負いかつ、そうした影響の形成に関わるステークホルダーである。
10	価値観の調和（Value Alignment）	高度な自律的人工知能システムは、その目的と振る舞いが確実に人間の価値観と調和するよう設計されるべきである。
11	人間の価値観（Human Values）	人工知能システムは、人間の尊厳、権利、自由、そして文化的多様性に適合するように設計され、運用されるべきである。
12	個人のプライバシー（Personal Privacy）	人々は、人工知能システムが個人のデータ分析し利用して生み出したデータに対し、自らアクセスし、管理し、制御する権利を持つべきである。
13	自由とプライバシー（Liberty and Privacy）	個人のデータに対する人工知能の適用を通じて、個人が本来持つまたは持つはずの自由を不合理に侵害してはならない。

注 34）公式の日本語訳は https://futureoflife.org/ai-principles-japanese/ に掲載されている。

14	利益の共有 （Shared Benefit）	人工知能技術は、できる限り多くの人々に利益をもたらし、また力を与えるべきである。
15	繁栄の共有 （Shared Prosperity）	人工知能によって作り出される経済的繁栄は、広く共有され、人類すべての利益となるべきである。
16	人間による制御 （Human Control）	人間が実現しようとする目的の達成を人工知能システムに任せようとする場合、その方法と、それ以前に判断を委ねるか否かについての判断を人間が行うべきである。
17	非破壊 （Non-subversion）	高度な人工知能システムがもたらす制御の力は、既存の健全な社会の基盤となっている社会的および市民的プロセスを尊重した形での改善に資するべきであり、既存のプロセスを覆すものであってはならない。
18	人工知能軍拡競争 （AI Arms Race）	自律型致死兵器の軍拡競争は避けるべきである。

同原則は強制力はないものの、本稿執筆時点（2020年6月）時点で、多くの著名人を含む1668名ものAI・ロボット工学研究者たちが署名し、その他3654名の署名を集めるなど、広範かつ大きな支持を集めており、かつてのロボット3原則[注35)]と同じく、研究者や実務家らにとって、議論の共通した出発点となっている。

注35）アイザック・アシモフ＝小尾芙佐訳『われはロボット〔決定版〕』（早川書房、2004）5頁。

第1条：ロボットは人間に危害を加えてはならない。また、その危険を看過することによって、人間に危害を及ぼしてはならない。

第2条：ロボットは人間にあたえられた命令に服従しなければならない。ただし、あたえられた命令が、第1条に反する場合は、この限りでない。

第3条：ロボットは、前掲第1条および第2条に反するおそれのないかぎり、自己をまもらなければならない。

コラム　AIは「忖度」するのか

2017年、学校法人「森友学園」に対する大阪府豊中市の国有地売却をめぐる問題をきっかけにして、「忖度（そんたく）」という言葉が世間から大きな注目を浴びた。結果として、忖度は、「2017年ユーキャン新語・流行語大賞」の年間大賞にも選出されるに至った。

辞書によれば、「忖」も「度」にも「はかる」という意味があり、忖度の本来の意味は、「他人の気持ちをおしはかること」とされている。森友問題をきっかけにして、忖度という言葉は、「権力者に媚びへつらう」、「言葉にすると都合が悪いことに関して内心を察する」といったマイナスのニュアンスを伴って用いられる場面が多くなった。しかしながら依然として、一から十まで上司の指示を受ける前に、上司の意図をおしはかって率先して行動できる部下は、日本社会においては、「デキる奴」とみなされる。高視聴率の医療ドラマ「ドクターX」では、病院長の意図を忖度するロボット秘書「ソンタくん」が登場していたが、将来的に、現実の世界においても、「忖度するAI」は登場するのであろうか。

将来的に、AIが、会社などの組織の意思決定に活用されるようになることは十分予想される。その際AIに期待されているのは、さまざまなしがらみや認知バイアスによって不合理な判断を下してしまうわれわれ人間とは違って、いかなる状況においても、膨大なデータや経験則に照らして、冷静かつ合理的な判断を下すことであろう。この点、「忖度」による意思決定は、往々にして、上司におもねる形でなされるため、必ずしも合理的な判断となるとはいいがたい。そうだとすれば、AIには「忖度」機能を搭載しないほうがよいとの判断もあり得る。

もっとも、AIは、われわれの知らないうちに「忖度」機能を備えてしまう可能性がある。AIを組織の意思決定に活用するに当たっては、学習用データとして、当該組織における過去の意思決定に関するデータを大量に読み込ませることが考えられる。こうした過去の意思決定の中には、何らかの忖度に基づく意思決定も数多く含まれているであろう。その結果、AIは、過去の意思決定に関するデータから、「この組織においては、忖度に基づく意思決定が重宝される」という傾向を読み取り、当該傾向を踏まえて、自らの意思決定のアルゴリズムを「忖度」仕様に組み替えるかもしれない。

本来的には、さまざまなしらがみから自由な合理的な判断を期待されて導入されたAIが、誰よりも「忖度上手」な存在になってしまうというのは、皮肉な状況である。

また、「忖度」については、次のような興味深いエピソードもある。

森友問題の渦中にあった籠池泰典氏は、外国人記者が多く参加する日本外国特派員協会での記者会見の場において忖度という言葉を用いたが、その際通訳者は、この言葉に、適切な英訳を充てるのに苦心したようである。結局、通訳者は、日本語の「忖度」に直接対応する英訳はないとしつつ、これに近い表現として、「conjecture（＝推測する）」、「reading between the lines（行間を読む）」、「reading what someone is implying（他人の示唆を汲みとる）」などといった表現を挙げて、忖度の意味について説明したという。

このエピソードは、忖度は、極めて日本人らしい行動様式であることを示している。今後、日本企業が導入しようとするAIが、欧米企業における意思決定に関するデータを学習用データとする場合、当該AIは「忖度」に長けていないため、当該日本企業から、「このAIは、空気が読めず使いにくい！」などとして不評を買うことになるかもしれない。逆に、日本企業における意思決定を学習用データとしたAIは、欧米企業からは、不評を買うことになるかもしれない。

これは、優れたAIであればあるほど、学習の対象とする既存のデータに潜むバイアスを敏感に読みとり、自己のアルゴリムに反映させる結果、バイアスを固定化させるというAIのジレンマである。こうしたバイアスの中身が「忖度の度合い」であれば笑い話で済むが、本文でも触れたように、AIは、われわれが普段は目を背けている“内なる差別意識”を汲みとり、知らず知らずのうちに、こうした差別意識に基づく意思決定を行う危険性を包摂している。

忖度にせよ、差別にせよ、これらは、ある意味では、極めて人間らしい行動である。そうだとすると、AIが「人間らしさ」を追い求めすぎると、かえって望ましくない結果をもたらすかもしれず、AIがどこまで「人間らしさ」を求めるべきかというのは、AI自体の抱える大いなるジレンマであるように思われる。

第3章
AIに関する倫理的問題

第2章でみてきた通り、AIと倫理に関する論点は極めて多岐にわたり、そのすべてについて本章で取り上げることは不可能であるが、そのうち比較的差し迫った問題であるトロッコ問題をはじめ、いくつかの興味深い倫理的問題を取り上げている。

I　トロッコ問題――功利主義と義務論のはざま

1　トロッコ問題

自動運転車両は、AIによってもたらされる技術革新の中で、最も身近で現実的なものということもあり、自動運転車両にまつわる倫理問題は、議論の的となりやすい。中でも古典的なテーマが、アメリカのJ.J. Thomson教授が、1985年に“The Trolley Problem”という論文で取り上げた「トロッコ問題」と呼ばれる問題である。

> ＜場面①＞
> 　トロッコが線路を走っていると、突如制御不能に陥った。このまま走り続けると前方の線路上で作業中の作業員5人を確実に轢き殺してしまう。別の作業員A氏は、たまたま線路の分岐器の傍に立って、この場面を目撃していた。A氏が分岐器を操作しトロッコの進路を切り替えれば、5人の作業員は確実に助かる。ところが、切り替えた先の線路上には別の作業員B氏が1人で線路の補修作業をしている。進路を切り替えた場合には、作業員B氏は確実に轢き殺されてしまう。A氏は、トロッコの進路を切り替えるべきか。

この問題は、これまでにも多くの人々によって、大きな関心をもって議論されてきたが、それはあくまでも哲学者や倫理学者による「思考実験」としてであった。しかしながら、自動運転車両にとっては、この問題はもはや思考実験ではない。自動運転車両の設計者としては、自動運転車両がこうした場面に直面した場合に、どのような選択を下すかについて、「事前に」プログラミングしておく必要に迫られるからである。しかも、設計者には、こうした場面に直面したドライバーの「とっさの判断」ではなく、事前に十分に検討する時間を与えられた上での「合理的な判断」が求められるのである。

さて、<場面①>でA氏に求められる適切な対応は、①進路を切り替えることなく5人の作業員を死に至らしめる、②進路を切り替えて、B氏の犠牲のもとに、5人の作業員の命を救う、のどちらであろうか。<場面①>では、葛藤しながらも、②の進路を切り替えるという選択をする人のほうが多いのではないだろうか。法的にも、A氏の行為は、緊急避難（刑法37条1項）として、罪に問われない可能性がある。

2　歩道橋問題

では、次に示す<場面②>はどうか。これは「歩道橋問題」とか「太った人問題」と呼ばれる派生問題である。

<場面②>
突如制御不能に陥ったトロッコが、このまま走り続けると前方の線路上で作業中の作業員5人を確実に轢き殺してしまうという状況にある。A氏は、この線路の上に架かった歩道橋の上から、見ず知らずのC氏と一緒に、こうした状況に出くわした。C氏はかなりの体重があり、C氏を橋から線路上に突き落とせば、C氏が障害物となってトロッコは線路上に確実に停止し、作業員5名は助かるが、C氏は確実に死ぬ。A氏は、C氏を突き落とすべきか。なおA氏がC氏を突き落とそうとした場合、A氏がC氏を突き落とすのに失敗する可能性はないものとする。

この<場面②>では、ほとんどの人は、C氏を突き落として作業員を5名を助けることは適切ではないと考えるであろう。

<場面①>と<場面②>は、「1人の命を犠牲にして、5人の命を救うべきか」という点では、問題設定としては共通である。しかし、多くの人は、<場面①>では、「1人の命を犠牲にして、5人の命を救うべき」と考えるにもかかわらず、研究の結果、<場面②>では「1人の命を犠牲にして、5人の命を救うべきではない」と考えることが知られている。ここ

には「功利主義」と「義務論」の間で揺れ動く人間のジレンマがみてとれる。

功利主義とは、「最大多数の最大幸福」というスローガンで表されるように、その行為がもたらす結果を重視する考え方である。その代表的な提唱者としては、ベンサムやJ.S.ミルが挙げられる。こうした功利主義に対比される考え方として義務論があるが、これは「行為の価値は、その行為がもたらす結果や目的によって判断されるべきではなく、いかなる場面においても、誰もが無条件に守らなければならない普遍的な道徳律が存在する」という考え方である。義務論の代表的な提唱者がイマヌエル・カントである。

功利主義の立場を貫くのであれば、＜場面①＞および＜場面②＞のいずれにおいても、「1人の命を犠牲にして、5人の命を救うべき」という選択をするはずである。他方で、義務論の立場から、「いかなる場面においても、人の命を何らかの目的のために利用すべきではない」と考えるのであれば、＜場面①＞および＜場面②＞のいずれにおいても、「1人の命を犠牲にして、5人の命を救うべきではない」と考えるはずである。しかし、現実にはそうなっていない。

トロッコ問題と歩道橋問題における矛盾挙動とも思える選択は、これまで哲学の世界では、「二重効果（Doctrine of double effect）」として説明が試みられてきた。これは、人は、意図的な行動の結果によってもたらされた害については責任を問われるが、害が生じたとしても、その結果が予見されたにとどまり、その害が意図的な行動によってもたらされたわけではない場合には、責任を問われないという考え方である（その前提として、行為そのものが人道的であるか、少なくとも道徳的に中立な行為でなければならず、また得られる利益は行為そのものによって直接もたらされる結果でなければならないとされる）。この点、＜場面①＞においては、トロッコの進路を切り替えることによって、確かにB氏の死が予見されるが、A氏の意図するところは5名の作業員の命を救うことであり、B氏の死は付随的な結果にすぎないのに対して、＜場面②＞においては、A氏の直接的な意図は、あくまでもC氏を突き落とすことに向けられており、C氏の死によって、付随的に5名の作業員の命が救われることになるところ、「二重効果」の考え方からすれば、前者は正当化されるが、後者は正当化されないことになる[注33)]。

また、進化生物学者のマーク・D・ハウザー氏は、道徳的判断に影響する要因として、①行動の原理（＝ある行動によってもたらされる害は，行動しなかったことによって生じた害よりも、非道徳的と判断される)、②意図の原理（＝意図的な行動によって危害をもたらすことは、意図しない行動によって害がもたらされる場合よりも、非道徳的と判断される)、③接触の原理（＝身体的な接触を伴う危害は、そうでない危害よりも非道徳的と判断される）という3つの要因を挙げている。この考え方からも、場面①では、「1人の命を犠牲にして、5人の命を救うべき」と考えるにもかかわらず、場面②では「1人の命を犠牲にして、5人の命を救うべきではない」と考える人が多いことを説明できるかもしれない。

いずれにせよ、トロッコ問題や歩道橋問題からいえることは、人間の場合であっても、この問題を前にして、必ずしも一貫した態度をとっているわけではなく、しかもなぜ態度が一貫しないかということについて明確な理由がわからないということである。人間の側でも「正解」が定まらないにもかかわらず、自動運転車両をプログラミングする際に、設計者はどのようなプログラムをあらかじめ組み込んでおくべきなのであろうか。

将来的には、こうした人間が「正解」を見つけられない問題に対しても、AIは「正解」を見つけ出してくれるかもしれない。もしかすると、現在でも求められさえすれば、この問題に対するAIなりの「正解」はあるのかもしれない。ただし、前記で紹介した「接触の原理（＝身体的な接触を伴う危害は、そうでない危害よりも非道徳的と判断される)」は、身体的感覚をもつ人間にとっては、腑に落ちる命題であるが、身体性を有しないAIの場合、こうした命題とは無関係に「正解」を導き出すかもしれず、AIにとっての「正解」は、果たして人間の感覚と合致するだろうか。

注33）相馬正史＝都筑誉史「道徳的ジレンマ状況における意思決定研究の動向」立教大学心理学研究55号（2013）67頁～77頁。

3　ブリッジ問題

ここまではトロッコを題材にして倫理的問題を考えてきたが、実際に、自動運転車両を題材にすると事態はさらにややこしくなる。

＜場面③＞
深い渓谷に非常に細い橋（片側一車線）が架かっている。A氏が運転する自動運転車両（A氏のみ乗車）がこの橋の上を走行していたところ、対向車線を走行していた大きなスクールバス（40人が乗車）が、いきなりセンターラインを大きく越えて、A氏の車両の直前に突っ込んできた。理由はわからないが運転手が意識を失っているようだ。このとき、A氏の車両が加速して直進すれば、スクールバスの脇を間一髪すり抜けてA氏は助かるが、スクールバスはそのまま崖下に落下し、乗っていた40人全員が死亡するのは確実である。一方で、A氏の車両が加速せずに直進した場合、A氏の車両はスクールバスと衝突し、A氏はその衝撃で確実に死亡するが、衝突によって勢いを失ったスクールバスは橋から落下することなく、乗っていた40人全員が助かる。A氏の自動運転車両は、加速すべきか、加速すべきでないか。

これは「ブリッジ問題」と呼ばれている自動運転車両の問題を、筆者が少しアレンジしたものである。＜場面③＞が、＜場面①＞や＜場面②＞のトロッコ問題と異なるのは、A氏の自己犠牲を伴うかどうかである。すなわち、＜場面①＞や＜場面②＞は、A氏は自らの命を犠牲とする状況にはなかったが、＜場面③＞においては、A氏は自らの命を犠牲にして他者の命を救うべきかという問いに直面する。

功利主義的に考えれば、＜場面③＞においても、A氏の乗車する自動運転車両は、加速することなく、スクールバスと衝突することで、スクールバスの乗員40人の命を救うほうが望ましいかもしれない。そうだとすると、自動運転車両のプログラム設計者としては、事前に、「自動運転車両が＜場面③＞に直面した場合には加速しない（＝自車のドライバーの命を犠牲にする）」という方向でAIを学習させておくべきであろうか。果たして、そのような自動運転車両を購入したいと考えるドライバーはどれだけいるだろうか。

さらに考えてみると、そもそもこうした功利主義の立場からAIを学習させること自体が妥当なのだろうかという問題もある。功利主義の立場を行動指針とすることで、かえって事態が複雑化することにもなりかねない。例えば、一方の車両には余命5年のドライバー、もう一方の車両には余命20年のドライバーが乗っていた場合、どちらの車両の安全を優先すべきか（2つの車両は自車のドライバーに関する情報を瞬時に交換できるものとする）。では、どちらのドライバーも同じ余命であった場合に、一方が高額納税者、もう一方が税金滞納者であったとすればどうか。これらはあくまでも一例であるが、ドライバーのパラメータを変えることで、議論はすぐに複雑な様相をみせる。

現段階では、自動運転車両のプログラミング設計者が、こうした「命を天秤にかける」行為を迫られることはないかもしれない。しかし、自動運転車両のセンシング技術が進展すればするほど、多かれ少なかれ、類似の問題が生じる可能性は十分にあろう。

Ⅱ　AIがもたらす合理性・精緻性の功罪

近年の行動経済学の研究によって、人間は、合理的に判断・行動しようとした結果、不合理な判断・行動をしてしまうことが実証されている。このように人間が、不合理な判断・行動に陥ってしまう原因としては、意思決定におけるヒューリスティックス（= heuristics）[注34]や認知バイアスの存在が指摘されている。例えば、人は、物理的に入手しやすいまたは認知的に想起しやすい情報をもとに推定したり（利用可能性ヒューリスティックス）、最初に与えられた情報を基準として、それに調整を加えることで判断したり（アンカリングと調整）、現在の状態から移動することを解する傾向をもったり（現状維持バイアス）、自分の先入観を強化するように情報を収集・解釈する（確証バイアス）。

これに対して、AIのもつ大きな強みは、こうした人間の陥りがちなヒューリスティックスや認知バイアスから自由であり、人間と比べて合理性・精緻性を伴った意思決定ができる（と考えられている）点であろう。

注34）大量の情報やデータを前に、人が何らかの意思決定を行う際、暗黙のうちに用いている簡便な解法や法則のことを指す。

一般的に、意思決定が合理性・精緻性を伴うようになること自体は、好意的に受け止められるべきである。しかしながら、意思決定におけるAIの活用を通じて、合理性・精緻性が追い求められすぎることによって、かえって倫理的な問題を惹起する場面も出てくるように思われる。

1　AIによる便乗値上げ

2017年9月、大型ハリケーンのアメリカ本土上陸を前にして、大手インターネット通販会社は、世間の批判にさらされていた。同社が扱う防災用品やペットボトルの水が、軒並み高騰していることに対して、「便乗値上げだ」と非難の声が上がったのである。現在、多くのインターネットショッピングサイトでは、タイムリーな需給状況に合わせて料金を変動させるダイナミック・プライシングの手法が取り入れられている。同社のシステムも、こうしたダイナミック・プライシングによって、ハリケーンの上陸を前に、防災用品やペットボトルの水の需要が拡大すると予測し、これらの製品の価格を値上げし、需給調整を行った。ダイナミック・プライシングは、まさにAIが得意とする分野であって、会社の収益の最大化を目的として与えられたAIは、気象情報、ニュース、検索トレンド等の多種多様かつ膨大な情報を集約・分析した上で、人間よりもはるかに合理的かつ精緻な価格調整の結果として、通常価格を大きく上回る値段を設定したのであろう。

災害時の便乗値上げに対する批判は、今に始まったことではない。AIが価格調整に活用されるようになる前から、すなわち人間の手で価格調整が行われていた頃から存在する問題である。この問題に対して、経済学者からは、「『便乗値上げ』と呼ばれる現象は、経済学的には必ずしも批判の対象となるべきものではなく、こうした値上げが行われるからこそ、真に商品を必要とする人々のもとへ、遠隔地から（高いコストをかけてまで）商品を提供しようとするインセンティブが働くのである」という反論も可能である。確かにこうした経済学者からの反論は説得的ではあるが、一方で、それでも人によっては、便乗値上げには腑に落ちない「何か」が残ると考えるであろう。この「何か」にこそ、「正義」や「倫理」の問題が潜んでいるように思われる。

この点、インターネット通販会社による値上げは、AIによるダイナミック・プライシングの帰結であったからこそ、人々の反発を招いたのだろうか。災害時における防災用品等の値上げが、AIの判断とは無関係に、パソコンすら使ったことのない雑貨店の店主のみの判断によって行われていたとしても、同じぐらいの反発を招いたであろうか。彼らの反発をよりつぶさに観察した場合、その反発の中身が、①「AIであろうと人間であろうと、便乗値上げをするのは同じくらい許せない」のか、②「感情をもつ人間が便乗値上げをするのは、AIが便乗値上げをすることよりもけしからん」のか、③「AIという無慈悲な存在に便乗値上げをされたことが気にくわない」のかによって、腑に落ちない「何か」の正体は異なりそうである。

まず①と考える人々は、便乗値上げそのものに対して、一貫して反発しているわけであるが、彼らが腑に落ちていない「何か」は、商品の価格を市場原理のみに委ねることへの疑念である。そうだとすれば、これは厳密には「AIと倫理」の問題ではない。いきすぎた市場原理を抑制するという合意さえ形成できれば、災害時の便乗値上げを禁止する法律・条例の制定を通じて、問題を解決することができるかもしれない。

もっとも、こうしたルールが制定される前に、インターネット通販会社が、災害時における価格調整（とそれに対する人々の反応）に関する大量のデータをAIに与えることで、「災害時、防災用品の価格が通常価格からどれだけ値上りすると、人は反発するのか」という統計学的分析を通じて、災害時における「倫理的」な価格調整を習得させようと試みるかもしれない。こうなると事態は少しややこしくなる。かかるAIは、「災害時に防災用品を値上げすることは望ましくない」という倫理観そのものを習得したとは限らず、「いかにして、人々からの反発を抑えつつ、災害時における防災用品の価格を引き上げられるか」という手法を習得したにすぎない可能性がある。その結果、「倫理的にみえる」振る舞いは習得したが、倫理観そのものを習得したわけではないAIによって、ある意味「巧妙に」便乗値上げが実行されることになるが、かえって、こうしたインターネット通販会社の行動は、社会から「反倫理的」と非難されないだろうか。

次に、②の考えの背景には、「AIが収益最大化のために便乗値上げをすることはやむを得ないが、AIとは一線を画するはずの人間はこうした便乗値上げをすべきではない」という価値観があるように思われる。「はなからAIに倫理的な振る舞いは期待しない。こうしたAIを活用する側の人間にこそ倫理観が求められる」という割り切ったスタンスであり、人間には倫理的な振る舞いが期待できることを前提にした考え方でもある。これはこれでわかりやすいが、「（倫理観を真に備えているかはさておき）AIのほうが、人間よりも容易に、倫理的な振る舞いを習得する」、「人間に倫理的な振る舞いが期待できるというのが幻想」などといった反論があるかもしれない。いずれにせよ、②の考え方が問題としているのは、AIという道具をうまく使いこなせていない人間側の振る舞いであるところ、これはAIを利用する場合のガイドラインの整備などを通じて、解消されるべき問題であろう。

③の考え方は、災害発生時という危機的状況において、防災用品や水というライフラインの入手可能性が、AIというテクノロジーによって影響されることに対する感情的な反発である。重要な局面における決定であればあるほど、機械ではなく人間に委ねたいという考えをもつ人々は少なくない。もっとも、実際には、AIによる価格設定のほうが、人間による価格設定よりも客観的・合理的であるがゆえに、結果として良心的な価格設定となる可能性は否定できない。強欲な人間のほうが、AIより暴利を貪るかもしれないからである。

AIに限らず、新たなテクノロジーが社会に登場した際には、テクノロジーを受け入れることへの抵抗感をもつ人々は少なからず存在する。こうした抵抗は、テクノロジーを深く理解している人々の目には、前時代的で不合理に映るかもしれない。しかしながらテクノロジーを受け入れない自由の尊重や、対話を通じたテクノロジーへの理解促進に努めなければ、AIのような影響が大きいテクノロジーの場合には、利用する者と利用しない者との間に、社会的、経済的、文化的断絶が生じかねない。

2　AIによってあばかれる社会の差別意識

2016年3月、米国マイクロソフト社は、人工知能チャットロボット「Tay（テイ）」を発表した。Tayは、機械学習技術を備えており、Twitter

等のサービスを通じて、人間と会話するほど賢くなるとのことであったが、サービス開始直後から、Tayは人種差別的な発言を繰り返すようになり、その日のうちにサービスの停止に追い込まれた。一部のユーザによって意図的に人種差別や性差別等を吹き込まれたことが、Tayが不適切な発言を繰り返すに至った原因とみられている。

前記Tayのケースは、不適切な学習データを意図的に与えられたケースであるが、こうした悪意あるデータ提供がない場合であっても、AIが人種差別的傾向を帯びる可能性がある。よく議論されるのが画像検索におけるバイアスの問題である。これは、検索サイトにおいて、「three black teenagers（3人組の黒人のティーンエイジャー）」と入力して画像検索を行うと、警察署で撮影された犯罪者とみられる画像が表示されるのに対して、「three white teenagers（3人組の白人のティーンエイジャー）」と入力して画像検索を行うと、バスケットボールを楽しむ白人3人組の画像が表示されるという問題である。こうした現象が起きてしまっている背景には、現実社会において、黒人に対する差別意識（潜在的なものも含む）が存在し、結果として、黒人の写真が犯罪と結びつけられる形でインターネット上に掲載されているケースが、他の人種と比べて多いという可能性が考えられている。

AIは、現実社会に存在する膨大なデータを学習データとして、事象間の相関性や法則性を発見する能力に秀でている。その能力は、人間の能力を凌駕しており、人間が通常気付いていないような相関性や法則性を見つけ出すことも可能である。いくら人間が無自覚であっても（またはあえて目を背けていたとしても）、AIは、現実の社会に存在する差別意識を人間の思考パターンとして読み取って、その思考パターンをAI自身のアルゴリズムとして取り込んでしまう。その結果、AIが差別的な挙動をみせるという事態に陥る。残念ながら、AIにとっての「人間らしく振る舞うこと」とは、「差別意識をもちながら、他人からはその存在を悟られないように留意しつつ、とはいえ意思決定の重要な考慮要素として扱う」ということになるのかもしれない。

いくらわれわれが差別意識の存在を否定しようとしても、見る人が見れば、見るAIが見れば、そこに差別意識が存在することがあばかれてしまう。AIがもつ合理性・精緻性からすれば、われわれは、AIによってあぶり出された人間の隠れた差別意識の存在を重く受け止める必要があろう。AIの存在によって、われわれ自身がそれまで無自覚であった差別意識に意識的となるという意味では、AIの果たす役割は意義深い。

他方で、AIによる人間の思考パターンの分析と取込みによって、既存の差別意識が固定化し、増幅される可能性も大きい。こうした事態を防ぐための方法としては、AIにインプットすべき学習データを選別することが考えられるが、実際に、与えるべき学習データをどのように選別するかは難しい。人間らしく振る舞うAIを生み出すためには、AIに「常識」を学ばせる必要があろうが、アインシュタイン博士が述べたように、「常識とは、18歳までに身に付けた偏見のコレクション」なのであれば、与えるべき学習データを選別しすぎることも正しいとは限らないように思われる。

この点、与えるべき学習データの選別はせずに、差別意識を伴ったアルゴリムを事後的に補正するという方法も考えられる。まさに子供に対する倫理教育と同じく、成長していく過程で、（それを悪いものとは知らずに）身につけてしまった差別意識を、その後の倫理教育によって取り除くという作業である。もっとも、人間にとっても、どこまでが「区別」で、どこからが「差別」かを明確に線引きすることは難しいにもかかわらず、こうした線引きを、AIにも理解できる形で学習させることは至難の業であろう。AIの設計者自身の倫理観が正面から問われる場面である。

3　AIを利用しない自由？

AIは、一般的に「曖昧さ」が苦手だといわれているが、実際の社会や制度には、多くの「曖昧さ」が存在する。AIにとっては、こうした「曖昧さ」が排除された、判断の基準や論理関係が明確な社会や制度であるほど、理解・分析が容易であるところ、社会や制度の設計に当たってAIが活用されるようになるにつれて、AIの嫌う「曖昧さ」が徐々に除去されていくかもしれない。もっとも、逆に「曖昧さ」が一切除去されてしまうと、社会や制度の運用が硬直化し、妥当な結論を導けないというデメリットも出てくるし、これまで「曖昧さ」によってあえて覆っていた部分が可視化されることで、社会に軋轢が生まれる場合もあろう。すなわちAIの進歩・活用と既存の制度における「曖昧さ」との間には、一種の緊張関係が生じる場合がある。こうしたことから、一定の分野においては、AIの導入を控えたいというインセンティブが働く場合もあろう。

例えば、裁判所はどうか。一般的に、既存の裁判では、刑事事件の場合には、「合理的な疑いを差し挟む余地のない程度」の立証が求められ、民事事件の場合には、「高度の蓋然性」の立証が求められるとされている。とはいえ、「合理的な疑いを差し挟む余地のない程度」、「高度の蓋然性」という言葉が、具体的に何%程度の立証に成功した状態を指すのかという点については、明確とはなっていない。もっとも将来的には、数理法務の手法を用いたAIによって、既存の証拠関係から、ある事実がどの程度立証されているかについて、一定の数値化が可能となるように思われる。端的にいえば、「X氏が犯人である可能性は○%」という分析・予測が、極めて高い精度で可能となる時代が訪れる可能性があるということである。

これまでの刑事裁判においては、ある人物が犯人であるかどうかが争われた際、裁判所としては「合理的な疑いを差し挟む余地」の有無について判断すれば足りたが、将来的には、精度の高いAIを活用した「X氏が犯人でない可能性は○%」という弁護側の主張に耳を傾けざるを得ないのではないか。その場合、必然的に、「犯人でない可能性が何%あれば、裁判所は被告人を無罪とすべきか」という点が議論になろう。犯人でない可能性が0.1%でもあれば無罪とすべきと考える人もいれば、その可能性が10%はないと無罪にできないと考える人もいるかもしれない。また、この問題を考えるに当たって、被告人が有罪とされた過去の裁判例について、「有罪とされた被告人が犯人ではない可能性」をAIに分析させるかもしれない。その結果、裁判所のいう「合理的な疑いを差し挟む余地のない程度の立証」というのが、AIからみれば、仮に60%程度の立証にすぎないことが判明してしまった場合には、これまでの司法への信頼が一気に崩れ去りかねない。そもそも、こうした危険性をはらんでいるにもかかわらず、AIに過去の裁判例の分析を行わせるべきかどうかについても考え方が分かれるところであろう。また、裁判官による事実認定よりも、AIによる事実認定のほうが精度が高くなった場合、AIではなく、人間の裁判官に事実認定を委ねることは、果たして倫理的に許されるのかという問題もあろう。

「技術的には可能だとしても、実際にAIに委ねることの倫理的な問題」は、他にも多くあるように思われる。例えば、アメリカの自動車保険会社がドライバーに合わせた保険料を算出する際にAIを活用することにした。保険会社が収集するのは、ドライバーの氏名・住所等の情報である。ところが、ドライバーの氏名からはそのドライバーの人種が推測可能であり、ドライバーの人種・住居エリアを掛け合わせた情報と、ドライバーが交通事故を起こす割合には、有意な相関関係があったとする。このときに、こうした情報をもとにして、ドライバーの保険料を算定することは合理的かもしれないが、人種差別を助長するおそれもあるところ、倫理的に許されるだろうか。逆に、こうした相関関係が存在することが明らかにもかかわらず、統計的に事故を起こす確率が低いとされる氏名・住居のドライバーに、高い保険料を払わせることは、倫理的に許されるだろうか。

また今後、自動運転自動車の技術が飛躍的に向上し、自動運転自動車と人が運転する自動車の事故率に大きな差が生じたような場合に、人に自動車の運転を任せ続けることは、倫理的に許されるだろうか。今後は、AIがもたらす合理性・精緻性ゆえに、個人の自由に対するパターナリスティックな制約が正当化され、自己決定権との間で緊張関係を生じる場面も出てくるように思われる。

Ⅲ　AIによる個人の自己決定への侵襲

J.S. ミルは、その著作『自由論』において、「自由の名に値する唯一の自由は、われわれが他人の幸福を奪い取ろうとせず、また幸福を得ようとする他人の努力を阻害しようとしない限り、われわれは自分自身の幸福を自分自身の方法において追求する自由である」と述べ[注35)]、こうした自己決定権に対する制約は、他者への危害が発生することを防止する場合に正当化される（他社危害原理）とする。こうした個人の自己決定権の保障と

注35）J·S· ミル・塩尻公明＝木村健康訳『自由論』（岩波書店、2017）30頁。

制約に関しては、日本国憲法13条も、「生命、自由及び幸福追求に対する国民の権利については、公共の福祉に反しない限り、立法その他の国政の上で、最大の尊重を必要とする」と規定している。特に多様性の意義が語られることの多い現代社会においては、より一層、自己決定は称揚され、尊重されるようになった。

われわれは、一生の間で、数え切れないほどの判断を迫られる。朝食にパンを食べるのかご飯を食べるのか、天気予報の降水確率が40%の中、傘を持っていくのか持っていかないのか、インターネットのショッピングサイトにおいて「あなたにはこんな商品もお薦めです！」と薦められた商品を購入するのかという日常生活の判断から、どこの会社に入社するのか、どのような金融商品に投資するのか、癌の診断を受けた際にどのような治療方法を選択するのかという、人生を大きく左右するような判断までさまざまである。どれだけ自覚的であるかはさておき、確かにわれわれは「自己決定」の積み重ねの上に今を生きている。

もっとも、現代社会においては、われわれが「自己」決定だと思っているものは、われわれが思っているほど、自ら決定したことといえるのだろうかという疑問を抱く場面も少なくない。すなわち、われわれが自己決定したような体裁にはなっているかもしれないが、実際には、われわれはそのような決定を下すように誘導された結果にすぎないのではないか、という疑問である。例えば、先ほどの例でいえば、インターネットショッピングサイトは、われわれ個人の商品購入履歴や検索履歴と、サイトが保有する購入者のデータを基に導き出した消費行動パターンを掛け合わせて、サイトの訪問者にお薦め商品を提示する。訪問者が、サイトを訪問する際にはまったく購入を考えていなかったそのお薦め商品を購入した場合、この訪問者は、本当に、自らの意思で、その商品を購入したと言い切れるのだろうか。確かに、最終的に、その商品を購入しようと「購入ボタン」をクリックしたのはその人自身である以上、その人の「自己決定」といい得るのかもしれない。ただし、購入者自身が、「お薦め商品」は、自己の消費行動パターンに基づく予測結果であることを理解して購入する場合と、そういった事情を理解せずに、ただ薦められるがままに漫然と購入した場合とでは、その意味合いは異なりはしないだろうか。

将来的に、AIが膨大なデータと精緻なアルゴリズムを手にして、われわれの欲求や嗜好を把握し、将来の行動予測の精度が極めて高くなった場合（すでに、インターネットショッピングサイトが提示する「お薦め商品」は、容易に筆者の財布の紐を緩めるだけの魅力的な提案であることが多いが）、AIが人間に提示する行動・判断の選択肢は、われわれ自身にとって、悩む必要すらないほど、われわれの欲求・嗜好にフィットした選択肢となる可能性がある。それはそれで、とても便利で魅力的な世界ではあるが、そこに「私」の意思が介在する余地はあるのだろうか。

より問題となるのは、実はAIがこうした選択肢の提示を行う際に、例えば、当該AIの研究・開発に莫大な資金を提供したスポンサー企業にとって有利なバイアスが組み込まれていたような場合である。この場合、利用者は、そうとは知らないままに、特定のスポンサー企業にとって有利な選択肢を選ぶ可能性がある。また、すでに述べた通り、AIは、社会に潜在する差別意識などをそのまま取り込んでしまう可能性があるところ、こうしたAIのアルゴリズムを基にして提示された選択肢もまた、社会の潜在的な差別意識のバイアスがかかっているかもしれない。その場合、われわれの自己決定は、知らず知らずのうちに歪められているのではないだろうか。

もっとも、膨大な情報があふれる現代においては、必要とするすべての情報を自力で収集する時間的余裕はなく、むしろAIがあるからこそ、われわれの自己決定が充実したものになるといえるかもしれない。例えば、目の前に1000の選択肢が乱雑に提示され、結局は選びきれずに、闇雲に１つの選択肢を選んだ場合よりも、事前に、その人の欲求と嗜好を把握したAIによって選択肢が３つに絞られ、３つの選択肢の中から１つを選びとる場合のほうが、われわれの満足度は高いかもしれない。

このようにAIの行動予測とわれわれの自己決定は、ある場面では補完する関係となるが、その一方で、潜在的な緊張関係を孕んでいるようにも思われる。重要なのは、こうした潜在的な緊張関係があることを、利用者側においても理解しておくことであろう。

第4章
おわりに――社会に広く受け入れられるAIを目指して

これまでみてきた通り、AIに関する倫理的問題については、単純な「正解」がない問題ばかりである。同時に、AIに関する倫理的問題は、AIの技術的革新や社会的影響の拡散のスピードがあまりにも急であるがゆえに、将来のAIに関する法整備をも視野に入れた上で、何らかの方向性を示す必要に迫られてもいる。こうした中、社会に広く受け入れられるAIを実現する道のりにおいて、何が重要となるであろうか。

AIが広く社会に受け入れられるためには、当たり前のことではあるが、「社会との対話」が極めて重要であろう。人工知能学会の倫理指針8においても、「社会との対話と自己研鑽」が掲げられ、「人工知能学会会員は、社会には様々な声があることを理解し、社会から真摯に学び、理解を深め、社会との不断の対話を通じて専門家として人間社会の平和と幸福に貢献することとする」とされている。AIに関する倫理的問題については、単純な「正解」がない以上、導き出された結論の中身もさることながら、そこに至ったプロセスの適切さが求められる。

AIのもたらす影響は極めて広範囲にわたることから、その「対話」の方法論が問題となる。この点に関しては、過去の科学技術倫理をめぐる施策から学ぶべき点が多い。例えば、これまでも遺伝子組換え技術や脳死・臓器移植など、先進的な科学技術に関する問題を議論する際に用いられた「コンセンサス会議」という手法を取り入れることも考えられる。この手法は、1987年にデンマークで生まれ、新しい科学技術の社会的影響評価を市民参加で行うための方法として考案されたものである。その特徴としては、10数人規模の比較的少数の市民からなる市民パネルによって徹底的な議論を重ねること、議論の過程で専門家からの意見を聴取するが、最終的な報告・提言文書も、市民パネルによって起草されることなどが挙げられる。

こうしたコンセンサス会議に加えて、討論型世論調査（deliberative Poll）の活用も考えられる。討論型世論調査とは、「通常の世論調査とは異なり、1回限りの表面的な意見を調べる世論調査だけではなく、討論のための資料や専門家から十分な情報提供を受け、小グループと全体会議でじっくりと討論した後に、再度、調査を行って意見や態度の変化を見るという社会実験」とされている[注36]。わが国では、これまでに6件開催されているが、そのテーマは、「道州制の是非」、「公的年金制度のあり方」、「政府による『エネルギー・環境の選択肢』（2030年の原発依存度など）」といった、幅広い層からの社会的関心が高いものであった。討論型世論調査の特徴としては、「母集団を統計学的に代表するように参加者をサンプリングして選定するので、積極的な参加希望者だけではなく、投票にあまり参加しない若年層などを含むことができ、『社会の縮図』（microcosm）を構成することができ」るとされ、「議題とする公共政策の諸問題について、専門家の知見などの情報が整理されて示されたうえで、討論を行う場が形成されるので、参加者は問題について表面的な理解ではなく、長期的な視点に立った十分に熟慮された意見を示すことができるようになる」とされる[注37]。

また、こうした「社会との対話」の前提として、AIに関する共通理解の形成が不可欠であるようにも思われる。過去最大のAIブームの中で、AIというキーワードがビジネスワードとして、社会にあまりにも氾濫しすぎている。第1章でも述べた通り、研究者によって、AIの定義は異なってはいるが、何らかのアルゴリズムに従って外部からのインプットに応対するものすべてが、商業的思惑から「AI」と名付けられてしまっている現状においては、対話を実践するためのスタートラインに立つことすら難しい。AIに関する共通理解を形成するには、人工知能研究者側からの情報提供もさることながら、情報を受け止める側のリテラシーも求められているように思われる。こうしたリテラシーの向上には、わかりやすさ・

注36）慶應義塾大学DP研究センターホームページ（http://keiodp.sfc.keio.ac.jp/?page_id = 22）。
注37）前掲（注32）慶應義塾大学DP研究センターホームページ。

とっつきやすさに、いたずらに特化した教育ではなく、基礎的な教育を継続することが重要であろう。

最後に、哲学・倫理の専門家でもなく、AIの研究者でもない法律家としては、AIが広く社会に受け入れられるための道のりにおいて、どのような役割が期待されるのであろうか。この点、法律は、現実の社会において複雑に絡み合っている利害関係を調整し、やっとの苦労で何とか交通整理した結果を、文章の形でまとめたものである。AIのように社会に大きな変革をもたらす技術であっても、既存の交通整理の結果を無視して、まったく新たな枠組みを作り出そうとしたところで大きな反発を招くだけであり、まずは既存の枠組みによっても解決できる問題、解決できない問題を峻別することから始める必要がある。法律の理解を通じて、既存の枠組みを深く理解している法律家こそが、こうした役割を担うべきであって、ひいてはAIが広く社会に受け入れられるための仕組み作りのプロセスにおいても、積極的かつ重要な役割を果たすことにつながるであろうと確信している。具体的には、例えば、企業がAIを事業活動に活用することが社会において定着するまでは、企業としても、弁護士が関与する形で、AIの利活用に関する倫理委員会を設置することも一案であろう（次頁コラム「AI倫理委員会」参照）。法律専門家である弁護士が関与する倫理委員会において、AIの利活用に伴うリスクや倫理的課題を議論する仕組みとしておくことで、結果として、何か起きてしまった際に、企業に対する社会的批判や役員の善管注意義務を一定程度低減することも可能であろう。これは1つの例ではあるが、これ以外にも、ある程度の数の規模を有し、高い職業倫理が求められる弁護士だからこそ、AIが広く社会に受け入れられるために担える役割があるはずである。

（鈴木悠介）

コラム　AI倫理委員会

AIに関する倫理の問題は簡単に答えが出ないものも多い。そして、多くの人が「難しい問題だね」で終わってしまい、それ以上突きつめて考えることはないように思われる。しかし、AI時代には、とりわけAIを開発する現場ではAIと倫理についての問題に直面し、突きつめて考える必要性が生じている。

実際の現場において倫理の問題に直面することが多い分野として医療がある。例えば、子供が産まれる前に遺伝子診断をしてよいか、異常があると判断された場合に堕胎してよいのか、安楽死を認めてよいか、といった問題は、生命にかかわる重大問題である。医療においては、このような生命にかかわるような重大な倫理問題に直面せざるを得ず、これを解決しなければならない。

AIの研究・開発においても、このような医療分野の倫理の取扱いを参考にすることはできるのではないだろうか？

医療分野では、人体を対象とした新しい診療の研究・開発を行う場合には、大学や病院において設置した倫理委員会に申請を行い、倫理委員会が、その研究・開発の可否を検討している。

そこで、これを参考に、企業においても、人の生命・身体に影響を及ぼすようなAIを研究・開発する場合には、それぞれの企業において有識者から構成される倫理委員会を設置し、AIに関する研究・開発が倫理的・社会的なものかを審査して、審査をパスしたものだけが市場で販売されるようにする仕組みを作るのはどうだろうか。

現在、AIについて、いくつかの倫理基準が公表されているが、内容としては抽象的であるため、個別具体的な事例で悩ましい事案については判断基準とならないことも十分想定される。そもそも倫理の問題は、情況によって異なるのであるから、一律の基準を適用するのは難しい。他方で、研究者・開発者にもいろいろな考え方の持主がいるのだから、研究者・開発者の個人的な倫理感にすべてを委ねてしまっては、企業としてリスクが高すぎるのではないだろうか。

そこで、有識者から構成される倫理委員会を設置し、倫理的・社会的な観点から、研究・開発をスクリーニングすることは、反倫理的・反社会的なAIによって社会や利用者に悪影響や被害が出ることを防ぐだけではなく、製品が市場に流通した後で倫理的問題を指摘され、社会的批判を受けたり、製品をリコールしなければならなくなるリスクを抑えるために有益であろう。

また、このような倫理委員会は、研究者・開発者を守ることにもなる。なぜなら、後で製品に倫理的問題があると指摘された場合に、研究者・開発者個人の倫理観が攻撃されることになるが、倫理委員会を通っているのであれば、倫理的問題の責任の一端は、倫理委員会にもあるのであって、研究者・開発者個人だけの責任ではないといえるからである。

さらに、倫理委員会で十分に検討したのであれば、明らかに倫理違反の行為を排除できることはもちろん、トロッコ問題のような難しい倫理問題について、後で倫理的問題があると指摘された場合であっても、そのような指摘に対して、なぜ、そのような判断をしたのかについて、倫理委員会から、倫理的な観点からの説明が可能となり、反論することが可能である。

結論が出ない問題ほど、逆に多様な考え方が成立するのであり、反論も十分可能である。倫理に関する問題の本質は、結論の正しさではなく、どのような説明ができるのかということもあるのではないだろうか。

したがって、AI倫理の問題を解決するための1つの手段として、AIを研究・開発する企業において倫理委員会を設置することは有益なのではないかと考える。AI倫理委員会での倫理指針や運営ルールについては今後詰めていく必要があろう。その実効性を確保するにはAI倫理委員会のメンバーは外部者の参加やダイバーシティが重要となろう。

●著者略歴●

福岡真之介（ふくおか　しんのすけ）
西村あさひ法律事務所・パートナー弁護士
ニューヨーク州弁護士
1996年　東京大学法学部卒業
1998年　司法修習修了（50期）
1998年～2001年　中島経営法律事務所勤務
2006年　デューク大学ロースクール卒業（LL.M.）
2006年～2007年　シュルティ・ロス・アンド・ゼイベル法律事務所勤務
2007年～2008年　ブレーク・ドーソン法律事務所（現アシャースト）勤務
2014年～2015年　大阪大学大学院高等司法研究科招へい教授
2018年～2019年　経済産業省「AI・データ契約ガイドライン検討会」委員
2018年～2019年　内閣府「人間中心のAI社会原則検討会議」構成員
＜担当＞第1編第1章、第2編第1章～第3章、第5編Ⅰ・Ⅱ
＜著書・論文＞『AI開発のための法律知識と契約書作成のポイント』（清文社、2020）、『IoT・AIの法律と戦略〔第2版〕』（商事法務、2019）、『データの法律と契約』（商事法務、2019）、『データ取引の契約実務――書式と解説』（商事法務、2019）、『知的財産法概説〔第5版〕』（弘文堂、2013）、「会社とAI（人工知能）――会社法への示唆」資料版商事法務（2017）、「Licences and Insolvency: A Practical Global Guide to the Effects of Insolvency on IP Licence Agreements（Japan Chapter）」Globe Law and Business（2014）、「知的財産の管理における留意点」月刊監査役633号（2014）など多数。

平尾　　覚（ひらお　かく）
西村あさひ法律事務所・パートナー弁護士
1996年　東京大学法学部卒業
1998年　司法修習修了（50期）
2001年　イリノイ大学ロースクール卒業（LL.M.）
1998年～2011年　検事
1998年～2000年　東京、福岡、岡山地方検察庁
2000年～2002年　法務省刑事局付（人事院長期在外研究員）
2002年～2005年　千葉、東京、福岡地方検察庁
2005年～2008年　法務省刑事局付（総務課・刑事課担当）
2008年～2010年　福岡地方検察庁久留米支部長
2010年～2011年　東京地方検察庁特別捜査部
2013年～2015年　桐蔭横浜大学大学院法務研究科客員教授
＜担当＞第2編第4章、第5編Ⅲ

＜著書・論文＞『危機管理法大全』（商事法務、2016）、『日本版司法取引と企業対応――平成28年改正刑訴法で何がどう変わるのか』（清文社、2016）、「改正刑事訴訟法の『日本版司法取引制度』が企業に与える影響――法改正の内容と、企業内犯罪における社内調査で押さえるべき実務上の留意点」労政時報3937号（2017）、「日本版司法取引の導入と企業としての留意点」会社法務A2Z 2017年12月号。

菅野　百合（すがの　ゆり）
西村あさひ法律事務所・パートナー弁護士
2001年　京都大学法学部卒
2003年　司法修習修了（56期）
2003年～2007年　弁護士法人大江橋法律事務所勤務
2007年　西村あさひ法律事務所入所
2011年～2012年　ニューヨーク大学ロースクール卒業（LL.M）
2013年～2014年　GCAサヴィアン株式会社に出向
＜担当＞第3編第4章
＜著書・論文＞『働き方改革とこれからの時代の労働法』（商事法務、2018）、「労働法の視点から見たHRテクノロジー活用における留意点――人事施策での活用に向けた従業員データの分析や、モニタリング等に伴う法的リスクを考える」労政時報3965号（2019）、「連載・リーガル『働き方改革』」日経ESG（2019～2020）など。

仁木　覚志（にき　さとし）
西村あさひ法律事務所・パートナー弁護士
1994年　大阪大学工学部卒業
1994年～2001年　石川島播磨重工業株式会社（現：株式会社IHI）航空宇宙事業本部勤務
2006年　司法修習終了（59期）
2006年～2014年　松下電器産業株式会社（現：パナソニック株式会社）知的財産権本部勤務
＜担当＞第2編第1章、第3編第1章
＜著書・論文＞『M&A法大全（上）（下）〔全訂版〕』（商事法務、2019）、『宇宙ビジネス参入の留意点と求められる新技術、新材料』（技術情報協会、2020）、「特許売買におけるデューデリジェンスと契約の留意点」知財管理67巻10号（2017）、「新型コロナウイルス感染症と特許権の効力の制限」LES JAPAN NEWS 61巻3号（2020）など。

松村　英寿（まつむら　ひでとし）
西村あさひ法律事務所弁護士

2000年　慶應義塾大学法学部政治学科卒業
2002年　司法修習修了（55期）
2002年～2004年　牛島総合法律事務所勤務
2015年　カリフォルニア大学デービス校ロースクール卒業（LL.M.）
2016年　南カリフォルニア大学ロースクール卒業（LL.M., Graduate Certificates in Business Law and Entertainment Law）
＜担当＞第3編第2章・第3章・第6章
＜著書・論文＞『データの法律と契約』（商事法務、2019）、『データ取引の契約実務――書式と解説』（商事法務、2019）、『知的財産法概説〔第5版〕』（弘文堂、2013）、『会社法実務解説』（有斐閣、2011）、「会社とAI（人工知能）――会社法への示唆」資料版商事法務399号（2017）、「The International Comparative Legal Guide to: Mergers & Acquisitions 2010 (Japan Chapter)」Global Legal Group（2010）など多数。

北條　孝佳（ほうじょう　たかよし）
西村あさひ法律事務所弁護士
2000年　電気通信大学大学院修士課程修了
2000年～2014年　警察庁
2004年～2009年　警察大学校警察情報通信研究センター
2009年～2014年　警察庁情報通信局情報技術解析課
2015年　司法修習修了（68期）
2016年～　日本シーサート協議会　専門委員
2016年～　デジタルフォレンジック研究会
2017年～　マイクロソフトMVP認定
2017年～　情報ネットワーク法学会
2018年～　国立研究開発法人情報通信研究機構　招へい専門員
2020年　総務省発信者情報開示の在り方に関する研究会　構成員
＜担当＞第3編第7章
＜著書＞『デジタル法務の実務Q&A』（日本加除出版、2018）、『経営者のための情報セキュリティQ&A45』（日本経済新聞出版社、2019）、『基礎から学ぶデジタル・フォレンジック――入門から実務での対応まで』（日科技連出版社、2019）、『今からはじめるインシデントレスポンス＝Incident Response : 事例で学ぶ組織を守るCSIRTの作り方』（技術評論社、2020）など多数。

山本　俊之（やまもと　としゆき）
西村あさひ法律事務所弁護士
日本証券アナリスト協会認定アナリスト、国際公認投資アナリスト
2000年　慶應義塾大学環境情報学部卒業
2000年～2005年　株式会社格付投資情報センター

2007年　慶應義塾大学法科大学院修了
2007年～2008年　メリルリンチ日本証券株式会社
2009年　司法修習修了（62期）
＜担当＞第3編第5章Ⅲ
＜著書・論文＞『FinTechビジネスと法25講――黎明期の今とこれから』（商事法務、2016）、『ファイナンス法大全（上）（下）〔全訂版〕』（商事法務、2017）、「AIを利用した公募投信の現状――勧誘・販売時における法的論点の考察を中心に」月刊金融ジャーナル2019年2月号など。

鈴木　悠介（すずき　ゆうすけ）
西村あさひ法律事務所弁護士
2007年　東京大学法学部卒業
2007年～2009年　株式会社TBSテレビ
2012年　名古屋大学法科大学院修了
2013年　司法修習修了（66期）
2014年～　公益社団法人日本パブリックリレーションズ協会 正会員
2017年～　一般社団法人人工知能学会 正会員
＜担当＞第1編第2章、第4編
＜著書・論文＞『危機管理法大全』（商事法務、2016）、『役員・従業員の不祥事対応の実務～社外対応・再発防止編～』（レクシスネクシス・ジャパン、2015）、「会社とAI（人工知能）――会社法への示唆」資料版商事法務399号（2017）、「『忖度』から考える企業不祥事――”妙薬”の効能と副作用」Business Law Journal 2018年2月号、「元報道記者の弁護士視点――危機管理広報の勘どころ」会社法務A2Z 2016年12月号など多数。

片桐　秀樹（かたぎり　ひでき）
西村あさひ法律事務所弁護士
2011年　大阪大学法学部卒業
2013年　一橋大学法科大学院卒業
2014年　司法修習修了（67期）
＜担当＞第3編第5章Ⅰ・Ⅱ
＜著書・論文＞『FinTechビジネスと法25講――黎明期の今とこれから』（商事法務、2016）、『ファイナンス法大全（下）〔全訂版〕』（商事法務、2017）、「仮想通貨取引の諸問題」会社法務A2Z 2017年9月号、「会社とAI（人工知能）――会社法への示唆」資料版商事法務399号（2017）など。

角田　龍哉（つのだ　たつや）
西村あさひ法律事務所弁護士
情報法制学会会員、Certified Information Privacy Professional/Europe

（CIPP/E）
2011年　慶應義塾大学法学部卒業
2013年　東京大学法科大学院修了
2014年　司法修習修了（67期）
2014年～　東京大学法科大学院未修者指導講師
＜担当＞第3編第3章
＜著書・論文＞競争法関連の著作として「プラットフォーム事業者側の視点」ジュリスト1545号（2020）、「ビッグデータと単独行為」ジュリスト1508号（2017）、「Common Ownershipをめぐる諸問題――競争法・コーポレート法制の観点から」神田秀樹責任編集・資本市場研究会編『企業法制の将来展望――資本市場制度の改革への提言2020年度版』（資本市場研究会、2019）等、個人情報保護関連の著作として『個人情報保護法制大全』（商事法務、2020）、「成立までに検討すべきEUにおけるeプライバシー規則案の要点」Business law Journal 2018年10月号等。

沼澤　　周（ぬまざわ　しゅう）
西村あさひ法律事務所弁護士
2012年　東北大学法学部卒業
2014年　一橋大学法科大学院卒業
2015年　司法修習修了（68期）
＜担当＞第2編第1章、第3編第1章
＜著書＞『完全対応 新個人情報保護法―― Q&Aと書式例』（新日本法規出版、2017）、『AI・ロボットの法律実務Q&A』（勁草書房、2019）

●事項索引●

欧　文

AI100 ……………………………454
AI-Readyな社会 ………………449
AIイニシアチブ ………………450
AI活用戦略～AI-Readyな社会の実現に向けて～ ……………449
AI契約ガイドライン …………188
AI生成物 ………………133, 141
AI代替 …………………………323
AIによる知的財産の侵害 ……143
AIネットワーク社会推進会議 …441
AI兵器 …………………………437
AI利活用ガイドライン ………444
AI倫理委員会 …………………479
AIを利用しない自由 …………471
Artificial Intelligence and Life in 2030 ……………………454
Asilomar AI Principles…………456
Ethically Aligned Design ………454
Future of Life Institute…………456
GDPR ……………………289, 292
High Frequency　Trade …………350
HR Tech …………………………328
HRテクノロジー…………………328
IEEE………………………………453
ML（machine learning）…………363
Partnership on AI ………………455
PoC ………………………………191
RFP…………………………………190
SAE（Society of Automotive Engineering） ……………………174
SOW ………………………………199
Tay（テイ）………………………469

あ　行

アジャイル…………………………188
アシロマAI原則 …………………456
アルゴリズム……………33, 304
アルゴリズム取引………………349
安全管理措置……259, 260, 283, 388
依拠性……………………………135
インサイダー取引規制等………356
インバージョン・アタック……416
ウェアラブルデバイス…………339
ウォーターフォール……………188
請負契約…………………………191
運行供用者……………394, 396, 398
――責任………………394, 397
営業秘密…………………31, 115
営業秘密管理指針………………116
エバージョン・アタック………415
オープン・ソース・ソフトウェア（OSS）……………………29, 209
オブジェクト・コード…………209

か　行

解雇………………………………345
顔認証データ……………………257
学習済みパラメータ……………29, 46
学習済みモデル…………28, 44, 190
過失運転致死傷罪………………170
画像検索におけるバイアス……470
基準認証説………………………154
義務論……………………………463
強化学習……………………………9
教師あり学習………………………9
教師データセット…………………75
教師なし学習………………………9
共同著作物…………………………57
業務上過失致死傷罪……………172
共有…………………………………40
金融規制…………………………366
金融庁……………………………368
クッキー…………………………262
クリームスキミング……389, 390
経営判断原則……………………373
結合著作物…………………………57

限定提供性……………………122
限定提供データ……………31, 121
限定提供データに関する指針……122
功利主義……………………463
国際的な議論のためのAI開発ガイドライン案……………………441
個人識別符号…251, 252, 257, 277, 279
コピーレフト…………………210
コンセンサス会議……………476

さ 行

サイバーセキュリティ…………408
採用の自由……………………331
錯誤取消し……………………166
サポート要件……………………97
識別性…………………251, 257
自己決定権……………………473
次世代AIガバナンス原則――責任を有するAIの発展……………453
自然人基準説…………………153
実施可能要件……………………97
自動車の運転により人を死傷させる行為等の処罰に関する法律……170
自動運行装置…………………176
従業員のプライバシー…………337
修正基準認証説………………154
準委任契約……………………191
肖像権…………275, 276, 280, 288
蒸留モデル……………30, 68, 233
信頼できるAIのための倫理ガイドライン……………………452
人工知能学会…………………434
人工知能学会倫理委員会………435
人工知能学会倫理指針…………435
人工知能と人間社会に関する懇談会……………………………439
「人工知能と人間社会に関する懇談会」報告書……………………439
人事評価………………………335
信用リスク……………………420
信頼の原則……………………172
製造物責任……………………151
説明可能性（explainability）……366
説明責任（accountability）……366
僭称AI…………………………136
選択の自由……………………332
相当量蓄積性…………………122
相場操縦行為の禁止等…………356
ソースコード…………………209
識別性…………………………287
属性情報…………………257, 258
ソフトウェア特許………………92

た 行

第三者提供…… 261, 262, 265, 270, 271, 272, 276, 277, 288, 295
――時……………………282
ダイナミック・プライシング……467
多面市場………………………313
探索的段階型の開発方式………191
調査の自由……………………332
著作権オーバライド……………87
著作者人格権……………………41
ディープラーニング………………9
提供元基準……………………262
データオーギュメンテーション……27
デジタル・カルテル……………304
転移学習…………………………62
電磁的管理性…………………122
同一性保持権……………………42
統計情報………………………278
動線データ………257, 258, 281, 282
討論型世論調査………………477
特徴量データ…… 257, 258, 275, 277, 281, 282
特定デジタルプラットフォームの透明性及び公正性の向上に関する法律……………………………321
トロッコ問題…………………461

な 行

二重効果………………………463
日本銀行………………………369
人間中心のAI社会原則…………447

――検討会議……447
認知バイアス……466

は 行

配置転換……342
派生モデル……29, 233
非公知性……117
ビジネス関連特許……108
秘密管理性……116
ヒューリスティックス……466
フィルター・バブル……301
風説流布の禁止等……356
不正アクセス罪……413
不正指令電磁的記録作成等罪……410
不正リスク……420
プライバシー影響評価……297, 298
プライバシー・バイ・デザイン……297, 299
ブラックボックス化……358
ブリッジ問題……465
プログラムの創作性……36
プログラムの著作物性……33
プロトコール……33
北京AI原則……453
保安基準……177, 179
ポイズニング・アタック……415
歩道橋問題……462

ま 行

マルウェア……409
無料市場……313
モニタリング……337

や 行

優越的地位の濫用……315
許された危険……173
ユースケース……363
容易照合性……251, 252, 279, 285, 286, 287
要配慮個人情報……340

ら 行

リバース・エンジニアリング……59, 233, 413
類似性……135
ロックイン効果……315
ロボ・アドバイザー……352
ロボット工学者のための倫理行為コード……452
ロボティクスにかかる民事法的規則に関する欧州委員会への提言……451

AIの法律

2020年11月20日　初版第1刷発行

編著者　福岡真之介

発行者　石川雅規

発行所　株式会社 商事法務

〒103-0025 東京都中央区日本橋茅場町3-9-10
TEL 03-5614-5643・FAX 03-3664-8844〔営業〕
TEL 03-5614-5649〔編集〕
https://www.shojihomu.co.jp/

落丁・乱丁本はお取り替えいたします。　印刷／そうめいコミュニケーションプリンティング

Printed in Japan

Shojihomu Co., Ltd.
ISBN978-4-7857-2825-0
＊定価はカバーに表示してあります。